宇田川文海に
師事した頃の

管野須賀子

堀部功夫著

日本古書通信社

序

半世紀前に、明治前期の大阪文壇を調査した。以後も資料収集に努め、纏めにかかる。だが、重鎮だった宇田川文海の事歴だけでも大変なので、まず補論「宇田川文海に師事した頃の管野須賀子」を切り離して一本にしようと思い立つ。

その矢先、去年より加齢に伴う諸病を併発し、治らない。もう時間をかけての練成は断念せざるをえなくなった。発想も史料蒐集も考証も未熟、文章も蕪雑なままと欠陥を自覚しながら、刊行に踏み切る。根拠薄弱な説がこの三十年間に広まってしまったのに驚き、急ぎ食い止めの必要を感じたためである。

批判するからには対案を出さなければいけない。本書の後半は倉卒の試案である。

引用を〈 〉、著作名を「 」、掲載誌紙名や書名を『 』、出典を（ ）で括る。〔 〕は補記私注分などを括る。〃 〃は所謂に用いる。＊は注である。

年代や人名漢字での表記混在は、できるだけ原資料の表記を尊重した結果である。

本書に引用した方々〔敬称略〕から刺激を受けた。直接、清水卯之助様〔管野義秀除籍謄本を閲覧させていただいた〕、山本敎彦様〔『大阪新報』所蔵先を教示〕、大岩川嫩様・山泉進様〔『大逆事件の真実をあきらかにする会ニュース』49～56号入手〕、樽見博様〔大谷本後刷の存在を教示〕のお世話になった。深謝します。多くの諸機関の蔵書を利用させて頂いた。御礼申し上げます。

編集・印刷・出版に関わられた各位、本書を購読してくださる皆様に鳴謝いたします。

二〇一八〔平成三十〕年九月五日〔母命日〕

堀部　功夫記之

目次

第一章　水を飲むとき井戸を掘った人の苦労をしのぼう

一、これまでの研究

新聞記者・続き物〔新聞小説の前身〕作者の宇田川文海に師事した頃に限定し、管野須賀子〔姓を管野、名をスガともすがとも書く。須賀子は筆名、筆名は他に幽月・玉香・エスほか〕について、調べ考えたことを報じよう。

〈水を飲むときは、井戸を掘ったひとのことを考える〉、〈「飲水思源」という中国のことわざ〉があるよし、安藤勝「〔藤井哲編著『福原麟太郎著作目録』推薦文〕」〔同上版面見本〕で知った。そこで先行の研究を調べ学ぶところから始める。誰が発見したかなど興味のない方にはご迷惑ながら。

研究史が何故必要か、森鷗外の言を引く。

△学問には学問の歴史あり。藝術には藝術の歴史あり。学問藝術の進歩とは、その歴史をもて基址となし、木をその上に架し、石をその上に畳ぬるものなり。

△新に説をなさんと欲するものは、先づ歴史上に己れの将に手を着けんとする所の問題の、既にいかに解釈せられ、若しくは少くもいかなる程度まで研究せられ居るかを回顧せざるべからず。然らずんば説者は何によりてか己れの新なりとなす所の、或は既に陳りたるを暁知することを得ん。今の西洋の学者は皆重きをその論説の真に新なりや否やに置く。是れその往々立論の着先を争ふことを憚らざる所以なり。

△論説に前人を援引するはその立論の基址を据うるに外ならず。故に学者は援引の多きを憂へずして、唯ゞ基址の牢からざるを憂ふ。蓋し荀卿の所謂飛耳長目は学者の学者たる所以の第一要件たり。（「心頭語二十八」）

大逆事件そのものの研究はすでに膨大な蓄積があり、私は学習中である。私の見当もつかぬ史料で、専門家ならすぐ思い当たるような文献も、まだまだあるに違いない。

管見に及んだ、文海と須賀子の両方の登場する文献を列挙しよう。口承のそれは記録が残らない限り把握出来ず、書承言説一覧に留まった。

本章では大谷本の登場までを取り上げる。

1　須賀子文海研究史・一〔1904〜1926〕

文海生前の言説である。当時を知るものの多くいた時期に公表されたものである。普通は虚偽の事柄を書ける状況にないと見てよいであろう。誤聞・思い違い・意図的変更への注意は要るけれども。

小田・山口1904　小田生〔小田頼造〕・山口生〔山口義剣〕「伝道行商の記（十

一〇」（明治二十七年十二月二十五日付『平民新聞』）

松崎 1909 天民〔松崎天民〕「東京の女（十六）」（明治四十二年九月十二日付『東京朝日新聞』。のち、正誤し、読点のみを句読点とし、推敲して、松崎天民著『東京の女』〔隆文館・明治四十三年一月一日〕に再録）

一記者〔松崎〕1910 一記者〔松崎天民〕「被告中の紅一点」（明治四十三年十一月十日付『東京朝日新聞』）

〔『大毎』記者・無署名〕1910 〔無署名〕「奇抜な死際が望み」（明治四十三年十一月十一日付『大阪毎日新聞』）

松崎 1923 松崎天民「新聞記者懺悔録」（大正十二年八月一日刊『中央公論』説苑欄六十五ページ。のち松崎天民『記者懺悔人間秘話』（新作社・大正十三年九月二十五日）一一九ページに再録される。）

深田 1926 深田禮市「反逆の女性菅野スガ子」（大正十五年八月一日刊『変態心理』）

須賀子処刑前、須賀子・文海の仲に関しては、

○**松崎** 1909 に、〈略〉大阪の博覧会時分には宇田川文海翁の許に居て、黄色新聞大阪朝報にも筆を執て居た〔略〕〉、

○**一記者** 1910 に、〈一時は大阪の古い小説家宇田川文海と同棲して、夫婦同様に暮して居た事もある〔略〕〉、

○**〔『大毎』記者・無署名〕** 1910 は、異母兄談話に基づくと思われる。明治三十七年十一月以後の一時期、〈すが子は大阪に往来して相変らず宇田川文海の周旋で婦女新聞其他に筆を執て居りました〉、と報じられた。

その後、二人の仲に関し、

○**松崎** 1923「一二、石川啄木」が、〈「僕は妙な口語体の歌を作つては、能く啄木に見て貰つて居たよ。何時だつたか、大逆事件の管野すが子の話をして、大阪に居た頃は紫の袴を穿いて、黄色の大阪朝報とか云ふ新聞の婦人記者を勤めて居たことや、宇田川文海老人と親しくして居たことなどを云ふと、啄木は面白さうに聴いて居たよ」〉、と回想する。

須賀子の文学に関し、

○**深田** 1926 に、〈その頃の彼女は、熱心な文学愛好者で、今尚ほ健在である宇田川文海氏の弟子になつたほどである。〔改行〕彼女の文学的素質は、その頃の読売新聞へ短篇を投書することによつて認められ、その入選と共に彼女の文名は一般的になつたのである〉、と報じられた。深田の言う『読売新聞』投書は未調査。

2 須賀子文海研究史・二〔1931～1954〕

文海歿直後から、荒畑寒村自伝まで。

松崎 1931 松崎天民「大阪の女・東京の女」（昭和六年三月一日刊『食道楽』）

荒畑 1947 荒畑寒村『寒村自伝』（板垣書店・昭和二十二年七月二十日。後版は別

記。のち、『荒畑寒村著作集9』〔平凡社・一九七七年一月二十日〕に収録。）

神崎 1950　神崎清編『大逆事件記録　第一巻』（実業之日本社・昭和二十五年六月十五日。のち、世界文庫・昭和四十六年十二月十五日の増補再版がある。）

糸屋 1950　糸屋寿雄『幸徳秋水伝』（三一書房・一九五〇年六月二十日。のち、絲屋寿雄『大逆事件』〔三一書房・一九六〇年二月二十一日〕もほぼ同文。糸屋寿雄『幸徳秋水研究』〔青木書店・昭和四十二年七月十五日〕もほぼ同文。）

佐多 1953　佐多稲子「管野須賀子」（昭和二十八年十一月一日刊『婦人公論』。のち、松島栄一『女の歴史』〔河出書房・昭和三十年五月十五日〕に再録。後『ばぁん・ばぁん』〔新創社・昭和三十四年六月二十日〕に再々録。）

水守 1954　水守亀之助『続わが文壇紀行』（朝日新聞社・昭和二十九年五月一日）

荒畑 1954　荒畑寒村『ひとすじの道』（慶友社・昭和二十九年九月三十日。後版は別記。のち、『荒畑寒村著作集9』〔平凡社・一九七七年一月二十日〕に収録。）

　須賀子の生活に関し、

○**松崎 1931** に、〈その朝報社には、宇田川文海翁に師事した例の管野すが子が居て、紫の袴を穿いて、当時の女記者の随一人として、大阪の町を横行闊歩して居たものだつた〉、

○**水守 1954** に、〈私は「大阪タイムス社」で、たま〳〵訪問して来てゐたエビ茶袴の彼女の姿を、ちらと見たことがあった。〔略〕菅野幽月も小新聞に作品を発表してゐたと覚える〉、と伝えられる。

　須賀子の文学に関し、神崎清「明治大正の女流作家」（山本三生編纂代表『日本文学講座第十二巻』〔改造社・昭和九年四月八日〕）が言及する。

寒村自伝

　戦後発表された言説として、まず、荒畑寒村『寒村自伝』を挙げなければならない。

　荒畑寒村の自伝から、宇田川文海に師事した頃の管野須賀子を窺ってゆこう。

　本になった『寒村自伝』は本人言（岩波文庫版の「はしがき」）によれば五種類ある。次の通り。

第一次　『寒村自伝』（板垣書店・昭和二十二年七月二十日）**荒畑 1947**

第二次　『ひとすじの道』（慶友社・昭和二十九年九月三十日）**荒畑 1954**

第三次　『寒村自伝』（論争社・昭和三十五年六月二十日）

第四次　『新版　寒村自伝』上下二巻（筑摩書房・昭和四十年一月十五日）

第五次　『岩波文庫　寒村自伝』上下二巻（岩波書店・一九七五年十一月十七日〜十二月十六日）

である。雑誌発表分にまでは立ち入れなかった。

　本書守備範囲分を引用しよう。**荒畑 1947** の「平民社時代／二、伝道行商／管野須賀子」に、

大阪の生れで幼少の折から継母のために苦しめられ、一たび人に嫁したが離婚後、鉱山業に失敗して中風のために半身不随となりながらも、猶且つ朝夕の食膳に贅沢を並べる父と弟妹各一人をかかえて、人生の荒浪をしのいで往かねばならなかつた。彼女は大阪の小説家宇田川文海に師事して小説家を志したが、しかし作家として成功すべき才分はどう贔屓目に見ても存しなかつた。従つて、その名を署した拙い小説が大阪の新聞にのつて、やつと一家をさゝえるだけの金を得るためには、文海の力に頼らねばならなかつたと共に貞操をもつて払はねばならなかつたのである。〔改行〕そういう境遇のために彼女はだん〱捨て鉢となり、その生活に沈緬して享楽耽溺するようにもなり、そして後に文海から離れて新聞記者となつてからはます〱荒んだ生活を送り、いろいろな男と浮名を流すに至つた。しかも一面ではまた、そういう生活に対する反省と反撥とから、キリスト教徒となつて大阪婦人矯風会の林歌子女史に引立てられ、京都に移り住んで同志社教師の英国婦人に日本語を教えていたのであるが

と書かれる。*

＊引用部分の諸版異同表〔字体の異同は略〕は次のとおり。

第一次	第二次	第三次	第四次	第五次
大阪の	彼女は大阪の	〔同上〕	〔同上〕	〔同上〕
生れ	生まれ	〔同上〕	〔同上〕	〔同上〕
継母	〔同上〕	〔同上〕	〔同上〕	継母（ままはは）
苦しめられ	〔同上〕	苦しみ、	〔同上〕	〔同上〕
人	東京の商家	〔同上〕	〔同上〕	〔同上〕
離婚	故あって離婚	〔同上〕	〔同上〕	〔同上〕
後	した後、	〔同上〕	〔同上〕	〔同上〕
猶且つ	〔無し〕	〔同上〕	〔同上〕	〔同上〕
贅沢	〔同上〕	〔同上〕	〔同上〕	贅沢（ぜいたく）
父	〔同上〕	父親	〔同上〕	〔同上〕
弟妹各一人	弟妹二人	二人の弟妹と	〔同上〕	〔同上〕
しのいで	凌いで	〔同上〕	〔同上〕	凌（しの）いで
往かねば	行かねば	〔同上〕	〔同上〕	〔同上〕
成功すべき	成功し得る	〔同上〕	〔同上〕	〔同上〕
才分	〔同上〕	才分があったと	〔同上〕	〔同上〕
贔屓目に	〔無し〕	〔同上〕	〔同上〕	〔同上〕
見ても	〔同上〕	も	〔同上〕	〔同上〕
存しなかつた。	思われない。	〔同上〕	〔同上〕	〔同上〕
従つて、	それ故、	〔同上〕	〔同上〕	〔同上〕
署した	〔同上〕	〔同上〕	〔同上〕	署（しょ）した
拙い	幼稚な	〔同上〕	〔同上〕	〔同上〕
小説が	小説を	〔同上〕	〔同上〕	〔同上〕
新聞	小新聞	〔同上〕	〔同上〕	〔同上〕
のつて、	発表して、	〔同上〕	〔同上〕	〔同上〕
やつと	〔同上〕	やっと	〔同上〕	〔同上〕
さゝえる	支える	〔同上〕	〔同上〕	〔同上〕
頼らねばならなかつた	〔同上〕	頼る	〔同上〕	〔同上〕
と共に	ともに、	ともに	〔同上〕	〔同上〕
もつて	以て	もって	〔同上〕	〔同上〕

払はねば	支払わねば	〔同上〕	〔同上〕	〔同上〕
〔改行〕	〔改行なし〕	〔同上〕	〔同上〕	〔同上〕
境遇のために	生活がやがて	生活はやがて	〔同上〕	〔同上〕
彼女は	彼女を	〔同上〕	〔同上〕	〔同上〕
だん／＼	〔無し〕	〔同上〕	〔同上〕	〔同上〕
捨て鉢となり、	捨て鉢にさせ、	捨て鉢におちらせ、	〔同上〕	捨て鉢におちいらせ
〔無し〕	われから	〔同上〕	〔同上〕	〔同上〕
その生活に沈湎して	〔無し〕	〔同上〕	〔同上〕	〔同上〕
享楽	享楽に	〔同上〕	〔同上〕	享楽に
耽溺するようにもなり	耽溺させ	〔同上〕	〔同上〕	耽溺させ
文海から離れて	〔無し〕	〔同上〕	〔同上〕	〔同上〕
新聞記者と	新聞記者に	〔同上〕	〔同上〕	〔同上〕
ます／＼	〔同上〕	ますます	〔同上〕	〔同上〕
荒んだ	放縦淫逸な	〔同上〕	〔同上〕	放縦淫逸な
生活を	生活に	〔同上〕	〔同上〕	〔同上〕
送り	沈湎して	沈湎して	沈湎して	沈湎して
いろいろな	さまざまな	〔同上〕	〔同上〕	〔同上〕
至つた。	至らしめた。	〔同上〕	〔同上〕	〔同上〕
しかも	〔無し〕	〔同上〕	〔同上〕	〔同上〕
一面ではまた	その反面	〔同上〕	〔同上〕	〔同上〕
生活	境涯	〔同上〕	〔同上〕	〔同上〕
反撥	自己嫌悪との念	〔同上〕	〔同上〕	自己嫌悪との念
とから	に駆られて	〔同上〕	〔同上〕	にか駆られて
キリスト教徒	キリスト教	〔同上〕	〔同上〕	〔同上〕
となつて	に近ずき	に近づき	〔同上〕	〔同上〕
矯風	〔同上〕	〔同上〕	〔同上〕	矯風
に引立てられ	の知遇を得	〔同上〕	〔同上〕	〔同上〕
教師	教授	〔同上〕	〔同上〕	〔同上〕
教えて	教えて、	〔同上〕	〔同上〕	〔同上〕
いたのであるが、	妹と二人の暮しを	〔同上〕	〔同上〕	〔同上〕
〔無し〕	立てるように	〔同上〕	〔同上〕	〔同上〕
〔無し〕	なつた。	なった	〔同上〕	〔同上〕

『寒村自伝』の、〈貞操〉代償文筆収入譚が以後議論を呼ぶ。

荒畑 1954 では、「週刊『平民新聞』／管野須賀子」で、前引部のあとに、

〔改行〕彼女が社会主義に興味をもつたのは、堺先生がまだ朝報社にあつた当時、萬朝報の紙上に男から暴力で凌辱されて煩悶している一婦人に与えて、それは恰かも往来で狂犬に噛まれたような不幸ではあるが自己の責任を負うべき過失ではない、そんな不幸は早く忘れるように努むべきだという意味の文章を発表したのを読み、非常に感激して先生に接近したのが動機だという話である。それと云うのも、彼女自身がまだ少女の折、継母の奸策で旨を含められた鉱夫から凌辱された経験があつて、そのために久しく苦悶していたからだ。彼女はそういう過去に対する自暴自棄の感情が、何程か後年の放縦な生活の原因をなしたとも告白した。

と書き足された。*

＊増補部の諸版異同表。

第二次	第三次	第四次	第五次
もった	もった	（同上）	（同上）
当時	頃	（同上）	（同上）
萬朝報の紙上に	（無し）	（同上）	（同上）
恰かも	（同上）	（同上）	恰（あたか）も
往来	路上	（同上）	（同上）
噛まれた	（同上）	（同上）	噛（か）まれた
不幸	災難で、不幸	（同上）	（同上）
負う	（同上）	（同上）	負（お）う
文章を	文章を、紙上に	（同上）	（同上）
云う	いう	（同上）	（同上）
奸策	（同上）	（同上）	奸策（かんさく）
含め	ふくめ	（同上）	（同上）
あって	あって	（同上）	（同上）
苦悶	煩悶	（同上）	（同上）
彼女は	そしてまた、	（同上）	（同上）
感情が、	感情が	（同上）	（同上）
何程か	何ほどか	（同上）	（同上）
とも	とも、彼女はみずから	（同上）	（同上）

第二次を小改訂した第三次が定本化し、第四次・第五次に継承される。『寒村自伝』よりの引用を終る。

一時期すがと内縁関係にあった寒村の発言である。大筋は須賀子の直話に発するらしい。百パーセントの精確さは保証できず、客観的な事実に基づく批判を俟つけれど、〝文海に師事した頃の須賀子〟像を描こうとする者が先ず就くべきは、『寒村自伝』であろう。

大筋が一般に流布するのも、当然であった。

前記参考文献のうち、

○糸屋 1950 に、〈彼女は大阪の小説家宇田川文海に師事して小説家を志したが、しかし作家として成功すべき才分はどう贔屓目に見ても存しなかつた。従つて、その名を署した拙い小説が大阪の新聞にのつて、やつと一家をさゝへるだけの金を得るためには、文海の力に頼らねばならなかつたと共に貞操をもつて払はねばならなかつたのである。〔改行〕かういふ境遇のために彼女はいよ〳〵捨て鉢となり、その生活に沈湎して享楽耽溺するやうにもなり、そして後に文海から離れて新聞記者となつてからはます〳〵荒んだ生活を送り、いろいろな男と浮名を流すに至つた。〔改行〕しかも一面では、また、さういふ生活に対する反省と反撥からキリスト教徒となつて大阪婦人矯風会の林歌子女史に引立てられ、京都に移り住んで同志社教師の英国婦人に日本語を教へてゐた〔略〕〉、

○佐多 1953 に〈何かで身を立てたい、とおもったとき、本を読むことが好き、という須賀子は、小説家になりたいとおもったのである。

当時、関西の文壇の中心とも見られていた作家に、宇田川文海がいた。須賀子はこの宇田川文海の許に、彼女の志しをもって弟子入りをしたのである。〔改行〕文海はもう相当の年配であった。多少の才気の認められる二十一才の女弟子は、文海にとってまた、男の目に映る興味でもあった。彼は自分の代作をさせたり、あるときは須賀子の署名入りで、大阪の新聞に紹介して発表の道をつけてやったりした。が高等小学校を出ただけの須賀子が、このように文海の世話で、どうにか一家を支えるだけの収入を得るためには、須賀子はまた、文海の男としての求めにも応じなければならなかったのである。〉
が、それぞれ寒村を受け売りする。

のちに寒村自身、ほぼ同趣旨を繰り返す。向坂逸郎との対話『うめ草すて石』(至誠堂・昭和三十七年九月二十八日)「管野須賀子の生涯」項で、

経歴といえば、生まれは大阪らしいですね。父親は鉱山師なんですよ。鉱山師といっても小さな鉱山を経営するとか、あるいは鉱山を見つけて売るというような、いわゆる〝やま師〟だったんですね。それが失敗つづきのうち中風になって寝込んでしまう。母親は早く死んで継母に育てられたんです。この継母には、ずいぶんいじめられて苦しんだようです。父親は寝たっきりなのだが非常にぜいたくで、膳部が気に入らないと膳ごとひっくり返しちまうようなわがままな性質で、これにもずいぶん苦しんだらしいですね。父親がまだ鉱山をやっていた時分、継母が須賀子を非常ににくんで、鉱夫に旨をふくめて須賀子を凌辱させた。そうしておいて、その男とくっついたというように言いふらし、父娘(おやこ)の間をさいたようなことがあったそうで、それが須賀子を自暴自棄にさせる一つの動機になったようです。のちに須賀子は東京の商人のところに嫁いだんですが、けっきょく離婚して家に帰ってしまった。それから大阪の宇田川文海という、明治初期の旧派の小説家に弟子入りをしたが、もともと小学校を出たくらいで別に学問があったわけではなく、ただ多少の文才があったので、まずい小説なんか書いて、文海の世話でいくらかの原稿料にしていた。そして病父と二人の弟妹を養っているうちに、お定まりの文海の妾(めかけ)みたいになっちゃったわけですね。その後しばしば結婚話などが持ち上がっても、いつも文海にぶちこわされてしまう。万朝報の記者だった伊藤銀月との結婚話なども、文海のじゃまで破れ、だんだん自暴自棄に陥っていろいろな男と浮名を流したり、ずいぶん放縦な生活を送ったようです。しかし一面では、そういう生活に対する反省の念も強くて、そのためにキリスト教に近づいて、大阪の矯風会長として有名な林歌子女史に識られ、その世話で同志社の教師の、ある西洋婦人に日本語を教えて生活をするようになった。そのうちに、矯風会大会の代表として上京して、はじめて堺さんに会った。管野は堺さんが朝報に書いた一文を読んで、非常に堺さんに傾倒していたのです。ある婦人が男に凌辱されて非常に煩悶し、堺さんに身の上相談をしたんですね。それに対して堺さんは「そんなことは、往来を歩

いていて狂犬にかみつかれたようなもので、あなた自身の責任じゃないんだから、早く忘れてしまうのがいい」と忠告したことがあったのです。それを管野が読んで自分の煩悶にぴったりするものだから堺さんに会った〔以下略〕」。

と。

3 須賀子文海研究史・三〔1956～1969〕

寒村記述の影響は大きい。

石垣 1956 石垣綾子「近代日本恋愛史」〔昭和三十一年六月一日刊『婦人公論』〕

田中純 1956 田中純「妖婦か?・菅野すが子」〔昭和三十一年六月一日刊『小説新潮』。のち『女のたゝかい』〔新潮社・一九五七年三月五日〕・「明治天皇制への抵抗」に再録〕

立野 1959 立野信之『赤と黒』〔新潮社・昭和三十四年一月三十日。小説。『赤と黒』を『寒村自伝』は《ひとすじの道》のほとんど敷き写しで、ただ〔略〕ところどころに「小説」を用いているに過ぎない〉代物と評す。〕

清水三郎 1959 清水三郎「平山・秋水・枯川・九皐」〔昭和三十四年六月十日刊『武蔵野ペン』〕

関山 1959 関山直太郎「和歌山県における初期社会主義運動の一節」〔昭和三十四年七月一日刊『紀州経済史研究叢書第九輯』〕

神崎 1960 神崎清『革命伝説 爆裂弾の巻』〔中央公論社・一九六〇年七月二十日。のち『革命伝説1』〔芳賀書店・昭和四十三年六月二十六日〕。のち『大逆事件1』〔あゆみ出版・一九七六年十二月二十日〕〕

伊藤整 1960 伊藤整「日本社会党の結成―日本文壇史第百三回」〔昭和三十五年十一月一日刊『群像』。のち『日本文壇史 新文学の群生期』〔講談社・昭和四十六年四月十二日〕に再録。〕

貴司 1962 貴司山治「宇田川文海と管野すが子」〔昭和三十七年五月一日刊『文化評論』。随筆〕

荒畑・向坂 1962 荒畑寒村・向坂逸郎『うめ草すて石』〔至誠堂・昭和三十七年九月二十八日。対談。のち、至誠堂・昭和五十七年二月二十五日、第二版。〕

瀬戸内 1965 瀬戸内晴美「管野須賀子」〔昭和四十年九月一日刊『中央公論』。のち『美女伝』〔講談社 昭和四十七年十月八日〕に再録。さらにのち、縄田一男編『情炎』〔角川書店・平成四年十月三十日〕に再録〕

もろさわ 1966 もろさわようこ『おんなの歴史下』〔合同出版・一九六六年八月十日〕

清水三郎 1967a 清水三郎「朝日新聞外史(61)」〔昭和四十二年五月刊『朝日旧友会報』第六十二号〕

清水三郎 1967b 清水三郎「朝日新聞外史(62)」〔昭和四十二年八月刊『朝日旧友会報』第六十三号〕

清水三郎 1967c 清水三郎「朝日新聞外史(63)」〔昭和四十二年十一月刊『朝日旧友会報』第六十四号〕

清水三郎 1968 清水三郎「朝日新聞外史(64)」〔昭和四十三年三月刊『朝日旧友会報』第六十六号〕

瀬戸内1968　瀬戸内晴美「遠い声第七回」（昭和四十三年十月一日刊『思想の科学』。小説。のち推敲して『遠い声』〔新潮社・昭和四十五年三月五日〕に再録。さらにのち『瀬戸内寂聴全集第六巻』〔新潮社・二〇〇一年七月十日〕に再録）

玉城1969　玉城素「叛徒と太陽―管野須賀子と平塚明」（紀田順一郎編『明治の群像9明治のおんな』〔三一書房・一九六九年一月三十一日〕）

寒村記述の流布

右記のうち、

○**石垣**1956に〈勝気の彼女は婦人記者をやるほどになったが、弟子入りした宇田川文海という作家と関係したりして、荒れた生活を余儀なくされたらしい〉、

○**田中純**1956に〈その頃大阪に宇田川文海という新聞界に勢力のある通俗小説家がいた。彼女はこの人に師事して小説家になろうとしたが、高等小学校を卒業したばかりでかくべつの素養も才能もない彼女が、文筆で一家を養おうとするのは初めから無理であつた。文海の勢力を利用して彼女の拙い小説がときどき大阪の小新聞に出るようになり、それによつて漸く一家の糊口をしのぐことは出来たけれども、その代償として彼女は文海に肉体を与えねばならなかつた。〉、

○**立野**1959の小説に〈彼女は小説家を志して、大阪の小説家宇田川文海に師事したが、しかし作家として一家を成す才能はなかった。が、それでも大阪の小新聞に彼女の署名入りの小説を発表して、辛うじて一家を支えたが、そのかげでは文海へ貞操を捧げなければならなかった〉、

○**関山**1959に〈寒村氏の語る所によれば〔略〕彼女は生活の資を得ようと小説家を志し、大阪の宇田川文海に師事したが、作家としての才能に恵まれておらず、たまにその名を署した小説を発表して金に替えたが、それは全く文海の力に依ったもので、そのためには貞操の代償が払われたという〉、

○**神崎**1960に〈婦人記者として、幽月が性的交渉を持った宇田川文海・毛利柴庵・清滝知竜・伊藤銀月というような男たちは、生活手段の提供と好奇心の満足から彼女との関係をもてあそんだにすぎなかった。〉、

○**伊藤整**1960に〈彼女は大阪の生れであったが、幼時から継母に育てられて苦しんだ。一度東京の商人と結婚したことがあつたが、その結婚生活に破れて大阪へ戻つた。父は鉱山業に失敗し、中風で寝てをり、その父と弟と妹の二人をかかへて彼女は生活しなければならなかつた。彼女は大阪の古い小説家宇田川文海に師事して小説家たらんとした。〔略〕文海は須賀子の拙い小説を金にしてやつたが、そのかはりに須賀子の身体を求めた。須賀子はすでに少女の頃、継母の奸策で一鉱夫に凌辱されたことがあつたが、文海との交渉のために一層自棄的になつた。その後須賀子は新聞記者になつたが、その生活は放縦を極め、多くの男たちと浮名を流してゐた。〔改行〕その後彼女は、さうい

ふ自分の生活に嫌悪感を抱くやうになり、大阪婦人矯風会の林歌子を知つて、キリスト教に近づいた。彼女は生活を改めて、京都へ移り住み、同志社の教授のイギリス婦人に日本語を教へて、妹と二人暮してゐた。堺利彦は「萬朝報」にゐた明治三十七年頃、その紙上に、男の暴力で凌辱された一女性の悩みに答へる文章を書いた。その中で彼は、そのやうなことは往来で狂犬に噛まれたも同様であるから、不幸ではあるが自分の責任を負ふべき過失でない、とのべた。それを須賀子が読んで、自分の過去を考へ、そこに大きな救ひを見出した。そして彼女は堺と文通し、堺に師事したのであつた。〔略〕〉、

○**貴司** 1962 に〈菅野すが子は、はじめ宇田川文海のメカケであったのだ〉、

○**瀬戸内** 1965 に〈独学で手当たり次第読書していた須賀子は小説で身を立てようと考えはじめた。当時、大阪の住吉に宇田川文海という作家がいて、関西では文壇の中心人物と目されていた。須賀子は文海の所へ単身弟子入りを申しこんだ。文海は才気のあるどこか野性的な暗い情熱を眉宇のあたりに翳らせたこの若い女弟子に男として興味を持った。自分の代作をさせたり、まれには須賀子の名で新聞にものを書かせてみたりして面倒を見るうち、須賀子の女も手に入れてしまった。〔略〕〉、

○**もろさわ** 1966 に〈彼女の名を署した拙い小説を地方紙へけいさいして収入を得るためには、小説の師宇田川文海に肉体を提供、彼の力によるほかなかったといわれています〔略〕〉、

○**瀬戸内** 1968 の小説に〈小説の手ほどきをして貰うというより、小説を売ってもらいたさに近づき、結局は貞操と交換で、生活費をもらうという羽目におちいった〔略〕〉、

○**玉城** 1969 に〈この男〔文海〕に、かの女の小説発表をエサに肉体を求められると、かの女はたやすく貞操をささげてしまった。〉、

と、寒村を踏襲する。

基礎的研究

『寒村自伝』に対し、**神崎清** 1950 は、〈『寒村自伝』が、すが子の思い出を描くにあたつて、妖婦性だけを一方的に強調し、彼女の革命性を語らなかつたのは、きわめて遺憾であつた。〉と注文する〔九十九ページ〕。**神崎** 1960 では『寒村自伝』〈が語る幽月評論は、すこし娼婦性・魔女性にかたよりすぎているような気がするが、しかし、幽月の内部にひそむ健康な生命力を見おとしていたわけではない〉とも記す。

須賀子の革命性への探求が始まった。

関山 1959 が『平民新聞』記事を報じ、**清水三郎** 1959 が、文海・須賀子の仲について噂の起源となる堺利彦書簡を、紹介し、絲屋寿雄『管野すが』〔岩波書店・一九七〇年一月二十日〕が、〈平民社の婦人革命家像〉を明らかにする。

妖婦性の問題になるのは、須賀子の『牟婁新報』時代以後である。

したがって、文海に師事した頃に限る小稿では、妖婦性の検討に深入りしない。お断りしておく。

須賀子の生涯を知る基礎となる戸籍が、森長英三郎『風霜五十余年』（森長英三郎・一九六七年三月十五日）によって、明らかにされた。

関山1959・清水三郎1959は、須賀子伝の基礎的研究として貴重である。

須賀子著作の発掘

須賀子の内面を明らかにするため、その著作の発掘も進む。

神崎1950が、昭和二十二年十一月十五日刊『婦人公論』に菅野すが子「獄中日記死出の道艸」を解説・注付きで提供する。「死出の道艸」は佐和慶太郎の好意で、人民社の金庫から出たものである（その後、所蔵者は南喜一に移った）。須賀子の最重要著作が誰にも読めるようになった。

神崎清はまた、昭和二十五年三月一日刊『女性改造』に菅野すが子「獄中書簡」を解説・注付きで提供する。のち、清水卯之助編・校注『管野須賀子の手紙』（みちのく芸術社・昭和五十五年一月十日）が出る。

関山1959が、『牟婁新報』掲載の須賀子著作を紹介する。

・幽月女「露子」（明治三十八年十一月六日～三月三十日付『牟婁新報』）
・須賀子「妾の元旦」（明治三十九年一月九日付『牟婁新報』）

等である。

森長英三郎『風霜五十余年』（森長英三郎・一九六七年三月十五日）が、

・須賀子「おもかげ」（明治三十五年七月二十七日～九月九日付『大阪朝報』）

の存在にふれる。

絲屋寿雄『管野すが』（岩波書店・一九七〇年一月二十日）が、

・須賀子「一週間」（明治三十五年十一月二十九日～十二月二十八日付『大阪朝報』）
・幽月女史「醜業婦の舞踏禁止の運動」（明治三十六年四月八日付『大阪朝報』）
・管野須賀子「基督教世界愛読者諸君に告ぐ」（明治三十六年四月十六日刊『基督教世界』）
・須賀子「絶交」（明治三十六年十月八日刊『基督教世界』）

を引用する。

4　須賀子文海研究史・四〔1969～1978〕

一方、宇田川文海に関する研究が始まり、須賀子との関係が調べ始められる。

大塚・松葉1969　大塚豊子・松葉晨子・（校閲　岡保生）「宇田川文海（文章部分）」（昭和女子大学近代文学研究室『近代文学研究叢書第三十一巻』昭和女子大学近代文化研究所・昭和四十四年七月十五日）

三浦1969　三浦阿き子「宇田川文海（年表部分）」（同右）

宮武・西田1969　宮武外骨稿・西田長寿補「管野すが」（昭和四十四年四月十五日刊『日本古書通信』第三〇〇号。のち宮武外骨・西田長寿『明治新聞雑誌関係者略伝』（み

すず書房・一九八五年十一月十五日）に再録。）

糸屋1970　糸屋寿雄『管野すが』（岩波書店・一九七〇年一月二十日）

森長1970　森長英三郎「彼女を爆裂弾に駆ったもの」（昭和四十五年一月二十八日付『図書新聞』）

堀部1971　堀部功夫「宇田川文海著作年表」（昭和四十六年三月五日刊『同志社国文学』第五・六合併号）

近藤真柄1971　近藤真柄「管野すが　刑死六十年記念碑建つ」（昭和四十六年八月十日刊『婦人展望』一九八号）

堀部1972　堀部功夫「宇田川文海伝の筋書」（昭和四十七年二月五日刊『同志社国文学』第七号）

神崎1972　神崎清編『大逆事件記録　第二巻』（世界文庫・昭和四十七年一月十五日）

江上1973　江上照彦「暁闇の神々」（昭和四十八年三月一日刊『革新』。小説。のち改訂して『明治の反逆者たち』（中央公論社・昭和四十八年六月二十五日）

堀部1974　堀部功夫「宇田川文海・拾遺」（昭和四十九年二月五日刊『同志社国文学』第九号）

鈴木・永井1975　鈴木洋子・永井さき子「管野すがについて」（一九七五年三月十五日刊『文藝論叢』）

糸屋1975　糸屋寿雄「大逆事件と管野スガ」（一九七五年五月十日刊『季刊現代女性』第二号）

東京大学法学部近代立法過程研究会1976　東京大学法学部近代立法過程研究会「近代立法過程研究会収集資料紹介(26)」（昭和五十一年五月二十日刊『国家学会雑誌』。明治四十四年三月十五日付・石川半山宛の堺利彦書簡が復刻されている。）

巌谷1977　巌谷大四『物語女流文壇史上』（中央公論社・昭和五十二年五月三十日）

神崎1977　神崎清「管野スガ」（日本近代文学館・小田切進編『日本近代文学大事典第一巻』〔講談社・昭和五十二年十一月十八日〕）

山本1978　山本藤枝「管野スガ」（創美社編『人物日本の女性史第十一巻』集英社・昭和五十三年一月十五日）

右のうち、

○**糸屋1970**が、**荒畑・向坂1962**の〈文海の妾みたいになっちゃった〉を引く。

○**近藤真柄1971**が、〈もともと小学校を出たくらいで、別に学問があったわけではなく、ただ多少の文才があったので、まずい小説なんか書いて、病父や弟妹を養っていた(荒畑寒村氏)という〉を引く。

○**鈴木・永井1975**に〈略　文才に長じていたすがは、関西文壇の大御所、宇田川文海に弟子入りして、いわば妾のような形で庇護と教育を受けながら、自活の道を錯誤していくことになる。〉、

○**巌谷1977**に〈略　文海はスガの拙い小説を一度だけ大阪の新聞に載せてやった。そして文海はスガを妾のように囲い、生活の面倒を見

た〉、
○**山本 1978** に〈スガは、当時関西文壇の大御所といわれた通俗作家、宇田川文海に近づき、文海が創刊に関係した『大阪朝報』の記者になる。〔略〕入社そうそう、スガが、随筆や、小説ともいえないような小説をこの新聞に発表することができたのは、もちろん、文海の強力なバック・アップによるものだった。スガは、この、親子ほども年のちがう文海と、やがて肉体的に結ばれるようになる。〉、
はみな、寒村踏襲で、新見無し。

江上 1973 が寒村につけた注文については、後述する。

絲屋寿雄『管野すが』の新見

絲屋 1970 は、文海師事時代の須賀子について、寒村記述に加え、

1 「一週間」で、明治三十五年十一月頃、須賀子が〈全幅的信頼を文海に寄せていた〉様子をうかがう、
2 基督教矯風会に近づき、社会主義大阪大会に出席、〈売淫婦の舞踏禁止の運動〉を呼びかける木下尚江の演説に感激する、
3 『基督教世界』誌上に「絶交」などの著作を発表する、
4 明治三十七年七月、東京の平民社に堺利彦を訪ねる、
5 『平民新聞』読者となり、大阪で社会主義研究会を開く、

事歴を、発掘した。

右のうち2で、〈醜業婦の舞踏禁止の運動〉を〈尚江の演説の影響〉とした点は、大谷渡「大阪時代の管野スガ」（昭和五十六年二月二十日刊『日本史研究』）が批判するように、逆で、須賀子が先導したのである。それを除くと、以後の須賀子研究でくりかえし触れられる伝記的概略が示されており、**絲屋 1970** はこの時点での画期的な集約であった。

宇田川文海研究開始

絲屋 1970 に前後して、宇田川文海の生涯・著作年表・業績・資料年表・遺族と遺跡につき、研究の基礎が固まった。

まず、**大塚・松葉 1969**、**三浦 1969** の出現である。*

*同書には、
○訂正版（昭和女子大学近代文学研究室『近代文学研究叢書第三十一巻』訂正版（昭和女子大学近代文化研究所・昭和四十五年三月三十日））
○改訂増補版（昭和女子大学近代文学研究室『近代文学研究叢書第三十一巻』改訂増補版（昭和女子大学近代文化研究所・昭和五十七年十月一日））
とがある。「宇田川文海」本文に関しては、初版と訂正版との異同に気付かない。改訂増補版の「著作年表」に訂正があり、pp.411-433「著作年表・資料年表補遺」が加わる。

文海を調査していた私は遅れたので、先行する**三浦 1969** の拾遺というかたちで発表した。**堀部 1971** である。ついで文海の年譜をまとめ**堀部 1972** として、さらに両稿の補遺を**堀部 1974** として発表した。

堀部 1971 で初めて『みちのとも』誌上に須賀子著作の存在することを報じた。こう書くと、『みちのとも』誌上須賀子著作の発見者は、大

谷渡*のはずなのに、と訝しがる方が出るかも知れない。**

*一九四九〜。奈良生まれ。関西大学文学部卒、同大学院修士課程修了（大谷1989奥付に拠る）。現在、関西大学教授。文学博士。

**例えば、近刊の田中伸尚『飾らず、偽らず、欺かず』（岩波書店・二〇一六年十月二十一日）でも、須賀子が〈宇田川の全面的な援けで天理教の機関誌の『みちのとも』にも〇二年九月号から毎月、小説やエッセイなどを書いており〉と記した直後、丸括弧内に〈大谷『管野スガと石上露子』〉と書き、出典が大谷本であることを断っている（三十二ページ）。

その世評は、大谷本人の言説が起源である。大谷渡「大阪時代の管野すがと天理教」（昭和五十五年三月十日刊『ヒストリア』）は、

彼女（管野須賀子）に関する伝記的研究は多いが、それらを総括した形のものとして絲屋寿雄氏の『管野すが――平民社の婦人革命家像』（岩波新書、一九七〇）がある。本稿では、この絲屋氏の著書をはじめとして、在来の管野すがに関する研究文献がいっさい触れていないところの新資料、すなわち彼女が天理教の機関誌『みちのとも』に随筆や小説をさかんに寄稿したことがあるという事実を紹介し、今後の管野の伝記的研究進展の一助としたい。

と前置きする（傍線引用者）。また大谷『管野スガと石上露子』（東方出版・一九八九年五月一日）でも、

管野が同誌『みちのとも』に寄稿しているという事実を小山先生にお話ししたところ、これまでの管野に関する文献が触れていないそのような新資料は、研究としてぜひ紹介するようにとのことであった。

と繰返し（一四〇ページ（傍線引用者））、今まで誰も須賀子の『みちのとも』寄稿に気づかなかったかのように誇示する。たしかに〈絲屋氏の著書〉にその記述は無かった。しかし、堀部1971が、「宇田川文海著作年表」ゆえ文海と連名のものに限ってながら、

・宇田川文海演説・管野正雄筆記「詩人と画家」（明治三十五年九月十五日刊『みちのとも』）
・宇田川文海演説・管野正雄筆記「詩人と画家」（明治三十五年十月十五日刊『みちのとも』）
・宇田川文海閲・管野須賀子稿「後悔」（明治三十五年十一月十五日刊『みちのとも』）
・宇田川文海閲・管野須賀子稿「新年海」（明治三十六年一月十五日刊『みちのとも』）

と、須賀子・正雄姉弟の『みちのとも』寄稿を報告済みであった。

あわせて、堀部1972で、

・すがの浪華踊反対説に文海も加わったこと、*

*明治三十六年六月十五日・七月十五日刊『みちのとも』に発表された「保津川下り」を典拠に〈明治三六年五月二三日、京都鉄道会社の招待で全国新聞記者四〇余人と共に保津川下りを楽しむ。船中で文海は、管野すがの浪華踊反対説を紹介し同意を求めることがあった〉と。

・すがが文海の天理教行事参加に同道したこと、[*]

*明治三十七年十二月十五日・三十八年一月十五日刊『みちのとも』に発表された幽月女史「天上界」を典拠に〈明治三十七年十二月一〇日、東葛城山上における〈天理教高安・中河・大県三分協会連合経典〉講習会の竟宴にも出席、これには管野すがも同行した〉。

・すがと文海と離別の時期の推定、[*]

*〈明治三八年〈略〉二月一五日刊「みちのとも」に須賀子（すが）の「七五三の内（中）」掲載。三月一五日刊同誌次号以下にすがの著作なし。すがはこの間に、文海のもとを離れたのであろう〉。

を行い、堀部 1974 で、

・明治三十五年七年三十一日付『大阪朝報』記事を典拠に、文海が〈「大阪朝報」社長永江為政に婦人記者として管野すがを紹介した〉こと報じた。

・すがが文海の助手を勤めたこと、[*]

*明治三十七年四月十五日刊『みちのとも』に発表された「豊公遺物展覧会を観る」を典拠に〈明治三六年七月一八日、泉布館における豊公遺物展覧会を観る。同行は佐藤素州・管野すが〉。

も報告した。拙稿の文海調査を評価してくださる方が出て有難かった。しかし須賀子調査に関する反応は、当時未知だった清水卯之助氏から戴いた手紙だけで、埋没していった。

このついでにもう一つ。大谷渡「大阪時代の管野すがと天理教」（昭和五十五年三月十日刊『ヒストリア』）は、

宇田川文海に関する調査研究としては、昭和女子大学近代文学研究室『近代文学研究叢書』第三一巻（昭和女子大学光葉会刊、一九六九年）に収録されている「宇田川文海」がある。〔略〕同書は「文海の晩年については不明な点が多い」と記している。ところが実は、宇田川文海は一九〇〇年（明治三三）に天理教の機関誌『みちのとも』の専任記者となり、やがて明治末期から大正中期にかけては、きわめて熱心な天理教信者となっているのである。

とも記し〔傍線引用者〕、大谷以前に誰も文海の『みちのとも』記者時代に気づかなかったかのように誇示する。たしかに『近代文学研究叢書』にその記述は無かった。しかし、宇田川文海の『みちのとも』記者時代は堀部 1971~74 が報告済みである。すなわち、堀部 1971・1974 が『みちのとも』『道乃友』に寄稿した文海著作三百九十点を初めて報じた。[*] 文海に天理教関係著書のあることは『明治文学書目』で既に知られていたから、堀部は直接同教機関誌『みちのとも』に当たり、同誌の文海著作と関連事蹟を新たに加えたのである。

*堀部 1971 で、明治三十三年三十点、三十四年三十三点、三十五年三十八点、三十六年三十二点、三十七年二十六点、三十八年十八点、三十九年十一点、四十年十三点、四十一年五点、四十二年五点、四十三年十点、四十四年一点、四十五年四点、大正二年十二点、三年十一点、四年十二点、五年十八点、六年二十五点、七年十一点、八年十一点、九年八点、十年九点、十一年六点、十二年八点、十三年五点、十四年二点、十五年二点の、それぞれ題名・刊行物名・署名・年月日を報じた。堀部 74 で、二十四点を追加した。

もちろん大谷渡「宇田川文海と天理教」（昭和五十五年四月一日刊『道の友』）は『みちのとも』に当たりなおしている。その点はよいけれど、文海と天理教との関係の要所、すなわち天理教から招かれて機関誌『みちのとも』編集に与り改良に尽力したこと・『みちのとも』刷新および同誌退場――は、堀部1972・1973の報告済である。

大谷はその後も「大阪時代の管野スガと天理教」の前記と類似文言を以後も繰り返し、補訂しない。大谷「宇田川文海と天理教」〈はじめに〉に、

文海について記した文献は数多く存在するが、それらを総括したものとして昭和女子大学近代文学研究室『近代文学研究叢書』第三十一巻(昭和女子大学光葉会刊、一九六九年)に収録されている「宇田川文海」がある。それによると、文海の晩年は不明な点が多いとされており、同書は一九〇六年(明治三九)一〇月一五日付『文章世界』(第一巻第八号)に掲載された有磯逸郎の「忘れられたる文士」などを引用して、小説家としての第一線から引退した一八九〇年代末以降の文海については不明確であることを強調している。ところが実は、宇田川文海は一九〇〇年（明治三三）に天理教の機関誌『みちのとも』の専任記者となり、日露戦争ころから大正期中ごろにかけては、きわめて熱心な天理教信者となっているのである。

とも書き〔傍線引用者〕、のち大谷渡『管野スガと石上露子』（東方出版・一九八九年五月一日）でも、

『近代文学研究叢書』第三一巻では、一八九〇年代末以降の宇田川の消息には不明な点が多いとされているのだが、実は一九〇〇年（明治三三）のはじめに、宇田川は天理教から機関誌の改良を依頼され、同年五月二八日付『みちのとも』第一〇一号から、ほとんど一人で同誌の執筆、編集を引き受けていたのである（五十六ページ）。

と再言する〔傍線引用者〕。

大谷渡「天理教の近代化と宇田川文海」（『教派神道と近代日本』（東方出版・一九九二年一月二十日）でも、大谷渡『天理教の史的研究』（東方出版・一九九六年九月二十日）でも、

宇田川に関する文献は数多く存在するが、それらを総括したものとして昭和女子大学近代文学研究室『近代文学研究叢書』第三一巻（昭和女子大学光葉会刊、一九六九年）に収録されている「宇田川文海」がある。それによると、宇田川の晩年は不明な点が多いとされており、同書は一九〇六年（明治三九）一〇月一五日付『文章世界』（第一巻第八号）に掲載された有磯逸郎の「忘れられたる文士」などを引用して、小説家としての第一線から引退した一八九〇年代末以降の宇田川については不明確であることを強調している。ところが実は、宇田川文海は一九〇〇年に天理教の機関誌『道の友』の専任記者となり、明治後期から大正中期にかけ

て天理教信者の列に加わり、同教の教理展開の上で指導的役割を担っていた。大正期の『道の友』には、「欧州戦後の日本と天理教」（一九一六年七月、第二九六号）「世界助けの教」（一九一七年一二月、第三二三号）「米騒動に就て」（一九一八年九月、第三三二号）「国民教養と天理教」（一九一九年七月、第三三二号）といった宇田川が執筆した注目すべき「教論」が掲載されている。宇田川は、さかんに教理解釈を行う一方、教理と時代情勢とを結合させた論を積極的に展開して、信徒たちに振興と行動の指針をしめしたのであった。

と繰り返し（傍線引用者）今日に至る。

大谷『管野スガと石上露子』以前には、堀部 **1971〜74** を取り込んだ『近代文学研究叢書』改訂増補版（一九八二年十月一日）も出版されていた。もちろん「欧州戦後の日本と天理教」も「世界助けの教」も「米騒動に就て」も「国民教養と天理教」も、存在は堀部 **1971** で既に報告済みである。大谷は「教派神道の発展」（小山仁示編『大正期の権力と民衆』（法律文化社・一九八〇年・初出未見））に、『道乃友』掲載の文海著作、「時局と天理教」「国民の覚醒」「時旬に現れる理」「米騒動に就て」を取上げているが、取上げられた文海著作はいずれも堀部 **1971** で存在を報告済みであった。

見落としならお互い様、咎めだて出来ない。私は己が presentation の拙さ貧しさを恥じ入るばかりである。学界ユートピアを夢見て、研究者生活を志したが、学界にも俗世間は忍び込む。私は蒐集した史料を清水氏に託し、須賀子研究から離れた。今頃になって priority を云々するのは、旧稿の単行本化に当り、その必要に迫られたためである。

5　須賀子文海研究史・五〔1978〜1980〕

清水卯之助によって、絲屋 1970 を一新する須賀子伝の本格的新研究が始まった。

清水卯之助 1978　清水卯之助「幽月管野須賀子」（昭和五十三年十一月一月二十日刊『啄木と賢治』十一号）

絲屋 1979　絲屋寿雄「管野すが自筆の「経歴書」」（昭和五十四年二月一日刊『図書』）

『日本社会運動人名辞典』1979　〔無署名〕「管野スガ」（塩田庄兵衛〔編者代表〕『日本社会運動人名辞典』（青木書店・一九七九年三月一日））

伊多波 1979　伊多波英夫『銀月・有美と周辺』（秋田近代文芸史研究会・昭和五十四年四月一日）

大谷 1980a　大谷渡「大阪時代の管野すがと天理教」（昭和五十五年三月十日刊『ヒストリア』第八六号）

森山重雄 1980　森山重雄編著『大逆事件＝文学作家論』（三一書房・一九八〇年三月十五日）

大谷 1980b　大谷渡「宇田川文海と天理教」（昭和五十五年四月一日刊『歴史と神戸』第十九巻二号）

田中阿里子 1980　田中阿里子「管野須賀子」（相賀徹夫編『図説人物日本の女性史』〔小学館・昭和五十五年八月十日〕）

清水卯之助 1980a　清水卯之助「幽月管野須賀子第二部」（昭和五十五年九月五日刊『啄木と賢治』十三号）

右の内、

○**伊多波 1979** に〈管野すがは、身売り同然の最初の結婚を解消ののち、関西文壇で羽振りのよかった宇田川文海に弟子入りする。だが、いつの間にか三十六も年の違う文海の愛人同然となり、文海の庇護のもとで原稿料収入にありつくようになった。〉、

○**田中阿里子 1980** に〈須賀子は文筆で身を立てようと思っていたが、どうしても早く原稿を売らなければならないので、当時、大阪文壇の第一人者として、新聞や雑誌にコネのある宇田川文海を頼っていった。ところが文海は彼女に援助をあたえるとともに、妾扱いにして彼女の結婚の話までぶちこわし、須賀子は自暴自棄になったという。〉、

は、寒村を踏襲する。

清水卯之助の登場

清水卯之助*が須賀子の伝記研究上に残した仕事は画期的である。

＊一九〇九～一九九一年六月九日。本籍東京。慶應義塾大学〔文科〕中退。時事新報記者。以来ジャーナリスト。石川啄木研究上の業績が有名である〔清水 1978「私の略歴」他に拠る〕。

文海師事時代までに限って、清水の新見を列挙しよう。

まず**清水 1978** で、

〈1〉　須賀子の父が代言人に合格した証を発見する。

「日本弁護士史」（奥平昌洪、大正三年）によれば―〔略　明治〕九年の第一回受験者は全国で四百二十九名を数え、合格者は百九三名であった。その全氏名が前掲書の「日本弁護士史」巻末附録に掲載されているが、管野義秀は兵庫県の合格者一六名の一一番目に名をつらねている。

ことを報じ、「管野須賀子の経歴」（明治三十五年七月三十一日付『大阪朝報』）の須賀子記述、〈父は〔略〕代言人を業とす〉を初めて裏付けた。

〈2〉　元夫の小宮福太郎について委細を発見する。**清水 1978** は、福太郎の〈現存の縁故者〉から元夫の家業・人柄・墓所・戒名を聞き取って伝える。須賀子の小説「露子」に主人公婚家の込み入った人間関係が書かれており、清水は虚実を極めようとしたのであろう。森長英三郎『風雪五十余年』の明らかにした元夫の戸籍的事実に肉付けを施す成果であった。

清水 1980a で、

〈3〉　キリスト教接近理由についての寒村記述に、異議を申し立て

る。全体は**神崎 1950** を享けるが、**清水 1980a** は、

寒村は須賀子がキリスト教に近づき、林歌子の知遇を得たことを、須賀子の過去の生活の反省と自己嫌悪が信仰に走らせたと誣いているが、彼女の動機はもっと純粋であっただろう。

とキリスト教接近事情について書き、寒村著作の補正にむかう。

〈4〉　大阪婦人矯風会入会の時期を初めて示す。**清水 1980a** は、〈「婦人新報」六月号に彼女の入会が報じられた。〉と記す。須賀子が大阪婦人矯風会に関わったことは寒村にあるが、時期や典拠は不明示だった。

この他一々挙げないが、「婦人新報」の須賀子著作の発掘、同紙記事の利用に先鞭をつけた功績は大きい。

〈5〉　木下清が発見し、荒木傳が教示した、須賀子受洗を確認し、記録の委細を紹介する。**清水 1980a** は、

須賀子のキリスト教信仰がどの程度のものであるか、今までよく判っていなかった。ところが、さいきん刊行された「大阪天満教会百年度」によると、彼女はこの教会で受洗したとある。（大阪　荒木伝氏教示）〔改行〕それで、同書の『明治編』執筆を担当された木下清氏にその根拠をお質ねしたところ、当時の「新徒在席簿」のコピーのご恵贈に接した。それによると一一四頁に他の受洗者とともに〝菅野須賀〟の名が登録されており、当時の住所は東区淡路町四ノ四十八。入籍（受洗）年月日は明治三十六年十一月八日。洗礼者は同教会の長田時行牧師である。貴重な新資料が発見されたものである。

と記す。〈大阪天満教会百年度〉は〈天満教会百年史〉の、〈新徒在席簿〉は〈信徒在籍簿〉の誤植。天満教会百年史刊行委員会編『天満教会百年史』（日本基督教団天満教会・昭和五十四年十一月十一日）に木下清が、須賀子の〈天満教会で受洗〉を報告した。それを見た荒木傳が、清水に知らせ、清水が現物確認を行ない、細部―洗礼時住所・入籍年月日・入信理由・除籍年月日・除籍理由を紹介した。

〈6〉　**清水 1980a** は、須賀子筆名の一つに〈しらぎく〉を新たに加える。

須賀子の作品は――、〔改行〕37年〔改行〕6月号（小品、藤と牡丹。随想、山田敦子刀自。若葉の露）〔改行〕署名は幽月女史、須賀子を使い分けており『若葉の露』だけは〝しらぎく〟の名である。それが彼女の筆になると思えるのは、次の文章で察しられるので紹介しておこう。〔改行〕妾曾て、軍神広瀬中佐の郷里竹田に二とせばかり、過ぐせしが、〔以下略〕。

と。

〈7〉　荒畑寒村『ひとすじの道』に出てくる、堺利彦の〝身の上相談〟文の存在に初めて疑いをさしはさむ。**清水 1980a** は、

私はこの文章は須賀子にとって大事なモメントをなすものだと思い、堺が萬朝報に在職した期間の同紙面を前後二回洗ったことがある。しかし当時の堺は、こうした「身上相談」的な記事を扱っ

ておらず、どうしても発見することができなかった。或は見落しかとも思えるので、何かご承知の方はご教示を頂きたいとお願いする。

と記す。

清水**1980b**は、

〈8〉 木村快太との結婚話を須賀子研究上はじめて紹介する。木村毅『多羅の芽法談』に載る、異腹の長兄と須賀子との間に縁談のあった話を引用する。

まだあるかも知れないが、これだけでも清水論文がいかに新発見づくめであったかを理解できよう。清水**1980b**に、須賀子の京都四条教会移籍、須賀子の当時の住所と新発見報告が続くけれども、文海師事時代以後の出来事なので割愛する。

のち、清水「幽月管野須賀子第二部（上）」（昭和五十八年一月一日刊『遺書』）は、伊藤銀月と須賀子との〈〃艶談〃〉を披露する。

伝記的研究を進めながら、清水卯之助は根本史料および関係諸新聞の徹底閲覧に基く画期的な須賀子伝を発表し始める。清水は須賀子著作の集成を図り、『管野須賀子の手紙』（みちのく芸術社・昭和五十五年一月十日）・『管野須賀子全集 1』（弘隆社・一九八四年十一月二十五日）・『管野須賀子全集 2』（弘隆社・一九八四年十一月二十日）・『管野須賀子全集 3』（弘隆社・一九八四年十二月八日）を編集刊行する。

6 須賀子文海研究史・六〔1980～1989〕

須賀子の革命性を追求する、荒木傳と大谷渡が、活躍を始める。大谷『管野スガと石上露子』刊行まで。

須賀子の『大阪朝報』の主張が明らかになった。醜業婦攻撃、一夫一婦理想、女権などである。「現今の婦人に就て」は、〈妾を飼ひ、醜業婦に戯れ〉る〈紳士〉、その屈辱を受ける婦人各自に〈確固たる信念独立心〉養成を望む文章であった。それらを読むと、須賀子が妾的存在であったという寒村記述への疑念を生じるであろう。それを率直に記す文章が現れる。ただし、その短絡に対し、私は異見があり、後述する。

荒木1980a 荒木伝「情炎の革命婦人・管野須賀子5」（一九八〇年九月十日号『大阪新報』。のち『なにわ明治社会運動碑 上』（柘植書房・一九八三年三月二十五日）に再録。）

荒木1980b 荒木伝「情炎の革命婦人・管野須賀子10」（一九八〇年十月十五日号『大阪新報』。再録は前に同じ。）

荒木1980c 荒木伝「情炎の革命婦人・管野須賀子11」（一九八〇年十月二十二日号『大阪新報』。再録は前に同じ。）

荒木1980d 荒木伝「情炎の革命婦人・管野須賀子12」（一九八〇年十月十九日号『大阪新報』。再録は前に同じ。）

清水卯之助 1980b　清水卯之助「管野須賀子の受洗と棄教」（一九八〇年十一月一日刊『遺言』三十一号）

荒木 1980e　荒木伝「情炎の革命婦人・管野須賀子 13」（一九八〇年十一月五日号『大阪新報』。再録は前に同じ。）

荒木 1980f　荒木伝「情炎の革命婦人・管野須賀子 14」（一九八〇年十一月十二日号『大阪新報』。再録は前に同じ。）

荒木 1980g　荒木伝「情炎の革命婦人・管野須賀子 15」（一九八〇年十一月十九日号『大阪新報』。再録は前に同じ。））

荒木 1980h　荒木伝「情炎の革命婦人・管野須賀子 19」（一九八〇年十二月十七日号『大阪新報』。再録は前に同じ。）

荒木 1980i　荒木伝「情炎の革命婦人・管野須賀子 21」（一九八〇年十二月三十一日号『大阪新報』。再録は前に同じ。）

荒木 1981a　荒木伝「情炎の革命婦人・管野須賀子 22」（一九八一年一月七・十四日号『大阪新報』。再録は前に同じ。）

小山 1981　小山仁示「大逆事件70年」（一九八一年一月二十三日付夕刊『毎日新聞〔大阪本社版〕』）

大谷 1981　大谷渡「大阪時代の管野スガ」（昭和五十六年二月二十日刊『日本史研究』二二三号）

荒木 1981b　荒木伝「情炎の革命婦人・管野須賀子 31」（一九八一年二月十八日号『大阪新報』。再録は前に同じ。）

荒木 1981c　荒木伝「情炎の革命婦人・管野須賀子 32」（一九八一年二月二十五日号『大阪新報』。再録は前に同じ。）

荒木 1981d　荒木伝「情炎の革命婦人・管野須賀子 34」（一九八一年四月八日号『大阪新報』。再録は前に同じ。）

清水卯之助 1982　清水卯之助「啄木と管野須賀子」（昭和五十七年一月五日刊『啄木研究』七号）

荒畑 1982　荒畑寒村・向坂逸郎〔対談〕『うめ草すて石』（至誠堂・昭和五十七年二月二十五日）

西岡 1982　西岡まさ子『大阪の女たち』（松籟社・一九八二年七月十五日）

昭和女子大学 1982　〔無署名〕「著作年表・資料年表補遺」（昭和女子大学近代文学研究室『近代文学研究叢書第三十一巻』改訂増補版〔昭和女子大学近代文化研究所・昭和五十七年十月一日〕）堀部 1971・1974 より転載。

清水卯之助 1983a　清水卯之助「幽月管野須賀子第三部(上)」（昭和五十八年一月一日刊『遺言(岐阜版)』六十九号）

絲屋 1983　絲屋寿雄「かんのスガ」（国史大辞典編集委員会編『国史大辞典第三巻』〔吉川弘文館・昭和五十八年二月一日〕）

荒木 1983　荒木傳「情炎の革命婦人、管野須賀子」（『なにわ明治社会運動碑上』〔柘植書房・一九八三年三月二十五日〕第四章）

大谷 1983　大谷渡「管野スガとキリスト教」（昭和五十八年四月八日刊『信州白樺』第五十三・五十四・五十五合併号）

清水卯之助 1983b　清水卯之助「管野須賀子の来田前後」（昭和五十八年十二月一日刊『くちくまの』）

Sievers1983　Sharon L. Sievers「FLOWERS IN SALT」(STANFORD UNIVERSITY PRESS・1983)

『日本女性史事典』1984　〔無署名〕「管野すが」(円地文子監修『人物中心・エピソードで綴る日本女性史事典』〔三省堂・一九八四年一月二十日〕)

後藤 1984　後藤孝雄『明治大正言論資料中江兆民集』(みすず書房・一九八四年三月十四日)

清水卯之助 1984a　清水卯之助「編者のことば」(清水卯之助編『管野須賀子全集　1』〔弘隆社・一九八四年十一月二十五日〕)

清水卯之助 1984b　清水卯之助「管野須賀子小伝―生涯と行動―」(清水卯之助編『管野須賀子全集　3』〔弘隆社・一九八四年十二月八日〕)

清水卯之助 1984c　清水卯之助「年譜」(清水卯之助編『管野須賀子全集　3』〔弘隆社・一九八四年十二月八日〕)

吉見 1985　吉見周子「岸田俊子・福田英子・管野すが」(昭和六十年一月一日刊『歴史と旅』)

川村 1985　川村善二郎「かんのスガ」(日本歴史大辞典編集委員会編『日本歴史大辞典3』〔河出書房・一九八五年三月二十日〕)

荻野 1985　荻野富士夫「管野すが」(相賀徹夫編『日本大百科全書6』〔小学館・昭和六十年十一月一日〕)

中村 1986　中村文雄「管野須賀子と日露戦争」(一九八六年一月二十五日刊『大逆事件の真実をあきらかにする会ニュース』二十五号。のち『大逆事件と知識人』〔論創社・二〇〇九年四月二十日〕に再録)

山田 1987　山田洸『女性解放の思想家たち』(青木書店・一九八七年九月十五日)

伊藤優子 1988　伊藤優子「明治期の無政府主義者管野すがの生きざまに想うこと」(昭和六十三年十月一日刊『進歩と改革』)

別冊歴史読本 1996　〔無署名〕「管野スガ」(吉成勇編『別冊歴史読本〔日本女性史「人物」総覧〕』〔新人物往来社・一九九六年十二月十五日〕)

『読売新聞』1989・4・8　〔無署名〕「豊富な資料で通説覆す」(一九八九年四月八日付『読売新聞』大阪)

大谷 1989a　大谷渡『管野スガと石上露子』(東方出版・一九八九年五月一日)

右の内、寒村蹤襲は、

○西岡 1982 の〈彼女が『大阪朝報』の婦人記者となり管野須賀子の名による幼い小説を『大阪朝報』に発表して、一家を支えることが出来るためには、宇田川文海の妾のようになり、庇護をうけねばならなかった〉、

○Sharon L. Sievers1983 の〈Kanno sexperience after she returned to Osaka was perhaps not atypical of the struggle many Meiji women with little education and few connections engaged in as they tried to live independent lives. Without economic support or heipful friends, Kanno somehow survived and eventually became the mistress of Udagawa Bunkai, an Osaka novelist who wrote in late-Tokugawa style. The arrangement with Udagawa was a familiar one: some intellectual and economic assistance in return for sexual favors.〉、

○**吉見1985**の〈宇田川文海に師事した。二人は師弟の関係をのりこえていった〉、

○**『日本歴史大辞典3』1985**の川村善二郎〈作家宇田川文海に師事し、身体をはって生計を維持した。〉、

○**山田1987**の〈弟の文学上の師であったという宇田川文海の世話で『大阪朝報』の記者となるが、もともとそれほどの知識も文才もない須賀子の細腕で、一家四人の生活を支えられるはずもなく、けっきょくは宇田川の妾のような形で世話を受けたらしい。〉、

○**伊藤優子1988**の〈まずは、小説で身を立てようと、関西文壇の大御所で新聞界にも勢力のある宇田川文海に弟子入りした。そして、彼女はその文海とも師弟の関係をすぐにのりこえていく。〉、

と続く。

荒木傳の新見

荒木傳*は清水に『天満教会百年史』の木下清発見を通知し、**大谷1981**にも〈史料面においてお世話になった〉と付記されるなど、研究者を支援した人物である。読み物風ながら、刺激的見解を織り込む。

＊一九二三〜。香川県生まれ。大阪外国語大学二部中退。日本社会党大阪府本部書記長、副委員長歴任〔荒木83奥付に拠る〕。

荒木の新しい論点をみよう。

A　**荒木1980e**は『寒村自伝』に異を唱える。

それにしても『寒村自伝』の「一家を支えるためには……貞操をもって支払わねばならなかったのである」という表現は、読むものをして決定的な判断を与えてしまう。〔改行〕これには筆者はちょっと抵抗を感じる。

と。これは**江上照彦1973**を継ぎ、疑念を広げる。

B　**荒木1980e**および**1980f**は、文海・須賀子が〈世俗的な意味における〝旦那〟と〝妾〟の関係でなかった〉と、須賀子が軽症の赤痢で入院した記録、「一週間」を引用して説く。〈生活の資を得るための〝妾〟的存在〉と『大阪朝報』上の須賀子の〈醜業婦〉排斥言説や「一週間」とが整合しないとの主張で、妾（めかけ）説へ疑問を膨らませる。

わが師への尊敬の念がいつしか情念に昇華し、やがてあらがうことの出来ない女の性（さが）が〝情炎〟となって彼女の胸にちろりちろりと燃えだしたと解釈しても決して不自然でない。〔改行〕〝幽微な情炎〟が——。（荒木1980e）〔改行〕文海と須賀子の〝幽微な情炎〟関係に、管野須賀子が満足していたかというと、かならずしもそうではない。〔改行〕道ならぬ恋の淵に知らず知らずの間に、深くはまってゆく自分に気づいたとき、激しい煩悶と自己嫌悪にさいなまれもしている。〔改行〕昼は賛美歌（ママ）を口ずさみ、神へのまことを捧げる敬虔な聖女——。〔改行〕筆をとれば禁酒、廃娼、

> 女権拡張を呼号してやまぬ婦人記者――。〔改行〕そして、夜は文海との〝幽微な情炎〟につつまれていく艶妾――。〔改行〕〝二つの顔〟をもつ管野須賀子（**荒木1980f**）。

と、キリスト者・女権思想家・妾的存在に悩む須賀子に戸惑う。荒木はそのゆれを表明したものである。

C　**荒木1980h**は文海著作に窺われる、〈女権論に極めて同調的であった〉態度に注目する。

> 文海は実生活はどうであれ、書くものに見るかぎり、女権論に極めて同調的であった。〔改行〕明治十九年の『蜃気楼』（宇田川文海――才色兼備の芸妓が議員となって婦人参政権をぶちあげる――は、あの当時のものとしては結構進んだ問題意識であった。〔改行〕文海は文壇の第一線をしりぞき、天理教の「みちのとも」の編集担当者になってからも同誌に『すくも虫』（宇田川文海・明治三三年）――娼妓の人身売買を扱った小説――を発表したり、あるいは同誌に名古屋の娼妓の〝自由廃業〟事件を報じたりしている。名古屋廃娼史に残るU・G・モルフィや救世軍の活躍を肯定的に評価していたことだけは間違いなさそうだ。〔改行〕文海と知り合ったばかりの、若い一本気な管野須賀子が、こうした文海の考えにひどく打たれ、感激したであろうことは容易に想像がつく。

と。「すくも虫」は、大谷**1980b**から取り入れたのであろう。**荒木1980**と大谷説とは、連携するらしい。限りなく大谷説に接近するけれども妾説否定には至らない。

このほか、

D　**荒木1980g**は週刊『平民新聞』記事を復活する。須賀子が〈『大阪タイムス』にも書いていたのだろう〉と推量し、

> まぎれもなくそうだろうと想定できるのは、週刊「平民新聞」に次のくだりがあるからだ。小田頼造、山口義三の二人が東京をふりだしに、東海道を下関までえんえん三百里の道を、〝社会主義伝道行商〟をしつづけるのは明治三十七年秋のことだが、この年の十二月、はじめて大阪入りをはたしたときの行商日記に、〔改行・一字下げ〕「十二月十二日……朝、同志管野須賀子女史来訪。女史は今岐阜の新聞に新理想郷と題して社会主義的の小説を書いてゐる、今度大阪タイムスに入社したから大いに婦人問題を論議するといってゐた。……」（「平民新聞」明治三十七年十二月二十五日第五九号）

と根拠を示す。

E　**荒木1980g**は、**大谷1980a**に倣って、署名が須賀子だったり文海だったりする作品に、「成功」を追加する。

> はなはだしいのは小説「成功」だ。〔改行〕「みちのとも」（一三九号）では筆名が管野須賀子であるが、同じ「みちのとも」誌の次号はそれが宇田川文海にかわってくるのだ。〔改行〕なんともふざけた話である。

荒木1980g はさらに〈「みちのとも」誌上に発表された小説『神様』や『幸福の母』などは宇田川文海作とされているが内容からして管野須賀子の草稿になるものではないかと筆者などは勝手に判断しているが、これは確かな根拠のあってのことではない〉と今後の課題を提供し、〈しかし、これらはいずれも宇田川文海の、須賀子を支えるための所業であったに違いない。〔改行〕仕事の上で、須賀子は文海に大きな〝借り〟があったわけだ。〔改行〕管野須賀子の創作活動に宇田川文海の〝影〟が如何に大きかったかを物語るものである。〉とまとめる。

大谷1981

大谷1981 は、大谷1980b を踏まえ、

(Ⅰ)〈管野が文海の妾になり、性的に放縦な生活を送っていたといった見方や、そこに彼女のキリスト教への接近の理由を求めていこうとする従来の考え方は、改めなければならないものと思われる〉。

(Ⅱ)〈管野の師であった宇田川文海の思想こそが、彼女のキリスト教への接近、さらには社会主義への接近の導火線になったのではないかという、在来の管野研究とはまったく異なった視点が生ずるに至った〉。

(Ⅲ)〈『寒村自伝』の管野に関する叙述を検討しなおすことも必要であると考えられる〉。

と述べる。

清水と大谷

文海・須賀子研究史上に大谷渡が加わる。

先行の清水の偉業は誰の目にも明らかであったから、大谷も無視できない。そのため**大谷1981**は、ノートヘルファー著書を批判したのち、

ただし、最近の管野に関する伝記的研究のなかには、『大阪朝報』を丹念に調べて通説をくつがえしつつあるものが存在することも記しておきたい。すなわち、清水卯之助「幽月管野須賀子」(『啄木と賢治』第一一号、一九七八年一一月、みちのく芸術社)や、荒木伝「情炎の革命婦人・管野須賀子」(週刊『大阪新報』一九八〇年八月六日・一三日　合併号以後、現在連載中)がそれである(六十ページ上段注6)。

と記した。また、**大谷1981** は、

奥平昌洪『日本弁護士史』(一九一四年)巻末の「代言人免許年度一覧表(その前期)」の明治九年免許兵庫の項に、菅野義秀の名がみえる。清水卯之助「幽月管野須賀子」(『啄木と賢治』第一一号、一九七八年一一月、みちのく芸術社)には、この菅野義秀が管野スガの父義秀であると記されている(六十八ページ上段注)。

と断った。ここまでは先行文献として清水を引き、問題がない。

しかし、前記の清水新見〈4〉・〈5〉・〈6〉・〈7〉を、大谷はそうと断らずに取り込んで行く。大谷〔4〕・〔5〕・〔6〕・〔7〕では先行者清水の名を伏せてしまう。

〔4〕 **大谷 1981・大谷 1983** には、須賀子の大阪矯風会入りの記事自体が無く、やっと大谷『管野スガと石上露子』に、

> 『婦人新報』〔略〕一九〇三年六月二五日付第七四号をみると、「広告」欄に掲載された「新入会員」のところに「大阪矯風会へ」として二二人の氏名があげられていて、その最初に「管野須賀子」の名が記されていた。

と記す（九十二ページ）。**清水 1980a** の〈4〉の既に記したところながら、その断りがない。

〔5〕 **大谷 1983** は、

> 管野は、〔略〕一九〇三年（明治三六）一一月八日に、天満基督教会の長田時行によって洗礼を受け、同教会の信徒となっているのである（天満基督教会『信徒在籍簿』）。

と書き、発見者木下清や荒木傳や清水卯之助の名を挙げない。大谷『管野スガと石上露子』「あとがき」では、木下清・荒木傳への謝辞を記す（二百四十三ページ）のみで、清水については無視する。

〔6〕 **大谷 1983** は、

> 一九〇四年六月一五日付『みちのとも』第一五〇号には、須賀子の「山田淳子刀自」と幽月女史の「藤と牡丹」とならんで、「若葉の露」と題した作品が、しらぎくの筆名で掲載されている。この作品は、文中に「妾曾て、軍神広瀬中佐の郷里竹田に二年ばかり、過ぐせし」と記されている。管野は、〔略〕大分県直入郡竹田町（現在、竹田市）に一八九六年（明治二九）当時に居住していたことがあるし、しかもこのころの『みちのとも』は、宇田川文海がほとんど一人で執筆し彼の自宅で編集されていたことから判断して、しらぎくが管野であることは間違いない（拙稿「宇田川文海と天理教」『歴史と神戸』九九号、一九八〇年四月）。

と記す。文末マルカッコ内の出典=**大谷 1980b** には〈文海は、自宅で『みちのとも』の編集に携わり、ほとんど一人で同誌の原稿を書くこととなった〉とあるのみで、〈しらぎくが管野である〉ことには何の言及もない。それは**清水 1980a** の〈6〉に書かれていた。

〔7〕 大谷『管野スガと石上露子』で

> 『万朝報』を調べてみても、男から凌辱をうけた一女性に与えて書かれたという堺の文章は出てこない。

と書く（十ページ）けれど、この調査も清水 1980a の〈7〉の後追いである。

しかも大谷『管野スガと石上露子』では、**大谷 1981** の「はじめに」に辛うじてあった、清水先行をことわる注も抹消してしまう。大谷『管野スガと石上露子』では〈清水卯之助〉の名は、〈なお、管野スガの著作については、清水卯之助編『管野須賀子全集』1〜3が、一九八四年に弘隆社から出版されている。〉という一箇所に出てくるだけ（百七十一ページ）に変わる。清水の仕事を全集編集のみに限定し、伝記研究を黙殺してしまう。

大谷『管野スガと石上露子』「あとがき」が〈これまでの文献が触れていない〉〈新しい史料〉と報じる、署名〈白菊〉の「婦人の模範」は、たぶん大谷の発見した須賀子著作であろう。だがこの発見は、須賀子変名の一つに〈白菊女〉のあることを一根拠とする。そしてそれは清水1980aの発見〈7〉であったのに、そのことに触れない。

大谷の新見

もちろん**大谷1981**は『大阪朝報』に当たり直している。清水の見落した、須賀子著作―「現今の婦人に就て」「琵琶行」「弁天座の劇を観る」「噫是果して誰の罪ぞや」等を紹介し、清水の不足を補う成果を挙げた。

大谷1980aは、『みちのとも』掲載須賀子作品三十三点を列挙し、そのうちの四点を翻字する。

同時に、

管野の名で発表された作品のうち、「虫の話」「観月」「住友氏と鴻池氏」「盂蘭盆会」「十三夜」については、仏教や古典についての深い知識と広い教養の持主でなければ書けないような内容のものであることからみて、文海が書いた文章ではないかと思われる(七十二ページ注12)。

と、須賀子名義著作の真著者問題に先鞭をつける。

大谷1981を、**小山仁示1981**は、

若き管野が大阪朝報の婦人記者になったのには、小説家宇田川文海の力が大いにあずかったことは周知のとおりである。この場合、管野は宇田川の妾(めかけ)的存在だったとして、そういう境遇への自己嫌悪から、やがて彼女はキリスト教、さらには社会主義へ接近していったとの解釈が普通だった。〔改行〕しかし、社会運動史を調べている荒木伝氏や大谷渡氏の最近の研究によると、このような解釈は成り立ち得ない。管野の廃娼論や女権拡張論は、宇田川直伝のものである。宇田川の思想こそが、彼女のキリスト教への接近の導火線となったのである。二人の間に男と女の関係があったにしても、妾などではないし、同棲も考えられない。師弟関係というのが、もっともふさわしい表現である。

と紹介する。**小山1981**の言う〈大谷渡氏の最近の研究〉が**大谷1981**、小山文の時点で**大谷1981**は未発表だが、小山は指導教授なのでその内容を知っていて紹介したのであろう。文海・須賀子の〈間に男と女の関係があったとしても、妾などではないし、同棲も考えられない〉という箇所、私には意味不明ながら、小山文が〈大谷渡氏の最近の研究〉を〈管野スガ　実像明らかに〉した〈実証的研究〉と評価したことは明白である。

大谷1981に記された文末〈と思われる〉〈と考えられる〉を省き、断定的表現となるのが、単行本**大谷1989a**である。

大谷1983は新たに〈没落士族の娘〉説を出し、これはこれで問題なので、別に検討する。

今は、**大谷1989a**の妾などではなかった説を用意したであろう、『大阪朝報』須賀子著作と寒村の描く須賀子像とのずれについての私見を、先に述べておく。

付　『大阪朝報』須賀子著作と寒村の描く須賀子像との整合性

『寒村自伝』以後、須賀子著作発掘が進み、『大阪朝報』紙上の須賀子の〈醜業婦〉攻撃や一夫一婦理想・女権主義が知られるようになると、寒村記述を疑うむきも現われてくる。

「一週間」読者の感想

『大阪朝報』紙上の須賀子著作、とくに須賀子「一週間」〔明治二十五年十二月〕を読み、寒村の描く文海・須賀子像に首をかしげる人が出る。

江上1973は、

> すがが自分の入院経験を大阪朝報に発表した随筆〝一週間〟の中に見える、たとえば、「来訪者は誰れ……やがて下駄音静かに見えたのは……師の君、例の真面目なお顔に、溢るるばかり慈愛の波を漂はせて……御言葉優しう『如何だね、思ひ掛けん事だつたのう』と妾があまりの嬉しさに……何とは無く慇懃に頭を下げたのを……御覧に成てにこやかに笑まれました」とか、「或は励まし或は戒しめ、常の事ながら不束な妾を、斯程までに御教導下さる、其御心の忝いやら有難いやら、謹聴しながら心中に、感謝の涙をこぼして居ります」とかの言葉を見ると、彼女がいやいや文海の餌食になったとばかりは思えない。

と記し、寒村の〈貞操をもつて払はねばならなかつた〉という〈言い方は、ちと文海を悪者に仕立てすぎた嫌いがある〉と書く。

森山重雄1980も、

> 宇田川文海との関係にしても、必ずしも世評通りでなかったことは、絲屋寿雄『管野すが』〔岩波新書〕の中に紹介された、須賀子署名の「一週間」〔明二五・一一・二九「大阪朝報」〕という随筆によっても窺い知られる。

と記す。

もう一人。〈文海と須賀子の二人の関係は、まことに隠微で複雑だ。かんたんに、須賀子に対して、生活の資を得るための〝妾〟的存在ときめつけてしまうわけにはいかないのだ。〉と綴る**荒木1980e**も、

> 『寒村自伝』の「一家を支えるためには……貞操をもって支払わねばならなかったのである」という表現は、読むものをして決定的な判断を与えてしまう。〔改行〕これには筆者はちょっと抵抗を感じる。〔改行〕確かにこの頃の須賀子は文海の援助なしにはやってゆけなかっただろう。〔改行〕しかし、須賀子自身は文海を〝旦那

〃として意識するよりも、明らかに〃師匠〃として尊敬の念で接している。〔改行〕それに、この頃の須賀子は明治の男性偏重の社会に鋭い批判のまなこをむけ、その立場からすでに彼女は女権思想にめざめており、誰よりもこうした〃妾〃的存在に対してもっとも激しい怒りをいだいていたのが彼女自身だったからである。
と記した。そして〈この二人の関係をさぐるのに好個の材料がある。〉と前置きして持ち出すのが、「一週間」であった。

なるほど「一週間」の須賀子が文海を師として尊信し、恐懼萎縮する態度を演技とは思えない。文海＝〃旦那〃、須賀子＝〃妾〃とは思えない。

しかし、ここから直ぐ寒村記述に疑問を持つのは、早計である。

師事期間を三分してみる

改めて須賀子が文海に師事した二年半を、『大阪朝報』の在社期間にあわせ、十一ヶ月で切ってみる。

入門　須賀子は明治三十五年四月からの『大阪朝報』記者募集中に文海に師事し始める。

I期　三十五年六月～三十六年四月、『大阪朝報』記者時代〔求職中一ヵ月を含む〕。

II期　三十六年五月～三十七年三月、師事。

III期　三十七年四月～三十八年二月まで、師事〔三月までの可能性有り〕。

離別後　文海の下を去る。

寒村の描いた須賀子像をI期のものとすれば、I期の言説と不一致となり、寒村記述に疑問が出る．けれども、II期かIII期かのものと考えればよく、整合性は保たれる。

〈〃妾〃的存在〉は、生活困窮を前提とする話である。

三十五年八月までは、二宮スガ時代。離婚前で、姦通罪の抑止力を想像しても、〈〃妾〃的存在〉は難しく、ありそうにない。

I期は、月給二十円時代で、生活困窮期と言えない。

月給二十円

〈月俸弐拾円以上〉は悪くない。明治三十四年八月二十日刊『滑稽新聞』記事「大毎内幕史」は『大阪毎日新聞』の〈▲社員の給料〔略〕十年勤続した香川蓬洲が廿二円、同じく創立以来の田中猪太郎が十八円、入沢京太郎が今度三円上つて廿三円、岸本りう子が誰やらの御かげで十二円、先頃退社した平尾不孤は廿円と云つたやうな訳で、部長を除く外大概は三十円が止まりである。〉と報じる。岸本柳子を超えている。明治三十六年四月二十日刊『滑稽新聞』は〈今日の如く、売高よき新聞にても主筆が七拾円が関の山、十年勤勉の良記者にして五拾円止まり、参拾円、弐拾円、拾五円位の記者のみにして、いかんしてか立派なる記者を造り出すことを得んや〉と嘆く。明治四十年・東京朝日新聞の夏目漱石月給二百円は有名だけれど、破格の看板記者だから、同列には論じられない。

なお田中伸尚『飾らず、偽らず、欺かず』（岩波書店・二〇一六年十月二十一日）が、明治四十年、〈寒村の月給は一五円であった。須賀子の毎日新聞社の給料は二五円だったから二人合わせても四〇円で、当時の公務員の初任給五〇円（週刊朝日編『値段史年表』）にも及ばない。病妹と一緒の暮らしではかなり窮屈だった。〉と書くけれども、参照された公務員は〈昭和21年3月まで高等文官試験に合格した高等官、以後は国家公務員上級試験に合格した大学卒〉レベルである。こんな高級官僚と比べては当然〈及ばない〉に決っている。初級試験合格者のそれが載っておらず調べていないが、そちらを参照すべきであろう。週刊朝日編『値段史年表』（朝日新聞社・昭和六十三年六月三十日）では、巡査の初任給が明治三十年九円、明治三十九年十二円、小学校教員の初任給が明治三十年八円、明治三十三年十〜十三円、である。松本政治『啄木ふるさと散歩』（盛岡啄木会・昭和五十七年六月十二日。昭和五十七年十二月一日刊第二刷に拠る）に、啄木は明治三十九年に代用教員月給八円であったよし載る。〈月給九円でメシが食えんという「からかい」ことばもあり、それより一円低い八円だが質素に暮らせば食えぬことはないはず〉と松本は書いている。*

＊ちょっと逸れるが、明治四十年三月一日刊『食道楽』の無署名（小川煙村か）「三十年前と今日」に拠れば、〈女中給料〉は、明治三十年で〈一円三十銭、明治四十年で〈二円〉である。食事附き住み込みだからこんな安いのであろうか。

〈朝夕の食膳に贅沢を並べる父と弟妹二人をかかえて〉いるとはいえ、〈月俸弐拾円以上〉貰っている限り、食えぬことはないはずである（弟は文海宅住み込みで除外できる）。食えるかぎり〈〃妾〃的存在〉になる必要も無い。だから『大阪朝報』在社中、須賀子は〈〃妾〃的存在〉で無かった、と想定出来る。「一週間」から二人の関係を〈かんたんに、須賀子に対して、生活の資を得るための〃妾〃的存在ときめつけてしまうわけにはいかない〉と荒木は訝ったけれども、Ⅱ期かⅢ期かの須賀子をⅠ期の言説で説明しようとするから訝しくなったのである。Ⅰ期は〈〃妾〃的存在〉でない須賀子だから、〈〃妾〃的存在ときめつけてしまうわけにはいかない〉のは当り前であった。

二、大谷渡『管野スガと石上露子』第一部の検討

1　〈妾などではなかった〉説の検討

大谷第一著書の断言

寒村記述を高飛車に否定する言説が現れた。大谷渡の第一著書『管野スガと石上露子』（東方出版・一九八九年五月一日）「第一部　管野スガ」である。この大谷1989aは、『寒村自伝』に依拠した従来の須賀子像が〈まったく事実に反したものだった〉、〈本当〉は、

管野スガは、宇田川文海の妾などではなかった（四ページ）

と断言する。次いで文海像を一新する。

宇田川文海は、廃娼や女性解放を主張した点において、当時のジャーナリストや小説家のなかでも珍しい存在だった（五九ページ）

文海は〈民権左派の思想に強い共感をもちつづけたが、民権運動衰退後はキリスト教への関心を強め、さらに社会主義にも目を向けていた〉（一一四ページ）と。

同書「あとがき」は、

若き管野が『大阪朝報』の記者となったのには、宇田川文海の力が大いにあずかったが、この場合、管野は宇田川の妾的存在だったとして、そういう境遇への自己嫌悪から、やがて彼女はキリスト教、さらに社会主義へと接近していったとの解釈が一般的であった。しかし、このような見解はまったく成立しえないことが、私の管野スガ研究の過程において明らかになった。管野と宇田川は師弟関係にあったのであり、宇田川文海の思想こそが、彼女がキリスト教徒となり、ついで社会主義へと向かう導火線となったのである。管野スガについて調べれば調べるほど、これまで描かれてきた管野像が、女性解放に力を尽くした女性ジャーナリストとしての彼女実像とはあまりにもかけはなれていることが明確になった。本書では、これまでの私自身の管野に関する史料調査の上に立って、従来の管野スガの虚像を正し、彼女の実像を明らかにすることにつとめた（二三四〜二三五ページ）。

と記す。

こうして自説の須賀子像を〈実像〉と称し、寒村著作およびそれを〈基礎〉とする〈従来の管野の伝記的研究一般にみられる〉須賀子像（五ページ）を〈虚像〉と一蹴する。

いずれも強く断定調なのが私の気に障るけれども、それが読者に信

頼感を与え、大変な新発見報告との享受を誘ったようである。

大谷第一著書の高評

大谷『管野スガと石上露子』は発刊当時、大評判になった。

○〈豊富な史料をもとにその生涯に新たな光をあてた〔略〕スガについて「恋多き女」「奔放な女」というこれまでの評価は誤りで、その実像は「女性解放に力を尽くした女性ジャーナリストだった」と指摘。〔略〕これまでの歴史書で描かれたスガの人物像について「一時期、結婚生活を送った荒畑寒村の書いたものは、スガが寒村を惑わしたように意図的にかかれていたが、それが無批判に受け入れられ、大逆事件もあって『妖婦』『魔女』という伝説が助長された」と分析、実像は異なっていることを克明に記述している。〉（一九八九年四月八日付『読売新聞』大阪）、

○〈これまではその男性関係を放縦かつ非道徳的なものとみなして、その見地から思想や行動を理解しようとした傾向が強かった。〔改行〕十年以上にわたってスガについて調べてきた著者は、「女テロリスト」として絞首刑に処せられたためにつくられた魔女・妖婦（ようふ）伝説が大きく影響している、と分析している。〔略〕小説家宇田川文海の妾（めかけ）的存在だったという説についても、師弟関係にあっただけで宇田川の思想こそがキリスト教、社会主義に向かわせる導火線になったとしている。〉（一九八九年五月二日付『朝日新聞』）、

○〈〔略〕新しい管野像を作り上げた。〔略〕すぐれた評伝である。〉（平成元年十一月三十日刊『大阪の歴史』の植木佳子の書評）、

○〈〔略〕著者は新しい管野像を構築、提示〔略〕詳細に実証〔略〕実像を明らかにし〔略〕〉（一九九〇年一月二十七日刊『大逆事件の真実をあきらかにする会ニュース』の大「文献紹介」）、

○〈〔大谷第一著書では〕従来の『寒村自伝』にのみ依拠することの多かったスガ像が、種々の資料から実証的にくつがえされることになった〉（一九九二年一月一日刊『風景』の内野光子「短歌に出会った女たち（十三）」）、

○〈大谷は〔略〕管野の男性関係の噂を一つずつ実証をあげながら否定している。さらに、社会主義運動に入る以前の管野が草分けの女性記者として『大阪朝報』で縦横に筆をふるった事実を、これも綿密な調査であとづけている。これによって、管野像はより豊かなものになった。〉（江刺昭子『女の一生を書く』（日本エディタースクール出版部・一九九四年二月十八日））、

○〈〔略〕管野須賀子研究をその著『管野スガと石上露子』（一九八九年）で大きく前進させた大谷渡氏〔略〕〉（一九九五年一月二十四日刊『大逆事件の真実をあきらかにする会ニュース』の大岩川「文献紹介」）、

○〈〔略〕管野須賀子の成長の道筋を実証的に跡づけ、新しい管野像を構築した〔略〕〉（一九九七年一月二十四日刊『大逆事件の真実をあきらかにする会ニュース』の大岩川「文献紹介」）、

等々と続く。

〈妾などではなかった〉説は、学的検討の未だ行われていないうちに、市民権を得てしまった。

マスコミで大騒ぎした発見が幻であった例は多いから、以下、この説を検討しよう。実証とは〈確かな証拠に基づいて証明すること〉である（『新明解国語辞典』第三版）。Battle Hymne of The Republic の替え歌（日本語詞者不明）で言えば、オタマジャクシが〝カエルの子ではなかった〟説に接すれば、証拠は何？と問い返す作業である。

幻の書評

堀切利高「共通の遺産になしうるか」（一九八九年十二月一日刊『初期社会主義研究』）は、大谷本を〈清水卯之助氏に書評をお願いしたが、体調すぐれずご執筆いただけなかった〉と記している。清水氏なら最適任者。清水書評が出ていれば、私より深く広く、大谷本の全貌があきらかになったに違いない。私がこの第二章を書くこともなくて済んだのではないか、と思わないではいられない。力不足ながら、大谷本を追考し、私見を申し述べよう。

〈妾などではなかった〉説の証拠なし

新説の主唱者は証拠を提出する責任がある。なのに、大谷は直接証拠も伝聞証拠も一切提出していない。須賀子直話に発するらしい寒村記述を打ち破り得る、説得的な反証が無い。

〈妾などではなかった〉説には、証拠が提示されていない。

もちろん〈妾などではなかった〉の直接証拠など容易に求められるものではない。男女の秘め事の場合、密室への出入りを押えたとしても、なお真相は決め難い。

〈妾などではなかった〉説の発表されたとき、人々は主唱者がこの幾重にも困難な課題を乗り越え解明に成功したに違いないと思ったのであろう。その功績に対し賞賛を惜しまなかったと推量される。

しかしそれは早合点であった。

〈妾などではなかった〉とただ書くだけで納得せよというのは無茶である。

にもかかわらず、世間は〈妾などではなかった〉説を信じてしまった。この説に対する批判を、現在に至るまで、誰からも聞く事がない。

大谷もかつては〈愛人であった〉と書く

実は大谷自身もかつては、〈愛人であった〉を繰り返していた。

○第一例。大谷「大阪時代の管野スガと天理教」（昭和五十五年三月十日刊『ヒストリア』）は、

男性による凌辱、意にそわぬ結婚、そして離婚、小説家宇田川文海（一八四八〜一九三〇）の愛人となって必死に世へ出ようとする姿、悲運のなかで健気に生きぬこうとする若き日の管野の生き方は、彼女の生涯の悲劇的な結末への伏線となっているだけに、感動的である（六七ページ下段三行目）。

と明記した（傍線引用者）。

○第二例。同文続きは、

とくに、宇田川文海の弟子、愛人として、その庇護のもとに、『大阪朝報』紙上に原稿を発表する機会を得るようになった一九〇二年(明治三五)から一九〇五(明治三八)ごろにかけての時期こそ、それまでは悲運の管野がようやくにして社会的舞台に登場し、自立への方向をすすみはじめたという意味で重要であり、彼女のキリスト教への接近、さらには社会主義への接近の時期として注目されている（六七ページ下段六行目）。

と明記した〔傍線引用者〕。

○第三例。「宇田川文海と天理教」（昭和五十五年四月一日刊『歴史と神戸』）は、

宇田川文海(一八四八—一九三〇)は、明治末年のいわゆる大逆事件で刑死した管野すが（一八八一—一九一一）の師であり、愛人でもあった（二ページ上段本文二行目）。

と明記した〔傍線引用者〕。

○第四例。同じく「宇田川文海と天理教」には、

一九〇四年七月に婦人矯風会大阪支部代表として上京し、矯風会大会に出席している。そしてこの時、彼女は平民社に堺利彦を訪ねているのである。〔改行〕清水三郎「文海、老らくの恋—相手は大逆事件の管野」（「朝日新聞外史(61)」『朝日旧友会報』一九六七年五月第六二号)によると、一九一一年(明治四四)三月一五日、堺利彦が旧友の『報知新聞』北京特派員石川半山にあてて管野すがの思い出話を書いたとされており、堺の書いた次のような文が紹介されている。〔改行、二字下げ〕次に彼女は僕等の有楽町の平民社に尋ねて来た、其時は大阪婦人矯風会の代表者として東京の大会に出席したのであった。だから其時には彼女はまだクリスチャンぶって居たのだ、而して実は宇田川文海君の保護の下に在って、其老情を慰めて居たのだ。然るに彼女は東京に於て何処で何う懇意になったか知らぬが、忽然として伊藤銀月君と夫婦約束をしたと云うのだ。是に就ては文海老から僕の所に、保護者と云ふ名の下に、嫉妬まぢりの老の繰言を約二間半ばかり書いてよこした事があった。〔以下略〕（八ページ上段十三行目から下段四行目）。

と書いている〔傍線引用者〕。〈妾などではなかった〉説が、有力な反証となる堺書簡を知らずに立てられたのかというと、そうではなかったわけで、第四例にはしっかり堺書簡を引用までしていた。

○第五例。「宇田川文海と天理教」は、

管野が堺を訪ねたのは、かつて大阪の文士であった彼と既知の間にあった文海から、社会主義者堺利彦の話を聞いたことがきっかけとなっていたのかもしれない。菅野のキリスト教への接近、社会主義への接近は、やはり師であり愛人でもあった宇田川文海と無関係ではなかったように思われるのである（八ページ下段九行目）。

と明記した〔傍線引用者〕。

○第六例。「宇田川文海と天理教」は、

管野すがの師であり愛人でもあった宇田川文海は、日露戦争と天理教教師講習会を契機としてますます天理教に埋没していったが、管野はその頃からしだいに社会主義への接近を強めていった（十一ページ上段八行目）。

と明記した〔傍線引用者〕。

しかし、昭和五十六年以後に大谷は、〈愛人であった〉説から〈妾などではなかった〉説へ一変する。初出で須賀子を文海の〈愛人〉と書いた、すべての箇所と堺書簡引用とを単行本では消す。次の通り。

○前記第一例全体を、単行本は不採用とする。

○前記第二例を、大谷『管野スガと石上露子』（東方出版・一九八九年五月一日）で、

とくに管野が、小説家宇田川文海（一八四八〜一九三〇）の庇護のもとにあって、社会的舞台に登場しはじめた一九〇二年（明治三五）から一九〇五（明治三八）にかけての時期こそは、彼女の思想形成の上できわめて重要な時期なのだが（三ページ）

と改文する。「大阪時代の管野スガと天理教」で私に傍線を引いた部分がカットされた。

○前記第三例を、大谷第二著書『教派神道と近代日本』（東方出版・一九九二年二月二十日）では、

宇田川文海は〔略〕明治末年のいわゆる大逆事件に連座した管野スガの師でもあった。（三四ページ）

と改文する。「宇田川文海と天理教」で私に傍線を引いた部分がカットされた。

○前記第四例を、『教派神道と近代日本』再録時、

〔略〕一九〇四年七月には矯風会全国大会に大阪代表五人の一人として上京し、大会終了三日後に有楽町の平民社を訪ねて堺利彦に会った。（四七ページ）

と改文する。「宇田川文海と天理教」で私に傍線を引いた部分がカットされた。

○前記第五例を、『教派神道と近代日本』再録時、

堺は、宇田川文海と旧知の間柄であった。菅野の平民社訪問には、師であった宇田川の存在が大きく働いていた。（四七ページ）

と改文する。「宇田川文海と天理教」で私に傍線を引いた部分がカットされた。

○前記第六例を、『教派神道と近代日本』再録時、

管野スガの師であった宇田川文海は、日露戦争と天理教教師講習会を契機として、ますます天理教に埋没していったが、管野はその頃からしだいに社会主義への接近を強めていった（五二ページ）。

と改文する。「宇田川文海と天理教」で私に傍線を引いた部分がカットされた。

研究者が旧説と全く逆の新説に転換することは、研究の進展した場合に起こり得る。その場合、新しい根拠と自己批判とを示すのが通例

であろう。しかし大谷はそこを頬被りし、根拠と自己批判となしに、旧来の自説を廃棄し、転換した。

自説変化の唯一の断り・説明があるとしたら、かろうじて『教派神道と近代日本』「あとがき」にある〈誤りを訂正するとともに新資料による補足などをおこなった〉という文言だけである。字句だけの正誤ならこれでよいが、ことは新説の論旨に関わる。初出の私に傍線を引いた部分のどこが〈誤り〉だったのかを説明する必要があったのに、それが成されていない。

先行清水三郎報告の隠蔽

〈妾などではなかった〉説は、第四例で示したごとく、自説に不都合な史料を排除・隠蔽した上で成り立っている。前記堺書簡の扱いがその一例である。堺書簡の、伊藤銀月君と云々が伊藤銀月『女五人』で傍証出来、〈二間半〉の手紙の話にも信憑性があろう。にもかかわらず、黙殺された。

その他、清水三郎は「朝日新聞外史(61)」(昭和四十二年五月刊『朝日旧友会報』第六十二号)に、〈管野幽月を新聞記者に育てた恩人であり、その情人でもあった宇田川文海〉と記し、〈明治三十二、三年ごろのこと、文海は五十二、三歳で、親子ほど歳が違うが、その時代文海は妻の在る身で同じ家に幽月と同棲していたそうである。〉と書き、「朝日新聞外史(64)」(昭和四十三年三月刊『朝日旧友会報』第六十六号)に、〈文海には艶聞が多く、芸妓を妾にして本妻と同居させたこともあり小説の弟子の菅野すがと懇ろにした〔略〕文海は菅野すがが中風の父や弟妹を抱えているのをみて、経済的に面倒を見、その弟正雄を書生として自宅に引き取り、この正雄と養女初を夫婦にして後継にするつもりで、正雄をアメリカへ送ったが、やがて明治四十四年の大逆事件が起って、正雄は帰国出来なくなり、やがてロサンゼルスで死去した〉とも記す。

清水三郎は、文海遺族にも取材した貴重な言説であった。〈同じ家に幽月と同棲していた〉と書いた個所は、「朝日新聞外史(64)」の〈補遺〉で〈「幽月と懇ろにした」と訂正〉される。この訂正も遺族取材に因るものなら、遺族は〈同棲〉を否定したけれど妾的存在は認めたと読める。

大谷『管野スガと石上露子』は、清水三郎「朝日新聞外史」に拠る記事を取り入れ載せているけれども、管野正雄に関する部分のみに限る。それも、

> 宇田川は、この養女初と、書生の正雄を夫婦にして後継にするつもりで、正雄をアメリカに送ったともいわれるが、それが事実だったかどうかについては不明である(清水三郎「朝日新聞外史」『朝日旧友会報』第六六号、一九六八年三月)。

と(四二ページ)怪しい情報扱いされてしまってである。

不都合史料をすべて無視し〝見ヌコト清シ〟ふうに成り立つ、〈妾などではなかった〉説をそのまま受け入れることは出来ない。

妾などではなかった説のヒント

妾などではなかった説はどこから思いついたのであろうか。ヒントは、須賀子と毛利柴庵との結婚話について、寒村記述に保留を表明した関山1959や、寒村著作に〈釈然としないものを覚える〉と書いた佐藤任『毛利柴庵』（山喜房仏書林・昭和五十三年九月一日）にあったかも知れない。

須賀子と毛利柴庵との結婚話もそうであるが、寒村記述の問題点として、〈妖婦〉須賀子の製造元という悪評が前より言われている。神崎清が編書『大逆事件記録　第一巻』（実業之日本社・昭和二十五年六月十五日）において

> 『寒村自伝』が、すが子の思い出を描くにあたつて、妖婦性だけを一方的に強調し、彼女の革命性を語らなかつたのは、きわめて遺憾であつた。

と記した。寒村著作に依拠するところ多い絲屋本と、大谷本・清水本との差異は、この点から分岐する。大谷本や清水本で、寒村の描く須賀子像、〈妖婦性〉が強調された。清水卯之助「管野須賀子の来田前後」（昭和五十八年十二月一日刊『くちくまの』）は、

> 寒村という人は終生須賀子に恨みをもって彼女を淫婦妖婦に仕立てるのに筆を惜まず機会ある毎に中傷している

と書く。

そもそも『寒村自伝』は「死出の道草」を始めとする須賀子の多彩な著作の知られる以前の著作であり、須賀子の革命性の記述は不十分にならざるをえなかった。男女関係の情報が寒村の捏造なのか、元があったのかも分らない。

清水に従うならば、寒村の須賀子妖婦性強調は、二人が恋に落ちた田辺時代以後のことなので、文海師事時代に限る拙著はこの点に深入りしない。

ただ、大谷の断定調については付言しておきたい。

関山が、須賀子と毛利柴庵・清滝智竜との関係について、寒村記述に保留を表明したさい、関山は確実性の高い論拠を示しつつ、しかし、

> 〔すがと柴庵の結婚ばなしは〕寒村氏がすが子から直接きかれたことだろうから、或は真実かも知れぬが、今はそれを立証することはできない（室井氏は知らないといわれた。もっとも同氏はまだ14,5の少年だったから、そんな隠微なことまで知るわけはなかったそうである）（十四ページ）。〔清滝師とすがとについては〕清滝師のもとには、幽月はその後も度々通った。寒村氏はその間に密かな関係ができたと云っておられるが、本当かどうか私には判らない（二十ページ）。

と穏やかな書き方を採った。断定調を採らないところ、真に学問を修めた人の謙虚さが感じられて奥ゆかしい。

2 〈廃娼・女性解放論者文海〉説の検討

大谷『管野スガと石上露子』に拠れば、〈宇田川文海は、廃娼や女性解放を主張した点において、当時のジャーナリストや小説家のなかでも珍しい存在だった（五九ページ）〉というが、はたしてそうか。

文海が〈廃娼や女性解放を主張した〉根拠の検討を始めよう。幸い今回は証拠が提示されている。

> 宇田川が一九〇〇年（明治三三）以降しばしば『みちのとも』誌上に、廃娼運動に賛成する文や芸娼妓の存在を否定する文を書いていたことを考え合わせると、『大阪朝報』紙上で唱えられた管野の主張が、宇田川の思想を基礎とするものだったことに気付かざるをえないのである。宇田川は、一九〇〇年一〇月二八日付『みちのとも』第一〇六号に、「公娼の悪習の一端を読者諸君の前に暴露し、間接に廃娼運動に賛成の意を表す」と記して、小説「すくも虫」を掲載していた。また彼は、一九〇〇年一二月二八日付同誌第一〇八号掲載の「記者の公徳」の中で、新聞記者の中には、「芸娼妓の内幕を掲載し得々として其通を誇る」ものがいると述べて、これを痛罵していたし、これらに類する文は他にもいくつか掲載された。（五八〜五九ページ）

である。

証拠は、文海の〈廃娼運動に賛成する文〉と〈芸娼妓の存在を否定する文〉との存在である。前者の具体例が「すくも虫」、後者の具体例が「記者の公徳」である。なお〈これらに類する文は他にもいくつか掲載されている〉と付記する。

大谷のオハコ

この一節は大谷のオハコらしい。〈愛人であった〉説のときから記されてあり、〈妾などではなかった〉説へ一変して後も持ち出す。ほぼ同文を五回も繰返す。**甲〜戊**として再録しよう。くどいけれど、お付き合い下さい。紛らわしい小異があるので、そこへ傍線を付しておく。

甲〔「宇田川文海と天理教」（昭和五十五年四月一日刊『歴史と神戸』七ページ下段九行目）〕。

> 文海は管野と出会う以前から、『みちのとも』誌上に廃娼運動に賛成する文や、芸娼妓の存在する社会を批判する文を掲載しているので、管野のキリスト教婦人矯風会への接近は、文海の存在を無視しては考えられないように思える。（大谷はこの文に注して十二ページ下段の注20で）文海は一九〇〇年一〇月二八日付『みちのとも』第一〇六号に、「公娼の悪習の一端を読者諸君の前に暴露し、間接に廃娼運動に賛成の意を表す」と記して、小説「すくも虫」を掲載している。また彼は、一九〇〇年一二月二八日付同誌第一〇八号掲載の「記者の公徳」の中で、新聞記者の中には、「芸娼妓の内幕を

掲載し得々として其通を誇る」ものがいるとのべて、これを痛罵している。これらに類する文は、他にもいくつか掲載されている。

乙〔「大阪時代の管野スガ」昭和五十六年二月二十日日刊『日本史研究』〕七十ページ上段十四行目〕。

文海が一九〇〇（明治三三）年以降しばしば『みちのとも』誌上に、廃娼運動に賛成する文や芸娼妓の存在を否定する文を書いていることとを考え合わせると、『大阪朝報』紙上で唱えられた管野の主張が、文海の思想を基礎とするものだったことに気付かざるをえないのである。〔この文に注して大谷は七十三ページ注7で〕文海は一九〇〇年一〇月二八日付『みちのとも』第一〇六号に、「公娼の悪習の一端を読者諸君の前に暴露し、間接に廃娼運動に賛成の意を表す」と記して、小説「すくも虫」を掲載している。また彼は、一九〇〇年一二月二八日付同誌第一〇八号掲載の「記者の公徳」の中で、新聞記者の中には、『芸娼妓の内幕を掲載し得々として其通を誇る』ものがいるとのべて、これを痛罵している。

これらに類する文は、他にもいくつか掲載されている。

丙〔『管野スガと石上露子』（一九八九年五月一日）五十八ページ十六行目および五十九ページ三行目〕。丙は先に引用したばかりなので、略す。傍線部は〈芸娼妓の存在を否定する文〉であった。

丁〔『教派神道と近代日本』（一九九一年一月二十日）四十三ページ十四行目および五十八ページ〕。

宇田川は、管野が師事する以前から、『みちのとも』誌上に、廃娼運動に賛成する文や芸娼妓の存在する社会を批判する文を書いていた。〔大谷はこの文に注して五十六ページ注20で〕宇田川は、一九〇〇年一〇月二八日付『みちのとも』第一〇六号に、「公娼の悪習の一端を読者諸君の前に暴露し、間接に廃娼運動に賛成の意を表す」と記して、小説「すくも虫」を掲載している。また彼は、一九〇〇年一二月二八日付同誌第一〇八号掲載の「記者の公徳」の中で、新聞記者のなかには、「芸娼妓の内幕を掲載し得々として其通を誇る」ものがいると延べて、これを痛罵している。これらに類する文は、この他にもいくつか掲載されている。

戊〔『天理教の史的研究』（一九九六年九月一十日）四十三ページ十四行目および五十八ページ〕。

戊は丁の増補版で、増補版といっても、今取り上げた箇所は、今引用した丁と同文なので、略す。傍線部は〈芸娼妓の存在する社会を批判する文〉。ちなみに大谷は戊を、〈一九九一年一月出版の初版本に、「第八章　天理教の史的位置」と「付説Ⅱ　天理教における入信と布教の動機について」を加えて、増補版を刊行することにした。初版本を刊行した同じ年の一九九一年九月に、わたくしは、「教派神道と近代日本――天理教の史的考察」により、関西大学から博士（文学）の学位を受けており、この学位論文をこのたび本書増補版として公刊することにした次第である。なお、書名も「天理教の史的研究」と改題した。〉と説明する。

「すくも虫」

「すくも虫」から見て行こう。明治三十三年十月二十八日刊『みちのとも』に掲載された四百字十一枚強の短編小説である。

　本年は旧暦なれば潤月のある歳とて、気候の甚く遅れたれば宛然北地の春の如く、梅唇僅に清香を吐き、鶯喉漸く新声を漏すかと想ふ間も無く、桃も開き桜も綻ぶ時は来れり

が始め。余が観花に誘った友の家の垣根一重隔てた借長屋で、人買夫婦と娘の父母とが、嫌がる娘を苦界に沈めんと強談判中。友は娘の不幸を憐れみ、説諭しようとするが、気配を察知した隣家が静まり、その機会を逸す。

　余の心中には、彼の娘の行末を憐れむ心、其後も猶去りやらず、彼の友人を尋ねなば、其娘の消息を聞き、或は之を救ふ術をも得んかと、屡々彼を音問へり、彼も亦余と同じく、周旋人の家に心を用ひ、之を聞ん事を勉めて怠らざれども、吾々の辛労は今日に至るまで、未其成功を見ざるなり、嗚呼遺憾々々

と結ぶ。

　この『みちのとも』誌掲載「すくも虫」、実は初出でない。明治二十六年六月五日刊『この花草紙』第二号掲載の再録である（上図）。作中時点〈本年〉が〈旧暦なれば潤月のある歳〉とあるから、初出直近ではそれに当たる明治二十五年らしい。たまたま明治三十三年も〈旧暦なれば潤月のある歳〉なので、流用した面も想定される。再録時、

左にすくも虫の名をつけて、小説風に綴つた一話は、現に本年の春有た事で、著者が親しく見聞したのであるが、昨今廃娼運動の盛んなるにつけ、其事を思ひ出したので、記憶のまゝを筆に云はせて、公娼の悪習の一端を読者諸君の前に暴露し、間接に廃娼運動に賛成の意を表す、読者諸君その、心して御一読あらむことを

著者申す

の著者前書だけが新稿である。右文中〈現に本年の春有た事で、著者が親しく見聞したのである〉は虚偽記述である。となると、〈廃娼運動に賛成の意を表す〉も疑わしくなるが、こちらはともかくも信じるとしよう。

文海の言行不一致

「すくも虫」を〈廃娼運動に賛成する文〉として、では〈廃娼運動に賛成する文〉を書いた人なら直ちに廃娼論者と言えるかどうか、これも早計の場合がある。伊藤秀吉『日本廃娼運動史』（廓清会婦人矯風会廃娼聯盟・昭和六年七月一日）が〈廃娼論を掲げて天下に遊説し、最も健闘してゐる〉と評価した、植木枝盛の遊蕩生活は有名である。〈廃娼を叫びつゝ娼楼に登り、人の之を詰るや、答へて曰ふ、廃娼主義なれど、娼妓の存在する間、之を使用すと〉豪語する人物で（三宅雪嶺『同時代史第二巻』〔岩波書店・昭和二十五年三月二十五日〕）あった。

小説で廃娼事業を高く評価した作者が現実世界で一夫多妻の実践者であった例は他作家にある。例えば「すくも虫」と類似窮状の女性は後年の渡辺霞亭「井伊大老」にも同情的に描かれる。井伊直弼が領地で〈当時としてはあまり類のない娼妓解放の英断をした〉挿話中である。廃娼を肯定的に描いているけれど、霞亭は別に一夫一婦論者で無かった。柳田泉「物故文人独談義」（昭和九年十一月一日刊『伝記』）は、〈僕が大阪に遊んだのは、大正の初め頃だがその頃は、何でも霞亭は愛妾が五人あるといふ噂でその五人の許を交番に泊り歩きつゝ一日も小説の筆を休めないといふことであつた〉と伝える。

一夫一婦主張を説いていても、それが口先だけでないこと、厳粛な言行一致が肝要である。これに限らず一般に、文海には言行不一致の噂があった。例えば明治二十二年十月十一日刊『新社会灯』の記事「宇田川文海」は、文海〈人前では禁酒禁煙家内では大酒大煙浮世小路の妾宅に於ては梅と桜の花合〉と報じる。雪間生の投書（一九〇三年一月二十日付『滑稽新聞』）にも〈賭博の弊害ある事を半痴子が書いてあつたが、僕の聞く所によると、半痴子自身は賭博が大好の方だとさ〉と。噂の当否検討が要るにしても、その考証をくぐらないと〈廃娼・女性解放論者文海〉説の即断はあぶない。

専ら時好に投じて喝采を博す作を心掛けた文海から、漠然とした勧善懲悪・博愛などはともかく、特定の思想を読むこと自体難しい。大宅壮一「『無思想人』宣言」（昭和三十年五月刊『知識人』、初出未見→『大宅壮一全集六』〔蒼洋社・昭和五十六年十月一日〕）の言うごとく、〈ジャーナリズムとは〃

無思想〟の別名だといえないこともない〉のだから。

「記者の公徳」は藝娼妓否定文ではない

次に大谷の挙げた、明治三十三年十二月二十八日刊『みちのとも』掲載「記者の公徳」を見よう。「記者の公徳」は、〈芸娼妓の存在を否定する文〉であるかどうか。幸い「記者の公徳」は短文なので、全文を引用出来る〔ルビ一箇所以外略〕。

記者の公徳　半痴生

凡そ世に他人の過失を摘発して、稠人の内に表白する程、不徳義極まることは非ざるべし、況んや之を筆にして、万世不抹の汚名を蒙らしむるに於てをや〔改行〕試に見よ世上幾多の新聞紙上の所謂三面種なるものは、識者が筆にすることも恥づべき敗徳汚行を、詩趣もなき最も露骨なる筆に羅列し、殊に章台の間に於ける藝娼妓の内幕を掲載し、得々として其通を誇るもの、如し、世人或は西鶴、春水が下流社会の内情を巨細に探知し、最も精巧に淫猥の筆を弄したるを以て、似非文人となし極力之を排斥するを見る、而も今の敗徳記者に対し一言の之に及ぶものあるを見ず、余輩窃に世人が遠きを見るの眼孔あれども、却て目睫の前に及ぶ能はざるを怪しみ、彼新聞紙が社会に対する公徳に就き疑ひなき能はず、若し夫れ是等の記事（しや）にして懲治の効力あれば幸ひなれども、却て之れが為め反対の現象を呈するを哀むものなり、況んや軽躁の筆、浮薄の辞、事実にあらざる所行を公にし、延ひて世を毒し人を過るに至る、是れ正に社会の上流に立ち、世の木鐸を以て自任する文士の行為と云ふを得べきか、〔改行〕借問す、翠帳紅閨に人となりし深窓未婚の淑女が、一朝敗徳記者の筆に傷けられたる汚名は、僅に紙上の片隅五六行の正誤文を以て払拭し得ると思惟する乎、其酷薄残忍何んぞ斯く甚しき、〔改行〕斯くの如き新聞紙の雑報に至りては、中流以上の家庭殊に少女団欒の間に於ては、殆んど読む可らざるものなれども、此種の新聞紙が最も婦女子の歓迎する処となると云ふには、実に浩歎の至りなり、抑も新聞なるものは社会の耳目となり木鐸となるてふ責任に於て、方さに主働的ならざるべからず、徒らに是等読者の制肘する処となり、筆を枉ぐるが如きは断じて有るべからず、是れ余輩が疾声大呼して新聞紙の公徳を喚起する所以なり、

である。御覧の通り、「記者の公徳」は〈芸娼妓の存在を否定する文〉で無い。背徳記者非難文であって、それ以上でもそれ以下でもない。実は〈芸娼妓の存在を否定する文〉という大谷『管野スガと石上露子』の「記者の公徳」要約には誤記が混入している。それをハッキリさせるため、厄介なことだが、大谷の旧稿へ遡る。

先に五回引用した文章を見られたい。大意は同じだが、小異があっ

た。甲・丁・戊が〈芸娼妓の存在する社会を批判する文〉と記し、乙・丙が〈芸娼妓の存在を否定する文〉と記す点である。ほぼ同文ながら、この二種を右往左往していた。

大谷が〈「記者の公徳」の中で、新聞記者のなかには、「芸娼妓の内幕を掲載し得々として其通を誇る」ものがいると延べて、これを痛罵している〉と書いたのはよい。だが「記者の公徳」を〈芸娼妓の存在する社会を批判する文〉とは不適切な拡大解釈的要約である。ついでそれを転記するさい〈芸娼妓の存在を否定する文〉と誤記し、原文からすっかり離れた内容になったことに、本人はどうやら気付かなかったらしい。言葉ころがしの生んだ錯誤である。

「記者の公徳」は廃娼論でも藝娼妓否定文でもなかった。文海の〈廃娼運動に賛成する文や芸娼妓の存在を否定する文〉例から「記者の公徳」を除外すべきである。

膨大な量の文海著作から選ばれた唯二篇、そのうちの一篇は使い物にならない。

3　〈民権左派思想家文海〉説の検討

根拠の弱さを自覚してか、『管野スガと石上露子』は、〈民権左派思想家文海〉説を付加補充する。晩年の文海回想に拠って、文海が〈文明開化の潮流に洗われ〉（五三ページ）、スマイルス『西国立志編』・福沢諭吉『学問の勧め』を読書したこと（五十四ページ）を書き加え、次に続き物「蜃気楼」「爆発奇談午睡夢」を特筆大書した。

一八八六年（明治一九）八月から一二月にかけての同紙上に、女性参政権の問題を扱った作品「蜃気楼」を発表し、一八八七年（明治二〇）六月に、大井憲太郎、小林樟雄、景山英子らの大阪事件を題材にした「爆発奇談午睡夢」を書いていたことは注目すべきことだった（前掲昭和女子大学近代文学研究室『近代文学研究叢書』第三一巻）（五十五ページ）。

と。さらに、

彼は東洋のルソーといわれた民権左派の理論家中江兆民とも「親交」があった（一一四ペ　ージ）。

と付言され、文海は〈民権左派の思想に強い共感をもちつづけたが、民権運動衰退後はキリスト教への関心を強め、さらに社会主義にも目を向けていた〉（一一四ページ）と明記した。

追加分は、あるいは伊藤秀吉『日本廃娼運動史』（廓清会婦人矯風会廃娼聯盟・昭和六年七月一日）に、廃娼運動が〈十年毎に燃え盛る〔略〕第一期の時代は極端なる欧化主義の時代〔略〕第二期に於ては、自由民権の時代〔略〕

第二期は主として基督教徒の運動〉であったと記す〔二十四〜二十五ページ、第四期は日露戦役後以下は省略〕から、これをヒントに増補したのかも知れない。

追加分を検討しよう。スマイルス・諭吉の件。文海は日本の近代化と西洋文明に全く関心を寄せなかったわけではない。スマイルス・諭吉も読んだらしい。けれど、これを読んだ人が必ず近代精神の持ち主になったわけではない。

近代精神とは何か、その定義問題にもつれ込むとややこしくなるので、今は高田瑞穂『現代文読解の根底』〔新塔社・一九八二年九月。初出未見。筑摩書房・二〇一四年二月十日に拠る〕の、〈近代精神ということばは、さまざまな意味を内にふくんだ、非常に幅の広い概念である。それだけに、その中核をなすものの認識があいまいであると、全体があいまいなものとなり勝ちである。そういう近代精神の中核をなすものは、次の三本の柱である。〔改行〕第一――宗教的絶対権威の否定〔改行〕第二――自然の科学的認識〔改行〕第三――人間の自由と平等の実現〉である、で済ましておこう。この三本の柱を、文海が疑問の余地無く明示した証はない。むしろ、文海が生涯、勧善懲悪の続き物作者に終わったことはハッキリしている。

「蜃気楼」・「爆発奇談 午睡夢」の二作は如何。

「蜃気楼」は女性参政権を取扱っていない

「蜃気楼」は存娼〔妓風改良〕論派の二十三年未来記体の続き物である。ヒロインが〈娼妓は肉交の道具藝妓は情交の道理にて尤も世上の必用品社会の交際には無くて成らぬ品〉と語る〔第拾三回（九）〕。作中〈喰ず嫌ひから漫に藝娼妓廃止案を提出した〉〔第拾八回（三）〕〈石田鉄哉〉は〈飽まで鉄面皮の男〉〔第拾三回（三）〕〈倣慢頑固の田舎漢〉〔第拾三回（九）〕〈元来やぼなる人物〉〔第拾八回（七）〕と散々に描かれる。

大谷は「蜃気楼」を、

女性参政権の問題を扱った作品

と評価した。

しかし、「蜃気楼」は〈女性参政権の問題を扱った作品〉ではない。作中に〈女性参政権〉の語は一度も出てこない。初出本文にも、数種ある単行本のどの本文にも出てこない。

では何故大谷は右評価を為したのか。広津柳浪「女子参政蜃中楼」との混同であるが、大谷は、先行する松浦直治の誤記を受け売りしたのである。

もっとも大谷が拠ったのは、松浦文そのものでなく、それを踏まえた、大塚豊子・松葉晨子「宇田川文海」〔『近代文学研究叢書 31』〔昭和女子大学近代文学研究所・昭和四十四年七月十五日〕の、

「蜃気楼」（明一九・八・二七〜一二・九）は最も早く女子参政を取り扱った小説として評判になった（三一七ページ）。

である（傍線引用者）。

大塚豊子・松葉晨子は、

明治十九年八月に執筆した「蜃気楼」は、女子参政の問題を取扱ったものとして、広津柳浪の「女子参政蜃中楼」に一年先立つものであったと、作者自身も自慢していたようである。が女子参政といっても才色兼備の一芸妓が、その身分故に最愛の人との結婚を妨げられることから、奮起して花街代表の議員となり、議会において芸妓と娼妓の区別を明らかにしたり、時期尚早の理由で廃娼論に反対したり、男女交際論を演説したりする白昼夢をかいたものである（二四七ページ）。

と書いており（傍線引用者）、〈ようである〉と松浦文と距離をおいた後、逆接〈が〉以降松浦文への異議申し立てとも読める文が続く。ただ大塚・松葉が松浦否定を明言していないため、異議部分が大谷に伝わらなかったらしい。

類似誤記は、荒木伝「なにわ明治社会運動碑」（一九八〇年十二月十七日付『大阪新報』）にも

明治十九年の『蜃気楼』（宇田川文海）——才色兼備の芸妓が議員となって婦人参政権をぶちあげる——は、あの当時のものとしては結構進んだ問題意識であった。

とあり〔傍線引用者〕、大谷は安心して従ったらしい。親亀の背中に子亀が乗り、子亀の背中に孫亀が乗り、親亀がこけると、子亀孫亀皆こける。

「蜃気楼」を読むと、ヒロインの恋人が、

廃娼論も道徳主義から言へば一応尤のやうだが情欲の事は到底道理で圧へられるものでは無ければ公に淫を売る事を止めれば密売淫の盛になるは免れられず欧米の文明国でも密売淫は止まないから増て半開の東洋では売淫を廃する事は迚も出来無い相談ソシテ公売淫と密売淫と何方が社会に害が多いかといふと容易に那方とも定められず日本今日の文明の度では寧ろ公売淫の方が害が薄からうといふ説の方が尚多数を占てゐるやうだから彼の説は容易には行はれまい

と廃娼論について否定的に語る〔第三回(下)〕。〈廃娼・女性解放論者文海説も怪しい。〈宇田川文海は、廃娼や女性解放を主張した点において、当時のジャーナリストや小説家のなかでも珍しい存在だった〉と書く大谷説は、ますます怪しい。

次に「爆発奇談 午睡夢」。これは大阪事件を当て込んだ続き物である。「爆発奇談 午睡夢」に景山英子をモデルにした亀山筆が登場するけれど、具体的な女権論者的言動の描かれる以前で「爆発奇談 午睡夢」は掲載中止になってしまった。亀山筆を肯定的に描く作品なのか否定的に描く作品なのかも分らない。際物で、作者の思想を云々するに至らない。

大谷『管野スガと石上露子』が

「蜃気楼」と「爆発奇談午睡夢」は、当時の宇田川の政治意識や思想的関心を示す作品として重要である（五十六ページ）。

と評し、『教派神道と近代日本』でも

一八八六年（明治一九）八月から一二月にかけての同紙上に、女性参政権の問題を扱った作品「蜃気楼」を発表し、一八八七年（明治二〇）六月に、大井憲太郎、小林樟雄、景山英子らの大阪事件を題材にした「爆発奇談午睡夢」を書いたことは注目すべきことであった。〔略〕「蜃気楼」と「爆発奇談午睡夢」は、当時の宇田川の政治意識や思想的関心を示す作品である（三十六～三十七ページ）。

と反復〔傍線引用者〕、『天理教の史的研究』でも同じ(三十六～三十七ページ)であった。〈重要である〉・〈注目すべきこと〉と書きながら、当該作品「蜃気楼」すら読まなかったことが明らかになった。読まずに批評し、それを根拠に立論する態度は研究者としていかがなものか。少なくとも実証的と言うことはできない。

その他の文について

大谷は〈他にもいくつか掲載されている〉〈これらに類する文〉があると書いた。だが、具体的な作品名も発表年月も紹介されない。それらがあるとの情報は、五回反復され、その都度、紹介の機会があったにもかかわらず、具体的な作品名・発表年月は一度たりとも紹介されない。だからその検討も出来ない。

ただ、大谷は、

> 宇田川文海は、管野が師事したころにはすでに労働問題に強い関心を示し、社会主義の動向にも目を向けていた。宇田川は、一九〇二年四月から片山潜によって発行され、社会主義協会の機関誌の役割を果たした『労働世界』を購読していて、同誌の記事を前掲の天理教の機関誌『みちのとも』の同年五月以降にしばしば紹介していた(一一一〜一一二ページ)。

と書き、その種四項を細記して行くから、これらかとも推量される。*大谷の取り上げた四項は、『みちのとも』の明治三十五年四月号から翌年九月号まで〔三十五年十、十一月、三十六年一、二月号は休載〕に載った、小活字で組まれた無署名「世評百方面（最近各雑誌の抜粋）」欄から、労働問題・社会主義に関係する項を拾ったものである。すべて無署名で、文海が〈紹介していた〉という証拠はない〔管野正雄筆かも知れぬ〕。交換受贈雑誌紹介のようであり、文海の〈購読〉も証明できない。労働問題・社会主義関係は全体〔計百四十七項〕中の三・四パーセント〔五項〕で、〈強い関心を示し〉たとも言えない。

＊ちなみに、荒木1980hが〈文海は〔略〕名古屋の娼妓の“自由廃業”事件を報じたりしている。〉と書くのは、「すくも虫」掲載号の載った〈内外雑纂〉欄の無署名記事「廃娼軍の大勝利」であろうが、これも文海執筆の明証が無い。荒木は続けて〈名古屋廃娼史に残るU・G・モルフィや救世軍の活躍を肯定的に評価していたことだけは間違いなさそうだ〉と書くけれどその証拠も無い。

中江兆民

ついでに、大谷は、文海「吁『一年有半』」を引用し、

> 彼は東洋のルソーといわれた民権左派の理論家中江兆民とも「親交」があった。すでに述べたように、宇田川は自由民権運動高揚期に新聞記者、小説家としての地歩を築いた人物であり、大阪事件の公判にさいしては、大井憲太郎を主人公とする風刺小説を書き、そのため『朝日新聞』は一週間の発行停止命令をうけていた。宇田川は、民権左派の思想に強い共感をもちつづけたが、民権運動衰退後はキリスト教への関心を強め、さらに社会主義にも目を向けていた（一一四ページ）。

とオクターブを上げてゆく。

中江兆民が大阪の『東雲新聞』に居た時代、文海と深浅はともかく交際のあったことは事実である。とはいえ、ここで兆民を持ち出したのは、兆民が存娼論者だったから藪蛇であろう。兆民との交際は廃娼論者文海説を支えるものではない。

〈廃娼・女性解放論者文海〉説も〈民権左派思想家文海〉説の根拠は、結局「すくも虫」以外すべて失格であった。


大谷が知りながら、堺枯川や石川半山・清水三郎…の言説を隠した上での立論はフェアでない。「記者の公徳」を〈芸娼妓の存在を否定する文〉とする誤記や「蜃気楼」を〈女性参政権の問題を扱った作品〉とする誤記は、大谷が実証の基本である厳密な事実への関心、現物確認から遠いことを物語る。世評の大谷新説の評価、〈豊富な資料〉・〈克明に記述〉・〈分析〉・〈実証〉・〈綿密な調査〉は一つも当てにならない。

大谷は、寒村伝の須賀子像を虚像と居丈高に極めつけ、妖魔伝説退治の大見得を切った。この自信たっぷりの断言調が、読者を惑わした、とすれば、奇術の前口上だけで仰天した人がいたのに仰天する。

4　須賀子〈実像〉の根拠薄弱

文海の反女権説

前記したごとく〈廃娼・女性解放論者文海〉説の証拠として出されたうち辛うじて有効なのは「すくも虫」一作だけであったが、一作だけで作者の思想を云々するのなら、次記の一作で文海を反・女性解放論者と決め付けることも可能になろう。
アーロビダー著　服部誠一訳述『世界進歩第二十世紀第二篇』(岡島宝文館・明治二十年十一月)の宇田川文海「世界進歩第二十世紀二編の序」中の一節、

抑も此編の説くところ、只智識発達、機巧進歩の状況を描すに力を尽し、徳義上達、風俗改良の社会を記するに意を注がざるもの丶如く、或は戦争を言ひ、或は決闘と言ひ、或は女権の拡張と言ひ、或は金力の跋扈と言ひ、十九世紀今日の世界に在る者と雖も、心ある人は、猶野蛮の遺習と嘆き、文明の余弊と憂ふるものを喋々して、無上の盛事の如く誇説せるが如き、著者或は他に寓意あるかは知れざれども、若世界の進歩は是等の弊習に伴ふて進歩するものとせば、進歩も亦強ち美とのみ称するに足らざるものに似たり、若此の如き進歩は世人が智育を貴むで徳育を疎かにする、教育上誤謬の悪結果にして、以て真成の進歩と云ふ可らざるなり、嗚呼吾邦十九世紀今日の識者よ、今より飽まで心を教育に用ひ、子女の智徳を併進ましめ、将来二十世紀の社会に於ては、戦争、決闘の如き、造化生を好むの真意に背きたる野蛮の遺習と、女権拡張、金力跋扈の如き本分を誤り真理に違ひたる文明の余弊と、

両がら全く其迹を絶ち平和清明真成の進歩を見るやう、予じめ計画せざる可らず、殷鑑遠からず此二十世紀に在り、

である〔傍線引用者〕。すでに柳田泉『政治小説研究　中』（春秋社・昭和四十三年九月五日）が注意したごとく、〈女権の拡張〉を〈十九世紀今日の世界に在る者と雖も、心ある人は、猶野蛮の遺習と嘆き、文明の余弊と憂ふるもの〉、〈本分を誤り真理に違ひたる文明の余弊〉と、否定的に述べていた。

もう一つお目にかけよう。明治三十六年、文海が〈博覧会余興の歌舞を見物の人々の、家土産に供える〉藝妓写真集『浪速の花』（文昭堂・明治三十六年四月一日）に寄せた序文で、

〔略〕人間はあらゆる動物の中で、自然が特に力を尽して造ったもので、尤も精巧美麗なものであるが、同じ人間の中でも女は亦格別に、精巧美麗に作られ、支那人は之を解語花と賞し、西洋人は之を美の天使と称へるのである。〔改行〕ソコデ之を直接に博覧会の出品とは言へぬが、其余興の第一として千百の美人の中より数百名抜粋され、場内に設けられた華麗の舞台に上り、盛装袨服、錦に花を添へて歌舞する、南地、北陽、新町、堀江、此四花街の名妓を目して、之を間接の出品と云つても、強ち牽強付会で無いとすれば、場内数千の出品の中で、尤も自然の力と人間の力が多く加はり第一等の鮮娟妖麗であつて（内容は姑くおくとして）他の美術品動植物にも弥増して、数百万の観覧人の美感を惹き、嗚呼美にして艶なりの嘆声を発する〔略〕

と藝妓讃美文を綴っている。藝妓排斥論者須賀子が博覧会余興中止に全力を傾けた最中に藝娼妓肯定文を公表していたわけで、〈宇田川文海は、廃娼や女性解放を主張した点において、当時のジャーナリストや小説家のなかでも珍しい存在だった〉と、とうてい思えない。

のちに文海は博覧会余興反対言動も示すようになるけれど、それは

むしろ逆に須賀子に煽られてであった。

文海生前からあった反証

妾的存在説側には、『寒村自伝』以前の証言証拠も備わる。その一つが、明治四十四年三月十五日付・石川半山宛の堺利彦書簡であった。松崎天民の記事もあった。「被告中の紅一点▽管野すが子の経歴」の〈同棲〉は噂らしいけれど、妾的存在は認められていた。

いずれも文海生前の、事情を知る人もいた頃の記事なので虚偽を書きにくいだろうと考えれば無視し難い。

なお明治二十年代の文海に妾がいたことは、明治二十二年十月二日付『東雲新聞』記事「小説家拘留の後聞」〈浮世小路なる宇田川文海の妾宅よりは書類を警察本部へ引上げたる事もあり〉もある。三十年代にこの妾とは縁を切ったかもしれないが、そうだとしてもそれは一夫多妻主義批判へ変更したからというより文海の財政的零落が原因であろう。

こう考えると、今のところ、残された言説で判断する限り、私は寒村記述のこの部分を否認するに至らない。「徒然草」百二十七段〈改めて益なきことは、あらためぬをよしとするものなり〉に従う。

付　〈士族の娘〉説の検討

「大逆事件訴訟記録」(『管野須賀子全集』)の明治四十三年六月三日・東京地方裁判所における予審調書(原田鉱判事)は、

一　問　氏名ハ
　　答　管野スガ
二　問　年齢ハ
　　答　二十九歳
三　問　身分ハ
　　答　平民

と始まる。この三の答〈平民〉を問題にする人が現れた。三本弘乗「管野の虚像と実像」(管野須賀子研究会編『管野須賀子と大逆事件』〔せせらぎ出版・二〇一六年六月三十日〕)である。三本は、須賀子が〈権威を振りかざして弾圧を謀った官憲や裁判官に対しては、反抗的に平民と述べた〉、〈権力者であるお上に仕える官人に対する反発と、今さら士族と言ったところで何になろうという思いから、予審調書では平民と名乗ったのではないかと推測している〉(百二十五ページ)。『管野須賀子と大逆事件』「第7章3(4)」で三本弘乗はまた〈両親とも士族の出で、須賀子もそれを誇りにしていたが、大逆事件の調書では、権力に抗して平民と名乗り〉(百九十ページ)と書く。三本は須賀子の族籍を士族と決め付けた上での見解である。

だが、調書冒頭の氏名・年齢・身分・職業・住所・位記等の問答は、本人確認をしているだけ、判事は戸籍を見た上で予審に臨んでいるはずである。予審で族籍を騙ることが出来、それが記録に残るとは考え難い。

三本が須賀子の族籍を士族とする根拠は何であろうか。三本の文章全体が大谷渡の言説に依拠するところの多い点から推して、これも大谷『管野スガと石上露子』の、須賀子を〈没落士族の娘〉（二十九ページ）との明言を拠所とするのであろう。管野義秀を士族と決め付けたのは、大谷渡「管野スガとキリスト教」（昭和五十八年四月八日刊『信州白樺』）であった。大谷は、〈没落士族の娘として貧困と逆境のうちに育った管野〉、〈没落士族の娘としての意地と誇りでせいいっぱい手向かってきた前近代の社会〉云々と繰り返し書いてきた（百十四ページ）。大谷『管野スガと石上露子』でも、本文中小見出し〈士族の娘〉（十一ページ）とゴチックで示している。三本が、これを無批判に継承したに違いない。

ちなみに『管野須賀子と大逆事件』の大石喜美恵「第1章」も、〈須賀子は、強烈な自我と、士族の娘の誇りと気概を持ち〉（三十ページ）と触れる。

三本は須賀子研究書の〈執筆者のなかには、士族でなかったため奔放な妖婦となったと記していることがあるが誤記である〉と注意した。その〈執筆者〉とはノートヘルファーである。F・G・ノートヘルファー著竹山護夫訳『幸徳秋水――日本の急進主義者の肖像』（福村出版・一九八〇年二月二十日）に〈須賀子は士族の娘ではなかった。したがって彼女には、育ちのよい日本の婦人の特色である取り澄ました従順さと受動性がなかった。〉という記述があった。同書には、〈彼女は、自ら娼婦の生活に沈むこととなった。（改行）幾年かにわたる貧困と、貞操の切り売りは、キリスト教への時を得た改宗によっておしまいとなった。〉ともある。既に大谷渡「大阪時代の管野スガ」（昭和五十八年二月二十日刊『日本史研究』）が〈（ノートヘルファーの）管野を娼婦としている箇所があやまりであることは言うまでもない。しかし、訳者の竹山氏は、同書の訳注で、この点についての訂正をおこなっていない。『寒村自伝』の管野に関する記述と、それに依拠した研究傾向が、こうした思わぬ誤謬をもたらしたというべきであろう〉と槍玉に挙げていた（六十ページ）。大谷渡『管野スガと石上露子』でもノートヘルファーを〈明らかに誤った記述〉（十ページ）と明記していた。管野須賀子研究会の三本弘乗「第6章」第6項「学術論文にみる落とし穴」はこの後追いで、〈ノートヘルファーの著作は、当時普及していた荒畑や瀬戸内晴美の著書の引用であったため管野須賀子の虚像がそのまま使われて大きく誤った記述になっている〉と、妾などではなかった説を合唱する。

ノートヘルファー説は、出身階級に規定される人間という俗流唯物論の教条通りで頂けないし、須賀子〈娼婦の生活〉は誤記である。ただ、沢寿次『妾』（有紀書房・昭和三十四年五月十五日）に拠れば、〈妾と普通の売春とでは、ただ一回の契約と長期の契約とが違う〉とはいえ、〈愛人と妾と売春婦とが区別出来ないことも多い〉（沢124ページ）ので、〈大きく誤った記述〉（三本百二十五ページ）ともいえない。ノートヘルファーの〈須賀子は士族の娘ではなかった〉までは正しい。

さて、大谷が管野義秀を士族と書いた根拠は何であろうか。大谷はそれを示していない。おそらく「管野須賀子の経歴」の〈父は元京都所司代下の武士〉という文言を早トチリしたのか、あるいは　須賀子の、〈妾は士族風の頑固なる家庭に育ちて〉とか〈頑固なる士族的家庭の教育を受て育った者である〉とかの証言中の、〈風〉〈的〉に注意を怠ったためであろうか。

管野義秀は明治期に平民として世を渡った。近世の武士のすべてが維新後士族になったのでは無い。

維新後の士族称変遷のような複雑微妙な問題こそ、プロの歴史家に教わりたいところである。だが大谷本からは、近世の武士＝維新後の士族という義務教育で教わる常識以上の知見しか得られない。三本・大石の須賀子士族説は、大谷の〈記述とそれに依拠した研究傾向が、こうした思わぬ誤謬をもたらしたというべきであろう〉。

維新後の族称変遷

維新後の士族称変遷につき俄かレポートを作成しなければならなくなった。深谷博治『〔改訂増補〕華士族秩禄処分の研究』（亜細亜書房・昭和十九年三月二十日）に学ぶ。深谷は、

維新後士族を構成したのは、概していへば『旧一般武士階級』である。しかしながら、精密にいへば、このほか公家に属する地下人あり、神官あり、寺院家士ありであつた。しかも、彼らの悉くが士族となつたのではなく、その下級者は初め『卒』となり、その称の廃せらるゝに及んで、一部は士族に、一部は平民に編入されたのであり、また、最初から平民に編入された者もあつた。

と報じる（137ページ）。経緯は、

○　明治二年六月二十五日、知藩事への行政管達、〈一門以下平士ニ至ル迄総テ士族ト可称事〉（『明治二年法令全書』〔内閣官報局・明治二十年十月。原書房・昭和四十九年七月十二日刊の復刻による〕）。〔それ以下の軽格者は、多年の習慣から自然、卒と呼ぶ。〕

○〔藩臣階級が諸藩適宜の裁量にまかせられ、士族・卒に要約されず、幾多の階級が設けおかれる。〕

○　明治三年九月十日、太政官布告、〈士族卒之外別ニ級アルヘカラサル事〉（『明治三年法令全書』〔内閣官報局・明治二十年十一月。原書房・昭和四十九年八月十三日刊の復刻による〕）。

○　明治四年十二月十八日、布告、〈華士族卒在官ノ外自今農工商ノ職業相営候儀被差許候事〉（『明治四年法令全書』〔内閣官報局・明治二十一年十月二十日。原書房・昭和四十九年九月二十日刊の復刻による〕）。

○　明治五年一月二十九日、布告、〈各府県貫属卒ノ内従前番代ノ節抱替等ノ称ヲ以テ其倅等ヘ禄高ヲ給与シ自然世襲ノ姿ニ相成居候分ハ自

今士族ニ可被　仰付候條調書ヲ以大蔵省へ可伺出尤家禄ノ儀ハ従前ノ通可相心得事　但新規一代限抱ノ輩ハ平民ニ復籍セシメ給禄ハ是迄ノ通可遣事〉（『明治五年法令全書』（内閣官報局・明治二十二年一月二十六日。原書房・昭和四十九年十月十五日刊の復刻による）。

であるらしい。

○〔明治八年までに、卒の士族あるいは平民編入を完了した。〕

たまたま入手した高橋光夫『山崎為徳伝』（山下光・二〇〇七年三月三日）には仙台藩水沢領主伊達姓留守家の臣のケース、〈明治維新の時、留守家家臣は陪臣のため士族の称号を許されずすべて平民となった〉と書いてあり、諸藩諸階級でさまざまであった。

他地域ながら、名古屋藩のケースを紹介する。愛知県『愛知県史第三巻』（愛知県・昭和十四年三月三十一日）と、水谷盛光『旧尾張藩北海道開拓小史稿』（志賀の舎・昭和四十年七月二十二日）との記述を合成すると、

	拝謁以下徒格以上	徒格	譜代席	同心以下中間
明治2・9	士族	準士族	一等卒族	二等卒族
明治5・1・18	士族		平民	

へ移ったらしい。

清水卯之助「幽月管野須賀子」（昭和五十三年十一月二十日刊『啄木と賢治』）に依れば、義秀は〈幕末のころ、京都所司代組下の侍〉であった。維新後の族称変遷について、知ることができない。〈管野義秀の身分や禄高は須賀子がハッキリ記録に残していないし、前記の京都武鑑の幕末の数種類を調べても載っていないところから、取り立てていうほどの家柄でなかったのであろうが、それでも所司代組屋敷の一員であったにちがいない〉、組屋敷には〈所司代組下の与力五〇騎と同心百人が詰めていたと清水は記す（五十九ページ）。所司代組下与力・同心の維新後族称変遷が、もし名古屋藩と同じだったとしたら、管野義秀を同心以下の出と絞りこめるのだが。

近年、森山誠一「管野須賀子と異母兄」（二〇一五年一月二十四日刊『大逆事件の真実をあきらかにする会ニュース』）が、須賀子の記す〈父維新後、裁判官を奉職〉の記事に疑義を呈した。森山は、義秀が、〈「鞠獄掛（検事）の補佐役の下級役人であって、「裁判官」（判事）ではない」と報じる。娘・須賀子に依る記録にさえ、事実かどうか疑う必要があったのである。

第二章　王様は裸と実際に言うのは大変なこと

一、須賀子文海研究の現在

文海に師事した頃の須賀子についての研究史は、第一章において大谷渡著『管野スガと石上露子』登場までを見た。本章において、その後、約二十年を概観する。大谷本以後の、文海と須賀子との仲を記した言説を挙げる。

須賀子文海研究史・七〔1989〜2018〕

『週刊女性』1989　〔無署名〕「写真が語る！・烈女波乱の生」（平成元年五月二日付刊『週刊女性』）

『市民・社会運動人名事典』1990　〔無署名〕「管野スガ」（日外アソシエーツ株式会社・一九九〇年一月二十二日）

飛鳥井 1990　飛鳥井雅道「管野スガ」（京大日本史辞典編纂会編『新編日本史辞典』〔東京創元社・平成二年六月五日〕）

鈴木 1990　鈴木裕子『女性＝反逆と革命と抵抗と思想の海へ〔解放と変革〕21』（社会評論社・一九九〇年十月十五日）

菅原 1990　菅原孝雄「蒼穹の風」（一九九〇年六月二十日刊『季刊銀花』。のち少改稿して、『狭間にたつ近代文学者たち』〔沖積舎・平成十二年十月二十日〕所収）

内野 1992　内野光子「短歌に出会った女たち（十二）」（一九九二年一月一日刊『風景』）

大谷 1992a　大谷渡「天理教の近代化と宇田川文海」（『教派神道と近代日本』〔東方出版・一九九二年二月二十日〕第二章。大谷 1980b の〈誤りを訂正するとともに新資料による補足などをおこなった〉と「あとがき」に記す）

大谷 1992b　大谷渡「天理教の近代化と宇田川文海」（学位論文『教派神道と近代日本』〔関西大学・一九九二年九月二十二日〕第二章。未見）

『週刊女性』1992　〔無署名〕「写真が語る／バツイチ女性強く逞しく炎のように」（平成四年十一月十七日付刊『週刊女性』）

『日本女性人名辞典』1993　〔無署名〕「管野スガ」（日本女性人名辞典編集係『日本女性人名辞典』〔日本図書センター・一九九三年六月二十五日〕）

『週刊女性』1993　〔無署名〕「管野すが」（平成五年七月六日付刊『週刊女性』）

島田 1994　島田昭男「管野すが」（三好行雄・竹盛天雄・吉田凞生・浅井清編『日本現代文学大事典　人名・事項篇』〔明治書院・平成六年六月二十日〕）

『先駆者たちの肖像』1994　〔無署名〕「管野すが」（財団法人東京女性財団編『先駆者たちの肖像』〔ドメス出版・一九九四年七月十五日〕）

小宮 1994　小宮一夫「管野すが」（小泉欣司編『朝日日本歴史人物事典』〔朝日新聞社・一九九四年十一月三十日〕）

関川・谷口 1995　関川夏央・谷口ジロー『明治流星雨』（双葉社・一九九五年五月二十八日。マンガ）

『日本人名事典』1996　〔無署名〕「かんの　すが」（栄原永遠男監修『日本

人名事典』（むさし書房・一九九六年七月十日）

大谷 1996　大谷渡『天理教の史的研究』（東方出版・一九九六年九月二十日。学位論文『教派神道と近代日本』（増補版として公刊）したもの）

『別冊歴史読本』1996　〔無署名〕「管野スガ」（吉成勇編『別冊歴史読本（日本女性史「人物」総覧』』（新人物往来社・一九九六年十二月十五日）

鈴木 1997　鈴木裕子「管野すが」（近代日本社会運動史人物大事典編集委員会編『近代日本社会運動史人物大事典2か〜し』（日外アソシエーツ株式会社・一九九七年一月二十日）

大岩川 1997　大岩川嫩「〈文献紹介〉」（一九九七年一月二十四日刊『大逆事件の真実をあきらかにする会ニュース』三十六号）

梶山 1997　梶山清春『天理教と文学者』（天理やまと文化会議・一九九七年五月二十六日）

冨田 1997　冨田仁「管野すが」（渡辺富美雄・村石昭三・加部佐助編著『日本人物話題事典』（ぎょうせい・平成九年十一月十日）

三好 1998　三好徹「黒き運命の矢」（一九九八年一月二十日刊『週刊小説』、初出未見。小説。のち、『妖婦の伝説』（実業之日本社・二〇〇〇年一月二十五日）に再録）

『人物20世紀』1998　〔無署名〕「管野スガ」（樺山紘一・川本三郎・齋藤精一郎・澤地久枝・筑紫哲也・村上陽一郎編『人物20世紀』（講談社・一九九八年十一月九日）

『日本女性運動資料集成別巻』1998　〔無署名〕「管野すが」（鈴木裕子編・著・解説『日本女性運動資料集成別巻』（不二出版・一九九八年十二月二十五日）『近代日本社会運動史人物大事典』1997とほぼ同文。

『女たちの20世紀』1999　〔無署名〕「管野須賀子」（女の暦編集室著、ジョジョ企画編『女たちの20世紀・100人』（集英社・一九九九年八月三十一日）

大木 2000　大木基子「管野すが」（『日本歴史大事典1』（小学館・二〇〇〇年七月十日）

三善 2000　〔無署名〕「管野スガ」（三善貞司編『大阪人物辞典』（清文堂出版株式会社・平成十二年十一月二十日）

佐木 2000　佐木隆三「大逆事件・夢とまぼろし」（平成十二年四月一日刊『別冊文藝春秋』二三一号。小説。のち、『小説大逆事件』（文藝春秋・平成十三年一月二十日）に再録）

『近現代日本女性人名事典』2001　〔無署名〕「管野スガ」（近現代日本女性人名事典編集委員会編『近現代日本女性人名事典』（ドメス出版・二〇〇一年三月三十日）

絲屋 2001　絲屋寿雄「かんのスガ」（臼井勝美・高村直助・鳥海靖・由井正臣編『日本近現代人名辞典』（吉川弘文館・二〇〇一年七月二十日）

『コンサイス日本人名事典』2001　〔無署名〕「かんのすが」（三省堂編修所編『コンサイス日本人名事典』（三省堂・二〇〇一年九月十日）

永岡 2001　永岡健右「管野すが」（国際啄木学会編『石川啄木事典』（おうふう・二〇〇一年九月二十五日）

『講談社日本人名大辞典』2001　〔無署名〕「かんのすが」（講談社出版研究所企画編集『講談社日本人名大辞典』（講談社・二〇〇一年十二月六日）

大谷 2002　大谷渡「女性ジャーナリストの先駆者管野スガ」（二〇〇二年一月二十四日刊『大逆事件の真実をあきらかにする会ニュース』四十一号）

清水 2002　清水卯之助『管野須賀子の生涯』（和泉書院・二〇〇二年六月二十

五日）

『作家・小説家人名事典』2002　〔無署名〕「管野スガ」（日外アソシエーツ株式会社編刊『新訂作家・小説家人名事典』二〇〇二年十月二十五日）

荒木 2002　荒木傳『管野須賀子の生涯』（二〇〇二年十二月二十八日刊『初期社会主義研究』）

大岩川 2003　大岩川嫩「〈文献紹介〉」（二〇〇三年一月二十四日刊『大逆事件の真実をあきらかにする会ニュース』四十二号）

『20世紀日本人名事典』2004　〔無署名〕「管野すが」（日外アソシエーツ株式会社編刊『20世紀日本人名事典あ～せ』二〇〇四年七月二十六日）

嵐山 2004　嵐山光三郎「日本の人妻歳時記39回」（二〇〇四年十一月十五日刊『ダカーポ』）

三善 2005a　三善貞司「なにわ人物伝214 管野スガ②」（二〇〇五年六月四日付『大阪日日新聞』）

三善 2005b　三善貞司「なにわ人物伝216 管野スガ④」（二〇〇五年六月十八日付『大阪日日新聞』）

岩見 2006　岩見照代「管野スガ」（市古夏生・菅聡子編『日本女性文学大事典』（日本図書センター・二〇〇六年一月二十五日）

大谷 2006　大谷渡「近代の肖像第80回・第81回」（平成一八年十一月七日・九月付『中外日報』）

山泉 2007　山泉進「堺利彦書簡二通」（二〇〇七年一月二十四日刊『大逆事件の真実をあきらかにする会ニュース』四十六号。明治四十四年三月十五日付・石川半山宛の堺利彦書簡が復刻されている。）

新野 2007　新野直吉「名誉館長館話実施報告抄」（二〇〇七年三月刊『秋田県立博物館研究報告』三十二集）

大岩川 2008　大岩川嫩「管野須賀子の人間像」（二〇〇八年一月二十五日刊『彷書月刊』）

村田 2009　村田裕和「逆徒の「名」」（二〇〇九年十二月二十五日刊『立命館文学』。のち学術文献刊行会編『国文学年次別論文集『近代Ⅰ』（平成21年）』（朋文出版・平成二十四年四月）に再録。のち『近代思想社と大正期ナショナリズムの時代』（双文社出版・二〇一一年三月十四日）

大谷 2010　大谷渡「人間性豊かだった管野スガ」（二〇一〇年一月一日付『毎日新聞』夕刊）

後藤 2011　後藤彰信「かんのスガ」（宮地正人・佐藤能丸・櫻井良樹編『明治時代史大辞典第一巻』（吉川弘文館・二〇一一年十二月二十日）

瀬崎 2012　瀬崎圭二「明治期『芸備日日新聞』の掲載小説」（平成二十四年三月二十一日刊『内海文化研究紀要』四十号

関口 2013a　関口すみ子「管野スガ(須賀子)の表象」（二〇一三年十月八日刊『法学志林』一一一巻第一号）

関口 2013b　関口すみ子「新聞記者・幽月」（二〇一三年十一月二十八日刊『法学志林』一一一巻第二号）

大谷 2013　大谷渡「序章　20世紀の息吹の中で」（大谷渡編著『大阪の近代』（東方出版・二〇一三年八月二十九日）

立石2014　立石泰雄「真の女性解放運動の先駆者」（二〇一四年一月二十四日刊『大逆事件の真実をあきらかにする会ニュース』五十三号）

関口2014　関口すみ子『管野スガ再考』（白澤社・二〇一四年四月三十日）

森山誠一2015　森山誠一「管野須賀子と異母兄」（二〇一五年一月二十四日刊『大逆事件の真実をあきらかにする会ニュース』五十四号）

井上2015　井上喜博「大逆事件を……読む、歩く3」（二〇一五年六月二十四日付『中日新聞』朝刊くろしお版）

楫野2015　楫野政子『石上露子と『婦人世界』』（楫野政子・二〇一五年九月一日）

立石2016　立石泰雄「「管野須賀子を顕彰し名誉を回復する会」の二〇一五年」（二〇一六年一月二十四日刊『大逆事件の真実をあきらかにする会ニュース』五十五号）

木村2016　木村勲『鉄幹と文壇照魔鏡事件』（国書刊行会・二〇一六年六月二十四日）

大石2016　大石喜美恵「生い立ちから社会主義思想の開眼まで」（管野須賀子研究会編『管野須賀　子と大逆事件』（せせらぎ出版・二〇一六年六月三十日）

三本2016　三本弘乗「管野の虚像と実像」（管野須賀子研究会編『管野須賀子と大逆事件』（せせらぎ出版・二〇一六年六月三十日）

田中伸尚2016　田中伸尚『飾らず、偽らず、欺かず』（岩波書店・二〇一六年十月二十一日）〈第1章　自由を求めて／第2章　ひたぶる生の中で／第3章　貧困からの飛翔／第4章「転機」〉

立石2017　立石泰雄「運動を全国に広げ須賀子の実像にせまる」（二〇一七年一月二十四日刊『大逆事件の真実をあきらかにする会ニュース』五十六号）

楫野2017　楫野政子「第一部　新発見『婦人世界』の石上露子作品」（奥村和子・楫野政子『みはてぬ夢のさめがたく』（竹林館・二〇一七年六月十一日）

堀和恵2018　堀和恵『評伝管野須賀子』（郁朋社・二〇一八年八月二十一日）〈第1章　没落士族の娘〉

井口2018　井口智子「管野須賀子と「犠牲」」（二〇一八年十月一日刊『福音と世界』七十三巻十号）を校正時追加する。

安易な記述多し

右に掲げた文献中には、他人の成果を自分の文章に流し込んだだけの、安易に書かれた文も多い。

『大阪朝報』を『大阪新報』とする誤記もある。辞典類に横行するので、並べておく。

・下中邦彦編刊『大百科事典3』（平凡社・一九八四年十一月二日）の井手文子「かんのスガ」p.1074

・日外アソシエーツ株式会社編刊『市民・社会運動人名事典』（一九九〇年一月二十二日）の〔無署名〕「管野スガ」p.137

・『新編日本史辞典』1990の飛鳥井雅道 p.224

・『日本女性人名辞典』1993の〔無署名〕「管野スガ」p.345

・栄原永遠男監修『日本人名事典』（むさし書房・一九九六年七月十日）の〔無

署名〉「かんのすが」 p. 147
・『別冊歴史読本』1996の〈無署名〉「管野スガ」 p. 192
・『日本人物話題事典』1997の冨田仁「菅野すが」 p. 36
・『コンサイス日本人名事典』2001の〈無署名〉「かんのすが」 p. 414
・日外アソシエーツ株式会社編刊『新訂作家・小説家人名事典』（二〇〇二年十月二十五日）の〈無署名〉「管野スガ」 p. 230
・日外アソシエーツ株式会社編刊『20世紀日本人名事典あ〜せ』（二〇〇四年七月二十六日）の〈無署名〉「管野すが」 p. 808
・三善貞司 2005a（二箇所は正しく〈大阪朝報〉ながら一箇所が〈大阪新報〉と誤記）
・新野直吉 2007の p. 61

である。誤記は、はじめは誤植だったかもしれないが、辞典から辞典を作る要領で、〃一犬虚に吠えれば〃式にひろまったのであろう。惰性で無気力な仕事が世にはびこる例である。

三つの流れ

大岩川 2008が、〈現在管野須賀子についてもっともよく読まれていると思われる三冊評伝〉に、絲屋寿雄著『管野すが』、大谷渡著『管野スガと石上露子』、清水卯之助『管野須賀子の生涯―記者・クリスチャン・革命家』を挙げ、黒岩比佐子『パンとペン』（講談社・二〇一〇年十月七日）も、〈彼女〔管野須賀子〕に関する文献としては、岩波新書の絲屋寿雄著『管野すが』（一九七〇年）が知られ、その後、長い歳月を隔てて大谷渡著『管野スガと石上露子』（一九八九年）と、清水卯之助『管野須賀子の生涯――記者・クリスチャン・革命家』（二〇〇二年）が刊行された〉と書いたように、寒村著作・絲屋本・大谷本・清水本の影響が強い。絲屋本より清水本・大谷本へは、須賀子著作の発掘に伴った変化である。須賀子著作の引用紹介が多くなって、妖婦性より革命性重視へ向かう。大谷本　対　清水本のブレを大岩川 2008は、〈大谷著の須賀子像がやや理想化されたものというならば、清水著によるそれは、より生身の実像を追求しているともいえるだろう。〉と記す。

・寒村著作と絲屋本とを、第一の流れ、
・大谷本を、第二の流れ、
・清水本を、第三の流れと、仮に呼び、ここ三十年を概観しよう。

第一の流れは寒村記述の受け売り

今も寒村著作に依拠し、そのままの記述が行われている。黒岩は〈残念ながら、彼女についてはいまだに絲屋寿雄著『管野すが』に準拠した記述が目立つ〉と評す。

○**『週刊女性』**1989の〈略〉小説家を志して文壇の大御所・宇田川文海の妾に、〈略〉、
○**『飛鳥井』**1990の〈大阪文壇の宇田川文海をたよって「大阪新報（ママ）」の記者となるが、事実上文海の妾として生活する。〉、

○**『週刊女性』1992** の〈すがは作家を目指し人気作家・宇田川文海に師事する。文海師の紹介で大阪朝報に入社。すがは肉体を投げ出して文海の恩に報いた〉、
○**『日本女性人名辞典』1993** の〈大阪に帰って文筆家を志し、作家宇田川文海に師事、『大阪新報』（ママ）の記者をつとめ、文海の愛人のような生活を送る。〉
○**『週刊女性』1993** の〈（略）通俗作家と関係した〉、
○**関川・谷口 1995** の〈（略）筆で口に糊する志をたて大阪文壇の重鎮宇田川文海の内弟子になった（略）内弟子たるは情婦たるを意味した〉、
○**『別冊歴史読本』1996** の〈作家宇田川文海の愛人となり、「大阪新報」（ママ）に職を得る。〉、
○**富田 1997** の〈作家・宇田川文海に師事し、『大阪新報』（ママ）の婦人記者となるが、文海の愛人のような生活を過ごしているうち、私生活への反省からキリスト教に近づき〉、
○**三好 1998** の〈荒畑の回想によれば、すが子は一家の生活を支えるためには文海の保護に頼らざるを得なかったし、その代償を〔〈貞操で〉落ちか〕〉払わなければならなかった。〉、
○**佐木 2000** の〈五十代半ばの宇田川は、大阪の新聞界と文壇の実力者で、管野は妾のような存在になり、病気の父と弟妹の面倒をみた。〉、
○**『コンサイス日本人名事典』2001** の〈作家の宇田川文海に師事し、「大阪新報」（ママ）の婦人記者となり、彼の妾のような生活を送る。〉（〔無署名〕「かんのすが」）、
○**嵐山 2004** の〈（略）小説家宇田川文海に師事して手ごめにされた〉、
○**新野 2007** の〈管野は文海により「大阪新報」記者になるが、文海の妾のような立場になり、〉
等々。

ここ三十年の第一の流れに挙げた文献は、ほとんどが辞典類および週刊誌記事や小説やマンガで、研究書は無い。

関川・谷口 1995 のマンガを、**大岩川 1997** が〈近年の研究成果が生かされず、旧態依然たる男遍歴の女のイメージに依拠している〉と批判した。〈大逆事件のことを学びたいが、肩の凝る書物は苦手だという方には、関川夏央と谷口ジロー氏による『坊ちゃん』の時代第四部　明治流星雨』（双葉社）を薦める〉**井上 2015** は、〈事件を絵で見ることで思わぬ発見もある〉ことを示すけれども。

寒村著作に要修正点もあろうが、依然宇田川文海に師事した頃の管野須賀子を考察する際の出発点である。問題があるとしても、〈妾などではなかった〉説のように、〈荒畑の自伝の記述が、そのまま信じてよいとは思えない〉（大谷 1989a 十ページ）とまで拡大するに及ばない。

二、第二の流れ＝〈妾などではなかった〉説の無批判横行

本人訂正無し

『管野スガと石上露子』以後、本人の須賀子文海言及は、

大谷 1989b　大谷渡「管野スガと矯風会」（一九八九年九月刊『婦人新報』）

大谷 1990　大谷渡『管野スガと石上露子』（東方出版・一九九〇年六月十一日。初版第一刷）

大谷 1992a　大谷渡「天理教の近代化と宇田川文海」（『教派神道と近代日本』〈東方出版・一九九二年二月二十日〉第二章。大谷 1980b の〈誤りを訂正するとともに新資料による補足などをおこなった〉と「あとがき」に記す）

大谷 1992b　大谷渡「天理教の近代化と宇田川文海」（学位論文『教派神道と近代日本』〈関西大学・一九九二年九月二十二日〉第二章。未見）

大谷 1996　大谷渡『天理教の史的研究』（東方出版・一九九六年九月二十日。学位論文『教派神道と近代日本』〈増補版として公刊〉したもの）

大谷 2002a　大谷渡「女性ジャーナリストの先駆者管野スガ」（二〇〇二年一月二十四日刊『大逆事件の真実をあきらかにする会ニュース』四十一号）

大谷 2002b　大谷渡『管野スガと石上露子』（東方出版・二〇〇二年四月八日。初版第四刷）

大谷 2006　大谷渡「近代の肖像第80回・第81回」（平成一八年十一月七日・九日付『中外日報』）

大谷 2010　大谷渡「大逆事件から100年／人間性豊かだった管野スガ」（二〇一〇年二月二日付『毎日新聞』）

大谷 2013　大谷渡「序章　20世紀の息吹の中で」（大谷渡編著『大阪の近代』〈東方出版・二〇一三年八月二十九日〉）が管見に入った。『管野スガと石上露子』初版後刷の存在を注意下さったのは、樽見博氏である。第三刷および第五刷以後は未見である。「第一部」で異同に気付いた箇所は、

・口絵五ページ　第二・四刷、キャプションに〈上下とも大逆事件の真実をあきらかにする会刊行覆刻版『大逆帖』所収〉。

・一五九ページ

	第一刷	第二・四刷
三行目	「食卓の気焔」	「食卓気焔の花（婦人矯風会大全）」
四行目	『毎日電報』の記者として	［抹消］
四行目	基督教婦人矯風会	矯風会大会
四〜五行目	大会二日目	二日目
五行目	小崎弘道夫人	小崎千代
六行目	［無し］	恒子をはじめと
六行目	廃娼に関する談話を紹介した	廃娼に対する熱意を記した
十一行目	同じく	これより前の
十一行目	一二日付同紙に	一二月付

・人名索引ⅰ〜ⅱページ、第一刷〈ア〉行〈小崎弘道夫人159〉を削除、第二・四刷〈カ〉行〈小崎千代159〉と改訂のみ。それ以外の増補訂正には気が付かない。「第二部」では、

・二四四ページ

	第一・二刷	第四刷
六〜九行目	［無し］	［一九九六年四月付けの］「追記」

の異同が目立つが、詳細未調査。

これを見ても、私が要再検討と提議する、士族の娘説・妾などではなかった説・廃娼論女性解放論者文海説・民権左派思想家文海説についての本人訂正はないようだ。

○**大谷1989b**で〈宇田川は、廃娼や女性解放を主張した点において当時のジャーナリストや小説家のなかで珍しい存在だった〉。

○**大谷1992a**で〈明治維新期の廃仏毀釈を機として還俗し、文明開化の潮流に洗われながら新聞記者そして小説家となって名声を築いた宇田川は、西欧近代文明を常にその視野に入れながら、時代情勢に対応してきた明治の知識人の一人であった〉（四一ページ）。〈宇田川は、廃娼や女性解放を主張した点において当時のジャーナリストや小説家のなかで珍しい存在であった〉（四三ページ）。

○**大谷2002a**で〈新聞記者、小説家としての地位を築いた明治一〇年代から、宇田川は自由民権運動左派の思想に強い共感を抱いていた。民権運動衰退後はキリスト教への関心を深め、大阪在住の宣教師や牧師と親しく交際した〉。〈宇田川は廃娼や女性解放を主張した点で、当時の男性ジャーナリストや小説家のなかで珍しい存在であった〉。〈管野は宇田川の妾的存在だったとして、そういう境遇への自己嫌悪から彼女がキリスト教、さらには社会主義へと接近していったとの解釈がなされていた。しかし、このような見解は、まったく事実に反していた〉。

○**大谷2002a**は、佐木隆三『小説大逆事件』の書評だが、「大切にしてほしい実像」と副題する。自著＝**大谷1989a**を〈スガの実像を、一つひとつ証拠を積み上げて明確にしたもの〉と自画自賛したのち、

　佐木氏の『小説大逆事件』巻末には、参考文献として『大逆事件の真実をあきらかにする会ニュース一〜三九』があげられている。同『ニュース』二九号、三四号、三六号には、拙著『管野スガと石上露子』についての紹介記事があるのだが、佐木氏の目にはとまらなかったようである。

と記し、佐木が**大谷1989a**を無視ないし見落とし、絲屋を採ったことに抗議する。先行文献の無視ないし見落としは、その扱いを受けた側からすると、不平の種となり、大谷はその不平をかこち、因果は巡るのだが、須賀子観は大谷**1989a**のままであることを示す。

○**大谷2002b**。「第一部　管野スガ」では、一五九ページに増訂がある。他は異同に気付かない。小稿に引用した箇所は、異同無し。

○**大谷2006**で〈管野は宇田川の妾的存在だったとして、そういう境遇への自己嫌悪から彼女がキリスト教、さらには社会主義へと接近していったとの解釈がなされていた。〔改行〕しかし、このような見解は、まったく事実に反していた〉。〈新聞記者、小説家としての地位を築いた明治十年代から、宇田川は自由民権運動左派の思想に強い共感を抱いていた。民権運動衰退後はキリスト教への関心を深め、大阪在住の宣教師や牧師と親しく交際した〉。〈宇田川は廃娼や女性解放を主張した点で、当時の男性ジャーナリストや小説家のなかで珍しい存在であった〉。〈宇田川の思想は、管野スガがキリスト教徒となり、次いで社会主義へと向かう導火線となった〉。

○**大谷2010**で〈89年刊の拙著『管野スガと石上露子』は、先駆的な女性ジャーナリスト、管野スガの実像を一つ一つ証拠を積み上げて明確にしたものである。〉と自賛。

○**大谷2013**で〈新聞記者、そして小説家となった宇田川文海は、日本の近代化と西洋文明に大きな関心を寄せていた。自由民権運動期には、その左派の思想に共感を抱き、民権運動衰退後はキリスト教への関心を強め、産業革命の進行とともに労働問題、社会主義にも目を向けた人物であった〉（一三ページ）。

と。内容は旧著**大谷1989a**の繰り返しである。

〈妾などではなかった〉説が猖獗をきわめる

妾(めかけ)などではなかった説は、三十年たった今も他者による批判にさらされず、勢いが衰えない。ばかりか、菅原1990は、

彼女の筆の動きから、のちになって多くの作家や歴史家が一様に描いた須賀子像は浮かんでこない。彼らがひとしく語るのは、暗い性的遍歴、享楽耽溺の生活、大言壮語癖、強烈な復讐心、鼻の低い扁平顔の不美人、コケティッシュな風情である。人によってはこの醜い側面をさらに微細に描きこんでいる。〔改行〕たとえば宇田川文海には身体と引き換えに仕事の世話をさせた、毛利柴庵とは妾の約束ができていたなどである。もし文海の経歴や文章を読んで、その人となりを考え、須賀子の弟政雄(ママ)が書生で住み込んでいた事情、彼女の病気見舞いに現れた文海のさりげない行動を知るなら、けっしてそんな醜悪な考えは浮かんでこない。柴庵との関係も同様である。〔改行〕醜い想像は須賀子の生い立ちにまで鞭をふるう。大阪での貧しく、暗い生活、継母に強いられた性の屈辱などがえぐり出される。〔略〕そんな貧しい須賀子の過去がいたずらに歪められていたという証拠はない。あるのは後世の人々の歪んだ想像力と事実を究めることに欠けた怠慢だけである。こうしたことはすでに十年ほど前から国文学畑の大谷渡(ママ)氏など、数少ない人の地道な研究で

指摘されてきた。管野須賀子像はいま少しずつ描き変えられているといっていい。〔改項〕それにしても従来の奇妙な須賀子像が、多くの人々によってくりかえされたのはなぜだろうか。元凶は荒畑寒村が書き遺した『寒村自伝』である。

と述べた。〈彼女の筆の動き〉とは一夫一婦や〈醜業婦〉排撃の主張であろう。〈彼女の病気見舞いに現れた文海のさりげない行動〉は「一週間」に描かれたそれであろう。菅原は、『寒村自伝』の須賀子像を、「一週間」などの須賀子著作および〈文海の経歴や文章〉を〈知る〉以前の〈醜悪な考え〉〈後世の人々の歪んだ想像力〉と叱っている。だが、根拠薄弱な大谷説を丸呑みした菅原文こそ、〈事実を究めることに欠けた怠慢〉ではないか。

今や第二の流れは権威となった。追随する記述が目白押しである。大谷本書評は既に列挙したが、その他で、鈴木裕子『女性＝反逆と革命と抵抗と思想の海へ〔解放と変革〕21』（社会評論社・一九九〇年十月十五日）は、〈スガ＝「妖婦」説がまかり通っていた。しかし、これはまったく誤った見方といわねばなるまい。〉と述べ、『寒村自伝』を引いた後、

ともあれ、こうして「妖婦」説が広く流布することになったが、近年に至り『管野須賀子全集』全三巻が清水卯之助の手によって公刊され、また最近では、大谷渡による実証的な労作『管野スガと石上露子』も出され、「妖婦」像を打ちこわし、あらためて管野を自立した女性として、思想家、運動家として見直す動きが出てきたのは、まことに喜ばしい限りである。

と賞賛する。

梶山 1997 は、

宇田川文海の『みちのとも』編集の動向については、大谷渡が『教派神道と近代日本―天理教の史的考察』（平成四年刊）の「天理教の近代化と宇田川文海」で論じ、宇田川が、片山潜や西川光次郎などの発行する『労働世界』の記事を『みちのとも』に紹介するなど、社会主義の動向に目を向け、自らも三十五年十二月号で「労働者の宗教」との一文を載せるなど、社会主義的な教理展開を試みていたことを述べている。

と記す（三十四ページ。傍線引用者）。明治三十五年十二月十五日刊『みちのとも』講話欄の「労働者の宗教」掲載は事実だが、無署名文である。文海の可能性はあるが、〈自らも〉〈載せる〉と書くためには、この無署名文が文海筆であることを考証してからにしてほしい。それより、「労働者の宗教」は〈社会主義的な教理展開を試みていた〉文ではなかった。「労働者の宗教」は、〈天理教の教義といふもの〉は〈元来理屈を主意とするものでない〉、〈現に此お道の教祖は〉〈農業労働者の人々であります〉、〈教祖の教へられたのは〉〈お道を信仰して、心の更正はつた人間になるといふこと〉で〈誰にも必要なこと〉、〈殊に手足を働かして今日をわたる労働者たる諸君には尚更大切なことであります。〉という講話である（傍線引用者）。〈労働者〉という語は引用した二

箇所しか出てこない。〈社会主義的な教理〉に全くふれない。この講話は、次号、明治三十六年一月十五日刊『みちのとも』講話欄の無署名「実業家の宗教」と一対のもので、あわせて教祖の教えが〈誰にも必要なこと〉を述べたものであった。梶山の記述は、**大谷1992a**の〈宇田川は、一九〇二年四月から片山潜によって発行され社会主義協会の機関誌の役割を果たした『労働世界』を購読していて、同誌の記事を『みちのとも』の同年五月以降にしばしば紹介していた。（略。〈西川光次郎氏の文なり〉他を例示。）そして宇田川は、一九〇二年から一九〇三年にかけての時期に、自らも「労働者の宗教」とか「宗教的社会主義」の言葉を用いて天理教教理の展開を試みていた。（四十六ページ。傍線引用者。ほぼ同文が、既に大谷1989a 百十一〜百十二ページに見られる。）〉に依り、一部語句を変えて作文したものであろう。語句変更の際、混乱して〈天理教教理〉を〈社会主義的な教理〉とするお粗末であった。『みちのとも』の『労働世界』記事紹介については、文海筆でないことを既述した。

井上喜博**2015**は、須賀子と文海とに触れる研究現状を、

「男を惑わす妖婦」と形容されることが多いスガだが、その根拠の中心となっているのは寒村の自伝の記述で、実像とは異なるようだ。最近は女権拡張論者として積極的に評価する声もある。ただし、一年前に発足した「管野スガを顕彰し名誉回復を求める会」に対しては、苦虫をかみつぶした顔で眺めている人が少なくないかもしれない。

とまとめ、第一の寒村追随の流れの内にも第二の大谷本の流れを認めている。

〈妾などではなかった〉説を見直す機会はありながら、それが生かされなかった。明治四十四年三月十五日付・石川半山宛の堺利彦書簡は、〈妾などではなかった〉説を引っ込めさせ得る重要な足がかりである。東京大学法学部近代立法過程研究会「近代立法過程研究会収集資料紹介（26）」（昭和五十一年五月二十日刊『国家学会雑誌』）紹介資料であった。**山泉進2007**にも紹介される。しかし、山泉は大谷本批判に進むこと無く、むしろ〈管野須賀子についての履歴は〉大谷本〈でかなり詳しく検証されている〉と推奨する。

堺利彦が明治四十四年三月十五日付で石川半山に宛てた書簡のなかに、管野がみずから堺に「告白」したという彼女の過去（『寒村自伝』と重複する点が多い）が書かれており、大逆事件取り調べの際、検事に「只強情な負惜しみ一つで、幸ひに淫売にも紡績女工にも成らなかつた（ママ）といふ様な悲惨な過去の境遇」「小説的な経歴」をすべて語ったと『死出の道艸』にみずから記している点から見れば、瀬戸内寂聴の想像力が「事実」とさほど隔たっていなかった可能性もまた否定できない。

と但し書きする、村田裕和「逆徒の「名」」（二〇〇九年十二月二十五日刊『立命館文学』）も、一方〈大谷渡『管野スガと石上露子』（東方出版、一九八九年）が、宇田川文海の思想的影響を指摘して、文海の妾となることで

執筆の場を与えてもらっていたとするこれまでの定説を正面から否定した〉と評価し、根拠不十分な否定であった点を衝かない。〈正面から〉の内実は高飛車な断言でというのに過ぎなかった。村田はまた〈士族の娘〉説も引きずっている。

三善貞司の〈妾などではなかった〉説

大谷本参考を断らない、妾などではなかった説も出る。もはや大谷説が常識となり公理となったかのように。

三善貞司『大阪人物辞典』である。厚さ七センチもあろう。十七字×三十行×四段×千三百一ページを独力で書いた熱意には感心する。けれど、「あとがき」に〈先考(ママ)の諸文献・資料からは多大な恩恵を蒙むったが、それらに含まれた誤記に気がつく学力もなかったし、引用しながら誤写した部分も非常に多いと思われる〉と書き、参考文献を不明示・無批判享受し誤記も混じった記述で問題が残る。

三善の記述には、大谷をはみ出すところも見受けられる。『大阪人物辞典』2000の三善「管野スガ」項は、須賀子と林歌子との出会いを述べたあと、

「私は売春の女性たらを醜業婦と呼んだ。ああ自分の尊大さが恥ずかしい。我も人、彼女たちも人、同胞なのだ。聖なる婦人に春をひさがさせる悲惨な境遇こそ、憎まねばならぬ」。こう考えたスガは〔略〕

と記す。事典に〈会話形態の部分を、かなり意識的に取り入れた〉のは、〈無味乾燥な人名事典〉にならぬようにとの配慮による（「あとがき」）よし。

同じ箇所を、三善貞司「なにわ人物伝214管野スガ②」（二〇〇五年六月四日付『大阪日日新聞』）では、

感情に走らず冷静な社会通念の改良から始めねばならぬと〔林〕歌子に諭されたスガは、まず自ら「醜業婦」と書いたことをひどく反省した。〔改行〕「私は遊廓(ゆうかく)の女性たちを醜業婦と呼んだ。ああ、自分の尊大さが恥ずかしい。我も人、同胞なのだ。聖なる婦人に春をひさがせる悲惨な境遇こそ、憎まねばならぬ」〔改行〕目からうろこの落ちたスガはこう書いて、「大阪婦人矯風会」の時事問題担当委員になる。

と書く。三善は、想像を綴る文章と、事実を記す文章との区別をつけないらしい。

須賀子が〈こう書い〉た文章は全集に見当たらない。三善既述の素材は須賀子「見聞感録」（明治三十九年二月十五日付『牟婁新報』）に違いない。「見聞感録」に〈彼も人なる、我等の同胞なり。〔改行〕聖なる可き婦人の操を、風を逃れて暫時の碇泊せる船人に、些かの金に代えて鬻ざるを得ぬ、悲惨極まる其境遇や。〔改行〕噫、是果して誰の罪ぞや、噫。〉とあるからである。文海に師事した頃を過ぎた和歌山時代の須賀子の藝妓・娼妓・妾に対する認識は、『大阪朝報』時代と一変する。三善記

事の時間錯綜を指摘せざるをえない。

三善の妾などではなかった説は、独自に理由を明示する。『大阪人物辞典』2000 の三善「管野スガ」項では、

大阪に戻り文士宇田川文海の世話で『大阪朝報』の婦人記者になった。時に文海は五五歳、親子以上に年が違うから、文海の妾説には従い難い。

と。**三善 2005a** では、

「スガは文海を誘惑し、妾（めかけ）になって世に出た」という人も多い。しかし文海は昭和五(一九三〇)年八十二歳で世を去るまで、四十六年間も妻ツルとむつまじく暮しており、〔文海・須賀子は〕恋愛関係にあったとは考えにくい。スガの秘めた文才を導き出した師匠と、敬愛の念で接した女弟子との、美しい師弟愛だったとみたい。

と。

年齢差について、〈親子以上に年が違うから〉といって実事ありを否定できるであろうか、疑問である。「桂川連理柵」の、お半は十四歳、長右衛門は三十八歳だったではないか。

三善はツルとの関係からの推測を加える。ツルが四十六年間、文海の妻であったことは本当である。しかし、その間には、文海に妾の居た時期があった。明治二十年代・〈浮世小路の妾宅〉は、明治二十二年十月十一日刊『新社会燈』の記事「朝日新聞記者宇田川文海氏の厄運」の他たびたび当時の新聞に報道され、その存在が確実である。クリスチャンのツルは、文海にとって理想的な、愛の人だったのであろう。あるいは、須賀子が「現今の婦人に就て」（明治二十五年七月六日付『大阪朝報』）において〈現今陶々たる紳士とか紳商とか云はるゝ人々の夫人の境遇は如何夫は交際とか宴会とか種々の名目の下に、妾を飼ひ、醜業婦に戯れ、恬として恥ぢず、省みず、世人も亦怪まず、而して其妻君は、不品衡極まる、夫の醜体を態と知らぬ様を為して、嫉妬がましき事は一言半句も口にせず、其れを以て世の人々等は、賢女なり、又貞婦なりと盲目的の賞賛をなす〉と書いた、まさにその〈賢女なり、又貞婦〉であったのであろう。ツルとの結婚生活四十六年間を妾などではなかった説の根拠にするのも当たらない。

関口すみ子本

二〇一三年から、関口すみ子が須賀子論を発表する。

関口 2013a　関口すみ子「管野スガ(須賀子)の表象」（二〇一三年十月八日刊『法学志林』一一一巻第一号）

関口 2013b　関口すみ子「新聞記者・幽月」（二〇一三年十一月二十八日刊『法学志林』一一一巻第二号）

関口 2014　関口すみ子『管野スガ再考』（白澤社・二〇一四年四月三十日）

である。

関口 2013a は、〈「妖婦」と「革命家」に二極化する管野須賀子の表

象の歴史追〉う。ただし、〈須賀子の実像の発掘に功績のある大谷渡氏〉との評価に見られるように妾などではなかった説を前提とする。

関口2013bに、

宇田川文海（一八四八—一九三〇）は、かつて『朝日新聞』（大阪）で、「社会進歩　蜃気楼」、「爆発奇談　午睡夢」等の新聞小説で人気を博した新聞記者・政治小説家であった。〔改行〕風俗改良・女子参政を題材にした「社会進歩　蜃気楼」〔以下略。傍線引用者〕

とあり、**関口2014**でも改められていない（五五ページ）。「蜃気楼」が〈女子参政を題材にした〉作品でないことは既述した。関口は「蜃気楼」を読んでおり、関口すみ子「演説する女たち（その3—「明治二十三年」の夢と女権小説）」（二〇〇〇年一月一日刊『未来』）でも、関口すみ子『御一新とジェンダー』（東京大学出版会・二〇〇五年三月十五日）でも、適切に紹介していた。それが須賀子論中の場合でのみミスしたのは、**大谷1989a**の〈女性参政権の問題を扱った作品「蜃気楼」〉という誤記に幻惑された所為であろう。

関口2014、

須賀子の入社は、文海との性的関係に基づく情実採用であり、須賀子は文海の「妾」のような存在であったという説が、まことしやかに流されてきた。その典型が、荒畑寒村による、「その名を署した幼稚な小説を大阪の小新聞に発表して、やっと一家を支えるだけの金を得るためには、文海の力に頼るとともに貞操をもって支払わねばならなかったのである」（前掲『寒村自伝』上巻一八五頁）という一文である。こうした説に異議を唱えたのが、大谷渡氏であり、文海は、須賀子が記者に採用される前から弟・正雄の師であった（大谷三九頁）、入社後須賀子が入院した際には、文海、及び、その妻・ツルが見舞って面倒をみている（同四六頁）等を指摘し、文海は須賀子の強力な支援者であったと主張した。（五六～五七ページ）

と大谷引用を重ねる。

関口2014の、

そもそも、文海は『みちのとも』で、芸娼妓の存在を否定する文や廃娼運動に賛成する文をしばしば書いていた。同誌第一〇六号（一九〇〇年十月）には、〔略〕小説「すくも虫」を掲載していた（大谷五九頁）。（六一ページ）

も大谷祖述。〈芸娼妓の存在を否定する文〉は例の「記者の公徳」であろうか。〈しばしば〉とあるけれど「すくも虫」以外の作品名を挙げてほしい。

文海を〈民権の流れを引く作家〉（五一ページ）と見、〈男性フェミニスト〉の一人に数える（二四一ページ）なども、廃娼・女性解放論者文海説・民権左派思想家文海説を受け継ぐ。

関口は、一部追試を行い、文海の社会主義を斥けてはいるし、寒村以外の文海・須賀子間に実事有り説も視野に入れているのに、大谷本から抜け出せない。

須賀子被凌辱事件・堺の身の上相談的記事について、

だが、そもそも、堺による当該の記事なるものは、『萬朝報』に存在しない（清水七八頁）。しかも、この話は、当初の『寒村自伝』（板垣書店）にはなく、『ひとすじの道』（およびそれ以降に刊行された『寒村自伝』）で加えられたものである（大谷九頁）。さらに、もし、寒村のこの記述が、堺利彦の石川半山書簡（一九一一年三月十五日付）にある一節（「それから二人で東京に来て、夫婦らしい暮しをして居た、其時幽月は僕に対して、一切身上の懺悔話をした、彼女は父の鉱山に使用せらるゝ坑夫等の為に強姦せられたのが、男の肌に身を触れた序幕であると話した」）を元にしているとするならば、そもそも、これは、作り話にすぎないとみるべきであろう。なお、「父の鉱山に使用せらるゝ抗夫等」という言い回しには、須賀子の父が鉱山を持っていたかのような含みがあるが、実際にはその意味での「父の鉱山」などはなく、したがって、「父の鉱山に使用せらるゝ抗夫等」も存在しないはずである。〔改行〕以上の点からすると、「継母の奸策で旨をふくめられた鉱夫から凌辱された」という話の信憑性は極めて低い。（六十八ページ）

と記す。すぐ記事が見つからないからといって、記事が存在しないとは言えないし、『寒村自伝』推敲と記事内容の真偽とは必ずしも直結しないであろう。堺書簡が〈元〉なら、なぜ同内容を伝える寒村記述が〈作り話にすぎないとみるべき〉なのか、私には判読不能である。〈父の鉱山〉が父の働く鉱山の謂いなら、〈「父の鉱山に使用せらるゝ抗夫等」という言い回し〉も出来、父が鉱山を所持しなかったという根拠も不明である。

関口2014が、

利彦の半山への手紙を元に、寒村が、須賀子を描いたと推測されるのである。〔改行〕だが、こうした表象は、実際の須賀子にはほど遠い（二二七ページ）

と書くとき、〈実際の須賀子〉は大谷のいう〈実像〉に基づく。

関口は、**Sievers,Sharon,L.**の論文を

史料に基づいて、それをフェミニズム的視角から読み返しているわけであるが、『寒村自伝』自体が須賀子に関しては信頼に値しない以上、この点は再考される必要があるであろう。（一六三ページ）

と評した。基本的に大谷本に依拠する関口本は、大谷本が信頼に値しない以上、その内容の〈再考される必要があるであろう〉。

管野須賀子研究会本

管野須賀子研究会編*『管野須賀子と大逆事件』（せせらぎ出版・二〇一六年六月三十日）が出版された。

*前身は「石上露子を学び語る会」。二〇一三年、大阪で創設された「管野スガを顕彰し名誉回復を求める会」（代表世話人・三本弘乗）の部会（代表・三本弘乗）。

同書編集方針は〈真相の解明には、主にこれまでの報告を比較照合してその整合性を追究することによった〉と記す（三ページ）。その言やよし。しかし実態は、大谷の士族の娘説・妾などではなかった説・座娼・女性解放論者文海説・民権左派思想家文海説のすべてを、無批判に支持している。

同書所収、大石喜美恵「第1章　生い立ちから社会主義思想の開眼まで」に、大谷の引用が多く、地の文でも文海を〈民権左派の思想に強い関心をもちつづけたが、民権運動衰退後はキリスト教への関心を強め、社会主義にも目をむけていった人であった〉（三〇ページ）と書く。

三本弘乗「第6章　管野の虚像と実像」は、〈敗戦後に管野をとりあげた主要な書籍〉として十冊を取上げ、

・『寒村自伝』については、〈荒畑の指摘は噂や風評に基づくもので、管野の実像ではなかった〉（二一一ページ）。

・神崎清『革命伝説』については、神崎が、〈荒畑の記した管野の男性遍歴について、そのまま受け止めながらも〉〈純粋な愛を貫いた情熱的な革命家と位置づけている〉（二一五ページ）。

・絲屋寿雄『管野すが』については、大谷本の〈発刊されるまでの管野の描き方〉をしている（二一七ページ）。

・瀬戸内晴美『遠い声』については、〈荒畑との合作ともいえるような内容の作品〉（二二〇ページ）。

・山本藤枝「管野スガ」については、大谷本の〈出版以前〉の執筆（二二一ページ）。

・ノートヘルファー『幸徳秋水』については、〈荒畑や瀬戸内晴美の著書の引用〉（二二五ページ）。

・清水卯之助編『管野須賀子全集』・『管野須賀子の生涯』については、〈長く定着していた管野妖婦説を打破することはできなかった。管野妖婦説が解消されるようになるのは〉大谷本〈出版以降となる〉（二二七ページ）。

・永畑道子『華の乱』については、大谷本〈出版以前であったため、『寒村自伝』の妖婦説の残影に引きずられ〉る（二二七ページ）。

・大谷渡『管野スガと石上露子』については、〈大谷渡の著書で管野の汚名はそそがれる〉。大谷は〈『寒村自伝』の管野須賀子像に誤りがあることに気づき、裏付けを示して明らかにしているが、長い研究歴に裏打ちされた確証について高く評価したい〉と絶賛する（二二八〜二二九ページ）。

・関口すみ子『管野スガ再考』については、〈大谷渡の著書に次ぐ本格的な管野の実像に迫る著書と評価できる〉（二三二ページ）。

と批評する。十冊のうち、絲屋寿雄・瀬戸内晴美・山本藤枝・ノートヘルファー・永畑道子は、既に大谷本が自分の新説の引き立て役として登場させた顔ぶれである。

三本弘乗は、『寒村自伝』の〈管野妖婦説に取り上げられている人物に、（i）から（vi）の番号を付け〉大谷本を批評する。小稿に関係す

る（i）～（iv）を引く〔文中の出典記号略〕。

（i）に、管野は宇田川文海の妾となったと述べているが、「管野は宇田川の妾などではなかったのであって宇田川と師弟の関係にあった管野が、宇田川の思想的影響の元に廃娼論、女権拡張論を唱え、キリスト教さらには社会主義へ接近していったというのが本当なのである」と大谷は断言している。〔改行〕管野姉妹は宇田川夫人にも愛され、面倒をみてもらった事実があり、また、宇田川は管野の弟を自分の娘(養女)の婿にする予定でアメリカへ留学させている。宇田川は管野が入院した際、枕許にあったバイブルに目をとめ、「身と心を健全になさい」と指導しているクリスチャンである。管野は廃娼運動に取り組み、女権拡張を主張し、キリスト教の洗礼を受け、その矯風会の役員を勤めている。そのような管野が、師と仰ぐ宇田川の妾となって身銭を稼ぐようなことができるはずがないと筆者もみている。

（ii）に、さまざまの男と浮き名を流した話は、大阪の新聞社時代に、出所不明の伝聞、風説などを聞いて、獄中で煩悶したと記している。これで明らかなように、荒畑は噂などをもとにして憶測で書いたと思われる部分が多いといえる。

（iii）に、凌辱を受けた婦人の『万朝報』の紙上の悩み相談に堺が、「路上で狂犬に噛まれたような災難で、早く忘れなさいとしたのを読んで堺に接近したとあるが、『万朝報』を調べたが堺のそのような文章は出てこなかったとしている。このことについては、清水卯之助も『万朝報』にそのような記述はなかったと否定している。

（iv）に、継母の奸策で鉱夫から凌辱された事件について、「一歳のときに継母が家に入って育てられたが、管野は〈恒に不愉快な日〉をおくったとある」。少女時代に継母との葛藤はあったであろう。しかし、「有馬で父親や継母と遊んだ懐かしい思い出を記し、情の母（継母と推測としている）を、〈浮世の辛苦をつぶさに嘗めし、同情あふるる情の手に慰め給ひしが（中略）其人の前に打ち明けて、共に泣き共に悦ぶの例となりぬ〉」と記しており、その継母の奸策で鉱夫に手込めにされる話は、あまりにも非人間的な残酷きわまる話で大谷は信じられないとしている。

と、まとめる。

言い換えれば、

（i）　妾などでなかったのに、妾となったように述べる寒村記述の須賀子像は虚像である、

（ii）　噂を取り入れている寒村記述は不審である、

（iii）　『萬朝報』身の上相談を調べたが、出てこなかった、

（iv）　被凌辱譚は信じ難い、

となろう。

しかし、私は、

（ⅰ）妾などではなかった説の根拠が不十分、
（ⅱ）根のある噂は一考の価値あり、
（ⅲ）未発見と、存在の全否定とでは飛躍あり、
（ⅳ）信仰の問題となれば論外、

と考える。

田中伸尚本

田中伸尚 2016 は、井口智子の修士論文を紹介したり、天満教会牧師・春名康範が、同教会会計部の一九〇四年五月十五日献金記録に〈自一月至五月　壱円　菅野須賀子〉の記録を発見したことを報じたり、最新の情報を伝える。

一方、「エピローグに代えて」で〈菅野須賀子の実像を初めて明かした大谷渡さん〉と記している。同書が、文海を〈廃娼論者〉（二十五ページ）、〈自由民権思想を生きた表現者〉（百十ページ）と書くのは、廃娼・女性解放論者文海説・民権左派思想家文海説である。須賀子を〈士族の娘〉（百十二ページ）と誤記したのも大谷本に依拠したからであろう。

堀和恵本

堀和恵 2018 は、一般人に須賀子の生涯と言説を紹介しようとした本で、総体に、著者独自の観点に乏しい。

参考文献に、**大谷 1989a**（著者名を〈大石渡〉と誤記）・**清水 2002** とを併記するが、**大岩川 2003 が**〈事実認定（たとえば宇田川文海との人間関係など）については（大谷・清水）両氏は必ずしも一致しない〉と示した、両者の見解が〈一致しない〉点について、どちらを採るか、あるいは第三の道を開拓するか、自分の考えを述べる絶好の機会であったのに、そこへ踏み込むに至らない。

第一章名を〈没落士族の娘〉とし、『寒村自伝』による〈虚像〉（二十ページ）を難じ、文海の代表作を「蜃気楼」「午睡夢」とする（二十三ページ）など、大谷本の影響が顕著である。妾などではなかったと明記もしないけれど、妾などではなかったのだから書かなかったということか。

付　文海研究への影響

ちょっと須賀子を離れ、文海のみの話を挟む。近年の宇田川文海調査研究として、

谷口 1994　谷口優美〔編〕「明治大阪文藝年表」（関西大学図書館編『おおさか文藝書画展』〔関西大学図書館・平成六年九月二十二日〕）

相良 2011　相良真理子「宇田川文海の人気作品と道頓堀上演」（二〇一一年七月三十一日刊『史泉』）

近藤 2011　近藤弘幸「『お気に召すまま』の恋愛塾」（米谷郁子編著『今を生きるシェイクスピア』〔研究社・二〇一一年九月一日〕）

瀬崎 2012　瀬崎圭二「明治期『芸備日日新聞』の掲載小説」（二〇一二

年二月刊『内海文化研究紀要』四十号）

近藤2012a　近藤弘幸「脱「色」された『オセロー』」（日本シェイクスピア協会編『シェイクスピアと演劇文化』（研究社・二〇一二年八月二十日）

近藤2012b　近藤弘幸「宇田川文海とシェイクスピア」（二〇一二年十二月一日刊『英学論考』）

相良2013　相良真理子「新聞作家と道頓堀五座」（大谷渡編著『大阪の近代』（東方出版・二〇一三年八月二十九日）

谷川2015a　谷川恵一「「小説叢書　貝よせ一籠」解題」（宇田川文海編著『小説叢書　貝よせ一籠』（国文学研究資料館・二〇一五年一月二十日）

谷川2015b　谷川恵一「「小説叢書　貝よせ五籠」解題」（宇田川文海編著『小説叢書　貝よせ五籠』（国文学研究資料館・二〇一五年一月二十日）

鈴木2016　鈴木邦彦「As You Like It からの翻案の様態」（二〇一六年三月二十一日刊『英語英文学研究』）

が管見に入った。このうち、**谷口1994・瀬崎2012・近藤2012a・近藤2012b・谷川2015a・谷川2015b・鈴木2016**は、拙稿を引用して下さった。うれしく御礼申し上げる。

だが、宇田川文海調査研究にも、大谷説の影が忍び寄る。

○**近藤2012b**は、文海のシェイクスピア種翻案作品と比較文学的に取り組んだ好論である。ただし、近藤が、〈文海は、女性参政権を扱った作品を執筆し、その思想は先駆的な女性ジャーナリスト、管野スガ（1891–1911）に継承されている〉、〈女性参政権問題を描いた宇田川〉、〈先駆的フェミニストの一人〉、〈忘れられたフェミニスト宇田川文海〉と記す点は採れない。私の気付かぬ、文海の女性参政権を扱った作品、フェミニストだった証拠があるのなら、教えてほしいが、民権左派思想家文海説・廃娼・女性解放論者文海説の安易な受け売りなら確認してのち止めてほしい。

○**相良2011**は、〈一八八〇年代後半から一八九〇年代の新聞や雑誌に掲載された〔「勤皇佐幕　巷説二葉松」〕作品評や劇評を丹念に追うことによって、その魅力の源泉に迫っ〉た優れた論文である。しかし、

文海の経歴や新聞記者としての思想や行動については、大谷渡『管野スガと石上露子』（東方出版刊、一九八九年五月）、大谷渡『教派神道と近代日本』（東方出版刊、一九九二年一月）で明かにされており、本稿の宇田川に関する経歴は、これに沿って記している。右の二著では、自由民権運動、次いでキリスト教、さらには初期社会主義に関心を示した宇田川文海の思想が、詳細に明らかにされている。

と、大谷本追随を明記する。**相良2013**も、文海著作が〈古いものを切り捨て、新しい時代を肯定する。それは新時代の潮流に掉さし、新聞記者、そして小説家への道を歩んだ宇田川文海の志操そのものを表現したものだった。〉と評する。当然民権左派思想家文海説・廃娼・女性解放論者文海説を引きずった点、惜しい。

新築の家を建てたが、シロアリの巣食った古材使用と知らされたら、どんなに悲しいであろう。そう類推すると、最早黙過できない。

一次的なものに遡る、研究史など、今では時代遅れとなったのであろうか。私は近刊書を見て、なさけなくなり、一度大掃除が必要と本書を綴る。

アンデルセン「王様の新衣裳」は誰でも知っているが、いざ現実に裸の王様を指摘する段になると容易なことではない。

三、第三の流れは、研究の王道を行く清水本

須賀子文献の、絲屋本・大谷本・清水本を、寒村追随か・寒村否定か・寒村補正か、ということも出来る。

神崎 1950 の衣鉢を継いだかたちの清水卯之助は、決して根拠薄弱な妾などではなかった説に組みしない。**大岩川 2003** の紹介のごとくである。近藤典彦「新刊紹介」（二〇〇三年八月一日刊『国文学解釈と鑑賞』）も、清水が〈管野の何人かの男性との性的関係を糊塗しようとはしない〉と記す。

清水説の先駆性

『管野須賀子の生涯』は、清水卯之助の逝去（一九九一〔平成三年〕）後、太田登氏と清水嘉子夫人とが故人の遺志を実らせるべく努力されて、出版に至った*（和泉書院・二〇〇二年六月二十五日）。

*二〇〇二年十一月九日付『図書新聞』に「インタビュー山泉進氏に聞く『社会主義の誕生』『管野須賀子の生涯』ほか」が出、荒木傳の紹介（二〇〇二年十二月二十八日刊『初期社会主義研究』）、大岩川「文献紹介」（二〇〇三年一月二十四日刊『大逆事件の真実をあきらかにする会ニュース』）、若林敦の書評（二〇〇三年三月三十一日刊『国際啄木学会研究年報』）、近藤典彦「新刊紹介」が出た。

大谷本・清水本併称のさい、大谷本を先にされることが多い。本の刊行順の所為だろう。だが、所収作の初出順からすると、清水の方が先行する。中身は清水の新見が多いということである。

清水本には初出一覧が付いていないので、「I 管野須賀子の青春」の各項初出を、分った限りまとめておく。小見出しを「 」で括り、↑下に初出を記し、〔 〕内に注を付す。

一 京都下級武士の血を受けて

「その出生」↑**清水 1978**

「父義秀にとっての幕末から維新」↑**清水 1978**〔維新・代言人記事省略〕

「父の好景気時代」↑**清水 1978**〔当時の情勢・露国虚無党記事省略〕

「母のぶの死」↑**清水 1978**〔「おもかげ」引用刈り込み〕

「九州の鉱山へ」↑**清水 1978**〔菩提寺不明を付加〕

二 結婚、離婚、そして婦人記者に

「上京と結婚」↑**清水 1978**〔義秀移籍・福太郎との離婚記事後回し〕

「宇田川文海について」↑**清水 1978**〔文海説明刈り込み〕

「婦人記者の誕生」↑**清水 1978**〔管野戸籍後回し・「見るまゝ」記事を「黄色眼鏡(二)と差し替え〕

「福太郎との離婚」↑**清水 1978**

「『大阪朝報』の三面主任に」↑**清水 1980a**〔受洗記事後回し〕

「第五回内国勧業博覧会」↑**清水 1980a**〔大阪朝報の博覧会熱省略〕

「社会主義への開眼」↑**清水 1980a**

「『大阪朝報』の廃刊」↑**清水 1980a**

三 須賀子の精神革命

「大阪矯風会への入会と受洗」←清水1980a〔受洗記事付加〕
「弟正雄の渡米」←**清水1980a**
「伊藤銀月『女五人』の秘話」←**清水 1980a**。→清水 1980b →清水 1983
「文海との別れと父の死」←**清水1980a**

四　『牟婁新報』入社と寒村との出会い

「妙心寺塔頭での止宿」←**清水1983**
「『牟婁新報』と毛利柴庵」←**清水 1983**。←清水「幽月管野須賀子第三部(中)」(一九八三年一月一日刊『遺言』七十号)〔寒村自伝不信・『牟婁新報』スタッフを付加。「主婦の笑顔」など省略〕
「紀州田辺への船出」←**清水1983**〔須賀子著作引用増〕
「声高な置娼反対論」←**清水1983**。←**清水**「幽月管野須賀子第三部(下)」(一九八三年二月一日刊『遺言』七十一号)〔須賀子著作引用増・清楼経歴付加〕
「妹秀子の来田」←**清水**「幽月管野須賀子第三部(下)」(同前)〔須賀子俳句省略・寒村のキリスト教信仰の変遷を付加〕
「寒村の自殺未遂」←**清水**「幽月管野須賀子第三部(下)」(同前)〔須賀子著作の刈り込み〕
「毛利社長の出獄と須賀子の退社」←**清水**「幽月管野須賀子第三部(下)」(同前)〔須賀子著作の刈り込み〕

五　父母のふるさと京へ帰る〔以下新稿〕

「京都法政大学に就職」
「寒村、京都へ馳せる」
「『毎日電報』に就職内定」

六　永遠の旅立ち

「東京移住の決心」
「社会部に配属」
「日刊『平民新聞』の創刊―妹秀子の死」

である。

全体に書替えがあるとしても、骨格は**大谷1989a**以前に出来上がっている。

本の出版年だけを見て、清水本を**大谷1989a**の後追いと誤解し無視する向きがあったとすれば、誤解である。巻末の太田登「ある生涯一書生の仕事―後書きにかえて―」を読めば、「I管野須賀子の青春」が一九九一年二月八日以前の脱稿とわかるけれど、これでも**大谷1989a**に遅れる。しかし各論考の初出はもっと遡る。内容も、大谷に捧げられた、〈豊富な資料〉・須賀子の〈実像〉・〈克明に記述〉・〈分析〉・〈実証〉・〈綿密な調査〉という賛辞は、**清水2002**にこそ相応しい。

争点

大岩川2003は、清水卯之助『管野須賀子の生涯――記者・クリスチャン・革命家』が、〈管野須賀子の人間像の再評価については〔略〕大谷渡氏と基本的に同じであるが、事実認定(たとえば宇田川文海との人間関係など）については両氏は必ずしも一致しない〉と紹介する。**大岩川2007**は、**大谷2006**の〈執筆者は、管野スガについての〃魔女伝説〃を排し、幾多の発掘資料をもって管野を「女性解放運動に力を尽くした先駆的女性ジャーナリスト」と位置づけた論者〉であると持ち上げていたが、大岩川2008では、〈大谷著の須賀子像がやや理想化されたものというならば、清水著によるそれは、より生身の実像を追求しているともいえるだろう。〉と、示唆的発言をする。

参考文献に第三の流れも併記するむきも見られるようになる。けれど、**大岩川2008**の言う、具体的な相違点を無視して済ます向きも多い。

清水が大谷と一致しない箇所を、寒村著作のポイントごと五つにまとめてみよう。

第一、須賀子が〈少女の折、継母の奸策で旨を含められた鉱夫から凌辱された経験があつて、そのため久しく苦悶していた〉が事実かどうか、である。須賀子の継母は戸籍に見ない（森長）が、須賀子著作からその存在の可能性は窺える。須賀子と継母との不和も同様だが、被凌辱事件の証拠はなかった。清水1978は、被凌辱事件の〈事実を暗示するような記事〉を提出する。大分子「紀念日（上）」（明治三十五年七月二十六日付『大阪朝報』）である。

> 吁七月二四日と四月一五日とは何の記念日であらうか。記者以外に之を知る者はあるまい。此四月一五日と七月二四日とは共に記者を失望せしめた日である。自暴自棄の心を起さしめた日である。又泣かしめた日である。〔略〕

という内容と〈大分子〉という署名とから、須賀子文と推測した。寒村を補正しようとする。〔私は大分子＝須賀子説を疑う。後述〕

大谷1989aは、〈あまりにも非人間的な残酷きわまる話で、容易に信じることができない。しかも、荒畑の記述を除くと、少女期に管野が継母の奸策で鉱夫から凌辱をうけたことを示す資料は存在しない。〉と突っぱねた。

第二、堺利彦が〈萬朝報の紙上に男から暴力で凌辱されて煩悶している一婦人に与えてそれは恰かも往来で狂犬に噛まれたような不幸ではあるが自己の責任を負うべき過失ではない、そんな不幸は早く忘れるように努むべきだという意味の文章を発表した〉のが事実かどうか、である。

清水1980aは〈私はこの文章は須賀子にとって大事なモメントをなすものだと思い、堺が萬朝報に在職した期間の同紙面を前後二回洗ったことがある。しかし当時の堺は、こうした「身上相談」的な記事を扱っておらず、どうしても発見することができなかった。或は見落しかとも思えるので、何かご承知の方はご教示を頂きたいとお願いする。〉と記し、未来に託す。大谷**1989a**は『万朝報』を調べてみても、男から凌辱をうけた一女性に与えて書かれたという堺の文章は出てこない。〉と、早々と調査を打ち切る。

第三、〈その名を署した拙い小説を大阪の小新聞に発表して、やっと一家を支えるだけの金を得るため〉〈貞操を以て支払わねばならなかった〉という事実があったかどうか、である。

清水 1978 は、文海・須賀子の仲を〈文字通り親子ほども年齢のちがった二人の結び付きは、奇縁としか言いようがなく、必ずしも金銭ずくの打算でなかったように思える〉と書く。大谷は妾などではなかった説である。

清水が妾などではなかった説を批判しないのは、研究を発表し出したとき、それが未発表だったためで、承服したためではない。

第四、清水が、大谷の士族の娘説・廃娼・女性解放論者文海説・民権左派思想家文海説を批判しないのも、研究を発表し出したとき、それが未発表だったためで、承服したためではない。

第五、〈さまざまな男と浮名を流〉した事実があったかどうかである。寒村著作では、文海に師事以後となっているが、師事した頃はどうか。

伊多波 1978 が、伊藤銀二『女五人』（便利堂・大正二年五月十五日）に須賀子言及のあることを報じた。私は『女五人』を入手し、清水へ送った。

清水 1983a は、

『女五人』は出版と同時に風俗壊乱で発禁になり陽の目を見なかったもので、一部の人たち以外には幻の本となっていた。それを京都の堀部功夫氏(池坊短大助教授)が、宇田川文海研究の過程で入手し、筆者に『女五人』を恵贈された。そのおかげで、須賀子と銀月の結婚話が根も葉もないウワサ話でないことが明かになり、非常に興味深く覚えた。その後、筆者も東京の古書展で奇しくも『女五人』を入手したが、堀部氏のご教示は須賀子伝を叙するに当たり見逃すべからざる新資料で、その御厚意を心より感謝したい。

と紹介する。清水は、木村快太との縁談も報じる。

大谷 1989a は〈荒畑の管野についての記述には、出所の不明な伝聞、風説、あるいは憶測にもとづいて書かれたと思われる部分が多い〉（五ページ）と、取上げなかった。

清水卯之助の『管野須賀子全集』編集

絲屋寿雄の書評「清水卯之助編『管野須賀子全集』全三巻」（昭和六十年二月二十日刊『国文学』）の紹介するように、全集は清水が〈須賀子にかんする資料の蒐集と整理に全精力を傾けてこられた。その成果が実ったものであり、〈これによって須賀子の人間形成への過程、その全体像の研究への道がはじめて開かれたといえよう〉。吉田悦志「管野須賀子論」（一九八七年三月一日刊『明治大学教養論集』203→『事件「大逆」の思想と文学』（明治書院・平成二十一年二月二十八日））も〈清水卯之助の尽力によって『管野須賀子全集』全三巻が私どもの前にある。清水卯之助の仕事あってはじめて、管野須賀子を文学史や思想史や、また革命運動史の流れの中に全体として正当に位置づけることができるようになった。〉と書く通りである。
須賀子の著作は、既に、
○**神崎 1950** が「死出の道艸」を、
○**清水**『管野須賀子の手紙』が、手紙はがき五十一通を、
○**大谷 1980a** が、「噫この子」「日本魂」「戦争と婦人」「天上界」を、
○一九八二年五月十五日刊『遺言』六十号が、「探偵美人」を、
○一九八四年七月二十八日刊『大逆事件の真実をあきらかにする会ニュース』第二十二号が、「行水談」「ささやき」を、それぞれ再録していた。それらを含め、総集を清水が行った〔「探偵美人」を除く。「探偵美人」(一)・(二)・(三)の署名は〈管野正雄意訳・管野須賀子補綴〉であった。清水は須賀子の関与がこの程度のものは、全集で省く方針であったらしい〕。

須賀子の全著述

〈須賀子の全著述〉といっても、その範囲がなかなか難しい。
清水卯之助は、
1　管野須賀子・管野幽月・須賀子・幽月・幽月女史・大分子・ＫＳ・Ｓ生・エス・エス生・しらぎく・幽月女・幽・白菊女・管野幽月女・草官女・Ｓ子・月・白百合・龍子の署名のある作品〔社会批評・小説・詩・短歌〕と、
2　〈宇田川文海閲・管野須賀子稿〉と明示された小説「新年海」と、
3　無署名のもの「飛ある記」*、「美術館前の二十分」、「矢島刀自と谷中村」と、を『管野須賀子全集』に蒐集公開した。

＊「飛ある記」は全集で署名〈エス〉だったように示されているけれども、無署名である。

右のうち、「宇田川文海に師事した頃の管野須賀子」の守備範囲内では、1で〈しらぎく〉までと、2と、3のうち「美術館前の二十分」までとである。
清水は、
　管野正雄意訳・管野須賀子補綴
の署名文を、全集に入れなかった。

存疑作

須賀子の著作かどうかが、これまでに疑われたケースをおさらいする。
○**大谷 1980a**。『みちのとも』で〈管野の名で発表された作品のうち、「虫の話」「観月」「住友氏と鴻池」「盂蘭盆会」「十三夜」については、仏教や古典についての深い知識と広い教養の持主でなければ書けないような内容のものであることからみて、文海が書いた文章ではないかと思われる〉（七十二ページ注12）。
○**清水 1980a**。〈『大阪朝報』明治三十六年一月一日号に〉須賀子は第二面に「新年海、幽月女史」を発表しているが、この文章、実は文海の筆になり

六回連載している。文海が須賀子(幽月)名で書くことはしばしばあって、彼女にハクをつけてやるためと、かくれ蓑にする場合とが見受けられた。〔改行〕今回の「新年海」は天理教の機関誌「みちのとも」二月号と三月号に掲載された文海の『新年海』と全く同文である。頭かくして尻かくさずという大らかさだ。〔改行〕その内容は神宮（ママ）皇后と豊臣秀吉の朝鮮侵略を讃美したもので、いかにも文海好みの題材である。文責、須賀子にあらずということは書くまでもあるまい。〉(九二ページ)、〈「杉の木会諸君に申す」や「大阪滑稽つくし」などは、文海筆と考えてよいであろう〉(九三ページ)。

○**荒木 1980g**。〈「成功」など〉文海の筆になる作品を、掲載する紙誌によって、あるときは「須賀子」名で、また別のときには「幽月女史」名で発表しているものが、管野須賀子の創作といわれるものの中にはずいぶんあるということだ。〔略〕また逆に「みちのとも」誌上に発表された小説『神様』や『幸福の母』などは宇田川文海作とされているが内容からして管野須賀子の草稿になるものではないかと筆者などは勝手に判断しているが、これは確かな根拠のあってのことではない。〉。

○**大谷 1981**。〈『大阪朝報』と『みちのとも』の両方に掲載された文章が多いという事実とともに、「紅葉狩」「新年海」のように、『みちのとも』では文海の名で発表された作品があることがわかる。そして、この「紅葉狩」「新年海」は、内容や表現からみて文海が書いたものと思われるし、「虫の話」「観月」「十三夜」「住友と鴻池」などにも同様の疑念がもたれる。〉(七十ページ下段)。

○**大谷 1989a**。〈一九〇二年一一月二日から、軽症の赤痢による管野の入院期間中を通して連載された「紅葉狩」は、近畿地方における紅葉の名所をあげ、歴史的文学的事柄をのべてこれを紹介したものである。「新年海」は、神功皇后の三韓征伐物語と豊臣秀吉の朝鮮出兵とを比較し、前者を「仁愛の為」の外征、後者を「欲望の為」の外征として論じたものである。文面からみて、「紅葉狩」「新年海」のいずれにおいても、筆者が相当幅広い歴史的文学的教養の持主だったことがうかがえる。「虫の話」「観月」「住友と鴻池」「十三夜」においても、やはり古典についての深い知識や広い教養がうかがえる。柳田泉「啓蒙期文学」『岩波講座日本文学史』第一三巻(一九五九年)には、文海が和漢の学問に相当通じた人物だったことが指摘されているが、このことと管野が当時二〇歳をすぎたばかりの年齢だったことを考え合わせると、「紅葉狩」や「新年海」は文海によって書かれたものではないかと推測されるのである〉(六十ページ)。

　各論者が須賀子作として採ったものを○、不採を×であらわすと、次頁の表の通りとなる。

作品名	大谷 1980a	清水 1980a	荒木 1980g	大谷 1981	清水 1984a 全集
虫の話	×			×	○
観月	×			×	×
十三夜	×			×	×
紅葉狩				×	×
住友と鴻池	×			×	×
新年海		×		×	×
杉の木会諸君に申す		×			×
大阪滑稽づくし		×			○
成功			×		×
盂蘭盆会	×				×

ては今、検討を省く。

荒木自身が〈勝手に判断し〉た、と断る「神様」「幸福の母」につい

先学はおおむね、内容が須賀子的でなく文海的であるものを、文海作と判定するようである。だが、これでは、採否者の主観に委ねられるところが大きい。専門家の経験則は尊重されなければいけないが、個人差による把握の不確かさも生じる。同一人であってさえ異なる場合が稀にある。清水自身、〈文海筆と考えてよい〉と書いた「大阪滑稽づくし」を全集では須賀子作として採っている。師弟の教養の差は歴然ながら、教育的指導が行われたとすれば、区別し難くなる。

形式も軽視できない。署名である。小西甚一『日本文藝史別巻』（笠間書院・平成二十一年五月二十六日）は、〈助作ないし代作の範囲や程度が識別不可能なばあい、われわれは、どのように処置すればよいか。私見では、とくに支障の無いかぎり、いちおう記名作者の作とみなしておくほかあるまい。〉と記した。

一貫して須賀子系署名のものを、私は、反証の無いかぎり、須賀子著作と見る。

再録時に署名が、須賀子〔系〕より文海〔系〕に変わるものが問題になる。

須賀子が文海の代作をしたと見られるものは、その根拠があるときのみ、須賀子作として扱う。文海が須賀子の代作をするとはあまり考え難いが、清水は〈彼女にハクをつけてやるためと、かくれ蓑にする場合〉にあるという。

もともと合作であった、という類も考えられる。合作の場合、実態は、

○文海稿・須賀子筆写、
○文海口述・須賀子筆記、
○文海閲・須賀子稿、

などが想定される。最後のは須賀子に力点があるので採るが、前二者

をどうするか。須賀子が関与しているから、須賀子著作に加えるか、それとも文海に力点があるので不採とするかである。清水は後案で判定したらしく、須賀子筆記を全集に採らない。

右の十件を私は著作目録で一旦すべて採る。著作目録は須賀子の関与した著作を広く網羅したい意図があるからで、厳密ではない。

十件の判断は次の通り。

〈1〉「虫の話」。**大谷 1980a** は内容より文海作を推測するけれど、署名は〈幽月女史〉で一貫し、内容も須賀子の探訪による部分が想像される。

〈2〉「観月」。**大谷 1980a** は内容より文海作を推測し、清水も同じか、全集に採らなかった。実はこの作とほぼ同文が明治三十九年十月十五日刊『墨江』に宇田川文海「観月雑感」として再録されており、署名上問題がある。しかしながら、作中「水の都の観月」項で、観月汽車を〈観月の人に便利を与へて、誠に好い思ひ附であります〉という主張は、須賀子の持論である。私は半痴居士「十五夜」（明治三十六年十一月十五日刊『みちのとも』）中、須賀子が観月列車について〈進歩の兆〉賀す可しと主張し、文海を辟易させたことを後述する。それで「観月」に須賀子作部分有りと判断する。

〈3〉「十三夜」。**大谷 1980a** は内容より文海作を推測する。今度は清水も同じか。実はこの作とほぼ同文が明治三十九年十二月十五日刊『墨江』に宇田川文海「十三夜雑感」として再録されており、署名上の問題がある。その他に、『大阪朝報』掲載分に、小見出し「十三夜の異名」を掲げながらその本文が無く、小見出し「古今の事実」の本文が載る、という錯簡が有る（この錯簡は『みちのとも』再録時に正される。文海「十三夜雑感」のほうにこの錯簡は無い）。文海稿・須賀子筆写か。

〈4〉「紅葉狩」。**大谷 1981** は内容よりと一部須賀子入院中掲載の事実より文海作を推測する。入院中掲載は書き溜めがあったとすれば、問題にならなくなる。ただ「紅葉狩」は『みちのとも』に宇田川文海「紅葉狩」として一部再録されており、署名上の問題がある。『大阪朝報』掲載分、（一）小見出し「前口上」（「前口上」は須賀子文かも知れない。）および（十三）以下は再録のほうには無し。『大阪朝報』掲載分、（十三）小見出し「坂本」の〈今日の堂宇は豊臣秀吉公が再興して、徳川家光公が改造したのであります………〉の後は「嵐山」項の続稿であって、錯簡である。（この錯簡は文海の『みちのとも』再録時には正される）。文海稿・須賀子筆写か。

〈5〉「住友と鴻池」。**大谷 1980a** は内容より文海作を推測するが、『みちのとも』再録時も署名は〈幽月女史〉で一貫する。しかし、比べると、『大阪朝報』掲載分小見出し「余が弁解」を再録時は「女史が弁解」とする。つまり初出には自称〈余〉が交り、男性話者が考えられ、文海口述・須賀子筆写か。

〈6〉「新年海」。**大谷 1981 a** は内容より文海作を推測し、清水も同じ。ほぼ同文が明治三十六年二月十五日〜三月十五日刊『みちのとも』に宇田川文海作として再録されており、明治三十九年四月十五日〜六月十五日刊『墨江』にも宇田川文海作として再録されており、署名上の問題がある。文海稿・須賀子筆写か。

〈7〉「杉の木会諸君に申す」。**清水 1980a** が文海筆と考え、全集に採らなかったけれど、理由を示さなかった。聞き書きではあるが、署名上の問題もない。一応須賀子作とする。

〈8〉「大阪滑稽つくし」。**清水 1980a** は文海筆と考えたけれども、全集には採った。須賀子作であろう。

〈9〉「成功」。署名上の問題がある。「成功」は前後段分担執筆の可能性もあるがさらに検討を要す。

〈10〉「盂蘭盆会」。**大谷 1980a** は内容から文海作を推測し、清水も同じか、全集に採らなかった。署名上の問題がない。一応須賀子作とする。

——とし、今後の検討に委ねたい。

全集補訂の方針

清水に感謝しながら、後続の私に何が補訂できるかを模索する。

その結果、

○**清水 1978** が、〈大分子〉署名の明治三十五年七月二十六日付『大阪朝報』掲載文「紀念日（上）」を凌辱〈事実を暗示するような記事〉として紹介した点は、〈大分子〉＝須賀子に自信が持てないので、外す。

清水 1978 は、〈「大分子」が須賀子とは断定できないが、当時の編集局の顔振れからみて、該当するのは彼女以外にないようだし、彼女が大分県での悲劇を吐き出しているとしか考えられない〉と記した。私は編集者全員の経歴を把握していないので、大分関係者が須賀子以外にいないかどうか、確言できないながら、〈大分子〉署名文は、

・「紀念日(上)」（七月二十六日付『大阪朝報』二二一号四面）
・「緑の蔭」（七月二十七日付『大阪朝報』二二三号四面）
・「紀念日（上（下）ママ）」（七月三十一日付『大阪朝報』二二六号四面）
・「緑の蔭」（八月二十六日付『大阪朝報』二八号四面）

が管見に入り、その「紀念日（上（下）ママ）の」文中に〈吾は全校一の醜男子〉とある。逆「土佐日記」的虚構を考えれば別だが、普通に読めば〈大分子〉は男性であろう。よって、全集から〈大分子〉署名文を削除する。

○　清水の見落としで補える記事がある。

大谷 1981 が引用した幽月女史「現今の婦人に就て」が、全集に漏れていた。

○　玉香系署名文を加える。

玉香・玉香女史、王香の署名ある著作を、新しく須賀子著作とみなし、加えたい。

〈須賀子〉署名の「夏期の衛生（三）」（七月二三日付『大阪朝報』一八号）の〈（一）〉〈（二）〉を〈玉香〉署名で発表しており、また〈幽月〉署名の

「琵琶行」〈七月一五日付『大阪朝報』一二号〉の〈(二)〉～〈(四)〉を〈玉香〉署名で発表しているので、同一人と判断できたためである。

すなわち、

・玉香「漫歩雑感」〈明治三十五年七月一二日付『大阪朝報』一〇号四面〉
・王（ママ）香「夏気の衛生（一）」〈明治三十五年七月一三日付『大阪朝報』一一号三面〉
・王（ママ）香「夏気の衛生（下（ママ）〔二〕）」〈明治三十五年七月一五日付『大阪朝報』一二号四面〉
・玉香「琵琶行（二）」〈明治三十五年七月一六日付『大阪朝報』一三号四面〉
・玉香「琵琶行（三）」〈明治三十五年七月一九日付『大阪朝報』一六号二面〉
・玉香「琵琶行（四）」〈明治三十五年七月二三日付『大阪朝報』一八号三面〉
・玉香「帝王開切」〈明治三十五年七月二六日付『大阪朝報』二三号一面〉
・玉香女史「真心（上）」〈明治三十六年七月三〇日付『扶桑新聞』六面〉

である。最後の「真心」は、高木寅四郎本舗の薬「婦人神経丸」広告であって、当時の須賀子の生活困窮ぶりを示すものであろう。

○無署名ながら、須賀子著作と判断されるものを加える。

明治三十七年六月十五日刊『みちのとも』十五～十九ページに載る〈無署名〉講話「夏の初めと人間」「植物と小児」である。「植物と小児」がのち明治三十八年十二月二十五日刊『新家庭』第三十四号八ページに「小児と植物」と改題再録される際、〈菅（ママ）野須賀子〉と署名されていることが判明したためである。

・〈無署名〉「南窓笑話（一）」〈明治三十五年七月二十七日付『大阪朝報』〉は「南窓笑話(二)」が幽月女史の署名で載るから、採る。
・〈無署名〉「大阪滑稽つくし（二）」〈明治三十六年一月二十四日付『大阪朝報』〉は「大阪滑稽つくし」の（一）・(三）が幽月女史の署名で載るから、採る。

他の無署名記事は、原稿があるとか、無署名著作作者推定の方法を用いれば内証を得られるかも知れないけれど、今の私にその用意が無く、全てを検討する時間もない。

ただ、無署名記事の一部分を著作目録には掲載した。

・明治三十五年七月九日付『大阪朝報』無署名記事「婦人患者外科治術切開奇談」中の〈我社の婦人記者〉と大阪病院婦人患者との問答、
・〈無署名〉「某新聞の記事を読んで」〈明治三十五年七月十五日付『大阪朝報』〉、

である。

○〈宇田川文海〉名義の須賀子代作を加える。

〈宇田川文海〉名義の須賀子代作の総覧は、手が回らなかった。文海系名義著作が実は文海工房著作と言ってよい場合があり、厳密な著者判別が困難だったためである。今後、著者推定の方法が確立され、再検討願えれば有難い。

ただ須賀子作と外証のあるものは特別に採る。「理想郷」は、小田〈頼造〉生・山口〈孤剣〉生「伝道行商の記（十一）」〈明治三十七年十二月二十五日付『平民新聞』〉十二月十二日記事に〈朝同志菅野須賀子女史来訪、女史は今岐阜の新聞に新理想郷と題して社会主義的の小説を書いてゐる

〔略〕といつてゐた〉という須賀子証言の伝聞が得られたため、採る。

「理想郷」を採録するとなれば自然、その前篇「白百合」も追加することになった。

○その他。

小稿は文海に師事した頃の須賀子著作に限ったが、期間外二作を加えたい。発表が期間外だが執筆は文海に師事した頃と推量されるためである。

その一。明治三十八年三月二十七日〜二十八日付『藝備日日新聞』掲載の幽月寄・半仙補「小説留守家族」である。幽月はもちろん須賀子の雅号だし、補綴者名も〈半〉が付くあたり文海かその弟子からしい。当時『藝備日日新聞』に文海が執筆しており、同紙上の署名〈蜃気楼主人〉も文海である。掲載時期が、須賀子の文海師事期を過ぎているけれど、活字化に時間がかかった所為と解し、加える。

その二。明治三十九年七月二十五日刊『新家庭』第四十一号三ページ掲載の須賀子「某夫人を訪ふ」である。再録かも知れない。『新家庭』は、慈善新報社より、明治三十六年三月十五日創刊の月刊雑誌。発行兼印刷人石西豊蔵・編集人卜部豊次郎。卜部は、三十五年大阪朝報社忘年会来賓の一人で須賀子も文海も旧知であった。双方に原稿依頼を出したらしい。明治三十九年六月二十五日刊『新家庭』第四十号五〜六ページに宇田川文海も「家庭史談明智光春（二）」連載中〔五月〜七月連載と推定できる〕である。これは明治三十三年五月二十八日〜六月二十八日刊『みちのとも』連載の再録〔原稿二重売り〕である。

全集本文の校訂

清水卯之助は、全集所収に当たって、本文を校訂した。例えば、小説「看守婦人(上)」全集第二巻331ページ7行目、初出〈十年〉を清水は〈五年〉に改めた。これで334ページ8、16行目の〈五年〉と整合する。大変ご面倒な作業であったと推察、敬服する。

校訂の再点検はできなかった。たまたま気付いたこと若干を報じる。

・第一巻293ページの7行目〈三月一二日〉は〈三月二〇日〉。

・伏字□のうち、

「開会式当日の二大不敬〈全集第一巻406ページ11行目〉の問題については、後述する。

・誤植、脱字、

永江為政宛書簡〈全集第三巻140ページ6行目〉〈希望と、信念の一つ〉は〈希望と、信念の二つ〉である。

・「聴取書」〈全集第三巻198ページ3行目〉〈七八年前社会主義ヲ書タモイヲ見テ〉の〈書タモイヲ〉は〈書タモノヲ〉であろう。塩田庄兵衛・渡辺順三編『秘録・大逆事件(上巻)』〔春秋社・昭和三十四年九月十日〕103ページ上段5行目では〈七、八年前に社会主義の本を読んで〉とあるところに当たるからである。

・「調書」（全集第二巻210ページ7行目）〈四人〉は〈囚人〉であろう。前記『秘録・大逆事件（上巻）』221ページ上段14行目では〈囚人〉とあるところに当たるからである。

宇田川文海に師事した頃を超えてしまうため、また、これらを清水の依拠した底本に当たり直さなければいけないため、深入りしなかった。

付　新資料発掘

清水のあとを継ぐ、新資料発掘がある。

岡崎1992　岡崎一「管野須賀子新資料「思ひ出の松」」（一九九二年一月二十四日刊『大逆事件の真実をあきらかにする会ニュース』三十一号）

春名2010　田中伸尚『飾らず、偽らず、欺かず』（岩波書店・二〇一〇年十月二十一日）に拠れば、天満教会の春名康成牧師が、会計部の一九〇四年五月分の献金記録中に〈自一月至五月　壱円　菅野須賀子〉とあるのを見つけた。

森山誠一2015　森山誠一「管野須賀子と異母兄」（二〇一五年一月二十四日刊『大逆事件の真実をあきらかにする会ニュース』五十四号）

梶野2015　梶野政子『石上露子と『婦人世界』』（梶野政子・二〇一五年九月一日）が、明治三十七年十一月十九日、鉄眼寺における浪華婦人会秋季茶話会に文海とともに参加したことを報じた。

梶野2017　梶野政子「第一部　新発見『婦人世界』の石上露子作品」（奥村和子・梶野政子『みはてぬ夢のさめがたく』〔竹林館・二〇一七年六月十一日〕）が管見に入る〔**木村2016**は、**梶野2015**の後追いなので、略〕。このような地道な調査こそ研究を前進させる。敬意を表して付記する。

大岩川嫩所蔵の、梅田盤翠作成スクラップ帳を調査した**森山誠一2015**は、文海師事以前および師事末期の須賀子の新情報を齎した。森山誠一「管野須賀子と異母兄」（二〇一五年一月二十四日刊『大逆事件の真実をあきらかにする会ニュース』）である。菅野義秀・饗庭義衡父子の新事実を紹介し、須賀子の記す〈父維新後、裁判官を奉職〉の記事に疑義を呈した。

義秀についての新事実を、先行の清水卯之助報告とあわせ、京都府立京都学・歴彩館職員にお助け頂いた私の追試も加え、概覧する。

（一）義秀の改名前通称が良太郎であった。

（二）明治元年、京都府の職員であった。村上勘兵衛・明治元年十一月刊『京都府役鑑』に〈捕亡方〉の〈下用掛り〉の六十八人中に〈菅野良太郎〉とある。

（三）明治二年『官職進退録』に、菅野良太郎を含む三名に〈御一新以後代番勤之儀ハ御趣意に相触候間役儀差免候事〔十月　京都府〕〉とある。

（四）明治二年『官職進退録』に、菅野良太郎を含む三名に〈当府市政局附属申付候事〔十一月廿七日　京都府〕〉とある。

（五）明治二年『官職進退録』に、菅野良太郎を含む三名に〈以市政局附属鞠獄掛り相随勤申付候事〈十一月廿七日　京都府〉〉とある。

（六）明治三年四月改『京都府職員録』に〈聴訴鞠獄庶務掛随勤　菅野良太郎〉とある。

（七）明治三年の『官職進退録』に、菅野良太郎を含む二十三名に〈聴訴鞠獄庶務掛随勤申付置候処差免更ニ鞠獄掛随勤申付候事〈六月五日　京都府〉〉と発令される。

（八）石田治兵衛・明治三年七月二日改『京都府職員録』に〈市政局〉の〈聴訴掛〉の〈鞠獄掛〉の〈附〉四十三人中に〈菅野良太郎〉とある。

（九）明治五年二月、男児・義衡、誕生。

（十）明治五年、義秀と改名。

（十一）明治五年『官職進退録』に、菅野義秀を含む〈鞠獄課附属二十七名に〈司法省出張所出張申付候事〈十月五日　京都府〉〉とある、

（十二）明治六年『官員録』に、菅野義秀を含む三十三名に〈司法省〉の〈十五等出仕〉とある。

（十三）明治六年、父・義明歿。

（十四）明治八年『司法省日誌』第三十一号に〈二月二十二日分〉〈免出仕　十五等出仕　菅野義秀〉と載る。

森山誠一によって、義秀は、〈鞠獄掛（検事）の補佐役の下級役人であって、「裁判官」（判事）ではない〉と教わる。娘・須賀子に依る記録にさえ、事実かどうか疑う必要があったのである。

異母兄・饗庭義衡については、

（一）明治五年二月、義衡、京都市上京区西洞院通り出水上る丁子風呂町十一番戸に、饗庭タミの養子として出生（履歴書、未見）。

（二）明治十一年三月、小川小学校に入学（出典同右）、

（三）明治十五年四月、京都府師範学校附属小学校に転校（出典同右）、

（四）明治十七年三月、同校中等科卒業（出典同右）、

（五）明治十八年二月、同校退校（出典同右）、

（六）明治二十二年十一月～二十三年七月、川井勝太郎に就いて読書作文算術を修める（出典同右）。

（七）明治二十三年七月二十八日～二十六年七月二十七日、尋常小学校作文算術科受業生（出典同右）。

（八）明治二十三年十月、京都市下京区第十八尋常小学校受業生（出典同右）。

（九）明治二十四年五月、下京区第一尋常小学校に転勤（出典同右）。

（十）明治二十四年十月～二十五年十月、京都府教育会附属講習会において修身・教育・国語・算術の講習を受ける（出典同右）。

（十一）明治二十五年十一月二十一日～三十二年十一月二十日、京都府管内の尋常小学校本科准教員（出典同右）。

（十二）明治二十五年十二月、乾尋常小学校訓導（出典同右）。

（十三）明治三十二年一月、乾尋常小学校正（『京都府教育当事者職氏名』）

（十四）明治三十三年六月、京都法政学校へ入学か。

（十五）明治三十四年十二月、乾尋常小学校本科訓導（明治三十五年一月二十日刊『京都府教育雑誌117附録』）。

（十六）明治三十六年七月、京都法政学校政治科卒業（立命館五十年史編纂委員会編『立命館五十年史』（立命館五十周年記念事業局・昭和二十八年三月二十一日）。

（十七）明治三十七年五月、乾尋常高等小学校本科訓導（明治三十七年五月二十日刊『京都府教育雑誌145附録』）。

（十八）明治三十七年十一月頃、〈フト父が大阪府下住吉神社の附近に居住して居る事が判り間もなくすが子が私の宅に来ました此時同人は二十四歳で丁度二十四年振りに初めて同人が腹違ひの妹だといふことを知りました、まるで小説のやうな話しだと感涙に咽びましたもホンの束の間で其後私も同地へ父に面会に行きましたが此時すが子は新聞記者をすると聞いて尚更ら慕はしく思ひました其後父が病気となり京都に住宅を周旋せよとの事で葛野郡朱雀野村聚楽西町に一戸を借受けまして私も共に病父を労り看護して居る中すが子は大阪に往来して相変らず宇田川文海の周旋で婦女新聞其他に筆を執て居りました〉（明治四十三年十一月十一日付『大阪毎日新聞』）。

（十九）明治三十八年五月、乾尋常高等小学校本科訓導（明治三十八年五月二十日刊『京都府教育雑誌157附録』）。

（二十）明治三十九年六月、乾尋常高等小学校本科訓導（明治三十九年六月二十日刊『京都府教育雑誌169附録』）。

（二十一）明治四十年七月、乾尋常高等小学校本正（明治四十年七月二十日刊『京都府教育雑誌182附録』）。

（二十二）明治四十一年七月、乾尋常小学校本正（明治四十一年七月二十日刊『京都府教育雑誌194附録』）。

（二十三）明治四十二年七月、乾尋常小学校訓導（明治四十二年八月二十日刊『京都府教育雑誌207附録』）。

（二十四）明治四十四年七月四日、小学校令施行規則第百二十六条第二号前段に依り退職を命じられる（明治四十四年七月七日刊『京都府公報』）。

（二十五）大正五年五月二十日、立命館校友倶楽部総会に出席（森山に拠る）。

（二十六）四月、歿（大正八年十月八日刊『立命館学誌』24号、未見。森山に拠る）。

○　乾百年史編集委員会編『乾百年史』（乾校創立百周年記念事業実行委員会・昭和四十五年六月二十日）中の、

・木原すなほ「父（川井勝太郎校長）を語る」に、〈明治四十三年（一九一〇）大逆事件が起った時、当時乾校に在職中の饗庭先生が、連座した管野すがの異母弟（ママ）に当る故を以て、先生の思想を疑われ、官憲の厳しい取調べが罷免の事にまで進んだ時、父は専心その釈明に努め、先生の潔白が認められた時は、家族と共に喜んだことだった。〉とあり、

・堀田由之助「半世紀前の乾校」のことども」に、明治四十三年四月入学、〈一年の担任、饗庭先生は程なく退職され、ただ、中肉中背で浅黒いお顔をしていられたことだけより記憶に残っていない。〉とある（饗

庭義衡の写真掲載〕。

私は立命館史資料センター準備室を未訪問。森山に教わるばかりである。

第三章　産湯を棄てて赤子は流さないように

一、寒村記述再読

寒村著作は要修正点もあろうが、依然宇田川文海に師事した頃の管野須賀子を考察する際の出発点である。問題があるとしても、〈妾などではなかった〉説のように、〈荒畑の自伝の記述が、そのまま信じてよいとは思えない〉（十ページ）と断言する前にすべき作業がある。注意しながら、再読しよう。

年月の混乱

『寒村自伝』からは、須賀子が文海と出逢った当初から別れるまで始終妾（めかけ）的存在であったかのように読める。そのつもりで書かれたのかも知れない。だが、既述したように、師事した期間のうち『大阪朝報』記者時代は、そうであったと考えられない。『大阪朝報』廃刊以後のことであろう。

ジャン＝フィルー（池田数好訳）『記憶』（白水社・一九五五年四月五日、一九五九年四月十日再版）の孫引だが、〈記憶は正確なのが通例ではなく、むしろ例外である（マリー・ボール『心理学論集』）〉という。漱石「行人」の一郎は〈彼は事件の断面を驚く許り鮮かに覚えてゐる代りに、場所の名や年月を忘れて仕舞ふ癖があつた。夫で彼は平気でゐた〉。年月を忘却しながら、印象強烈な〈断面を驚く許り鮮かに覚えてゐ〉た。年月の混乱も通例であろう。そう覚悟する。

素材自体が仮構？

被凌辱事件が実際にあったかどうかも、分らない。今後の調査に俟つしかない。

今の所、当座の仮説として、原拠を須賀子の直話とし、ただしその直話自体に仮構が混じった可能性を想定してみる。

私は高木えりか「〈百合〉のパラダイム転換」（奥田勲編『日本文学　女性へのまなざし』（風間書房・二〇〇四年九月三〇日）という論文のおかげで、「嗚呼少女」と題する美文を知る。明治三十四年一月一日刊『明星』第十号七十七〜七十九ページに載った、高須梅渓の美文「嗚呼少女」である。〈吾〉の〈友〉が語った〈一少女の運命〉を綴る。

> 少者何者ぞ。元は是富家の女、渠の父は都下の紳士として多少名を知られたる人なりき。此父の許にかの女は相当の教育を受けつ、その貌に於て、その淑徳に於て、将来立派なる紳士の夫人たるべき資格を供へたりき、されど禍の神は永へにかの女の幸運を狙ひぬ、父が迎へたる継母の為めにかの女はあらゆる虐遇を受け、あらゆる鞭笞を蒙り、ついで父の病死と共に、淫蕩なる継母の為めに妓楼に売られぬ、（改行）かくの如くにして、かの女の純潔と淑徳

とは全く破壊せられ、その膏血は継母の啜るところとなりぬ、一片の百合花悪魔の咀ひに血の跡を止めたるが如く、かの女の全身は悉く汚涜せられたる也、何等残酷の悲劇ぞ、

云々。言わば目覚めたるものの煩悶にも触れてゆく。

いま、「嗚呼少女」と、

・検事小原直「聴取書」（明治四十三年六月三日）中の第二項、

・第一次『寒村自伝』『ひとすじの道』中の須賀子直話に依ると称する部分、

・須賀子の自伝的小説とされる「おもかげ」、

・須賀子の自伝的小説とされる「露子」、

とを、対比させて見よう。

（1）誕生時の生家の経済状態

「嗚呼少女」〈富家〉

聴取書〈私ノ実家ハ元ト相当ニ豊テアリマシタ〉

「おもかげ」〈比較的父様の全盛時代に生れた妾〉

（2）容姿

「嗚呼少女」〈美はしき容貌〉

「露子」〈十人好のする容姿〉、〈活々とした色白の、莟の花の美はしさ〉

（3）煩悶

「嗚呼少女」〈嗚呼哀れなる少女よ。御身の文字知りそめしは、その最大不幸なりき。智識なく、品性なき少女は、漸く其境遇に甘んずることを得べし、されど御身の如く能く人道の何物なるかを知り、淑徳の如何なるものかを知れるものは、常に其罪悪の深きを自覚して恐れをのゝかん、御身はこれが為めに如何ばかり苦悩せしぞ、煩悶せしぞ〉

聴取書〈私ハ元来読書カ好キ〉、〈学校ハ小学校丈ケテ総テ独学デアリマシタ〉〈煩悶は不明示〉

『ひとすじの道』〈久しく苦悶〉

「露子」〈身にさしかゝる重荷の解決に苦しんで居る乙女〉。原田一郎を恋している。〈彼女は己が一切の、天授の自由と権利を打捨てゝ、人間最上の美徳と称えられる孝の犠牲と成った〉

（4）生母の不在

「嗚呼少女」生母の死

聴取書〈十一歳ノ時ニ母ヲ喪ヒ〉

『寒村自伝』生母の死

「露子」〈此世の只一人の慈愛深き母が、無情き夜半の嵐に誘はれて、秋まだ浅きに桐の一葉に先ちし〉

（5）残る保護者が無力

「嗚呼少女」〈父の病死〉

『寒村自伝』〈中風のために半身不随となりながらも、朝夕の食膳

に贅沢を並べる父〉

『ひとすじの道』　同右

「露子」　父は〈子供に物を喰はせんでも、相場に手が出したいといふやうな事〉

(6)　継母による禍

「嗚呼少女」　〈父が迎へたる継母の為めにかの女はあらゆる虐遇を受け、あらゆる鞭苔を蒙〉る

聴取書　〈継母ノ手ニ育テラレマシタガ常ニ不愉快ノ生活ヲナシ〉

『寒村自伝』　〈継母のために苦しめられ〉

『ひとすじの道』　〈継母の奸策〉

「露子」　〈悲しさに干しあえぬ袖は、更にまた賤しき商売上りの継しき母が針ある言葉に、絞る間も無く、朝夕泣き暮らした揚句、体よく看護婦に追出された露子〉

(7)　純潔破壊

「嗚呼少女」　〈淫蕩なる継母の為めに妓楼に売られぬ〉。〈純潔〉が〈破壊され〉た

『ひとすじの道』　〈旨をふくめられた鉱夫から凌辱された〉

「露子」　〈花嫁露子が、犠牲の二字に其身を捧げ、涙を隠す厚化粧悲しく、屠所に牽かるゝ羊の思ひで、愈々宮本家へ輿入れの日とはなつた〉。さらに後日、店の番頭に襲われる。

と、それなりの類似を認めることが出来そうである。

明治四十四年一月九日付・平出修宛書簡で、須賀子は〈鳳を名乗られ候頃より私の大すきな人にて候〉と書いたように、与謝野晶子ファンであった。だから、『明星』なども読んでいた可能性がある。須賀子が「嗚呼少女」を読んでいたとすれば、彼女自身の過去言及や自伝的著作に機能したと空想できなくもない。

もちろん、暗合の場合もある。としても、〈継母〉イメージなど、当時の定式化した社会通念の反映を窺う一資料にはなるであろう。

寒村の記憶する元の須賀子直話自体に、仮構の受難物語が混じっていなかったかどうか、その注意もしないで、ただ闇雲に寒村記述の須賀子を虚像と極めつけるのは、短絡に過ぎる。

身の上相談的記事

寒村『ひとすじの道』は、

> 彼女が社会主義に興味をもつたのは、堺先生がまだ朝報社にあつた当時、萬朝報の紙上に男から暴力で凌辱されて煩悶している一婦人に与えて、それは恰かも往来で狂犬に噛まれたような不幸ではあるが自己の責任を負うべき過失ではない、そんな不幸は早く忘れるように努むべきだという意味の文章を発表したのを読み、非常に感激して先生に接近したのが動機だという話である。

と伝える。

堺の〈狂犬〉云々文について、**清水 1980a** は〈発見することができ

なかった〉と書き、その後、**荒木 1981k** も〈「萬朝報」には、この記事は見あたらない〉と記し、**大谷 1989a** も〈『万朝報』を調べてみても、男から凌辱をうけた一女性に与えて書かれたという堺の文章は出てこない。〉と報じた。私も探しているが、今のところ見つけていない。だが、大谷のように寒村の須賀子像を虚像とする説へ走るのを控え、未来に託すのを正しいと考える。

将来発見されれば御破算をお願いするけれど、中締めとして、この身の上相談的記事に寒村の文飾が混じったかも知れないとの仮説を提出したい。

身の上相談的記事について俄か勉強した。

・池内一「身上相談のジャンル」（昭和二十八年九月二十五日刊『芽』）、
・太郎丸博「身の上相談記事から見た戦後日本の個人主義化」（光華女子大学文学部人間関係学科編『変わる社会・変わる生き方』〔ナカニシヤ出版・一九九九年八月十日〕）、
・赤川学「日本の身下相談・序説」（二〇〇六年三月二十八日刊『社会科学研究』）、
・山田邦紀編著『明治時代の人生相談』（日本文芸社・平成十九年六月二十五日）、
・濱〔山崎〕貴子「一九三〇代日本における職業婦人の葛藤」（平成二十三年四月二十五日刊『京都大学大学院教育学研究科紀要』）、
・読売新聞生活部編『こうして女性は強くなった』（中央公論新社・二〇一四年一月十日）、
・桑原桃音「大正期『読売新聞』「よみうり婦人附録」関係者の人物像にみる「身の上相談」欄成立過程」（平成二十七年三月十五日刊『龍谷大学社会学部紀要』）、

より学ぶ。

新聞記事の電子検索が進めば調査は飛躍的に前進するであろうが、現在は手作業の段階なのでなかなか分らない。枯川在社中の『萬朝報』紙上にはまだこうした「身上相談」的な記事を扱っていなかったようである。

明治の身の上相談を総覧していないので、あくまで管見だが、強姦被害者の相談例を知らない。当時は訴えても、かえって叱り調の非共感的な対応しか得られないので、泣き寝入りするしかなかったのではないか。大正六年三月二日付『読売新聞』「身の上相談」でも、〈貞操を汚されて〉煩悶する〈生甲斐なき女〉への回答は〈貴方に心得の足りない所があつたと云はれても為方がないでせう〉、であった。とすれば、〈狂犬〉云々の回答は、明治期として新し過ぎる助言とも思える。もし将来、『ひとすじの道』記載通りの堺文が出てくれれば、それは堺利彦の先進性を証明することとなるであろうが。

煩悶者への温かい反応は、明治末年くらいに始まるらしい。「例言」に、明治〈四十、四十一両年の間に、都新聞紙上に載せられた「相談の相談」中より、趣味あり実益ある者を抜いて各種の煩悶、不審に対する解答書に擬した〉と記す吉川庄一郎『〔男女の煩悶〕相談の相談』（求

光閣書店・大正元年八月十三日初版未見、大正元年十二月十八日刊四版）から、

私は〔略〕二十一歳の此春まで立派に操を保つて参つたのでした、然るに此三月頃隣家に居る法科大学生某に云ひ寄られ窃かに睦み合ひましたが、此頃になつては其男は何れにか宿換して姿も見せません、〔略〕今後如何に身を処して宜しいやら一生独身の生活しやうか、これは親兄弟も許さぬこと、と申して嫁入りせんには汚れた身、人の妻たる資格のないもの、たとへ如何に悔悟致せばとて、此身は元の骸となりますまいし、前過を夫なる人に懺悔するは素より覚悟ですけれど、それと聞いた夫は恐らく私の罪を容しては呉れますまい、斯く思ひ乱れては所詮何となりゆく身の上やと昼夜煩悶致して居る、御救ひ下さると思召して、よき御教誨を〔改行、以下回答一字下げ〕過去は過去に任せ未来は未来にお任せなさい、如何程気にしても過去と未来は貴女の手の届かぬ所ですが、只今日は貴女の思ふ儘に為る、手の届かない過去と未来を想ふて屈託なさるよりは、貴女の思ふ儘に為る今日を正しく有益に誰れにも恥かしくない様に御暮しなさい、左すれば貴女の煩悶は自然に消えて、其の日〳〵に為すべき事が有り、為し得た事があり、生活が楽しくなり、未来の生き甲斐の有る筋道が自然に開かれて参りませう（六十一～六十二ページ）

と、

私こと不図せし心得違ひより去る御方と深い中となり到底も添はれぬ縁と知りつゝ思ひ切ることの出来ぬ不甲斐なさ斯く誘惑に落入りしも自業自得とは申しながら人を欺き親の目を忍ぶ心の我身ながら恨めしく如何にせば此煩悶を打忘れ犯せる罪の消ぬべきかと日夜心を苦めて居ります素より我身は最早や処女ならぬ身の素知らぬ顔にて他家の主婦となるに忍びず、と申して謂れもなく独身生活を親に願ふも如何でしやう、ほと〳〵思案にくれて居ります〔改行、以下回答一字下げ、略〕添はれぬ縁とは何ういふことか解りませぬが既に斯くと御承知なさつたら如何せ不正の情交ですもの断然として思ひ諦め否立派に悔悟なさつて心より其事を打忘れ親の容す良縁を求めて身形をお付なさるが貴女の御為と思ます（六十四～六十五ページ）

とが拾えた。和姦を悔やむ女性の相談二例で、煩悶者への温かい反応を予感させる。

大正に入ると、非処女相談が増える。カタログハウス編『大正時代の身の上相談』（筑摩書房・二〇〇二年二月六日初版未見、二〇〇九年十一月十五日刊第十刷）は、大正三年～十一年発行『読売新聞』記事「身の上相談」の抜粋だが、大正五年十一月十四日付「処女じゃない妻に嘆く夫」項で、解説者・小谷野敦は〈この手のご相談は本当に驚くほどたくさんあって、当時の処女信仰の絶大さを思い知りました〉と呆れている（一三六ページ）。

〈狂犬〉云々の回答

〈狂犬〉云々の回答は、昭和期に入って散見する。これを被凌辱煩悶に対する回答の〈典型〉と評した（三一七ページ）のは赤川学『セクシュアリティの歴史社会学』（勁草書房・一九九九年四月二十日）である。赤川は、

○昭和十二年八月一日刊『主婦之友』附録『娘と妻と母の衛生読本』66ページ、

　突然闖入した暴漢または強盗に襲はれて、暴行を受けたとしたら、もうその人は処女ではないのでせうか。〔改行〕勿論、破れたものは元には返りますまいが、自分が意識しないで暴力の犠牲になつた人こそ飛んだ迷惑で、不意に現れた狂犬に咬まれたのと同じことと、肉体的には処女でなくても、精神的には立派な処女として認められます。

を示す。

　実は右より早く、

○加藤武雄の小説「呼子鳥」（昭和十一年四月一日刊『キング』53ページ）中に

　処女性の喪失――それが女性の生涯にとつてそれ程重大な意味を有つものであらうか？　唯、肉体の上だけでの、しかも、志保子の場合は、路傍で狂犬に噛まれたと同じ事の、謂はゞ一つの天災なのだ。

があった。*

私の遡れた〈狂犬〉云々は加藤武雄が最古であった。

新聞の身の上相談で〈狂犬〉云々の回答が大流行するのは戦後、所謂〝純潔教育〟華やかなりし頃であろう。

〈狂犬〉云々の助言が、明治期の言説としては新し過ぎると思える私の前に、昭和二十七年七月二日夕刊付『京都新聞』の「女性案内」が出現した。

　〔問〕私は十八歳の家出娘です。小さい時に両親に死別し、農村で継母に育てられていましたが、十六歳の時に継母のワナにかけられて純潔を失いました。このような母のそばにいたたまれず姉を頼つて家出し上洛いたしました。姉は私が純潔であることを信じ幸福な家庭生活をさせようといろいろ縁談に骨折つてくれます。だが私は姉が温かく見守つてくれればくれるほど、汚れたわが身のことが打明けられず苦しんでいます。しかしいつまでも独身でいるわけには行かず、今後結婚問題などが起つた場合どうすればよろしいでしょうか。（純潔を失つた娘）〔答〕あなたは純潔を失つたということを大へん案じていられますが、これはほめたことではありませんけれど、ちようど狂犬にかまれたように自分の意思なくて受けた災難です。自分で自分の身体を汚したものではないから、あなたは決して純潔を失つてはいません。悪い夢を見た

*この例は、たまたま木村涼子『〈主婦〉の誕生』（吉川弘文館・二〇一〇年九月一日）184ページを読んで知り現物確認した。

わけで、そんな夢にこだわらず、将来に希望を持って幸福な結婚生活をなさることをおすすめいたします。（評論家・村岡花子）

である。問・答とも寒村著作の伝える堺文の内容に酷似する。

とっさには、村岡が有名な寒村著作から取り入れ創作した問・答か、と疑った。しかし、それは有り得ない。寒村『ひとすじの道』が昭和二十九年九月三十日の刊行と、村岡文以後だからである。

私は混乱し、清水卯之助氏にも報告できないまま、放置してきた。今、この件に一応の仮説を提出し、けりをつけたい。

寒村の文飾という仮説

・〈純潔を失った娘〉の問と花岡の答とが寒村著作の伝える堺文の内容に酷似する、

・前者が後者に先行する、

とあれば、

・暗合か、

・寒村側の模倣か、

を考えさせられる。

暗合の証明は不可能だから、パスする。

寒村の模倣、という線が有りうるであろうか、こちらを考える。

まず模倣は、お手本が大変魅力的な場合に起る。この点、右の村岡花子「女性案内」は

○昭和二十七年七月八日付『京都新聞』の「女性案内」、

〔問〕〔略。主家の長男に暴行された。（処女を奪われた娘）〕〔答〕自分の意思ではなくて処女を奪われたのは狂犬にかまれたような災難です。あなたも相当抵抗なさつたようですが、こんな時には大声をあげるかして、未然に防がれたらとは思いますが、既に後の祭です。不可抗力のように襲いかかられた暴力なのですし、あなたの悪い夢だと思ってその夜のことは一日も早くお忘れ下さい。〔略〕（井上愛子）

○昭和二十七年九月十二日付『京都新聞』の「女性案内」、

〔問〕〔略。金銭上で〝純潔〟を奪われた。（罪に泣く女）〕〔答〕あなたの意思でなく、暴力で処女を奪われたことで悩みぬいていられるいじらしいお気持に心から御同情します。精神的に処女だと信じていられるのですから、肉体的にも処女だと自分を信じなさい。あなたのような場合をある人が狂犬にかまれたようなものだといってお られましたが、ほんとうに悪夢だと思って忘れておしまいなさい。

〔略〕（家裁調停委員大西鶴子）

と同紙同欄担当者に後続が絶えないごとく回答として模範的であった。

寒村『ひとすじの道』は昭和二十八年、山形と東京とで書き上げられた（宮嶋秀「『ひとすじの道』の想い出」〔一九九〇年六月二十五日刊『彷書月刊』〕）。村岡文が共同通信記事なら他紙にも載っているはずで、山形・東京とのつ

ながりが出れば占めたものだが、未調査である。

寒村が目を留める機会があったとすれば、人脈上の想像が可能である。村岡恵理『アンのゆりかご』（新潮社・平成二十三年九月一日）に拠れば、村岡花子は安中逸平の長女であり、安中逸平は初期社会主義者で、『ひとすじの道』169ページにその名が載る。同志の娘の文を自作に取り入れ、話の具体化に役立たせた可能性も空想されないではない。

荒畑寒村『ひとすじの道』刊行以後の例は今の場合無関係だが、ついでに拾っておく。

○昭和三十一年三月十六日付『夕刊読売新聞』の「人生案内」、

〔問〕〔略。憎むべき暴漢　結婚出来なくなった彼女（東京・K生）〕〔答〕あなたが苦しまれるのも無理はありません。しかし、T子さんもきっとあなた以上に苦しんでおられることでしょうし、またその暴漢に対しては必死の抵抗の上、力つきてやむなくそういう仕儀になったのだろうと思われますから、いわば暗夜に狂犬にかまれたも同様の災難だったと、もっと深い大きな愛情でT子さんを包んでやっていたゞけないでしょうか。〔略〕（小糸のぶ）

○昭和三十一年八月二十四日付『読売新聞』の「人生案内」、

〔問〕〔略。純潔を奪われた娘　すなおに結婚してよいのか（新潟・M子）〕〔答〕どのような事情があったのか知りませんが、まだ十四歳の少女時代に三十男にそんな目にあわされたということはいわば狂犬にかまれたも同様の災難ですから、もう純潔を失ったとか、自分には結婚の資格がないとか、そんなふうに一途に思いつめる必要はありません。〔略〕（小糸のぶ）

読売新聞社婦人部編『あなたは・どうすればよいか』（久保書店・昭和三十一年十二月二十五日）は、『読売新聞』連載「人生案内」の集成版であるが、その中に回答者側の発言、

○〔無署名〕「さまよえる男女／―投書整理者からみた悩みの傾向―」、

また婚約中の娘が相手以外の男に暴力で犯されてしまったというケースもとき／＼出てくる。その場合、娘は泣く泣く婚約の取消しを男に申込み、男の側から「理屈では狂犬にかまれたと同じなのだから許そうと思うが、感情では何としても割り切れない」と悩みを訴えてくる者が多い。

もある〔傍線引用者〕。

〈狂犬〉云々が余りに手垢にまみれたので、新味を出そうとした回答、

○昭和三十四年四月一日刊『明星　付録　若き性の悩み』、

〔問〕〔略。三人の男生徒に乱暴される（兵庫県・三浦てい子）〕〔答〕〔略〕かりに処女膜が破れていたとしても、暴走してきた車にはねられたようなもので、あなたに罪はありません。あなたは立派に処女ですし、完全に純潔ですからご安心なさい。誰にもひけ目を感じる必要はありませんから、こんなことで苦しむのはもうおやめなさい。

〔略〕（ドクトル敬子）

もあった〔傍線引用者〕。

〈狂犬〉云々はこの手の煩悶回答の紋切り型といえることが明白と成る。

紋切り型を利用

ここで、新聞記者の省エネ・労力節約作文法、紋切り型を利用した作文を想起する。

新聞記者は記事の細部を紋切り型で糊塗する場合がある。入江徳郎『マスコミ文章入門』（日本文芸社・昭和四十七年十月一日）が、紋切型を〈公約数的な、便利な用語〉であり、〈思考と時間の節約が可能になる〉・〈器用な人ほどよく紋切型を利用する傾向がある〉（二十一ページ）、〈安易に、紋切型を使っている表現は、現在のマスコミでも相当に多い〉（同十八ページ）と述べていた。本多勝一『日本語の作文技術』（朝日新聞社・昭和五十一年六月三日、管見本昭和五十三年二月十日第二十刷）も紋切型を並べたのち、

〈こうしたヘドの出そうな言葉は、どうも新聞記事に多いようだ。一般文章にマヒした鈍感記者が安易に書きなぐるからであろう。一般の人の読むものといえば新聞が最も身近なので、一般の文章にもそれが影響してくる。〔略〕紋切型を平気で使う神経になってしまうと、そのことによる事実の誤りにも気付かなくなる。たとえば「……とAさんは唇を噛んだ」と書くとき、Aさんは本当にクチビルを歯でギュッとやっていただろうか。私の取材経験では、真にくやしさをこらえ、あるいは怒りに燃えている人の表情は、決してそんなものではない。なるほど実際にクチビルを噛む人も稀にはあるだろう。しかしたいていは、黙って、しずかに、自分の感情をあらわにしようもなく耐えている。耐え方の具体的あらわれは、それこそ千差万別だろう。となれば、Aさんの場合はどうなるのかを、そのまま事実として描くほかはないのだ。「吐きだすように言った」とか「顔をそむけた」「ガックリ肩を落した」なども、この意味で事実として怪しいきまり文句だろう。

と書いている。本多は朝日文庫版では、このあと、〈「ニコヨン物語」という本をご記憶だろうか。昭和三十一年、当時ニコヨンと呼ばれた日雇い労働者がえんぴつをなめなめつづり、映画にもなったベストセラーだ。〉と引用後、

右の「えんぴつをなめなめ」が怪しい。本当に「えんぴつ」だったか。本当に「なめなめ」書いたのか。それを取材したのであれば紋切型をやめて具体的に書くべきだし、紋切型として書いたのなら大ウソを書いたことになる。

と叱責した。労働者が綴ったこと自体が事実なら、〈えんぴつをなめなめ〉という描写は小ウソに属するだろうが。

寒村文を、新聞記者の省エネ・労力節約作文法、紋切り型利用に似た作文かも知れない、と考えるのが、仮説の範例の第一である。

仮説の範例の第二は、志賀直哉の創作方法の一つである。

阿川弘之「志賀直哉（第四十三回）」（平成三年一月一日刊『図書』）が、面白い作文法を教えてくれる。昭和二年十一月一日刊『改造』に発表された「暗夜行路」後篇（第1回11）、主人公が旅行案内を見ながら〈三時三十六分鳥取行か。若しそれに遅れたら五時三十二分の城崎行でもいい〉と言う場面について。阿川は、

京都発午後三時三十六分の鳥取行、五時三十二分の城崎行、そんなものは大正四年五年六年頃の「旅行案内」、いくら探しても載つてゐない。分まできちんと書いてあるのに、それなら二本とも小説の中の架空の列車かといふと、さうではないのである。「暗夜行路」の此の部分が執筆された昭和二年には、まさしく此の通りの鳥取行209列車城崎行211列車が運行されてゐる。〔改行〕つまり、主人公をどんな汽車で大山へ発たせたらいいか、思慮してゐた作者が、家にあるその年の「旅行案内」を開いてみたら、偶々山陰本線下り209列車と211列車が眼につき、これを使はうと思ひ決めたのだと想像される。「三時三十六分」「五時三十二分」、どちらも京都駅発の時刻だから、謙作が実際に乗車する花園駅発車はそれより十数分あとになるけれど、ともかく何時何分発何処行きとはつきり書き入れることによって、会話にリアリティが出て来た。その代り、大正初年を舞台に生活してゐる作中人物が昭和二年の時刻表で旅する矛盾は見落とされしまつた――、多分さうである。

と推理する。

執筆時点で知りえたことを、過去時点である作中に利用し、リアリティを出した例である。

ただこれは小説だから許されたとの見方もあろう。そこで、小説以外で許された、範例の第三として、折口信夫の随想を挙げる。

釋迢空「留守ごと」（昭和二十四年四月一日刊『美しい暮しの手帖』）である。父の薮入り時、母以下の女系家族が饗宴し藝ごとの披露をする場面を回想した随想である。

小い叔母は立つた。〔改行〕こゝのうちには、舞の扇はあれしまへなんだなあ。兄さんの白扇で舞はして、貰ひまつさ。仲姉さん――金輪ひいとおくれやす。〔改行〕実は、金輪だつたか、何だつたか、私は覚えてゐない、何にしても、相当にやかましい手のある、舞だつたと思ふから、仮りに「かなわ」と言ふことにしておく。

という箇所がある〔傍線引用者〕。傍線部が、執筆時点での知見を、過去時点である作中に利用したところである。

折口文の傍線部のように、寒村も、実は身の上相談の答えがこうであったか、覚えていない、何にしても、継母への不快感・被凌辱煩悶・枯川文との出会い、などの訴えだったと思うから、仮りに手近な身の上相談で代りにしておく、とでも断ってくれればよかったのだが。

二、『萬朝報』読者・須賀子

私は寒村の須賀子像をいきなり虚像とする説を採らず、むしろ、出来るだけ生かしたく考える。

例えば、枯川文との出会いである。〈継母の奸策〉・被凌辱煩悶と切り離せば、〈萬朝報の紙上〉に堺枯川の文章は実在するからである。

『萬朝報』紙上の堺利彦

〈萬朝報の紙上〉の堺枯川の文章と言うとき、完璧網羅的な『堺利彦全集』があれば簡単に答えにたどりつく。けれども現全集は選集である。谷沢永一『紙つぶて』「お粗末全集の公害」の指摘したごとく、新版全集に〈誰もが期待した網羅的・考証的な著作目録の昭和女子大学版を超す決定版をも収めず、そのことわり書きもない〉。谷沢のいう〈昭和女子大学版〉は『近代文学研究叢書34』（昭和四十八年七月二十五日刊）の、寺島町子・赤松昭の堺枯川「年表」であり、今のところこれを越える著作目録も無いようである。

枯川在社中の『萬朝報』を一枚一枚繰るしかない。そうすると、〈昭和女子大学版〉未採文、

枯川「募集小説に就て」（明治三十二年七月十三日）
枯川「素人小説家に望む」（明治三十二年七月二十六日）
枯川「文学閥。大家閥。知名閥」（明治三十二年九月五日）
枯川「新体詩斬縮論」（明治三十二年九月七日）
堺利彦「故形田藤太君を懐ふ」（明治三十二年十二月五日）
枯川「『日本婦人』第一号」（明治三十二年十二月九日）
枯川「帝国文学雑報記者　酬う2」（明治三十二年十二月十九日）
枯川「当世紳士堕落の謡」（明治三十二年十二月二十四日）
枯川「〔選評〕」（明治三十三年一月十六日）
枯川「〔選評〕」」（明治三十三年一月二十三日）

…が、ぞろぞろ出てくる。どなたかに堺利彦の決定版著作目録作成をお願いしたい。*

＊ついでながら、成田龍一「堺利彦の『穎才新誌』投稿文」（一九八八年四月一日刊『初期社会主義研究』2）が報じた「風説」は、昭和二十三年十二月一日刊『文章倶楽部』pp27・28「名家の投書」中に復刻済みであった。このように、書誌作成は難しいけれども。

〈昭和女子大学版〉既採分に、枯川生編「風俗改良案」（『萬朝報』）の「婦人よりの来書」があった。明治三十三年十月十九日付第二千五百三十五号・二十日付第二千五百三十六号・二十二日付第二千五百三十八号・二十九日付第二千五百四十五号に「婦人よりの来書」が載った。

例えば、〈私は兼てより内職の望みおはし候へども夫の許なきまま差ひかへ居り申し候〉という〈とき子　と申さるゝ方より〉の来書を掲げて後に、

予は此紳士が細君の内職を賎しとする事の甚だ小なる虚飾心に因るを信ずと雖も、亦其謂はゆる品格を保たんとするの苦衷を察せ

ざるが故に、とき子君の決して良人の意に背かざらんことを希望す、然れども是につきて思ふ、世には、フロツクコートなど着用して、細君に送られて我家を出づる時は、甚だ立派なる紳士なるにも拘はらず、其行く先を探れば、東郭墦間の祭者に就て其余を乞ふに類する者尠からず、其極めて賎しむべきをば少しも賎しとせずして、少しも賎しむべからざる内職などをば賎しきが如くに思ひなす者あり、或は又、内職などをば極めて賎しきが如くに思ひなす結果として、小貴族的なる一家の収支の差を大ならしめ、それが為、又ます〳〵東郭墦間の祭者に就て其余を乞ひ、更に少しも賎しとせざるに至る者あり、若し其細君をして之を知らしめば如何、千年前に孟子が言ひたる所、恰も今日の社会を罵れるの感あるこそうたてけれ。

と、孟子離婁の語を引き適切な返事を認めている。

こうした『萬朝報』の枯川文を須賀子が読み、枯川との〔活字上だが〕出会いとして寒村に伝えたのが淵源ではなかろうか、との空想が可能である。

黒岩涙香

すると、『萬朝報』の諸記事が、読者須賀子に影響を与えた例が次々浮かび上がってくる。列挙しよう。

○　そもそも、『萬朝報』は黒岩涙香が《『利』主義》でなく《『仁義あるのみ』》を棒持し、〈社会の木鐸〉の名にかなう新聞紙を目指したものである（周六述「新聞紙の道徳」（明治三十四年六月十九〜二十四日付『萬朝報』））。〈社会の木鐸〉は言い古された名言ながら、〈人の復木鐸の敬語を新聞紙に加ふる者なし〉となった〈今〉、涙香が高唱したのである。

須賀子も後年『大阪朝報』で、

〈世の木鐸を以て任ずる数多の新聞紙〉（明治三十五年八月二十八日付・「慈善ビール会」）

・〈社会の耳目だとか、木鐸だとかやかましい事を言つてゐる新聞社〉（明治三十六年四月十四日付・「博覧会百物語」）

・〈木鐸耳目を以て自ら任じ、社会の警醒者、指導者、教育者たる者〉（明治三十六年四月十一日付・「三度市民諸君に告ぐ」）

と繰り返す。

○　〈一夫一婦を正しき人間の道と信じて居〉る涙香（「余が新聞に志した動機」）が明治三十一年、畜妾実例を『萬朝報』に連載したのは有名である。

須賀子も後年『大阪朝報』で、

・〈高い清い家庭の楽みは何から出るかとまをしますと、全く一夫一婦が其の根底でございます〉、〈一夫一婦の良風〉、〈一日も早く一夫一婦の良風が、社会一般に行はれて、上は貴族顕官、紳士紳商の人々より、下は車夫馬丁、職工職人の面々まで、一同に夕顔棚の下涼み、家庭団欒の快楽の真味を知らせたく思ひます〉（明治三十五年七月九日付・「行水談」）。

・殿村事件報道も〈一夫二妻、其二妻と一夫の衝突、家庭の乱の真相〉

（明治二十五年十二月二十八日付・「忘年会の記」）

と、一夫一婦を主張する。

○『萬朝報』には、動物虐待を訴える言論も載った。明治三十五年六月二日付第三千百二十六号の第一面に載った由分子「動物虐待防止会」である。

須賀子も後年『大阪朝報』で、

・〈近来博愛主義の人々、人道的社会問題として、動物虐待防止会なるものを設立し、其意味の法律を発布させんと謀りつゝありと聞く。妾が双手を掲げて賛成する処であります〉（明治三十五年七月四日付・「黄色眼鏡」）

と、早速飛びつく。

藝妓を〈醜業婦〉と呼ぶ

○『萬朝報』は、藝妓を〈醜業婦〉と呼ぶ。

明治三十四年四月二十二日付第二千七百二十一号『萬朝報』の第一面に載った無署名「藝妓廃止論」は、藝妓＝〈売淫の醜業婦〉論である。

娼妓廃止論が多いけれども〈未だ藝妓全廃を首唱するもの無〉しと始め、

藝妓は其の名、歌舞音曲を以て客の歓を搨くるに在れど、其の実全く娼妓と撰ぶ所なく、純然たる売淫の醜業婦なり、同じく売淫の醜業婦なるも、娼妓は其の営業の地域を制限せられ、出入を制限せられ、且つ期を定めて梅毒の有無を検査せらるゝが故に其の弊毒を流すこと未だ甚だ大なるに至らず

と極め付け、しかるに藝妓は住居や出入場所の制限無く、婦人風俗の猥りがわしく、梅毒を伝播する、〈藝妓の存するは寸功なくして百害ありと謂べし〉〈藝妓断じて全廃す可き也〉と主張した。

須賀子も後年著作中で、藝妓を〈醜業婦〉と呼ぶ。

・幽月女史「大阪滑稽づくし（一）」（明治三十六年一月二十日付『大阪朝報』）の、

彼等は其名こそ藝妓なれ、藝のみを以て客を慰める者でないことは三尺の童子も知て居る。公然春を売るのを業としてゐる娼妓と択ぶところのない所業をしてゐる、一種の醜業婦であることは、藝者夫自身も知てゐる。否、三尺の童子と、芸者夫自身ばかりではない、社会全体の明白に認めるところである。

と同じ藝妓観である。

○さらに、『萬朝報』は藝妓＝〈醜業婦〉が表舞台・明処に出るのに反対する。明治三十四年九月二十一日付『萬朝報』第二千八百七十二号の第一面に載った無署名「家庭の紊乱者／風俗の壊乱者」は、

醜業婦、醜業者竟に絶滅す可らざるか、宜しく之を暗処、晦処に措くべし、糞桶に蓋するが如く、下水に揚板を覆ふが如く、之をして社会の裏面に出で、明処に居らしむ可らざる也、吾人は処々に醜業婦の写真を公然陳列して売るものあるを以て、風俗上許す可らざる所業とす、又況んや新聞雑誌にして醜業婦の写真を掲ぐ

るが如きをや、又況んや新聞紙にして醜業婦の投票を世に募るが如きをや、是れ啻だ我が新聞紙を汚辱するのみに非ず、実に一種の風俗壊乱者たる也

と、藝妓の写真が新聞雑誌に掲げることを非難する。これは、

・幽月女史「雑誌と醜業婦」（明治三十五年九月九日付『大阪朝報』）の、

苟も社会の耳目（娯楽、教育を論ぜず）として発行さるゝ書籍雑誌が、仮令列ねたる文字には有益なる趣味ある事が多くとも、如何なる人にも（字の読ぬ人にも）第一に目に附く巻頭に、尤も劣等なる、人間として席を同うする能はざる醜業婦の写真を掲げて些かも恥るの色なく、又見る人も別に怪むの色なきは、如何なる意で有らう。是で開化とか文明とか云はれるで有らうか。

とか、

・幽月女史「元旦の所感」（明治三十六年一月十五日刊『みちのとも』）の、『大阪新報』の〈古代の娼妓が追羽子をしてゐる〉絵附録をつけたことに対する、

社会の耳目木鐸、家庭の教科書を以て任ずる新聞紙の絵附録に、醜業婦の図を撰んだのは、少し不注意ではあるまいか。

とかの主張と同じである。

幽月女史「大阪滑稽づくし（一）」で五花街芸妓の〈始業式……其醜業を始める儀式〉に〈府知事市長を始め、其他の高官紳士〉が臨席することを滑稽視して、〈何うか来年一月の醜業婦の始業式には、仮令如何なる懇篤なる招待状を贈らるゝも、断然之を突返して、一人も臨席したまはぬやうに願ひたい。〉と述べるのも、同理由からである。

醜業婦の歌舞が博覧会の神聖を汚す、とは『大阪朝報』記者時代の須賀子の最大意見となる。

『萬朝報』の言説が、須賀子の醜業婦嫌悪を先導したと見てよい。

『萬朝報』の文海紹介

『萬朝報』紙上には宇田川文海紹介記事が載っていた。明治三十四年十一月二十三日付第二千九百二十五号の第一面の無署名「当今の新聞記者」欄中である。似顔絵と共に「宇田川文海先生」の小見出しで、

宇田川文海の名は一時関西の文壇を風靡したりき、大阪朝日新聞に於て、大阪毎日新聞に於て、文海先生の小説は蓋し第一の読物なりしなり、怱々十余年、今はそれも夢となりぬ、吾人は此記事の中に先生の名を漏すに忍びざるを感ず〔改行、一字下げ〕先生常に白布を以て其唇辺を蔽ふ、唇辺に大なる刀痕あるが故なりと云ふ

が全文である。

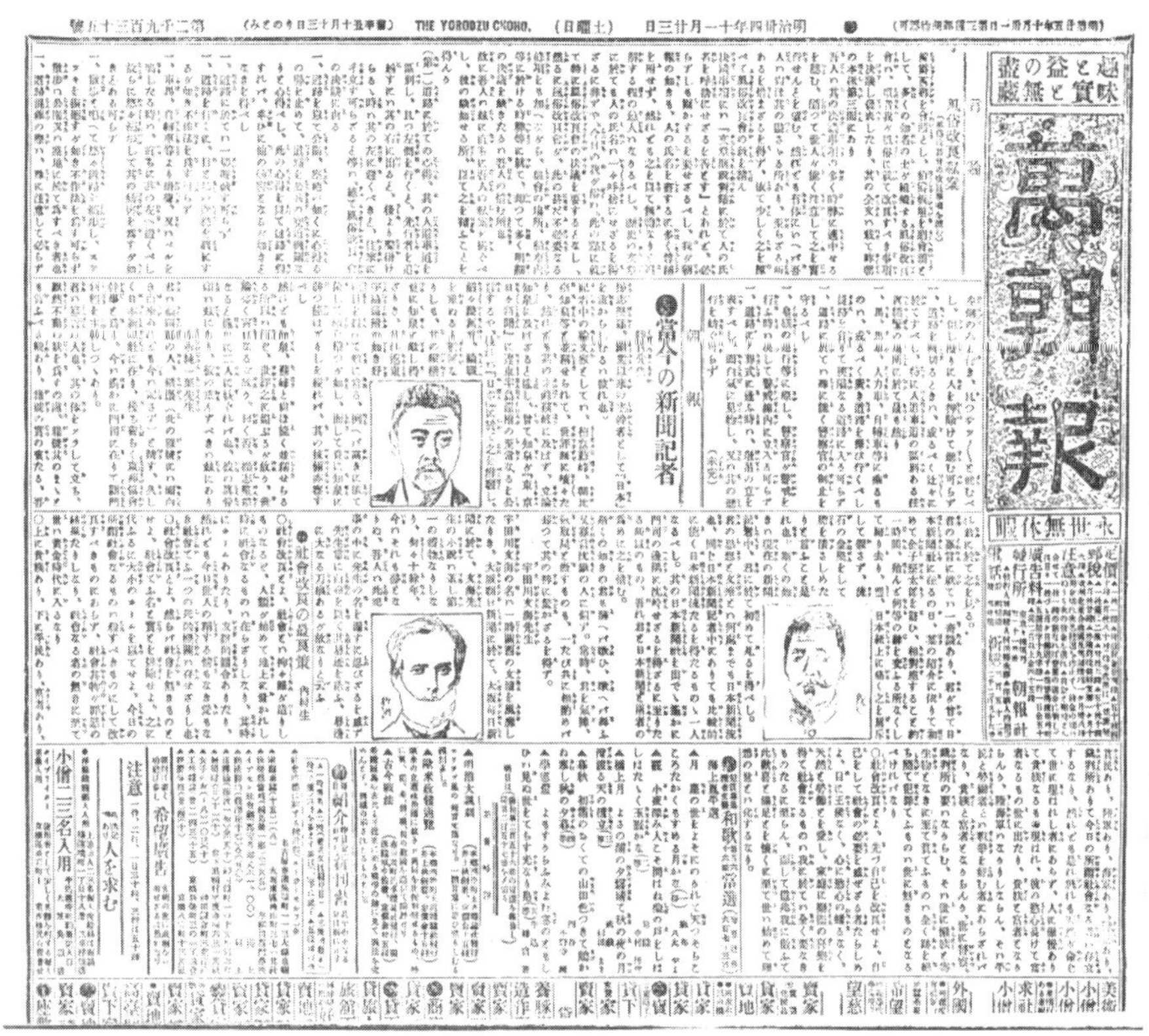

当時は宇田川文海の経歴についての情報が十分広まっていたとはいえないから、短文でも貴重である。これより十余年前、明治二十二年十月十一日刊『新社会燈』第二号に、「朝日新聞旧記者宇田川文海氏の厄運」と題した記事があった。それ以来かも知れない。それは伝記的に怪しい部分を含むものではあるが、一昔前の文海世評を知るため、紹介する。

人目忍ぶの袖頭巾浮気も今は真になり……世にうたはるゝ宇田川の文海氏はもと茨城県水戸近郷の農家に生れたるが兄貞次氏は家督を継ぎ尾張藩に仕へて江戸屋敷に在勤せしにより氏は幼より浅草辺の或寺の弟子坊と為り頗ぶる和尚の寵愛を得たり去ど生来読経念仏を喜ばず常に遊戯三昧に傾きて筆執り書綴くことゝて無りしが或暴風雨の夜強盗侵入りて師僧を縛し金庫を開んとする際氏は急に声を揚たるによりウヌ生意気と云ふ間もなく一刀の下に頤頭を斬落されアツとばかりに気絶せしが是なん意外の幸福にて以来氏は市ケ谷なる尾張藩邸の門前に住る米穀商小菅庄次郎の許に寄食し粗療養も了りたれど何分頤無の怪物男と成下りたることゆへ白昼に外出するも気恥敷只管家内に立籠りて読書作文等に凝固り其学力は奴凧文学風に吹上られたれど便と思へる故郷の、世渡の糸細々と、其日の煙も立兼るより維新の際に帰郷して共に芋粥を啜り居たりしが立替りて兄貞次氏は長崎に赴き活版印刷の技術を学びエンヤラヤツと卒業して明治七八年頃神戸に於て該業を起せしが因縁と為り文海氏も大坂に来り明治九年同県人赤荻文平氏等と共に大坂南大組博労町にて浪華新聞を発刊せり去ど何様墓々敷売行ざるより迚も同社主黒川氏の力にては維持の程覚束なしと推量したるか文海氏は翌十年九月心強くも退社して京町堀五丁目の大坂新聞に入りしが是も面白からずして西川甫氏の大坂日報に入り其より此花新聞魁新聞日本絵入新聞等恰も旅稼の大根役者の如く彼方で十日此方で二十日と周り巡りて朝日新聞へも二度目の奉公去とては腕利の小説家丈ありて洋書ときては盲の垣窺なれどもソレ相当のお茶を濁し左も博識博通の大先生然と地方の新聞雑誌へ寄贈（ママ）する其原稿は悉皆く新作新著……と想へる者は訳知ずのお心愚（よし）にして十中の三四五六七八は○○○的の○○○と云ふ者あり何に致せ文海氏を新作新著的小説家と云んよりは換骨奪体（ママ）的小説家と申すこと然るべしダガ氏が一生懸命精神を込たる小説は中々以て頼母敷処あり……と思へばこそ可惜原稿料を投じて氏の寄稿を乞ふなれ去ば氏は口に唱ふるアーメンの教に基き目を離さぬ外教新誌の説に従ひ且つ浪華教会の洗礼を受たる妻君鶴女の信仰に倣ひイエスの救助を得て天国に往生せんことを祈りなば所得税の張札して一生を安楽に送らるべきに、人前では禁酒禁煙家内では大酒大煙浮世小路の妾宅に於ては梅と桜の花合偖々デモ附の信仰は寧ろ不信仰の潔白なるに如ずと評説区々の矢先へ想もよらぬ拘留沙汰、聞ば聞く程癪の種、あろふことか有まいことか彼の軽罪犯土居轍の妻より三百円、賓たとか取たとか其所が詮議の本じやげな、去とて啌か……啌か……と箸持て哺めるやうな母の慈悲に等しき燈氏は何のマー文海氏に斯る人非人の畜生根性があろふと思はんや乃（そこ）で只氏が生長の概略を、つげの横櫛伊達にはさゝぬ、解し島田の紛髪、きれし前髪の止にさす

と辛口であった（九〜十一ページ）。

　人の噂も七十五日、今や落ち目の流行作家に関心は薄くなって、『萬朝報』記事のような、当たり障りの無い紹介となった。そういう記事だが、在京の須賀子にも文海の勢力・現状がつかめただろう。

　須賀子の文海師事時代はこうして用意された。

三、『大阪朝報』入社事情

清水 1978 は、

東京では何の奇もない一商家の主婦に過ぎなかった彼女が、どうして自分の父より一歳年長の老作家と結ばれるようになったのか。〔改行〕京都の文海研究家堀部功夫氏の示教によると、須賀子の弟正雄が、内弟子として文海の家に住み込んでいて、その紹介で姉と師が結ばれるようになっただろうとのことである。

と記す。当時未知の清水氏から問われて、私がとっさに答えたのが、記録されてあわてた。既に**清水三郎 1968 が、**〈文海は菅野すがが中風の父や弟妹を抱えているのをみて、経済的に面倒を見、その弟正雄を書生として自宅に引き取り、この正雄と養女初を夫婦にして後継にするつもりで、正雄をアメリカへ送った〉と記していた。これだと文海が先に須賀子とつながり、次に正雄と知り合ったように読める。明治三十五年九月十五日刊『みちのとも』に管野正雄筆記文が載ったことを知る私は、須賀子の文海師事より弟正雄の師事のほうが早いと想定するに至り、そう伝えたのであった。遅ればせながら、その後の知見を報じる。

永江為政

清水 1978 は『大阪朝報』記者募集広告を発見した。広告は、明治三十五年四月十日刊『大阪経済雑誌』十二ページに載った「社告」である。同ページ上には「日刊新聞の発行に就て謹告す」と題する、永江為政文を掲げている。

社告〔改行〕今回日刊新聞発行に就ては、編集部、営業部、各担当の社員分掌等は、既に大体の準備を了りたれども、尚二名の編集記者を募集して補欠に供へんとす、………〔改行〕試験法に依て無名の記者を採用す〔改行〕但試験の成績に応じ月俸弐拾円以上を給す〔改行〕右の募集に応ぜんとする有為の青年諸氏は、履歴書を添へ、予かじめ本社試験委員へ申込まるべし〔改行〕明治三十五年四月十日〔改行〕大阪経済社

である。

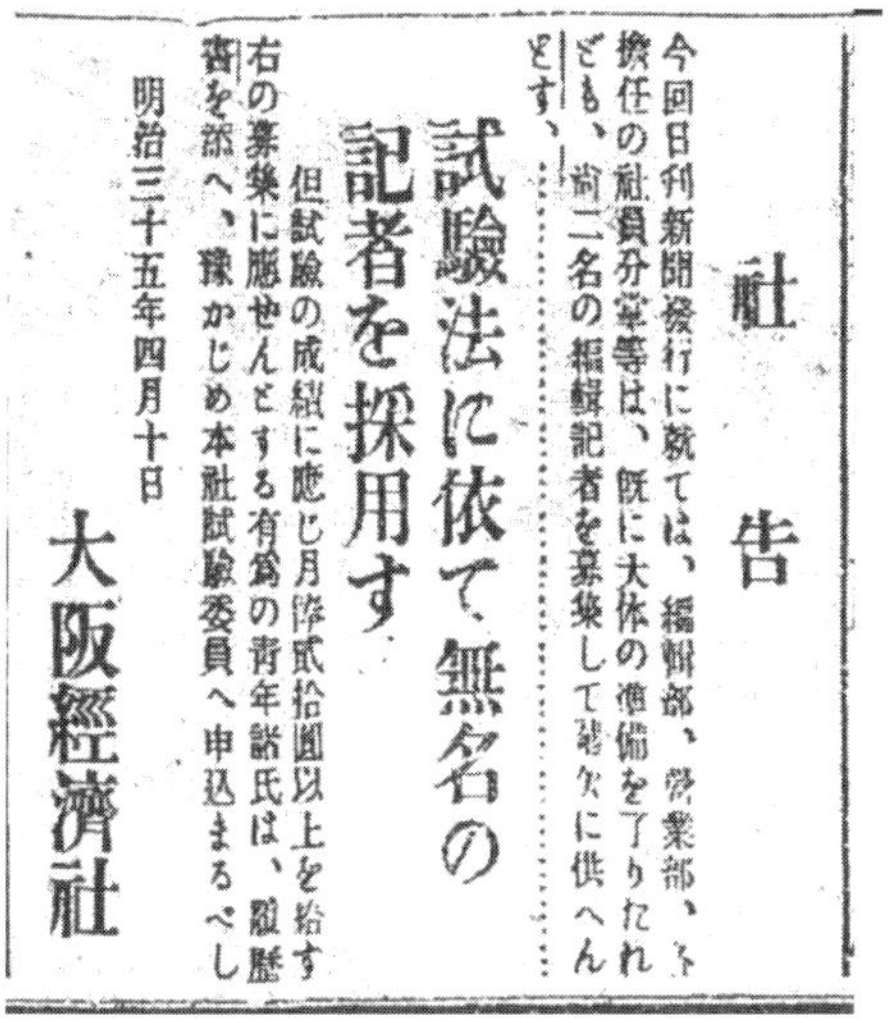
社告

今回日刊新聞發行に就ては、編輯部、營業部、各擔任の社員分掌等は、既に大体の準備を了りたれども、尚二名の編輯記者を募集して補欠に供へんとす、…

試驗法に依て無名の記者を採用す

但試驗の成績に應じ月俸貳拾圓以上を給す

右の募集に應ぜんとする有爲の青年諸氏は、履歴書を添へ、豫かじめ本社試驗委員へ申込まるべし

明治三十五年四月十日

大阪經濟社

須賀子が『大阪経済雑誌』を見たのは正雄経由かもしれないけれど、

図書館で閲覧したとも推測できる。私立大阪図書館においてである。*同館は永江為政の設立である。場所も大阪経済社と近接した東区船越町二丁目であり、宇田川文海も賛助者の一人であった。当然『大阪経済雑誌』は常備されていたろう。会員制、紹介者が必要であり、須賀子利用の証拠も無いけれど、上野図書館を利用し作家となった、一葉樋口なつを連想する。

＊私立大阪図書館については、編集委員会編『中之島百年―大阪府立図書館のあゆみ』（大阪府立中之島図書館百周年記念事業実行委員会・平成十六年二月二十五日）参照。

大谷1989aが、須賀子と樋口一葉との共通性に言及した。二人が〈士族の娘としての内に秘めた激しい気概と高い誇りを持ち続けたことと共通していた〉と（二十九ページ）。須賀子が〈士族の娘〉でないことは既述したし、一葉とて士族意識をあからさまに表したことは無い（高田知波『姓と性』（翰林書房・二〇一三年九月十八日））が、有名な〈我身の一生の、世の常にし終らむことなげかはしく、あはれ、くれ竹の一ふしぬけ出しがなとぞあけくれに願ひける〉（「塵の中」明治二十六年八月十日）心情が、須賀子にも共通するように思われる。須賀子も〈世の常に〉終わらぬ志の持主であったろう。〈あはれ、くれ竹の一ふしぬけ出しがなとぞあけくれに願ひける〉須賀子に、願ったりかなったりの『大阪朝報』記者募集広告であった。

募集は〈青年〉向けであって、女性は想定されていない。須賀子は正雄の伝手で文海を動かし、履歴書を持参して、永江を訪い試験実施を懇願したのであろう。文海は永江為政の旧知、創刊の予告された『大阪朝報』の顧問格である。

入社経緯は、明治三十五年七月三十一日付『大阪朝報』記事「婦人記者」に詳しい。今では周知され、そこに併載された「経歴書」も戸籍に次ぐ須賀子伝基本史料となっている。

人名事典類に永江為政を見かけない。宮武外骨・西田長寿『明治新聞雑誌関係者略伝』（みすず書房・一九八五年十一月十五日）は、外骨が永江を嫌ったからであろう、載っていない。本人の当用日記を基に長男・永江與三吉が取捨補足した「故永江多喜馬（為政）履歴」*（大正十四年五月二十五日刊『乃木宗』）から略記しよう。

＊**清水1978**の永江略歴もおそらくこれに拠る。宮武利正「ある明治期文献についての考察」（一九九五年一月三十日刊『食』）が指摘するように、著書『日本紡績事業之前途』刊行年の間違いなど、疑問箇所はあるが、私は未調査である。

文久元年二月十日〜大正十四年四月二十四日。新聞人。大阪研究家。伊豫国松山藩士・永江為輝の男。幼名・多喜馬。松山英学校在学中、草間時福の弟子。北豫中学校卒。明治十二年、東京三菱商業学校、十三年、札幌農学校を経て、十四年、帰県。帝政党四国会議伊豫委員。十七年より、東京日々新聞、防長新聞、大阪商況新報の社員。二十年、洗礼を受く。二十一年、大阪毎日新聞社に入る。二十六年、雑誌『商業資料』（のち『大阪経済雑誌』と改題）発行。三十二年、大阪私立図書館開設。三十三年、大阪演劇協会を設立。三十五年、日刊大阪朝報社を創立する。

大阪新聞界に来てから、宇田川文海と親しくなった。文海は『商業資料』創刊号から執筆している。

『滑稽新聞』対策

清水 1978 は〈おそらく、文海の顔が利いて、無条件入社であったと思われる〉、〈情実採用〉と書いた。だが、私は、採用には永江側の思惑もあり、須賀子の実力も考慮されたと推理する。

実力の方は後回しして、試験する永江の頭に、『滑稽新聞』対策が掠めた、かも知れないことを先に報じる。大阪には、明治三十四年一月二十五日に創刊された『滑稽新聞』が既にあった。平賀源内に私淑する宮武外骨による雑誌である。同誌は、永江為政をユスリ屋と呼び、征伐を訴えることしばしばであった。

○〈大阪経済雑誌は永江為政と云ふイカサマ男が発行するものである、彼は先年鴻池家をユスリて千円を強取し（岡橋治助氏の談に拠る）其後又鴻池家の親族辰巳屋に対して同一手段を取りしも素気なく跳付けられたる事あり（同家支配人の直話に拠る）加嶋家をユスリて五百円取つた事は名高い話、是等の証拠は始終の同雑誌に残つて居る〉（明治三十五年二月五日刊『滑稽新聞』）

○〈朝毎事件の火の手盛んなりしとき「大阪経済雑誌」社の永江為政なる者は「毎日」社に交渉して「毎日」を曲庇するの記事を掲載し其発行後に於て岡嶋新聞舗の手を経て金三百円を「毎日」社より受取りたると云ふか〉（同右『滑稽新聞』）

○〈実験羽織乞食、月刊紙屑屋たる大阪経済雑誌の永江為政と云ふ例のイカサマ男が例のユスリ手段で「大阪朝報」と云ふ日刊新聞を近々発行すると云ふ〉（明治三十五年六月十五日刊『滑稽新聞』）

○〈スユリ屋の永為が〉（明治三十五年七月十五日刊『滑稽新聞』）

等。

永江は煩く思っていたであろう。対策も考えねばいけなかった。機会があれば、外骨を凹ませたかったはずである。

『滑稽新聞』社に、三好米吉*がいて、外骨の〈助筆者の立場で、最も長期間にわたり活躍した〉（吉野孝雄「解題」『宮武外骨此中にあり6』ゆまに書房・一九九三年十二月十七日）。三好の筆名が〈幽蘭女史〉・〈幽蘭〉・〈何尾幽蘭〉である。〈幽蘭女史といへば女の様で〉（明治三十四年六月二十五日刊『滑稽新聞』）と、実は男性であることもちらつかせながら、この名で書きまくっていた。

*宮武外骨による『滑稽新聞』六十五号上紹介や、砂古口早苗『外骨みたいに生きてみたい』（現代書館・二〇〇七年三月十五日）・熊田司「『柳屋』と三好米吉」（二〇〇七年五月二十五日刊『彷書月刊』）等に拠れば、明治十四年十二月十五日〜昭和十八年十月六日。神戸生まれ。備後三原で育つ。大阪の米商の若旦那。『滑稽新聞』創刊時、投書家。後、入社、編集に従事。明治四十三年、大阪で柳屋書店（大正十年、柳屋画廊と改名）を開業する。色紙短冊を販売、目録『柳屋』を六十七冊刊行する。

『滑稽新聞』の擬女子記者に、正真正銘女性社員記者で対抗したい気持ちも須賀子採用に作用したに違いない。

後日『大阪朝報』の〈幽月女史〉が女性かどうか訝る向きも出た。永江は「婦人記者」と大々的に売り出し、看板にする。

外骨は、〈ユスリ屋の永為が「大阪朝報」といふ日刊新聞を発行すると云ふ事を聞いて、本誌前々号に〔改行〕彼奴等の仕事ではドーセ碌な真似はしまい〔改行〕と掲げて置いたが〉（明治三十五年七月十五日刊『滑稽新聞』）と攻撃を続けるけれども、『滑稽新聞』社に女性記者のいない点では引けを取らざるをえなくなったろう。

『滑稽新聞』が須賀子を問題視した証は、見つけていない。*だが、須賀子の方では『滑稽新聞』に関心があったのではないか。例えば、筆名〈幽月〉である。須賀子は、妹ひでに〈幽蘭〉と名を付けており、**一対の名である。東海散士『佳人の奇遇』登場人物中に〈幽蘭〉がおり、〈幽〉の付く筆名では菊池幽芳も有名である。何よりその前に、三好米吉の〈幽蘭女史〉がいた。***須賀子は『滑稽新聞』を気にしていた、と推量する。

＊〈予（本書編纂者）は二十六名の逆徒中、懇親であつたのは森近運平一人であり、単に面識があつたのは武田九平と三浦安次郎の二人であり、其他の者は逢つた事もなく、文通した事もない〉と、宮武外骨編『大逆事件顛末』（龍吟社・昭和二十一年十二月二十五日）に書いているから、外骨は須賀子を知らなかったのであろう。『大阪朝報』の〈幽月女史〉は耳に達していたと思うが、〈逆徒〉に結び付かなかったらしい。外骨は同書に〈▲管野すが 二十六名中、唯一人の女性たる管野すが子が、社会主義の人となつたのは「紀伊国の和歌山新聞社に女記者として入社した時を以て始めとす、かれは兎に角新聞記者となる程であつたから、多少の文才もあり学識もあつた」と『やまと新聞』の逆徒記事中に見えて居る〉と記し、『大阪朝報』時代にふれない。**宮武・西田 1969** 須賀子履歴での、『大阪朝報』時代に言及する箇所は、西田の補記した部分であろう。

＊＊半痴居士「十五夜」参照。

＊＊＊江刺昭子『この女を見よ』が、何尾幽蘭は〈矢口渡が本名〉と書いた(八十八ページ)のは誤り。

「福神余影」を読む

一体に従前の論者は、入社当時の須賀子を余りにも幼く見過ぎている。瀬戸内晴美も、いろはから文海の手ほどきを受ける初な須賀子を想像した。

実際はどうであったか。

ここで、「福神余影」と題する短文を紹介する。明治三十五年七月五日付『大阪朝報』第四号二ページ「漫録」欄に錦波楼主人の署名で載った。

福神余影

一客あり予を詰て曰く大阪朝報の将さに生れんとするや満市の人士翹足して先づ其純潔なる紙面を看んことを欲せり既にして朝報

至る翻読幾回趣味津々として尽きざるものあり予深く朝報社長の労を謝し杯を捧げて先づ其万歳を祝せり漸くにして其本紙を読了し尋て附録を看るに及んで愕然として驚ろき茫然として呆れ終に喟然として歎せざるを得ざるものあり思ふに朝報なるもの我を誤まりたるに非ざる乎〔改行〕朝報の出でんとするや予は謂らく朝報は正義の巨人なり其載す所のものも亦必ず純潔無垢のものなるべしと然るに其載す所の画を見るに何ぞ図らん其仮装せる美人の全く藝妓ならんとは夫れ藝妓なるものは其名辞甚だ美なりと雖も其実は一介の醜業婦たるに過ぎず然るを公益擁護を以て自ら任ずる堂々たる新聞紙にして其写真を掲げて恬然顧みず真に之れ不徳の甚しきもの仮令社長にして此の如きことを為さんと欲するも済々たる幕僚のあるあり何を以て其規画を防遏せざるや夫の悪を知ら（ママ）大悪をなすものは尚恕すべし新聞記者の如きは天下の耳目を以て自ら任ずるもの此輩の如きは小過と雖も□〔恕〕すべからざる也と喝一喝気焔虹の如し予之を聞て卒然として坐を正し先づ茶を啜て除（ママ）ろに説き出して曰く夫れ君子は大智を揮ひ小人は小智を弄す、皓々たる秋月即ち之れ真如の実相ならずや而も煩悩に執せる愚婦凡夫は之を看て円満の理を暁る能はざるなり〔改行〕思ふに子等は藝妓を見て蛇蝎の類となし其影を望んで避易するの徒ならん子試に日本現今の婦人を看よ堂々たる廟堂諸公の夫人果して貴夫人たるの資格ありや否や予は常に之を怪しむ女子の学に半熟せるは其害更に大なるものあり且つ夫れ面貌は美なるを擇ばずと曰ふ人あるも之は必竟負惜の変説にして面貌の美と精神の美とは或る定則の下に一致すとは碩儒「すぺんすあーの」説く所ならずや、予や決して藝者の為めに提灯を持つものに非ずと雖も之れを正当の見地より論ずるときは日本現今の婦人の思想の度更に一層の優美と高尚とを増すの日までは藝妓の存在を許すも不可なるに非らず加之藝妓今日の堕落は其罪決して彼のみに在りと曰ふべからず色を売るものは之を刑罰に処し色を買ふものは不論罪なりとは実に得手勝手の限りにして君若し大声を発し色を売るの藝妓を責むるの暇あらば何ぞ疾呼して色を買ふの紳士を責めざるや斯の如くして説の平衡始めて望むを得べし且つ夫れ吾社長の仮装福神を描出したる所以のものは猫は如何に巧みに変化するやを実地に試験したる迄にして一言以て之を掩へば即ち廃物利用なり決して深長の意味あるに非ず其色を売ると売らざるとは彼等の拳利にして社長の与かり知る所に非ざるなりと滔々数千言、息をも継がず卓を叩て反覆論弁すれば豈計らんや客は下手の長談義に閉口し何時の頃より華胥の郷に遊び鼾声囂々雷の如し予余りの事に仰天大に失策を後悔すれば背後の時計喧々三更を報じて方さに寝を勧む

注を付す。明治三十五年七月一日付『大阪朝報』第一号は、第九面が全文である。

に、「七福神／日本三都の美人三十五佳撰」と題し、七福神に仮装した藝妓三十五人の写真を掲げた。

	東京新橋	京都祇園	京都祇園	大阪南地	大阪新町
毘沙門天	伊東屋きん	片山はる	松本さだ	伊丹幸吉勇	木原席□□
大黒天	中村屋そめ	今村春吉	鈴木小三	冨田屋小福	木原席□□
恵比寿	半井屋米龍	田中小たき	奥村とめ	冨田屋玉□	木原席半子
弁財天	蔦小松屋ゑん	中嶋つゆ	小原きし	冨田屋八千代	木原席□□
福禄寿	伊東屋すゞめ	伊藤昭葉	浦田八重	冨田屋小百	木原席笑吉
寿老人	末廣屋せきや	武田はな	近藤増勇	大和屋小笑	木原席□□
布袋和尚	伊東屋とよ子	三宅三代□	田中しげ子	冨田屋春菊	木原席□□

である。同紙二ページに錦波楼主人「七福神の余徳」が、

壬寅七月一日黄色新聞大阪朝報始めて成り七福神の仮装を写真銅版となして之れが附録となす蓋し朝野一般の階級をして福神の徳潮に浴せしめんとするの婆心を寓したるもの也〔略〕

と解説する。「福神余影」は、この「七福神／日本三都の美人三十五佳撰」掲載をめぐって、ともに『大阪朝報』の報道姿勢に重大な関心を寄せている二人、〈予〉と〈客〉との対話である。〈予〉が〈客〉を〈子等〉と呼んでいるから、〈客〉は〈予〉の同輩以下と見られる。

「福神余影」は三段より成る。第一段は、〈客〉の驚き・呆れ・嘆きから始まる。〈朝報は正義の巨人なり其載す所のもの亦必ず純潔無垢のものなるべしと〉期待が裏切られたと〈客〉がいう。なるほど、『大阪朝報』創刊予告記事〔例えば明治三十五年五月五日刊『大阪経済雑誌』二ページ掲載〕に〈此事業〔新聞創刊〕には学識天才と相俟て、非凡の経験を要すると共に、……志操純潔ならざる可からず、学識如何に高遠なるも、天才如何に溌剌なるも、士徳にして備はらずんば、以て天下の軌範たるを得ず、天下の軌範たるを得ず焉んぞ新聞の模範たるを得んや、……〉と論っていた〔傍線引用者、原文は大活字〕。〈客〉はその『大阪朝報』第一号に藝者写真を掲載するとは何事か、と悲憤する。〈公益擁護を以て自ら任ずる堂々たる新聞紙〉、〈新聞記者の如きは天下の耳目を以て自ら任ずるもの〉なのに藝妓、〈醜業婦〉の公的場面登場を激しく詰る。

〈客〉の藝妓観、〈藝妓なるものは其名辞甚だ美なりと雖も其実は一介の醜業婦たるに過ぎず〉は、明治三十四年四月二十三日付『萬朝報』の「藝妓廃止論」の〈藝妓は其の名、歌舞音曲を以て客の歓を幇くるに在れど、其の実全く娼妓と択ぶ所なく、純然たる売淫の醜業婦なり〉と同じ藝妓観であるが、これは、後年須賀子の藝妓観とも同じである。

彼等は其名こそ藝妓なれ、藝のみを以て客を慰める者でないことは三尺の童子も知て居る。公然春を売るのを業としてゐる娼妓と択ぶところのない所業をしてゐる、一種の醜業婦であることは、藝者夫自身も知てゐる（幽月女史「大阪滑稽づくし（二）」〔明治三十六年一月二十日付『大阪朝報』〕）。

しかも、〈客〉の主張、〈公益擁護を以て自ら任ずる堂々たる新聞紙にして其写真を掲げて恬然顧みず真に之れ不徳の甚しきもの〉が、やはり後年須賀子の、

〈苟も社会の耳目（娯楽、教育を論ぜず）として発行さるゝ書籍雑誌が、仮令列ねたる文字には有益なる趣味ある事が多くとも、如何なる人にも（字の読ぬ人にも）第一に目に附く巻頭に、尤も劣等なる、人間として席を同うする能はざる醜業婦の写真を掲げて些かも恥るの色なく、又見る人も別に怪むの色なきは、如何なる意で有らう。是で開化とか文明とか云はれるで有らうか〉（幽月女史「雑誌と醜業婦」〔明治三十五年九月九日付『大阪朝報』〕）

とか、『大阪新報』の〈古代の娼妓が追羽子をしてゐる〉絵附録をつけたことに対する、〈社会の耳目木鐸、家庭の教科書を以て任ずる新聞紙の絵附録に、醜業婦の図を撰んだのは、少し不注意ではあるまいか〉（幽月女史「元旦の所感」〔明治三十六年一月十五日刊『みちのとも』〕）とかの主張と同じで、それを先取りしている。

「福神余影」の〈客〉のモデルを須賀子と比定したい。〈客〉が自称〈予〉を用い男性らしく書かれているのは、カモフラージュであろう。対する〈予〉は、社長の〈幕僚〉らしく、また同紙社長・永江為政を親しく〈吾社長〉と呼んでいることから推して、大阪新聞界へ参入した親友永江為政を助ける立場に居た、宇田川文海と比定できよう。*署名〈錦波楼主人〉は『大阪朝報』の続き物「金仙花」作者文海を匂わせたのかも知れない。『大阪朝報』記者のすべてを知悉しているわけではないが、同スタッフ中で他に〈予〉・〈客〉のような、師弟的関係の当て嵌まる二人を知らない。「福神余影」は須賀子の『大阪朝報』第一号批評と、それに対応する文海の指導を伝える文章と推定する。

*宇田川文海「再刊の祝辞」（八月二十七日付『大阪朝報』）に、『大阪朝日新聞』『大阪毎日新聞』対『大阪朝報』を徳川対石田の関ヶ原合戦に擬え、〈永江君と余との交傕は、猶石田三成に於る大谷吉隆（智勇は比較物にはならぬけれども）の如きものである〉と述べている。文海は、明治三十五年十二月二十一日・魚喜楼における大阪朝報社の忘年会でも来賓の第一番である。幽月女史「忘年会の記」が、文海演説、〈永江社長を石田三成に見立て、朝報発行の挙を（一世の大事業と云ふ上から）関ヶ原の合戦に擬へ、不肖ながら自分を大谷吉隆に擬して、多年親友の誼として及ばずながら一臂を添へるといふ事を申した

が〉云々を伝えている。

〈客〉は社長の親友がどうしてこの愚挙をとめなかったのか、と迫る。「福神余影」第二段後部からが、苦しい〈予〉の対応である。新聞ではないけれど、文海も長谷川古都士との共著『大阪繁昌誌』口絵に藝妓写真（上巻に「南地美人」十八人・「北地美人」九人、下巻に「新町美人」九人・「堀江美人」十八人）を掲載していたから、内心忸怩たるものがあったであろう。しどろもどろながら、〈予〉は存娼論で態勢を立て直す。〈予〉の微温的な存娼論、〈日本現今の婦人の思想の度更に一層の優美と高尚とを増すの日までは藝妓の存在を許すも不可なるに非らず〉は、文海の二十三年未来記「蜃気楼」ヒロイン阿国の台詞、〈今では良家の婦女達にも天晴学識に富める人も出来某伯の夫人某侯の尊嬢など上等社会の交際には近来婦女の交れども西洋の文明諸国の如く交際は専に婦人の司るといふとこまでには尚進まず中等以下の交際には未だ藝妓の必用を感じれば（山川鶴吉本一八三ページ）〉に通う。

「福神余影」は、〈予〉が〈君若し大声を発し色を売るの藝妓を責むるの暇あらば何ぞ疾呼して色を買ふの紳士を責めざるや斯の如くして説の平衡始めて望むを得べし〉と切り返すけれど、長談義に〈客〉は居眠り……で、完。〈客〉の追求は〈予〉の対応に納得しないまま途切れる。

男女公平な評を喚起した〈予〉はさすが、老練。常識人、新聞記者経験豊かな文海なればこその発言であろう。これが、生活体験から来たのか、読書体験からきたのか、分らない。後者だとすると、例えば、田島象二戯述『一大奇書　書林之庫』二帙巻上（玉養堂・明治十年二月）が、明治五年十月司法省布達に触れ、〈則チ政府先ニ令メ、娼妓ヲ以テ牛馬ト方ベケル〔略〕其牛馬タル義ハ淫部ヲ顕シテ恥ル色ナク、一婦ニシテ数ノ男ニ遇ド、事トモセヌハ、牛馬ノ比ニアラズシテ何ゾヤ、然ドモ娼妓ノミ牛馬ニ非ジ、客モ又牛馬ト云ベシ〉と書いて先行する（傍線部引用者）。

とまれ、〈予〉は〈客〉の目を社会へ転じるよう指導した結果になっている。私見のように、「福神余影」の〈客〉を須賀子、〈予〉を文海と重ねることが出来るならば、須賀子は文海から社会批評を書くコツも得たと見てよい。*

*文海指導の跡を、後の須賀子著作に辿れる。〈妾〉が鴻池邸内鉄柵中の鶴を見て動物虐待に言い及ぶ、管野須賀子「黄色眼鏡（一）」（明治三十五年七月四日付『大阪朝報』）の文末近く、〈或人妾が此愚説を聞て笑つて曰く「ナニ、鴻池の鶴、動物虐待だと、それどころか、僅少の金に換て貴重の人間の自由を買ひ、否、奪つて、之を玩弄物にしてゐる者が、世間には沢山ある」と。〉の〈或人〉言が、「福神余影」の〈予〉言、〈斯の如くして説の平衡始めて望むを得べし〉に当たろう。また、住吉神社神馬舎に繋いである神馬を見ての感想文「半日の旅（二）」（明治三十五年九月五日付『大阪朝報』）。〈是も亦体の好い動物虐待の一種である。〉に、〈人間で言て見ると、世の所謂紳士連中が、金の力で女の貞操と自由を奪つて美い食物を喫はせ、小奇麗な家に住居せて之を玩弄物にし、妾といふ名を附て、密室監禁の待遇にしておくのと同じ事である。〉と紳士批判も結ぶのも同様であ

る。

モデル私解が当たっているなら、文海入門当初から、須賀子はいっぱしの論客であった。鋭い攻撃性と、強い純潔志向とを初めから備えていた。原理主義的傾向のときは声高く、現実主義的傾向のときは不言実行である、須賀子の姿勢が早くも見て取れる。

絲屋寿雄『管野すが』は〈すがが『大阪朝報』に執筆できたのも全く文海の庇護によるものであった〉（十七ページ、傍線引用者）と書いたが、須賀子を低く見すぎている。**清水1978**も〈おそらく、文海の顔が利いて、無条件入社であったと思われる〉、〈情実採用〉と書いた。〈文海の顔が利い〉たかも知れないけれど、〈無条件入社〉・〈情実採用〉説を、私は採らない。**関口2014**が〈まことしやかに流されていた〉という〈須賀子の入社は、文海との性的関係に基づく情実採用であり〉との説を採用できない。

武器が『萬朝報』の焼き直しとはいえ、老練をたじたじさせる舌鋒を持つ須賀子は、落ち目の流行作家の前に現れた、若い女火柱であった。

四、学ぶ須賀子

素養

呉智英『封建主義、その論理と情熱』（情報センター出版局・昭和五十六年十二月一日）は、

　体制となった封建主義の下では、厳格主義が発生する。一切の享楽を悪だとして退け、謹厳さを重んずる——これが、封建制の下での道徳であった。しかし、不思議なことに、全世界に名高い浮世絵というポルノグラフィがたくさん描かれたのも、そういった謹厳な封建体制の江戸時代のことである。

と書き、〈浮世絵春画のようなものが、どうして、謹厳な封建体制の下で製作されたのか〉と自問し、その一面を、

　東洋的論理思考、就中、儒教の持つ二元的な思考、すなわち、原理・現実という思考方法によるものである。これは、悪く通俗化すると、ホンネ・タテマエという静的な二極分化論になりがちなのだが、本来は、はるかに動的な構造を持っている。

と解いた。

呉智英を学習中の私は、今の所、原理主義・現実主義で理解する。

伝統文化の儒教主義*の徳川幕府の方針にも原理・現実の両傾向があった。棚橋正博「発見、最古の『新吉原細見』は明暦四年春に刊行される」（二〇一七年一月十五日刊『日本古書通信』）は、〈江戸建設のために若い労働者を集めたのだから〉〈そこに性産業が勃興するのは歴史の必然〉、〈幕府開闢一四年後に公娼を抱える遊所吉原ができている〉という。

　＊実際は儒仏神混交と言うべきかも知れぬ。

・兼常清佐『未完の独奏』（志摩書房・一九五〇年十一月十五日）が証言するように、〈トクガワ時代のニホンでは、音楽はかなりさげすまれていた。ことに、サムライの家では、音曲を楽しむような弱弱しいことでは、いざというときに物の役に立たないと思われていた。音曲を楽しみ、音曲にふけるのは、腰ぬけザムライだとも思われていた。音曲や芝居は、河原こじきのすることとなっていた〉。

・中野三敏『写楽』（中央公論新社・二〇〇七年二月二十五日）に拠っても、〈当時の身分のある武士〉に〈芝居見物や役者との付き合いなどが、あくまでも本分に外れた行為であることの認識は、十二分に行き届いていたはずである〉。

というように、封建制下の道徳原理は、悪所否定であった。

　馬琴は儒教原理主義を貫こうとした。

だが文海になると、後に坂口安吾「道頓堀罷り通る」（昭和二十六年四月一日刊『文藝春秋』）の言う〈自分は放蕩しながら子供に仁義礼智信を説くようなオモムキがある〉。現実主義が顔を出す。

　さて管野義秀は士族でなかったけれども、娘には士族的教育を施した。別に珍しいことではあるまい。

○〈妾は士族風の頑固なる家庭に育ちて、音楽の素養とては、露斗

りも無ければ〉（「琵琶行」）
○　〈頑固なる士族的家庭の教育を受て育った者であるから、所謂目に邪色を見ず、耳に淫声を聴ずで、幼少の時から今日に至るまで、演劇を目にしたことが無い、音曲を耳にしたことがない〉（「弁天座の劇を観る」）
でこれまできた。

須賀子は原理主義的な傾向が強い。

純潔を鋭く志向する。男女関係における純潔志向は、透谷のそれが有名だけれども、透谷文の初出時読者など極僅少で、須賀子はおそらく透谷を知るまい。須賀子の純潔志向は、士族的教育に導かれたものであろう。

『大阪朝報』第一号に藝者の写真が掲載され、純潔志向の読者の期待を裏切った顛末は既述した。「福神余影」の〈客〉発言、〈朝報は正義の巨人なり其載す所のもの亦必ず純潔無垢のものなるべし〉より推して、『大阪朝報』入社前から、須賀子のそれを想定出来る（傍線引用者）。『大阪朝報』が読者にそのような期待を持たせたのは、社長永江為政が〈此事業（新聞創刊）には学識天才と相俟て、非凡の経験を要すると共に、…………志操純潔ならざる可からず、学識如何に高遠なるも、天才如何に溌剌なるも、士徳にして備はらずんば、以て天下の軌範たるを得ず、天下の軌範たるを得ず焉んぞ新聞の模範たるを得んや、…………〉と謳った（明治二十五年五月五日刊『大阪経済雑誌』二ページ掲載『大阪朝報』創刊予告記事。傍線引用者、原文は大活字、）からであった。永江の純潔志向も、当用日記中に記した（大正十四年五月二十五日刊『乃木宗』）、自身の履歴中に、

慶応三年（七歳）○向側秋山八十九先生に入門（大学素読）
明治三年（十歳）○旧藩主養成舎に入る。論語、孟子素読
明治四年（十一歳）○旧藩主明教館に入る。（論語の講義を聴聞す）

とある（傍線引用者）ように、孔孟の教え、儒学の士族的教育が土壌である。須賀子の共鳴する所以である。

須賀子は好新好奇癖がある。「博覧会百物語」結びに〈仏教そのものがすでに時世に適してゐない〉と閻魔の嘆くところへ〈讃美歌を謡ふ声が、遥に幽かに神々しく聞えた……。〉とあるごとく儒教や仏教が古びて見え、キリスト教に近づく。

須賀子は〈何事にも世に先って革新の説を唱ふる我大阪朝報社〉と書く（「後の祭」）ように、永江も、キリスト教者であり、文海も一応入信していた。

女権に目覚めた須賀子の場合は、〈一夫一婦の欧米の良風〉を求め（「行水談　夕顔棚」）、〈東洋流の男尊女卑てふ悪習〉（「後の祭」）に批判的になって行く。

文海に学ぶ

瀬戸内晴美「遠い声」は〈須賀子の意識の流れをたど〉る小説（『瀬

戸内寂聴全集第六巻』（新潮社・二〇〇一年七月十日）の「解説」五六九ページ）である。〈文海は私に、文章の書き方から句読点の打ち方まで教えてくれた。床の間の飾り方から、掛け軸の読み方、芝居の観方や音曲の聞き所。およそ人前に出て恥かしくない程の教養らしいものは殆ど文海の手ほどきを受けている〉と想像した。瀬戸内の想像で当っているところもあるけれど、文章の書き方…や習字は違っていよう。なるほど文海から、書画骨董の薫陶を受けた（宇田川文海「豊公遺物展覧会を観る」〈八月四日付『扶桑新聞』〉）。古典の学習も課せられたであろうが、須賀子は既に独学でかなりを修めていたと考えられる。

文海著作の筆写

須賀子は文海稿の筆写や口述筆記にも務めた。一例を、堀部 1971 で報じた、宇田川文海「曲亭馬琴先生の信仰心」（明治三十三年九月二十八日・十月二十八日刊『みちのとも』）と、宇田川文海口演・管野須賀子筆記「曲亭馬琴の信仰心」（明治三十六年八月二十日・二十七日・九月三日刊『基督教世界』）とで見てゆこう。前者は、文海が浪華教会夏期講習会で講演した講話の筆記あるいは原稿と見られる。後者は、前稿を文海が口述し、須賀子の筆記したものと見られる。双方の比較は既に大谷 1981 が行い、〈多少字句の異なるところもみられるが、文章がほとんど同じであることがわかる〉（七十九ページ）と結論した。その通りだが、細かく見ると、小異もあるので、再説する。

宇田川文海

「曲亭馬琴先生の信仰心」

其八九歳の時に、武士の家に生れ、殊に父が武人でありましたから、自然武を尚ぶの気象も備へてありましたらうし、又其住居が相撲の興行場所に近かつたから、居は気を移すで、自然夫を見ることを好くやうにもなりましたらうが、毎日近所遊友達とうち連て、相撲小屋の隙より潜りこんで、無料で見物するのを常にしてゐられましたが、一日相撲年寄某に頭を押へられ、お前は相撲が好きと見へる、如何だ相撲取になる気は無いか、其身体なら屹度幕の内の関取になれるが、云はれましたが、其後は二度と相撲を見に行くことを止めたといふ話がありますが、子供心にも恥を知て、其身が武士の子たるを重んじ、人の玩弄物なる相撲になれと云れしを無念に思はれたからでありませう、

宇田川文海口演・管野須賀子筆記

「曲亭馬琴の信仰心」

武家に生まれ、殊に父が武人故、自然武を尚び勇を重んずる気象も備えて居た故か其八九才の頃住居が相撲興行場所に接近して居た為、居は気を移すの道理で、自然夫を見ることを好むやうに成つたものと見え、毎日近所の遊戯友達と連立つて、相撲小屋の隙より潜り込み、無代で見物するのを常として居たが、一日相撲年寄某に頭を押へられ、「お前は相撲が好きと見える、何うだ、相撲取になる気は無いか、其身体なら屹度幕の内の関取に成れるが」と云はれたので其後は二度と見に行く事を止めたと云ふ話があるが、是は子供心にも恥を知り、其身が武士の子たるを重んじ、人の玩弄物なる相撲に成れと云はれたのを、無念に思ったからで有る、

で、〈人の玩弄物〉と成ることの峻拒に士族的教育の面目が現れる。

同じく、

「曲亭馬琴先生の信仰心」

又、廿五六歳の時に、猶無名の小説家として、書肆蔦屋の二階に寓居してをられましたが、其蔦屋の伯父某は吉原の引手茶屋を稼業にしてをりまして、其家の娘は美人で利口者の評判が高うありましたが、或時某は蔦屋にまゐりまして、先生に対つて、其娘の婿に成つて貰ひ度ひと言ひ出しましたが、先生は之を聞て形を改められ、女郎屋商売といふものは、乞食や盗賊と同じやうなものであるのに、其家の婿に成て父母の遺体を汚すことは出来ません、と、断然、謝絶つて、遂に蔦屋をも辞し去られたのも、終身藝娼妓と言を交されなかつたのも、一生杯を手にされなかつたの　徳川氏の末世に生れて、衆人皆酔る中に独醒めて、さながら泥中の蓮の如き、清潔無垢の行ひを生涯全ふされたのもやはり義を重んじ、恥を知る所の、本領、主義、則ち其一種の信仰心の力でありませう、

「曲亭馬琴の信仰心」

亦二十五六歳の時に、猶無名の青年小説家として書肆蔦屋の二階に寓居して居たが、其蔦屋の伯父某は、吉原遊郭の引手茶屋を稼業にして居り、其家の娘は美人の上利口者の評判が高かつたが、或時某は蔦屋に来た序、彼に向つて、其婿に成つて貰ひ度ひと言ひ出したが、彼之を聞くと同時に容を改ため、女郎屋商売と云ふものは、乞食や盗賊と同様、世に害を成すものであるのに、其家の婿と成て父母のいたいを汚すことは決して出来ない、と、断然謝絶して遂に蔦屋をも辞し、去つたるが如き、終身醜業婦たる藝娼妓と言を交さゞりしが如き、一生麻酔剤を盛る杯を手にせざりしが如き、確実なる精神と鞏固なる意志を以て、腐敗堕落頂上に達したる、徳川氏の末世に処し、衆人

皆酔る中に独醒めて、さながら泥中の蓮の如き、清潔無垢の行を以て生涯を全ふしたのも、矢張り義を重んじ、恥を知る所の本領、主義、則ち天を畏れ神を敬ふ武士的儒教的の一種の信仰心の力である

〔傍線部引用者〕

で、〈終身藝娼妓と言を交されなかった〉馬琴は、儒教教育の範であった。

文章学習の過程で、士族的自尊心が注入される。馬琴の藝娼妓嫌悪に輪をかけた須賀子は、文海稿の〈藝娼妓〉を〈醜業婦たる藝娼妓〉と書き加えた。

探訪

学習は、過去の文献の筆写ばかりでない。現実の探訪も命じられたであろう。

虫売り取材など、いかにも初心記者に与えられそうな話題で、手本は明治二十九年六月十四日付『時事新報』にもある。虫造の法部分で、これと並べてみると、概略は類似するとしても須賀子の方が具体的で、先例の写しではなさそうである。虫売りから直接根掘り葉掘り聞き出しメモしたものか。

○『時事新報』掲載

扨人工にて虫を造るには先づ晩秋の候、壷又は箱の中に稍々湿気を含みたる赤土を入れ其中に雌雄の虫数匹を入れ床下又は地中に囲ひ置くときは雌雄交尾し交尾後雄虫は間もなく倒れ雌虫は生残りて尻の剣尖より土中に卵を産し翌年其季節に至れば自然に孵化して許多の新虫を得べし此際虫商は注意して小鳥を養ふ如く擂餌を小板に塗り毎日適度に与ふるを常とす而して孵化後凡そ四十日を経れば新虫は一度上殻を脱して自然体躯備り羽根揃ひ沸々啼出すものなり〔略〕

○幽月女史「虫の話(一)」

茲には先づ人為的飼養法から記さう、直径一尺一斗入位の壷に、赤川と云ふ庭へ入れる土を七分通位入れて地ならしをし、夫に野生の雄虫を二十疋、雌虫を三十疋位入れ一日置位に、茄子を串にさし、入れて与るので、すると此五十疋の鈴虫は日々夫を喰って生きて居るのである、そして十月頃に成ると、其壷の中で残らず卵を産んで其親虫は死んで了ふのである、そこで其死んだ親虫を取出して了って、跡を奇麗に掃除をして、布切を以て蓋をして置くのである而して一週間目位に中の土が乾かぬ様に霧水を吹いて遣るので、然しまた余りに湿ひ過ぎては却って卵の腐敗する恐があるから、水をやるにも程よく加減をせねば成らぬ、〔略〕前の如く怠らず世話をして来春の彼岸になると、卵はそろ〳〵腐(ママ)化して来るのである、〔略〕

署名問題

文海稿の筆写・口述筆記の作業と代作・合作とは判別が難しい。原稿の残っていない現状、活字化されたものだけで判断するのは困難を伴う。

「観月」と題した随筆を例に考えよう。

大谷 1980a「大阪時代の管野すがと天理教」（昭和五十五年三月十日刊『ヒストリア』）は、〈管野の名で発表された作品のうち、「虫の話」「観月」「住友氏と鴻池氏」「盂蘭盆会」「十三夜」については、仏教や古典についての深い知識と広い教養の持主でなければ書けないような内容のものであることからみて、文海が書いた文章ではないかと思われる〉と書いた。**大谷 1981** にも〈「紅葉狩」「新年海」は、内容や表現からみて文海が書いたものと思われるし、「虫の話」「観月」「十三夜」「住友と鴻池」などにも同様の疑念がもたれる〉（70ページ）と記す。大谷はこう書きつつ、〈スガの主張〉と小見出しした個所中に「観月」より〈日英同盟世界的の日本〉という言葉を引用し、出典「観月(下)」と注している（68ページの注9）。これは整合性に欠ける。まずいと思ったのであろう、**大谷 1989a** で〈日英同盟世界的の日本〉という言葉の引用をそのまま残し（53ページ）ながら、出典「観月（下）」の注だけ削除しており、〈日英同盟世界的の日本〉が幽霊言葉となってしまっている。

なおかつ〈「紅葉狩」や「新年海」は宇田川によって書かれたものではないかと推測されるのである。そして、「虫の話」「観月」「十三夜」「住友と鴻池」などにも同様の疑念がもたれる〉（60ページ）と**大谷 1981** に述べたことを繰返す。矛盾と言わざるをえない。

根拠を個人の主観に依るのみでは、大谷例のように混乱する。やり直そう。「観月」本文は、大谷の挙げた①②の外に、③が存在する。すなわち、

① 幽月女史「観月(上)」「観月（下）」（明治三十五年九月十六・十七日付『大阪朝報』）

② 幽月女史「観月」（明治三十五年十月十五日刊『みちのとも』）

③ 宇田川文海「観月雑感」（明治三十九年十月十五日刊『墨江』）

の三つである。

書き出しは、

①②〈来る十六日は陰暦の八月十五日、即ち仲秋の観月でありますから、夫に就ての所感を、いさゝかお話し申すことにいたします、〉

③〈△仲秋無月　折角待に待た仲秋も無月であつた、余は兼好のやうに、雨に向つて月を恋ふやうな、女々しい事はしなかつた、終宵机に對ひ、心に月を観て感ずる所を記し、此一篇を綴つた。〉

と、それぞれ適宜実情に合わせた作文らしいので無視して先を急ぐ。

本文小見出しを対照すれば、

①②	③
〔前説〕	△仲秋無月
▲仲秋に月を賞る始	△仲秋に月を賞る始め
▲観月の行事	△観月の行事
〔本文欠〕	△二様の観月
▲浪華人の観月	〔本文欠〕
〔併し、大抵は「酒無くて」以下〕	△偽の観月
▲真の観月	△真の観月
〔〈「うき雲の〉以下〕	△観月の友情
〔〈或は又、誰人〉以下〕	△観月の同情
〔〈或は又「油台〉以下〕	△観月の美感
〔〈或は又月「月明〉以下〕	△観月の遠思
〔〈或は又、「只今〉以下〕	△観月の懐古
〔〈或は又「桂枝〉以下〕	△観月の反省
▲水の都の観月	〔本文欠〕

となり、本文の大分部は一致する。にもかかわらず、①②は須賀子系署名、③は文海署名である。そこで、師弟合作か、師名義の弟子作か、弟子名義の師作か、の諸ケースが考えられる。

「観月」は古典故事の引用の多い作品なので、文海作の気配が色濃い。清水は「観月」を、文海稿・須賀子筆写と判定したらしく、須賀子全集に収録しない。発表順とは逆に、文海稿③が先で、須賀子筆写①②が後ということになる。③がデアル調で、①②がマス調である。①②にデスが無く、デアリマスとなる。基調がデアル調の③なので、①②はそれに牽かれたのであろう。清水が全集に「観月」を収録しなかった理由を推量すれば、以上の通り。

この措置について、私はまた立ち止まる。①②での付加のうち、「浪華人の観月」は名所の羅列で、これも何か出典があるかもしれないが未調査ゆえ今措く。①②の「水の都の観月」項は、

今夜の月見を利用して、山陽、関西、阪鶴、南海等の各鉄道会社は、種々なる意匠を凝し而も割引までして、観月列車を出しますが、是は観月の人に便利を与へて、誠に好い思ひ附でありますが、

以下、大阪の川に大小の観月船を浮かべてもらいたいとの提案である。発想がいかにも好新好奇癖の須賀子らしい。

ちょうど半痴居士「十五夜」（明治三十六年十一月十五日刊『みちのとも』）に、十月十五日、文海・すが・ひで三人の中之島公園観月時のやりとりが記録されていた。

三人が公園に来てみると、意外に人影が少ない。〈余〉曰く、
如何です此の淋しさは、恐く多数の市民諸君は、我々共と違つて、タイムにもモネイにも富んでゐるから、新聞の広告に釣られて、

窮屈な思ひをする事も知らずに、観月列車に乗込んだり、汽車の便を利用して、石山、広沢、須磨、舞子、浜寺、大浜等の各名所へ出かけ、高い価を払つて酒に夜を深し、夫が為に可惜此公園の美景を閑却するやうな事に成り至つたので有う、とかく人情は新きを愛で古きを忘れ、遐きを貴んで邇きを軽んずるものであるから………然し爾う云ふ人が多ければこそ我々が此うして静かに此公園の好景を占断することが出来るといふものだ、呵々々々」と少し嘆息の語調を交ぜて言出すと、

幽月が反論する。

女史は片頬に笑を含んで「先生の御説でございますが、人間に新を愛し奇を賞し、遠きを貴ぶ心があればこそ、野蛮の境を脱して文明の域に進むのでございませう、我国が僅々四十年の間に、此うして世界の耳目を驚かすやうな、長足の一大進歩をしたのも、一つは此の新きを愛で遠きを貴ぶ好奇心に駆られたのでございませう、而して見れば市民の多くが、新らしい観月列車の趣向を逐つたり、遠い石山や舞子に出かけて、近い此の公園に来ないのも、やはり進歩の兆と云つても宜い訳になりますから、却つて賀す可きでは、ございませんか」と、得意の皮肉論を呈出した。居士は之に辟易して「女史の謂ふ所は道理に協つてゐる、居士の前言は所謂戯耳と謂ふ〔略〕

観月列車について、文海の反対論、須賀子の賛成論である。これを勘案すると、「観月」中「水の都の観月」部分は須賀子の文章ではないか。一概に「観月」全体を捨て去るのは、勿体無い。

観劇体験・音曲歌詞批評

文海も一応、儒教原理主義的教育を施しつつ、同時にその現実主義的修正も付加する。〈徳川時代の文学趣味〔略〕殊に芝居浄瑠璃落語等の方面の事情に通ぜる〉第一人者と目されていた（浪花の人「関西の文壇」〈明治二十年十一月五日付『国民新聞』〉）文海は、その面の良き指導者であった。

須賀子は、観劇・劇評を始める。〈女史のやうな演劇の見ず嫌ひの者でも演劇の改良には熱心〉になるまでになる（菅野幽月女史「劇評 辨天座の劇を観る」〈明治三十五年七月十七日付『大阪朝報』〉）。

音曲歌詞批評も文海の指導によるであろう。

明治三十六年一月一日に発表された大阪市歌は、朝日新聞社が五百円の賞を懸けて募集したものである。金権臭を感じてであろう、宮武外骨はパロデイ歌を発表した（明治三十六年一月二十日付『滑稽新聞』）。無署名「大阪滑稽つくし（二）」（明治三十六年一月二十四日付『大阪朝報』）も大阪市歌を取り上げ、〈平凡な歌〉と皮肉る。「大阪滑稽つくし」は（一）も（三）も幽月女史の文だから、（二）も同様であろう。

続く幽月女史「大阪滑稽つくし（三）▲博覧会の余興に就て（第一）

余興の新曲」（明治三十六年一月二十五月付『大阪朝報』）は、第五回内国博覧会協賛会役員の東京志向を取り上げ、余興の新曲を東京人に依頼した不見識を指摘する。大阪に平瀬亀之助・久保田有恒など作詞家は多いのに、東京の平岡大尽に作詞を求めた、〈博覧会の協賛会〉の役員である〈大阪縉士〉の〈東京を尊んで大阪を賤める〉態度を嘆じる。

幽月女史「黄色眼鏡▲博覧会の余興に就て」（明治三十六年一月二十二・二十四・二十五月付『大阪朝報』）は、〈女史は毎も云ふ通り、何一つ学んだ事はないので、殊に文学の事は不得手で、発句一つ満足には作れぬが、其不肖の女史の目で見てさへ、調と云ひ想と云ひ、恐く是程拙ないものはあるまいと思はれる〉と断りつつ、

第一章の冒頭の「そも〳〵此霊場は」と云ふ文句の、そも〳〵からして解らない、そも〳〵といふ詞は冒頭におく詞ではない、前に云々と云つて、詞を改める時に云ふことばである、又此霊場は、といへば天王寺の説明である、〔略〕寺内に博覧会が設けられたやうに聞えて不都合である、

以下逐条的に、悪詩である所以を詳しく述べてゆく。

師の文海の指導をうけた文か。謙遜部分は別として主文は、作詞に実績の或る自分に注文の来なかった文海の不満表明を下敷きにした文章かもしれない。清水 1980a が〈文海が須賀子(幽月)名で書くことはしばしばあって、〔略〕かくれ蓑にする場合とが見受けられた〉と書いていた（92ページ）のを思い出す。もしそうなら、須賀子の博覧会余興反対キャンペーンの第一声も、文海が口火を切ったといえなくもない。須賀子が醜業婦攻撃にのめり込んでゆくのは、予想外だったとしても。

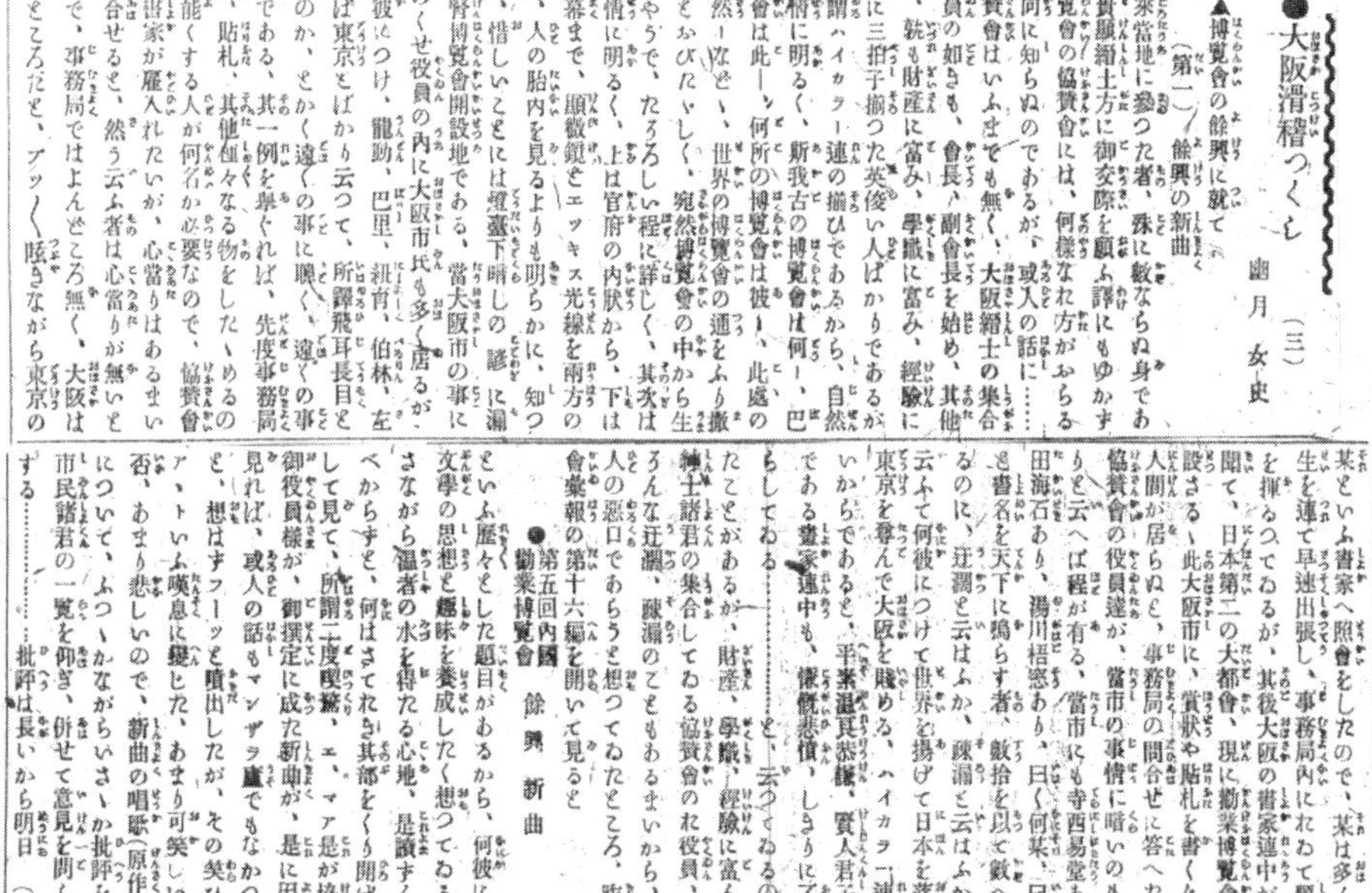
●大阪滑稽づくし（三）　幽月女史

▲博覧會の餘興に就て

（第二）餘興の新曲

女史は近来當地に參つた者、殊に敷ならぬ身であるから、貴顯紳士方に御交際を願ふ譯にもゆかず、隨つて博覧會の協賛會には、何樣なれ方がおらるゝか、一向に知らぬのであるが、或人の話に……

……協賛會はいふまでも無く、大阪紳士の集合で、其役員の如きも、會長、副會長を始め、其他の役員達、孰も財産に富み、學識に富み、經驗に富み、實に三拍子揃つた英俊い人ばかりであるが、併し、所謂ハイカラー連の揃ひであるから、自然外國の事情に明るく、斯我古の博覧會は何ー、巴里の博覧會は此ーー、何所の博覧會は彼ー、此處の博覧會は然ーなど、世界の博覧會の通をふり撒かるゝことおびたゞしく、宛然博覧會の中から生れて出たやうで、おそろしい程に詳しく、其次は東京の事情に明るく、上は官府の内狀から、下は裏店の内幕まで、顯微鏡とエッキス光線を兩方の眼に當て、人の胎内を見るよりも明らかに、知つてゐるが、惜しいことには燈臺下暗しの諺に漏れず、肝腎博覧會開設地である、當大阪市の事に暗く（そのくせ役員の内に大阪市氏も多く居るが、何につけ彼につけ、龍動、巴里、紐育、伯林、左もなければ東京とばかり云つて、所謂飛耳長目とでも云ふのか、とかく遠くの事に聰く、遠くの事に明らかである、其一例を擧ぐれば、先度事務局で、褒狀、貼札、其他種々なる物をしたゝめるに、書を能くする人が何名か必要なので、協賛會に向つて書家が雇入れたいが、心當りはあるまいかと問ひ合せると、然う云ふ者は心當りが無いと云つたので、事務局ではよんどころ無く、大阪は不自由なところだと、ブツ〳〵呟きながら東京の某といふ書家へ照會をしたので、某は多くの門下生を連れて早速出張し、事務局内にゐて頻りに毫を揮るつてゐるが、其後大阪の書家連中が此事を聞て、日本第二の大都會、現に勸業博覧會をも開設さるゝ此大阪市に、賞狀や貼札を書くぐらゐの人間が居らぬと、事務局の問合せに答へたとは、協賛會の役員達が、當市の事情に暗いのも、あまりと云へば程が有る、當市にも寺西易堂あり、村田海石あり、湯川梧窓あり、曰く何某、曰く何某と書名を天下に鳴らす者、其數拾を以て數へる程あるのに、迂濶と云はふか、疎漏と云はふか、是と云ふて何彼につけて世界を揚げて日本を落し、否東京を尊んで大阪を賤める、ハイカラー連中が多いからであると、平素温良恭謙、賢人君子に富んである書家連中も、慷慨悲憤、しきりに不平を鳴らしてゐる……と、云つてゐるのを聞いたことがあるが、財産、學識、經驗に富んでゐる紳士諸君の集合してゐる協賛會のお役員、マサカそんな迂濶、疎漏のこともあるまいから、全く或人の惡口であらうと想つてゐたところ、昨日博覧會彙報の第十六編を開いて見ると

●第五回内國勸業博覧會　餘興新曲

といふ歴々とした題目があるから、何彼につけて文學の思想も趣味も養成したく想つてゐる女史、さながら渇者の水を得たる心地、是讀まんばあるべからずと、何はさておき其部をくり開げて一讀して見て、所謂二度吃驚、エ、マア是が協賛會の御役員樣が、御撰定に成た新曲か、是に因て之を見れば、或人の話もマンザラ嘘でもなかつたか、と、想はずフーッと噴出したが、その笑ひは忽ちア、トいふ嘆息に變じた、あまり可笑しいから、否、あまり悲しいので、新曲の唱歌（原作、訂正）について、ふつゝかながらいさゝか批評を試みて市民諸君の一覧を仰ぎ、併せて意見を問ふことにする……批評は長いから明日　（未完）

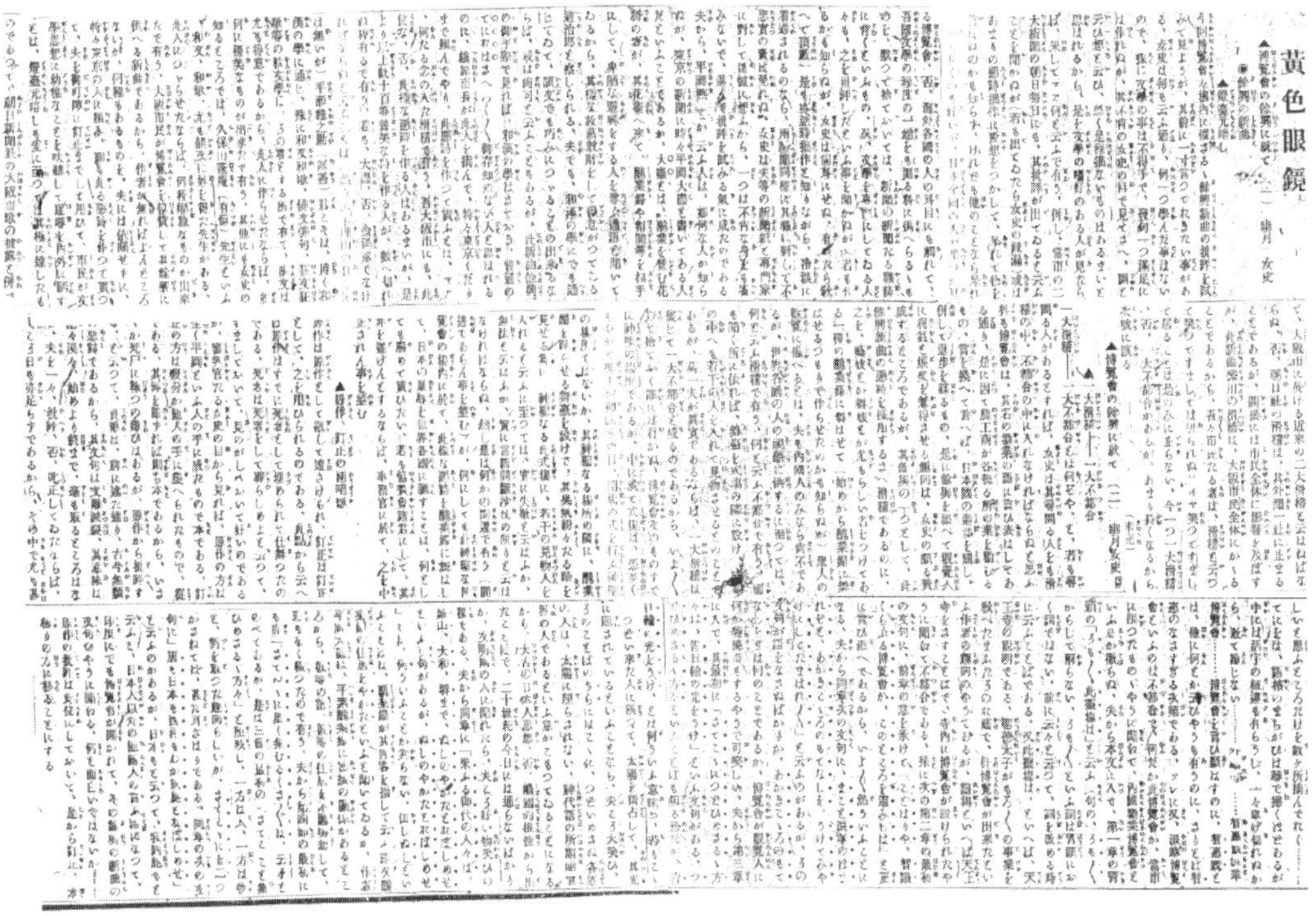

引き続き『萬朝報』読者・須賀子

江刺昭子『女のくせに』（文化出版局・一九八五年六月二十三日）が、須賀子の一夫一婦主張（行水談）を取上げ、〈このあたりを読むと、東京の『万朝報』紙上で、堺枯川（利彦）が盛んに家庭改良論をぶちあげていたのに論調が似ている。〔略〕同じイエロー・ペーパーで出発したのだから、『大阪朝報』は充分に意識した編集をしている。すがも当然読んでいたことだろう。〉と推量した。

江刺の推量は当たっている。そのことを証そう。

内村鑑三を読む

須賀子は、幽月女史の署名で明治三十五年九月七日付『大阪朝報』に「半日の旅」を発表した。住吉公園散歩記である。その中に、

〔略〕大阪から僅か二里弱、汽車の時間が二十分か、るかか、らぬに此んな結構なところへ来られるのに、世の所謂紳士連中は、ヤレ有馬だの、ヤレ城の崎だの、舞子だの、須磨だのと、多くの金と時を費して遠方の土地へ出かけ、湯治や避暑は表面的の口実、其内部の実相を窺ふと、妾と戯れたり、妓と狎合たり、酒を飲んだり、花を引いたり、内村先生の口調で言へば、可惜清浄の温泉に粉臭を混じ、可惜新鮮の空気に妖気を帯させ、霊地を遊廓地に化し、勝区を博奕地に為て此上も無い罪を犯しながら、夫を此上

も無い楽だと思つてゐる人が多くあるが、其様な不経済な不道徳な事をするよりも、近い此住吉の公園か、左なくば浜寺の公園へ父母を奉じ、妻子を携へて、避暑と運動を兼て来て、衛生と娯楽を全ふしたら好ささうなものである、〔略〕

という一節があった〔傍線部引用者〕。

〈内村先生〉を内村鑑三ではないか、そう見当をつけて探すと、明治三十五年八月七日付『萬朝報』掲載の内村生「天然と人」に辿り着く。その、第二・四項を引くと、

○太平洋の水は浄くある、然し之に身を洗ふ浴客の心は穢くある、富士山の嶺は高くある、然し之を攀る登山者の志は低くある、日本人は此美しき国土を所有するの資格と権利とを失つた者である。
○夏は来た、嗚呼我は何処に遊ばうか、箱根にか、俗人は彼所にあつて、其山を流し、其水を濁す、榛名にか、紳士と娼婦とは彼所にあつて清風ために妖氛を帯ぶ、富山の八湖も今は其岸に日本貴族の別荘を見るに至りしと云ふ、大磯は遊廓地であつて、狒々猩々の棲息する所である、鎌倉は博奕場であつて、都会に財を貪りし者が賭事に快楽を貪る所である、夏は来た、然し山の紫なる所、水の美なる所は皆な悉く悪人の占領に帰した、嗚呼我れ何処に遊ばんかな。

である〔白胡麻点↓黒胡麻点で代用した。傍線部引用者〕。傍線部に通う用語が存在する。「天然と人」はのち内村鑑三『よろづ短言』〔警醒社書店・明治四十一年六月三日〕に収録されるけれど、この時点でそちらは未刊だから、初出の『萬朝報』に拠ったと見なければならない。よって、須賀子が『萬朝報』読者であった証になる。

社会の罪

「社会の罪」とは、明治二十四年、ヴィクトル・ユーゴーの作品に影響された、森田思軒の弁じた講演名である。

明治三十五年十月八日より『萬朝報』に「噫 無情（ジー・ミゼラブル）」仏国ユゴー先生著／日本涙香小史訳の連載が始まった。涙香による、翻案・〔英訳本よりの〕抄訳である〔明治三十六年八月二十一日まで〕。冒頭の「小引」で、「噫無情」は〈社会の無情より、一個人が如何に苦めらるゝやを知らしめんとするが、原著者の意なりと信じ〉ての命名である、原作の寓意は〈社会組織の不完全にして一個人が心ならざる境遇に□陥さるゝを慨したるなりと云ふ人多し〉、〈社会下層の無智と貧困とを制度習慣の罪と為し、其の如何に凄惨なるやを示さんと欲したる者ならんか〉と解説する。実際、主人公が〈餓に迫る子供の為めに、一片の□を盗み損ツた罪が本で、十九年の刑に服した〉ことを述べる第七回〔明治三十五年十月十六日付『萬朝報』〕に、〈社会の罪〉と見出しを付す。

幽月女史「黄色眼鏡」〔明治三十五年七月十七日付『大阪朝報』〕に〈社会の罪〉という語が出て来る。須賀子が『萬朝報』の『噫無情』から、〈社会の

罪〉論を学んだ結果と見られる。

須賀子「一週間（八）」（明治三十五年十一月九日付『大阪朝報』）中の比喩に〈仏国の大文豪ユゴーが著した、有名の理想小説、ジー（ママ）・ミゼラブルのジヤンバルジヤン〉が引かれる。レ・ミゼラブルでなく、ジー・ミゼラブルである。「小引」のみ、「噫無情（あゝむじょう）」、〈ラ、ミゼラブル〉と表記する。

折から大阪市の名家殿村家で起こった、現戸主平右衛門ののぶ子夫人虐待問題を報じる際、幽月女史「噫是果して誰の罪ぞや（八）」（明治三十五年十一月二日付『大阪朝報』）が、

> 此殿村家事件は悦子夫人、延子夫人、平右衛門氏、殿村家の親族、殿村家の奉公人、夫等の人の罪では無く、要するに、我邦人が古来よりして、人道の旨趣、家庭の趣意、結婚の目的の如何を知らず、只家と云ふものを過重して、人と云ふものを軽んずる、一種の悪習慣より来れる、我邦社会組織の一大病弊、否一大罪科であると云はなければならぬ、

と纏めたのは、〈社会の罪〉論の応用である。

青柳有美・伊藤銀月に学ぶ

須賀子は、文海に師事しつつ、独学も続けた。読書に依り、奇矯文士と見られる存在に親愛感を持ってゆく。次の二点から、そう推量する。

○　伊藤銀月と知り合う。

○　青柳有美著作に近付く。

本荘幽蘭の師でもある青柳は、明治三十年代の『中央公論』で活躍していた。後年須賀子は有美を文体模写するくらい熱烈に享受する時期（『牟婁新報』に執筆期）が来る。

明治三十五年四月五日付『滑稽新聞』に載った青柳有美「鼻毛を読む法」は、須賀子の『大阪朝報』入社前の記事なので発表当時は無縁だったろうが、後に見たかも知れない。

その五箇条とは、

> 第一條　男の両膝に身体を擦り寄せる事
> 第二條　勢の無い溜息を発する事
> 第三條　婀娜な眼付をする事
> 第四條　無邪気でアドケなく振舞ふ事
> 第五條　百尺竿頭更に一歩を進める事
> 然らば、その男は恰も古きグリースにありしサイレンの歌を聴かされた旅人の様に命かけてもと思ひ込むまでに至るべく、何がなんと云ふても矢張接触ことほど、男をトロかすに与りて力あるものは無いのである。〔改行〕さて、モウこうくると占めたもので、愈々鼻毛をよめる事になる。

云々というのである。男を操るのに、性的挑発を以てする。

須賀子の茶目っ気から想像して、青柳文を読めば面白がったであろう。いつも鹿爪らしく真面目な文海にやがて退屈し、その鼻毛を読む

ように変じていく。生徒が教師を翻弄する雲行きもありえたのではないか、と空想する。

なお銀月には、佐藤儀助編『美的小社会』（新声社・明治三十五年十二月十五日）という小説がある。〈相模の海に睡れる一小島〉に、〈門を有せる東海の豪富に嫡男と生れ〉、〈極端に意思の自由を尚び、堅苦しき程処世の独立を主張〉する、小島市郎の創始した美嶋を描く。小島の〈選択〉した、〈品性高くして仁慈に富み、勤勉にして責任を重んじ、進歩を愛し平和を愛し平等を喜ぶ〉〈六十三人〉が衣食住の保障された生活をする。〈此島に於ては、男女共丁年以上の者に平等なる発言権、選挙権、被選権を与へ、世話役以下事務員の総ては、公平なる選挙に余儀なくされて其職に就くものなり〉。銀月の理想郷小説で、須賀子の喜びそうな作品である。

第四章　須賀子著作を読む

一、「博覧会百物語」の成立

須賀子「博覧会百物語」を殊更取り上げた人もいないが、彼女の幸福期の奇想小説として読んでみよう。

『大阪朝報』の明治三十六年三月十九日付から四月十四日付まで連載された。全二十回。

「博覧会百物語」は、もちろん実況に基づく。明治三十六年三月一日から七月末日まで、大阪市天王寺村、茶臼山一帯で開かれた政府主催の第五回内国博覧会にあわせ、博覧会を当て込んで、近所の寺院も色々な催しを実施した。

○　下寺町遊行寺は二月二十三日限り、河太郎と閻魔の木像を取除る。

○　天王寺西門石鳥居北側の一音院で楠公遺品展覧が開催された。明治三十六年三月十三日付『大阪朝報』記事「楠公の遺品を観る」に詳しい。

○　天王寺西門内の五百羅漢堂を開いたが、見物者は少なかった。明治三十六年三月十三日付『大阪朝報』記事「五百羅漢の大割引」参照。

○　下寺町遊行寺本堂で善光寺如来の出開帳が開催された。同右参照。

「博覧会百物語」は、かような実況を取り入れて成る。

明治三十六年二月二十五日付『大阪朝報』の無署名記事「博覧会と遊行寺」は、大阪の故事来歴に詳しく、文海口述・須賀子筆記かもしれない。抄出する〔傍点およびルビ略〕。

▲河内屋太郎兵衛と遊行寺

大阪の河太郎といへば、文化文政の頃に珍行警語を以て一世を驚かしたる、奇人なりしが、其家には巨万の富を積み、彼の鴻池と肩をならべたる程の富豪家なれども、其身は人を馬鹿にして、世を馬鹿にして一生を終りたり、即はち昔し松屋町筋を行溜りなりし遊行寺（佛智山円成院極乗寺）は河太郎一手の建立する処ろにして、木食一貫上人の開基、本尊は一尺七寸の薬師如来、如来の傍はらには芭蕉翁の木像を安置せり、

▲河太郎の木像保安条例に触る

トコロが此寺の門の前なる道の傍はらの東手に、河太郎の木像あり、頭まは半髪にして体に襯衣を着け、右の手にて珠数を爪繰りながら、閻魔大王の木像と相并んで曲碌に倚れり、コハ河太郎が行者信徒の先達をなせし時の姿形を彫みしものなりといふ、一見異様の木像にて、日夜往来の人を睨みつゝ、死しても尚世の中を馬鹿にして居るかの如き感ありしに、

▲閻魔も河太郎も博覧会の目障り

何しろ河太郎は昔し浪花随一の奇人にて、空前の名物男なるに、世の中を馬鹿にした罪に依てか、但しは河太郎の木像に眼ばられて居ては、通行人が気苦しかろふといふ恐れのある故か、兎に角

閻魔の木像も、河太郎の木像も、倶に博覧会の開期中は目障りなるといふ廉で、一昨日限り取除を命ぜられたり
▲木像の跡には儲け主義の茶店

以下略すが、文末は〈河太郎をして若し世に有らしめば果して之を何とか言はん〉と結ぶ。

さらに、作品化の基層として、いくつかの先行作品を想定してよい。なかには文海の教示に依るものもあろう。

文海は、須賀子の言動から河内屋太郎兵衛を思い出したのではないか。かりかりする須賀子を冷静へ引き戻すために、ユーモアの加味を助言したのかも知れない。

浪花踊り批判末期になって、ようやく〈女史は決して彼等賎業婦の〈其業をこそ厭へ、其人を憎むの念は寸毫も無い〉（「再び市民諸君に告ぐ」）と断るようになる。

枯川と

「博覧会百物語」の遥かな先行作に、堺枯川「百物語」を挙げたい。

「百物語」は、明治二十九年五月一日、六月一日、七月一日、八月一日、九月一日付刊行『少年世界』弐巻の、九、拾壱、拾参、拾五、拾七号に戯画的挿絵付きで載った。須賀子がこれを読んだ明証を未発見であるけれども、両作は類似する。

第一に、題名が共通する。〈百物語〉と言えば、この時点では未発表だが鷗外「百物語」が名高い。そこでは、

百物語とは多勢の人が集まつて、蠟燭を百本立てて置いて、一人が一つ宛化物の話をして、一本宛蠟燭を消して行くのださうだ。さうすると百本目の蠟燭が消された時、真の化物が出ると云ふことである。

と説明される。現在の大方の百物語理解もこれに近いであろう。だが、堺枯川「百物語」に怪談的要素はない。「博覧会百物語」にも怪談的要素はない。

第二に、両作はともにオムニバスで、語り手が無生物である。

「百物語」は、今は古道具屋の店先に置かれている、子供の日常生活に身近だった諸道具が登場、

其一　覚眠時計が曰く
其二　曲釘が曰く
其三　鉛筆が曰く
其四　箒が曰く
其五　郵便函が曰く
其六　山高帽子が曰く
其七　筆立が曰く
其八　弓張提灯が曰く
其九　郵便端書が曰く

其十　紙鳶が曰く

の十話である。

「博覧会百物語」も、最初の〈観覧のハイカラ〉以外、会場の建造物や会場近くで見世物となった諸仏・故人が語り手である。

一　メリーゴウランド
二　美術館
三〜四　一音院で遺品展覧会を開いている、楠木正成
五　逢坂で遺品展覧会を開いている、大石良雄
六〜八　天王寺境内に出開帳している、観音と羅漢
九〜十一　遊行寺に出開帳の善光寺如来
十二　法善寺で展覧している円山応挙
十三〜十四　遊行寺に記念碑のある松尾芭蕉
十五〜十八　遊行寺に肖像のあった河内屋太郎兵衛
十九〜二十　合邦が辻に住む閻魔大王

が語る。

第三に、両作は語りの内容が不平不満である。

「百物語」は、それぞれが自己の職分・経歴を語る。敗者・弱者がかこつ。

荒畑寒村が『少年世界』の思い出を書いている。第一次『寒村自伝』では〈その誌上に載せられた『当世百物語』の一篇によつて、堺枯川先生の名が忘れられぬ記憶に残つたのも、想えば奇しき因縁ではある〉（五十六ページ）と簡単であった。その後、現物に当たり直したようで、第三次『寒村自伝』では詳しくなっている。

『当世百物語』に深い興味を覚えて堺枯川という名が忘れられなくなったのも、この雑誌が機縁だったのである。百物語といっても紙上に発表されたのは山高帽と古釘との物語の一篇だけで、一は官員の頭上に意気揚々とのっていた山高帽子が、酔って人力車の上で眠った主人の頭から泥溝へ転がり落ち、泥にまみれていたのを拾われて古道具屋の店先に並べられ、かって主人が頭上にいただいていた時はみな自分の前に叩頭したのに、今は誰かえりみる者もない身の落魄と人情の冷酷をなげく。他はその隣の古釘氏が、自分とても初めからこんなに曲っていたのではない。主人が自分を打ちこむ際に金槌の使いようが悪いので途中で曲ったのを、面倒がって抜いて叩き直しもせず曲ったなりに打ちこんでしまったから、こんな姿になったのだと述懐する。その趣向作意にはおのずから、先生が後年の社会主義的人生観の片鱗があらわれていたと思う（四十三ページ）。

と記す。

「博覧会百物語」も、

・観覧のハイカラが、殺風景と概観するのが始まり。
・メリーゴラウンドが、馬役で酷い目にあった、
・美術館が、美術思想の無い人間が多い…

と小言を述べる。会場で脚光と人気とを集めた、ウォーター・シュートや望楼が語る場面は無い。

第四に、両作はともに、ユーモラスな作品である。笑いをもってきて、対極的な怒りを表わそうというのであろうか。

「百物語」其一　覚眠時計が曰く。

腕白君〔僕の主人〕の癇癪の起つた時の如きは、僕殆んど堪へられぬのである。背の穴に鍵を突込れて、一生懸命無二無三に撚られる。撚をかけられるは毎日の事ゆゑ平気なれど、折々左の方へ廻されるには甚だ困る。奉公の身の悲しさに、為され次第に為ては居れど、僕とても萬皿腹が立たぬでは無い。即て、時々自棄を起してニホン共針を止めて嚇かしてやるのである。すると、腕白君御不興斜ならず、直ちに僕の頭を引攫んで動揺るのである。動揺つても何うしても僕容易には笑うて見せぬ。飽くまで知らぬ貌に黙つて居れば、年は十三でも主人公の権柄で、果は僕を取つて向の柱に打つけると云ふ始末である。

と可笑しい。

「博覧会百物語」〔六〕が、

今日も朝からのジケ〱降りで、参詣人の少ないので、天王寺の境内に出開帳をしてゐる五百羅漢、退屈のあまり言い合したやうに、アーと大欠伸をすると、是も隣りに出開帳してゐる、三十三所の観音の小屋から、美しく優しい声で「一寸お隣りの羅アさん、今のお声は何ですの」と問ひかけられて、羅漢の首座、迦葉尊者が破顔微笑「ヲ丶、さう云ふ声は観ちやんか。今の声が聞えたかへ、夫は面目ない、実はあんまり参詣人が少なくつて、徒然で堪らず、退屈のあまり皆が想はず欠伸をしたのだ」「オホヽヽ……羅さんともある可きものが、欠伸とは不景気ですね。凡夫に見られたら『春雨や五百羅漢の惣欠伸』などゝ、悪口を云ふ者が有りませうから、チトお反省なさい。とは云へ妾の方も閑暇なので、皆がお茶ばかり挽いてるの、実につまらないのね」

と始まり、美術品の仲間入りを希望し、羅漢にも神通自在・変幻不可思議を見せるよう勧める。

「ウム成程、さすが観ちやんは観音妙智力を具へてゐるだけあつて豪いところに気がつく、ヂヤア是までのはたらかん主義を一変してやらねばりんじや思想を出さう、ソレに就て当然なら如此いう興行的の事は奥弁へ相談に行くのだが、黄ろい新聞の云ふところに拠ると、大林とかいふ親方は大層事務局の受けが好いと云ふことだから、其方へ行て相談しやう」「ア丶然うお仕なさい、妾等も柳子ちやんを喚んで周旋して貰ふことにします……オヤ講中が来たらしい」「ヤア、勧進元の顔が見えた」是で観ちやんも羅漢さんも急に真面目になつて、一方は立膝をおろして元の端厳の妙相、一方は胡坐をかき直して元の結迦趺座。

が結び。

第五に、両作はともに、口語体である。

「百物語」文例。紙鳶が〈兎角娑婆は苦の世界ぢやテ〉。

「博覧会百物語」文例。〈観覧のハイカラ曰く、何うも驚いたもんだねえ博覧会は、え、何が驚いたと、馬鹿〳〵しい〉。

馬琴と

枯川「百物語」には先蹤がある。

堺枯川は、明治二十年代在阪時代、西村天囚の周辺に居た。「予の半生」（堺利彦著『半生の墓』〔平民書房・明治三十八年八月二十日〕）に拠れば、〈予は大阪に於て、殆んど何から何まで西村天囚氏の世話になつた。氏が友人後輩に対する忠厚の心は多大の感化を予の一身に及ぼしたと思ふ〉のである。その天囚の『屑屋の籠』である。

天囚について、後醍院良正『西村天囚』上下（朝日新聞社・昭和四十二年八月）に頼るばかりだが、『屑屋の籠』時代、その思想は広量・自由であった。

天囚『屑屋の籠』は、

前篇（博文堂・明治二十年五月三日）が、

発端　屑屋の繁昌

第一回　細帯〔官員の権妻〕の愁嘆　湯巻〔同前〕の怨言〔悪面を暴く〕

第二回　眼鏡〔洋学書生〕の法螺　筒袖〔漢学書生のなれの果て〕の弁駁

第三回　帽子〔私欲を謀った官員〕の述懐　半纏〔職人〕の嘲弄

第四回　算盤〔姦商〕の苦情　帳面〔悪番頭〕の意見

第五回　古紙〔新聞記者〕の演説　靴下〔警官〕の叱咤〔言論弾圧〕

第六回　花釵〔自由結婚した貴嬢〕の来歴　手袋〔同前〕の答弁

第七回　証文〔詐欺師に欺かれた百姓〕の告発　革提〔三百代言人〕の自首

第八回　端硯〔漢学者〕の慷慨　鉛筆〔変則の洋学者〕の自慢

第九回　聖書〔耶蘇宣教師〕の法論　袈裟〔仏教僧徒〕の折伏

後篇（博文堂・明治二十一年五月十九日）が、

第一回　長袖〔不良華族〕の痴談　編笠〔新平民〕の快舌

第二回　洋剣〔兵卒〕の悲憤　和刀〔武士〕の懐古

第三回　三弦〔藝妓〕の不平　錦襠〔娼妓〕の賛成

第四回　垢襌〔懲役人〕の長嘆　襦袢〔懲役人〕の奇遇

第五回　枝折〔私塾教師〕の噛臍　析木〔学校小使〕の攻撃

第六回　古廻〔力士〕の力足　仮鬘〔俳優〕の自惚

第七回　聴器〔外国人医師〕の忠告　薬研〔藪医者〕の讒謗

第八回　前掛〔饒舌な女中〕の非難　附髷〔老婆〕の昔語

第九回　杷杓〔乞食〕の素性　襤褸〔土方〕の憤激

第十回　〔天囚居士所持品〕禿管の裁判　草稿の小伝

である。

今〔 〕内に、屑の各持主を補い、梗概に代えた。現在感覚なら差別用語とされる語もそのままにしたが、当時の社会通念を窺うためで、批判的に読まれたい。

諸差別など時代的制約があるとはいえ、後篇第九回の、貴賎平等論・貧富均一説には瞠目させられる。サワリをいくつか引く。襤褸曰く、

抑吾党名は爆裂党（OldamlRlst）と云ふ其主義は天地間に有と有ゆる万種万物悉々共有物たる事疑なければ誰でも彼でも取勝にて共同の使用を為すに在り（165ページ）

〔日月・江海・道路は〕世界の共有物にして而して人独り山林田宅米銭を私して吾の所有物なり取与の権吾に在り人の干渉す可き所に非ずと云ふ天理に戻り人道に背く如此甚しきは非ず（166ページ）

小作人益勤めて益貧く富豪の人益富んで益惰る（166ページ）

彼の蒼々たる山林は悉く吾輩の共有なり伐て以つて吾輩の室蘆を造るべし彼の渺々たる田畝は尽く吾輩の共有なり耕して以て吾輩の父母を養ふべし富豪廩中陳々相因るの米穀は尽く吾輩の共有なり取て以て吾輩の妻子を飽かしむべし赫々たる金銀財宝は尽く吾輩の共有なり取て以て吾輩の服装を飾るべし其然る後天下無事にして万民鼓腹撃壌の楽に逢ふべし是れ吾党の主義目的とする所なり（167ページ）

道徳法律と云へる者全く人為の偽物にして大盗賊のエセ聖人出ずして小ざかしき知慧を用ひずば盗賊と云ふ名称もなく主殺しも出でざるべし此にて大体腐儒迂生の聖人論も撲滅せん（171ページ）

太平の昔〔略〕男女の間自由にして箝束なく天地陰陽の自然に随ひしは誠に至理大道（173〜174ページ）

共夫共妻の道行はれて万物共有の世界となり共に稼ぎ共に楽しみて復た一人の不平均なる境界に陥りて窮苦貧困になやめる者なきに至ては吾党の能事畢ると謂ふ可し（175ページ）…

と演説する。靴下の襤褸拘引に、屑共が抗議、靴下を打擲。聖書と袈裟が中に入り、双方無事に治まる。〈此方に閒居し屑屋は小首を傾け首肯顔「成ほど〳〵どうかさう云ふ世の中にして見たいナア」〉。後で登場する禿筆も襤褸を裁く言は〈秘メヨゝゝゝ努メ高クナ語リソ〉とのみ。

さて、『屑屋の籠』は「緒言」に〈人は〔略〕馬琴の焼き直しと誹るへ〉しと書き、「発端」に〈馬琴とか借金とかの本にも質屋の二階で質草が話して居たと言ふ事がある〉と記す如く、『昔語質屋庫』を踏襲して天囚の所信を述べたものであった。

『昔語質屋庫』の明治前期における享受は、木戸雄一「博覧会から議論へ」（平成二十二年五月一日刊『国語と国文学』）が、馬琴追随作を論じて詳しく、高畠藍泉「怪化百物語」・西村天囚『屑屋の籠』も落ちなく紹介されている。

ようやく須賀子の師の宇田川文海も私淑する大作家、馬琴に辿り着

いた。

曲亭馬琴『昔語質屋庫』は、

巻之一
　発端　室咲の質草
　第一　読書先生の欹案
　第二　友切丸
巻之二
　第三　曽我十郎衙の小袖
　第四　諸葛孔明が陣太鼓
　第五　俵藤太龍宮入の弓袋の上
　　　　俵藤太龍宮入の弓袋の下
巻之三
　第六　石堂丸高野詣の脚絆
　第七　平将門衮龍の褺束の上
　　　　平将門衮龍の褺束の下
巻之四
　第八　眉間尺が髑髏杯
　第九　橘逸勢薄命の一行物
巻之五
　第十　紀名虎が錦の犢褌
　第十一　袈裟御前苦節の袿被
　第十二　九尾の狐の裘

で、馬琴が〈故事俗説の異同を弁じて、理を推し義を演ぶるを楽しみとし〉た随筆である。

須賀子「博覧会百物語」も、歴史的考証の趣を呈する。おそらく古典籍に詳しい宇田川文海の指導が入っているのであろう。

例えば「博覧会百物語」(二)～(五)は、楠木正成と大石義雄とが登場する。

・楠木は、遺訓書を偽書と断じ、討死本意と誤った、「太平記」著者を難じる。

・大石は、復讐より主家再興が第一目的であったと述べ、遊興の青楼で書き残した辞を説明する。

『昔語質屋庫』巻之一第二「友切丸」と「博覧会百物語」楠木正成とを並べて見よう。

(1)　非生物が語る。

[馬琴]〈一箇の壮佼〉が、〈往昔建久四年時も五月の雨夜の狩倉曽我五郎に伴れて工藤祐経を撃とつたる時宗秘蔵の無銘の太刀〉。

[須賀子]〈其身の遺品展覧会を開いてゐる、天王寺西門石鳥井北側の一音院に滞留してゐる、南朝の忠臣楠木正成朝臣〉。

(2)　自分に対する誤った認識に抗議したいと言う。

[馬琴]〈いつの程よりか源氏の重宝薄緑と呼れ又友切丸の名を負せられる〔略〕今に至ては薄緑と呼ぶものこそなけれしるもしらぬもおし

なべて友切丸と称すること遺恨の至り言語同断このことわりを説あか〉したい。

須賀子 〈余が遺品とか唱え〉たものの中〈余の遺訓書と唱ふるもの〔略〕尊氏兄弟追討の為兵庫へ下向の際、彼の桜井の駅に於て一子正行に与へたといふ一巻〉は、〈偽書も偽書もまつかな偽書である〉から〈放棄くこと〉が出来ない。

（3）　素性を語る。

馬琴 刀剣の考証を述べる。多田満仲が二口の太刀を作った。一振りが鬚切→鬼切→獅子の子→友切丸、もう一振りが膝丸→蜘蛛切→吠丸→薄緑。云々。

須賀子 〈足利尊氏、直義の兄弟大軍を率いて九州より上洛するにつき〔略〕余は領国の河内に引退き京都を空虚にして尊氏兄弟を引入れて、畿内の兵を以て摂津の川尻を塞ぎ敵の大軍を兵糧攻めにしてその疲るゝを待て、余と義貞朝臣と前後より激しく挟み撃つならば一戦にして朝敵を滅すことを得候はんと必勝の策を献じたれども、阪門宰相清正殿の為にさゝへられて遂に其説行はれて達つて出兵するやうとの御沙汰ゆゑ、今更異議の申しやうのなく手勢五百余騎を従へて兵庫へ下向なし、義貞朝臣と力併せては尊氏兄弟を禦ぎたれども、果して合戦利あらずして一族郎党七十三騎名誉の戦死を遂げたる〉経緯を語る。

（4）　後世記者のさかしらをなじる。

馬琴 〈某は源家の重宝鬚切丸にも非ず又義経の薄緑と改名したりしと云吠丸にもあらず只仇人祐経を撃ん料に年来試して剣に剣し無銘の新刀なれど時宗は古今無双の勇士にてその夜比類なき働してければ太刀も名の高きにあらざれば趣なしと思ふ当時の小説作者が或るは薄緑としるし或は友切丸としるせしより某が功名は空しく吠丸友切に奪れたり〉。

須賀子 〈此事を後の太平記の記者が己が勝手なる想像を加へ、余は山門臨幸の献策の行はれざりし為最初より討死の覚悟にて兵庫へ出陣せしやうに文を巧みに事実を枉げ、あまつさへ桜井の駅にて一子正行に遺訓を与へて下向せるやうあくまで小説的の筆を弄せしが、遂に其事が実となりて百世の今日にまで伝はり、これが為め当時正行に与へたる遺訓などゝ一巻の偽書まで作り設けて今度の展覧会にも持出さるゝ始末〉。

正成は、〈余が桜井にて正行と訣別れしことの虚妄なるは、近日重野安繹とかいふ学者が典故なきことである由を細々に説らひ一篇の弁妄書を著はして抹殺しられたる由、冥土に於て遥かに承ったのみ、未だ其詳細なる論説は読まねども余はその高見卓識に感じておるが、世上の者は先入が主と成て今尚太平記々者の妄説を信じ却て重野を抹殺博士などと冷評する由、余は草葉の蔭ながら真に気の毒のことに存知ておつた。〉と付言する。〈戦死の覚悟なき正成は、正行に遺訓する理なし〉と喝破する、重野安繹『弁妄史』は明治三十五年五月五日発行だから、〈近日〉刊に違いなく、直前の言説として興味深い。

河太郎譚と

「博覧会百物語」へ戻る。

下寺藤蔓坂の遊行寺（極楽寺）では、善光寺如来？の分身が開帳したけれど、素通りする人ばかり。ところが夜、三人が参籠した。如来が出現し、亡者の三人はそれぞれ画伯応挙、俳宗芭蕉、侠客河太郎と名乗る。

・如来が、善光寺如来の難波堀江出生説は後世人の捏造、只今の本尊は偽物、と断る。

・応挙が、博覧会は勧業中心、美術展覧会など不景気と嘆く。

・芭蕉が、不平は新派に対してでなく、元来遊戯の俳諧を仏神のごとく尊敬する流行に対して不安に思う、とこぼす。

・河太郎が、身の上話の後、自分の肖像を取り除けた博覧会に及ぶ。取り除けるべきは、〈大林とかいふ男の建た高塔〉、博覧会余興の舞台である、と。

明治三十六年二月二十五日付『大阪朝報』無署名記事「博覧会と遊行寺」は既述したが、河太郎こと河内屋太郎兵衛の話は、諸文献から拾える。

「博覧会百物語」で〈此河太郎の真面目……・つまらぬながらも……が籠ってゐる話〉は、鉄格子波丸作『戯動大丈夫』（金屋源助・寛政六年自序）に多い。

・〈一夕一青楼の二階で〉云々が、巻之一中の「酒興に乗して留守居を打話」、

・〈亦其ころの一心寺の和尚が〉云々が、巻之五中の「歌舞伎衣装にて茶席に列る話」、

・〈一年の正月に〉云々が、巻之四中の「蜘竹輿に乗て年始に行話」、

・〈世間の人が、つまらぬ易者や修験者に翻弄されて〉云々が、巻之四中の「鬼門隅に看板を出す話」、

・〈私の住居の隣の某といふ男〉云々が、巻之二中の「死犬を求て香の会を妨る話」

である。

第二例の利用は次の通り。

『戯動大丈夫』

時に孤心寺より使僧至来し、案内章ひらきみるに我を上客の廻章なりければ、最早珍物名器は借り調ひし事にこそ、いで僕も目驚くほどの物借りとゝのへ、衆座を乱し呉んとて、早くも便りし取寄たる出立。栗皮茶繻子の大わた入に黒柿の麻上下三方余りの大の紋は〇いわねど浅尾為十郎、彼寺迄の路すがら、みるもの驚嘆せざるはなし。待合の其間相伴の賓客も肝を潰してあきれける。賓主の礼儀すすみ、茶室にいたり、座定り、一礼一答事おわり、彼の借りよせたる茶器どもを悉〳〵賞誉おわり、扠拙者がけふの装束、我ながらも異やうに、ソレハおかしい姿ゆへ、嘸歌舞伎役者から貸て来つらんと定て、何れもおほしめさふが、中〳〵左よふでは御座りませぬ。始ての御招きゆへ、小袖一重成とも改め、出会仕ふと存知たが、御承知の通り当時貧窮の私名聞ぐるしく借り調るも、道に背きこゝろの花香が淡く存る。幸壮年の砌拵へ置たる伊達衣裳、何と歟目立ていかゞなれと有合ふを以て数奇をあらわす。茶道の風雅今こを存じて有合ものを着服いたした。毛かりものと思召な、借りものでは風雅がない。毛頭借つてはまいらぬと繰返し〳〵河童が深濃もけふの茶の湯の結構に取集た名器ども、皆かりものであらふがといわ（ママ）んばかりの其仕打。強太ておかしうて奥山が飾磨宅兵衛なまじや、此人元来茶は好で御座る。

須賀子

一時その和尚から茶湯をするから私にも来いといふ沙汰がありやしたので是幸ひ似非茶人の鼻を挫いてやらふと思つてゐますと、一人が来て、明日の一心寺の茶湯は客人を驚す為に家々から珍奇を借集めて我物顔に飾り附けると云ふことだと知せてくれやしたので、急に想ひつきやして或俳優から舞台の衣裳の栗皮茶繻子の大綿入に、黒柿の上下に、三寸あまり大の紋の附いたのを借着して出かけ、茶室に這入つて座も定まり、一礼一答の事も終るが否や、彼の借集めた茶器どもを故々悉く賞めて賞めちぎつた上で、さて口上を改めて、拙者が今日の装立頗る異様で我ながら可笑しいと存ずる位ゆゑ、孰もに於れては定めて俳優から借りて来たもので有らうと思召すかも知らねども、なかなか以て左様ではござらぬ、始めてではござらぬ、始めてのお招きゆゑ小袖一重なりとも改めて出会いたさうと存知たが、御承知の通り当時貧窮の私名聞ぐるしく借り調へてまゐるも却て道に背き、心の花香も淡くなる次第ゆゑ、幸ひ壮年の砌り、こしらへおゐたる伊達衣裳、何とか目立ていかゞなれど有合うを以て数奇をあらはす茶道の風雅、そこを存知て有合ふものを着服いたしてまゐりました。必ず借物と思召すな、借物では風雅がない、毛頭借りてはまるらぬと、例にない切口上で繰り返し〳〵深濃くので、今日の茶の湯の結構にとり集めた名器どもは皆借物で有らうかなと言はぬばかりに云ひこらしめてやり申したが、相手が長袖の身分を笠に着て常に人を見下す法主だけに、各別好い心地でごぜへやした

言句の借用が明らかで、手元に『戯動大丈夫』を置いて執筆したのであろう。

文末〈相手が長袖の身分を笠に着て常に人を見下す法主だけに、格別好い心地でごぜへやした〉は、見られるとおり、須賀子の付加で、彼女の河太郎観が窺える。

「酒興に乗して留守居を打話」を〈例へば其時代の町人は武家の圧制に馴れてむやみに卑屈でしたが……今でもその悪い慣習が遺つてゐやすが……武家はその町人の卑屈を好い事にしてやたらに圧制をしやすのが腹が立てなりやせんから、武家の鼻を挫き町人の気を吐いてやらうと思ひやして〉と始め、〈今日で云へば野蛮な挙動でこぜえやすが、其時代では命がけの仕事で、私のやうな馬鹿者でなければこんなことを為る者はありやせん〉と結んだり、「鬼門隅に看板を出す話」の自己の行動を〈方位だの家相だのといふ、つまらぬことに心をなやます人間を、警醒してやつた〉と意味づけ、全体を〈是等のことは乱法と云へば言へ、圧制を憎み、虚偽を憤り、不実を懲らし、迷信を諭し、傲慢を挫き、いくらか世の為、人の為にもなつた考でごぜへやした〉と纏めるところに、河太郎譚の意図は明白である。

須賀子の工夫

「博覧会百物語」

河太郎が、

今日では大阪市民の数が八十万とか百万とかあるといふのに、アノ舞台に対つて、正義の声を揚げるものは唯一人、而も渺たる一婦人の、イヤかよはい女の幽月女史一人しかないと思ふと、私は実に涙が溢れてたまりません

と悲憤慷慨、一同も同情する。そこへ〈余も其事は同感じや〉と閻魔大王が登場する。

大王が、博覧会事務局の収賄沙汰を指摘、腐敗した日本人の道徳を一新するため、堕落した仏教〈よりも一層上等の宗教〉に由るより道はないと断言する。その時、讃美歌が聞えてきて、完。

百鬼夜行パターンの終結をなぞる。

浪花踊反対の河太郎言は、もちろん須賀子の代弁である。

須賀子の発言は文海を踊反対へ煽る。

博覧会後日

須賀子は博覧会余興反対に熱を上げた。藝妓が公場所に登場するのを激しく嫌厭する持論に基づく。余興舞台が〈恐れ多くも陛下の行幸を辱ふする程の神聖な場所なので〉オクターブも上がる。

「黄色眼鏡▲博覧会の余興に就て（二）」は、

此余興に新曲の悪詩を採用するさへ滑稽であるのに、之を、藝妓とか舞妓とか尤もらしい名をつけてある一種の醜業婦に舞はせて

（始めから醜業婦に舞はせるつもりで作らせたのかも知らぬが）衆人の観覧に備へるとは、夫も内国人のみならず尚不（まだしも）であるが、世界各国の人の視聴に供するに至っては、何と云ふ滑稽で有う、何と云ふ不都合で有う、而も聞く所に依れば、舞台を式場の隣に設け、式場の中へも若干の人を入れて見物させるとのことであるが、万一夫が真実であるならば、一大滑稽は変じて一大不都合と成るのであるから、いよ〱以て捨ておく訳には行かぬ、博覧会そのものすでに神聖の場所であるが、中に就て式場は、恐多くもやがて聖上が御臨幸の日、開場の式を行ふ神聖の場所ではないか、其神聖なる場所の隣に、醜業婦を踊らせる舞台を設けて、其臭気紛々たる踊を見せる為に、神聖なる此式場に、若干の見物人を入れると云ふに至っては、実に失敬と云はふか、無法と云はふか、実に言語道断沙汰の限りと云はなければならぬ〔略〕

と天皇神聖観を表に出していた。

一方、永江為政は博覧会を受託した大林芳五郎*と当局の不正を疑い、他紙が沈黙するなか、連載記事「事務局の怪聞」で贈収賄を追求中であった。

*大林芳五郎は大阪の建設業者。創業以来十年未満で博覧会会場施設工事のほとんどを落札した。〈請負金の総額は八〇万円を超えた〉（大林組社史編集委員会編『大林組八十年史』（大林組・昭和四十七年十月））。大林組が〈今日の大をなすにいたる第一のスプリング・ボードとなった〉という（前記『大林組八十年史』）

明治三十六年三月二十六日、大林の家宅捜索が行われる。しかし、大阪の新聞は〈独り事務局の怪聞に付て迂闊〉である。「博覧会事務局の怪聞」（四月九日付）は、〈大阪の新聞は盲せるか、大阪の新聞記者は聾せるか、あゝ大阪の新聞ほど頼りなきものはあらじ、あゝ大阪の新聞記者ほど意苦地なきものはあらじ〉と嘆じた。嘗て〈我輩の眼中には、朝日新聞もない、毎日新聞もない、兎に角我輩が理想的の模範新聞を作〉る（「日刊新聞の発行に就て謹告す」（明治三十五年四月十日刊『大阪経済雑誌』））と意気込んだ、創刊意図実現の事件*に、永江は躍起になった。

*事件について、未調査。大林は、七月九日、免訴放免となる。

〈大林高塔〉反対*を提起したのも永江であろう。高塔の危険性が主理由だが、〈至尊の玉座を眼下に見下す大不敬〉という理由を面に出す（四月十日付「大林の高塔」）。永江は、〈大林高塔〉の取り払いを事務局に、警察に、軍人に訴える（四月十四日付「高塔の取払に就て」）。

*話題の施設〈大林高塔〉とは、〈望楼は高さ一五〇尺（四五メートル）で、木造としては前例がなく、エレベータをそなえたのも最初であった。これがヒントとなり、のちに通天閣が建てられたように、高層建造物のなかった当時、大きな魅力となって話題をよんだ。この望楼は大林の発意による施設参加で、望遠楼と名づけたが、一般には「大林高塔」とよばれた。入場料は一五銭で、この収入では建造費を償却できなかったが、宣伝効果は大きかった〉（前記『大林組八十年史』）。

三十代の永江は〈余が一癖は気の短きにあり。一度び癇気に障れば之れを制する能はず。撃つか擲ぐるかせざれば病気収まらず〉であった（大正十四年五月二十五日刊『乃木宗』）が、四十代になっても変わらなかった。

永江とともに、須賀子は不敬な踊反対の連携記事を書きまくった。永江は上へ訴え、須賀子は市民・キリスト教徒・社会主義者へ訴え、その方向は逆ながら、博覧会批判で協調した。＊

＊〈協賛会の博覧会舞台の設備に関しては世間既に囂々たる非難を発生せり吾社の幽月女史の如きも其攻撃の急先鋒となりて舌を爛らし筆を禿にし其全身を捧げて此問題に熱中せり世間具眼清潔の人士亦遠近書を贈りて女史の論に全情を寄しつゝあるが如きは実に本社が江湖の読者に対して多謝する処なり〔略〕吾人は実に幽月女史の非舞踏論に対して満腔の熱情を以て之を賛成するものなり〉と論じる〔無署名〕「舞踏論」（四月十五日付『大阪朝報』）は永江筆か。

「博覧会百物語」では、閻魔大王に

来る二十日に主上が御臨御に成て博覧会の開会式を行はさせらるゝまでは、其節でもさしひかゑてゐるが、開会式が終ると同時に悉く臭類を引上げる手筈であることは、千里眼と順風耳と浄玻璃鏡で余はチヤンと判つてゐるが、天機は漏らす可らず、であるから、今暫時は余も口つぐんでゐる。

と語らせており、須賀子は開会式後に、事務局の失態、醜業婦舞踏問題がすべて希望した方向で解決すると、予期したらしい。

明治三十六年四月十九日付『大阪朝報』第百九十六号の幽月女史「開会式当日の二大不敬」は、貴人の前でのみ醜業婦舞踏を開演しなかったことを取上げる。その文中、

臆協賛会員諸君よ、諸君が既に開会式の当日〔略〕諸君が尤も重きを置かれてゐる醜業婦の舞踏を開場式の神聖を汚すものとして、開演せられぬは諸君が、既に彼の舞踏を清きもの正しきものと認めてをられぬからで有う、然らば諸君、諸君が一旦不義不正なる□の□神□を汚すものと認められたる以上は、単に開会式の当日のみに止まらず、断乎として禁止せられるのが、当然では有るまいか、国家に忠なるものでは有るまいか

とある〔傍線引用者〕。

全集本文は傍線部を〈不義不正なる□の□神聖を汚すもの〉と翻字する。〈神□〉を〈神聖〉と補うのは妥当である。〈聖〉の活字不足のため〈神□〉としたのであろう。ここは、〈不義不正なる、式場の神聖を汚すもの〉とあるべき箇所と思われる。〈不義不正なる式場の神聖を汚すもの〉と読点を飛ばしたのが須賀子なのか植字工なのかは不明ながら、これでは、

不義不正なる→式場

と繋絡してしまう。

不義不正なる
式場の神聖を汚す
→もの

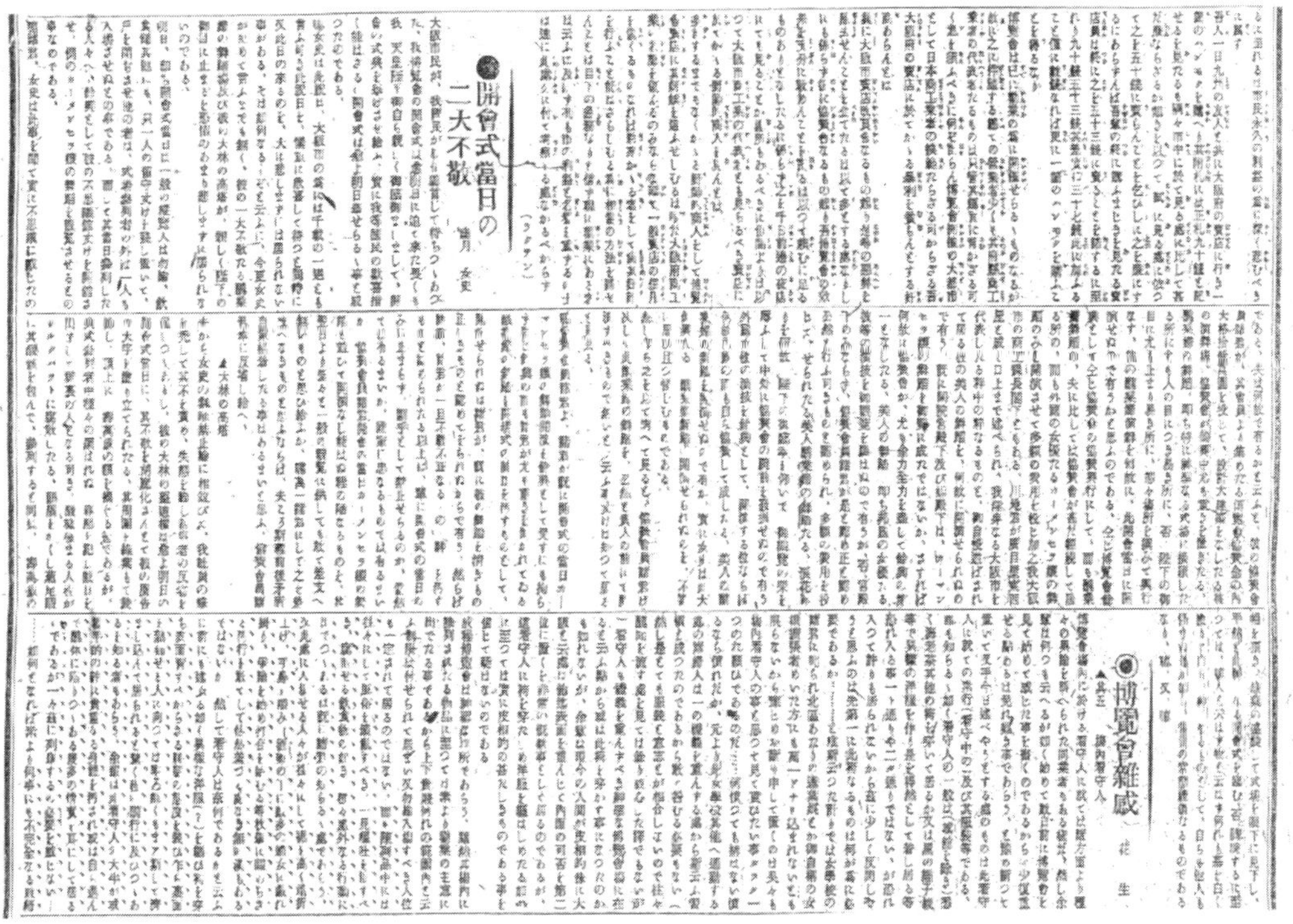

開會式當日の二大不敬

博覽會雜感

のつもりだったのに。既に一行二十二字で活字が組まれていて動かし難く、読点を加えられない。天皇臨席式場を〈不義不正なる〉式場と読まれると、意図に反して困る。不敬表現との評を受け兼ねない。それでとりあえず〈式場〉二字を削除、残りをばらして糊塗しようとしたのであろう。もしそうなら、摘発者須賀子がふとしたことで、摘発される立場に追い込まれるかも知れない経験をしたことになる。

開会式の四月二十日、その日の大阪の町を河内仙介は次のように描写する（『わが姉の記』〔泰光堂・昭和十七年十月二十日〕）。

明治三十六年、第五回内国勧業博覧会が、大阪に開催された時のことだつた。〔改行〕畏くも、明治大帝が、産業奨励の思召を以て、その博覧会に臨幸されたことがあつた。〔改行〕私は、姉といつしよに父に連れられて、その鹵簿を拝観に行つたことを憶えてゐる。〔改行〕当時私は八歳で、姉は十八歳だつた。〔改行〕その時の父の服装は、紋付の羽織袴だつた。私も熨斗目の紋付を着せられてゐたし、姉も学校の式日のやうに紋付の着物に、海老茶袴を穿いてゐた。〔改行〕沿道の両側は蓆を敷いて、みんなその上に土下座して、鹵簿の御通行をお待ち申上げてゐたのだつた。〔改行〕場所は多分、旧堺筋だつたらしい。〔改行〕「お天子さまを拝ませていたゞく時は、お目を開いてたらいきまへんで。そんな勿体ないことをすると、罰が当つて、お目が潰れてしまひまツせ。判りましたな、チヤンと両手を突いて御鳳輦がお通りになるまで、お叩頭をしてなはれや」〔改行〕家を出る時、私は母から懇々と訓へられて来たので、拝観席の蓆の上に坐るなり早速訓へられた通りにした。〔改行〕「坊、まだ早いがな、お通りになるまで、まだ二時間もある」〔改行〕傍らに坐つてゐた見知らぬ爺さんが、右手で帯の間から二十二型の銀側時計を出して見ながら、さういつて左手で私の頭を撫でて呉れた。〔改行〕「あはゝゝゝ。出しなに母親にいはれて来た通りにしてますのや」〔改行〕父はその爺さんと顔を見合せて笑ひながらさういつた。〔改行〕私はなんだか急に恥かしくなつて、姉の袴の膝に顔を伏せてしまつた。〔改行〕するとその時だつた。唐突に、洋刀の音がして、〔改行〕「こらこら、前懸を外さにやいかん、不敬にあたるぞ」〔改行〕その声でドキツとして、顔を捩ぢ向けると、その爺さんが周章てて前懸の紐をほどきながら、〔改行〕「これはどうも……相済まんことでござりました。へい……」〔改行〕ペコペコ頭を下げてゐた。〔改行〕然し巡査はその儘何もいはずに、次々に蓆の上の人々の服装を点検しながら行つてしまつた。〔改行〕何故前懸をしてゐたのが悪いのか、不敬にあたるといふ意味は、勿論その時の私には判らなかつたが、父や姉や自分等がお正月の着物を着てゐるのに、その爺さんだけが不断着でゐるのが、何か悪いことのやうに考へられた。〔改行〕私はまだ姉の膝の上に両臂を突いた儘だつたが、その姿勢の儘で伸び上つて、桜貝のやうに淡桃色をした姉の綺麗な耳朶に、口を喰ツ付けるやうにして、〔改行〕「姉ちやん、あのお爺さん、悪者？」〔改行〕と、囁いた。〔改行〕姉はにこツと微笑みながら、静かに頭を振つたゞけだつた。〔改行〕その桜貝のやうな姉の耳朶が、何故か少年の私に母親とはちがつた甘酸つぱい気持を感じさせた。私はまた凝ツと姉の膝の上に顔を伏せてゐた。〔改行〕と、その時、私は厭といふ程耳を曳つぱられた。びつくりして振り向いた途端、〔改行〕「これツ！お行儀が悪い。……チヤンとお坐りしてなはれツ！」〔改行〕父は鋭く私を叱りつけた。〔改行〕それから鹵簿御通行までの間どうしてゐたのか、私の記憶は、そこで映画のフヰルムがプツンと截られたやうに、中断されてゐる。〔改行〕一瞬間、いまゝでざわめいてゐた沿道の群衆が、シーンと水を打つたやうに静謐になつた。咳ひとつする者もない。すると、戞々たる馬蹄の響といつしよに、神々しい拍手の音が流れるやうに聞えて来て、私は子供心にも身のひき緊まるやうな荘厳さに胸を搏たれた。その儘私は、蓆の上にひれ伏してしまつた。

と。小説だが、おそらく河内仙介こと塩野房次郎の記憶に基いているであろう。

行幸後、事務局の手入れもなく、期待を裏切られた須賀子の動静は、『大阪朝報』休刊のため、分らない。

醜業婦舞踏批判に文海も加わり、『大阪朝報』以外にも広がり、明治三十六年五月二十日付『滑稽新聞』にも〈攻撃の甚しい浪華踊〉と書かれるけれど、舞踊はすぐ再開された。博覧会を内田百閒こと内田栄造も見物する（「たらちをの記」ほか）。栄造の父が〈愉快さう〉に見た〈芦辺踊〉が、それであろう。〈天王寺の塔よりまだ高いと云ふ塔の上に、エレヴェーターで登つて行つたら、父はあしをがくがく慄はして、手すりにつかまつたなり、動けなくなつた〉ともあり、大林高塔へも登った。

永江は腹膜胃腸炎に罹り、四ヶ月間、病褥に臥した。

後継紙は、七月十九日付『大阪朝報』第百九十九号、七月二十六日付『大阪毎週新聞』第二百号、八月九日付『大阪毎週新聞』第二百二号、八月十六日付『大阪朝報』第二百三号、八月三十日付『大阪朝報』第二百五号、九月二十日付『大阪朝報』第二百八号である。**田中伸尚2016**は、『大阪朝報』が〈後に、題名を変えて『大阪毎朝（ママ）新聞』が発刊されるが、内容的には後継紙とは言い難い〉と記す（二十九ページ）けれども、同紙で永江は、免訴になった大林芳五郎との第二戦に入っており、やはり後継紙である。ただ、新聞自体は先細りして消滅する。須賀子は後継紙に呼ばれず、無関係となる。永江とは連絡を保ったようだが。

〈醜業婦〉舞踏禁止運動で須賀子は、天皇神聖視を強調し、不敬を連発した。少し過剰の感も否めない。漱石「心」の先生の、〈かつては其人の膝の前に跪づいたといふ記憶が、今度は其人の頭の上に足を載せさせやうとするのです。〉という言葉が思い出される。

二、幻の須賀子著作の出現

かつて神崎清「明治大正の女流作家」（山本三生編纂代表『日本文学講座第十二巻』〔改造社・昭和九年四月八日〕）は、

〔略〕頼もしい労働者階級のなかに自己の真実の同盟者を見出して平民社の周囲に結集し、社会的闘争に立ちあがつた婦人のなかで、菅野須賀子の名は特に有名である。〔略〕彼女は文学的方面に於てもまた大きな才能を有してゐたらしく思はれる。今日の乏しい資料では、明治三十九年頃名古屋地方の新聞に小説を連載したことだけが判明してゐる。将来この未知の小説が発見されるならば、明治の女流文学史ばかりでなく、日本のプロレタリア文学の歴史は、大きな修正をうけることになるかも知れない。

と記した。神崎の根拠は、明治三十七年十二月二十五日付『平民新聞』「同志の運動」に載った小田生・山口生「伝道行商の記（十一）」中の記事、

▲十二日〔略〕朝同志菅野須賀子女史来訪、女史は今岐阜の新聞に新理想郷と題して社会主義的の小説を書いてゐる、今度大阪タイムスに入社したから大に婦人問題を論議するといつてゐた、

であろう。神崎文は、小田頼造・山口義三文より三十年経って書かれた。年代の記憶が怪しいのも已むをえまい。

清水卯之助 1983a も、

その時（明治三十七年十二月十二日）、岐阜の新聞に〝新理想郷〟と題する社会主義的小説を書いているとも語っているが、この両紙（もう一つは『大阪タイムス』）はいずれも今日見ることができない。

と断念した。

それが、出てきた。神崎文から八十年以上経つ。小田・山口文から実に百十年以上経つわけである。一世紀以上ぶりの出現である。

明治三十七年～三十八年、『岐阜日日新聞』に載った新聞小説「理想郷」である。題名が〈新理想郷〉でないが、これに違いない。署名が宇田川文海となっているのは、名前貸しであろう。内容からいってだが、それ以前に、小田・山口文の伝えた須賀子直話に拠って須賀子作と判断した。

文海に代作のあることは、

○紅蓮洞「文壇垣覗き（二十九）」（明治四十一年八月三十日付『読売新聞』）の、

関西に於ては、宇田川文海、猶覇を称し此の手によりて関西地方の新聞に其の小説の紹介されたのも少くはなかつた。其の甚だしきは無名作家の書いた原稿に文海自筆で僅に、宇田川文海作の六字を署すれば、其の稿料直ちに数倍に上るといふ勢であつた。

○日の雀「代作、名前貸し」（明治四十一年九月十三日付『読売新聞』）の、

嘗て関西で、宇田川文海といふ作者が新聞小説家として鳴り響いたことがある。同人の書いたものだといへば、屹度、新聞の読者に受ける。そこで利に敏い、彼の辺に田舎新聞は同人の書き振り

を真似た様なものを掲載せるのを努めた。而し到底本家本元の正銘物に及ぶべくもなかつた。さりとて全盛の文海、なか〱田舎新聞位の手——有体にいへば——金銭で動かすことは思ひも寄らぬことであつた。〔改行〕○併し、有難いことには、幾分か割をよくすれば、それほどの○は出さずとも何処の馬の骨だか分らない作者が、書き綴つた物に、「宇田川文海作」といふ僅々文字が文海自筆で書いたものが手に入ることが出来。此れを載せる、屹度読者大受、紙数売高を増すといふ有様であつた。〔改行〕○此れは、新聞社の方でも、文海の作でないことは知つて居る、其の「宇田川文海作」の自筆を信頼に、其の偽作であるの、ないのといふ苦情の起らないを信じてやつたのだ。実をいへば、署名者と作者と発行元とが、ぐるになつて世を欺いたのである。〔改行〕○署名者と作者の間に、秘密の関係があつて、其れで虚偽行為をするのも、余り褒めたことでもないが、其れは人を偽つたゞけで、世を欺くといふまでに咎むるには当らない、尤も煎じ詰むれば其の結果はさうなるかも知れないが、其の間に人情道徳の上より一点の掬すべきがある。〔改行〕○何が人情道徳の上より掬すべきかといふに、大家が無名作家の作物を世に紹介するといふことである。
と有名で、珍しいことではない。

「理想郷」は「白百合」の続篇である。それで明治三十七年、『岐阜日日新聞』に載った「白百合」も加える。

ちなみに『岐阜日日新聞』掲載の文海名義続き物として、「白百合」と「理想郷」との間期間に「恋慕」（明治三十七年十月五日～十一月十九日）、須賀子が去っての後の「血涙」（明治三十八年五月七日～六月二十二日カ）や、「血染の紅葉」（明治三十八年九月二十九日～十一月二十九日）がある。「恋慕」・「血涙」・「血染の紅葉」の実作者が誰か、私は知らない。

なお未見部分を残し、また神崎の期待したような出来ばえの作品でもなく、遺憾はあるけれども、ともかくこの出現を私は喜ぶ。

「白百合」

明治三十七年六月四日付『岐阜日日新聞』「新小説披露」に、

小説辰頭は喝采の裡に本日を於て了を告ぐ引続き明日の本紙より左の新小説を掲載すべし／白百合　宇田川文海／新小説白百合の作者は関西小説家の白眉宇田川文海翁にして其軽妙の筆に津々たる趣味湧くが如きは人の能く知る処、敢へて贅せず

と予告された「白百合」は、明治三十七年六月五日付～八月二十八日付『岐阜日日新聞』一面に連載された。署名は宇田川文海である。＊全七十回。以下、文海名義「白百合」を、[白百合]と略称する。

＊須賀子は、〈白百合〉の署名で、明治三十九年二月二十一日付『牟婁新報』「牟婁歌壇」短歌五首を発表する。

[白百合]の筋を記す。

桜子は金髪の美しい娘、ロシア貴族の落し胤である。三歳時、京都

祇園の藝妓であった母の安藝富士子が死亡した。幼い桜子は気丈な乳母お種に守られて、大阪北浜三丁目で、資産豊かな安藝家の女主人に育つ。日露戦争時、桜子は公衆の嘲罵言をうけ音楽会で卒倒する。その夜、桜子は牧師北岡を知り初恋。しかし北岡には妻子があり、片思いであった。

後日桜子は、安藝家に出入りする苦学生・小島秋夫に謀られ〈玉の如き其身を汚した〉。

乳母お種も急病で先立つ。桜子は精神的の病に犯され、石山へ養生に向かう。石山には、乳母の従妹・夏子の主人の料亭がある。その料亭では、北岡妙子〔牧師北岡の妹で、桜子の親友〕が養生している。妙子は、未婚なのに、恋人・小橋貫一の胤を宿していた。小橋の出征後、家出した妙子は琵琶湖に投身入水し、夏子の夫に助けられていたのである。妙子は懺悔し、許されて家へ帰る。小橋戦死と伝えられるも誤報で重態らしい。

桜子の石山養生十日間、戸主となった秋夫は、安藝家の資産を横領する。ばかりか秋夫は小間遣い・お菊〔お種の姪〕とわりない仲になっていた。帰家してこれを知った桜子は土佐堀川へ入水。通りかかった蒸気船宇宙号の大川喜三夫婦に救われる。桜子は大川夫婦に、北岡牧師への恋以外の一部始終を告白する。折から安藝家炎上、秋夫・お菊の焼死を知らされる。

桜子は大川の教え導きで、父・キリール公爵の病臥する松山の病院へ急行。対面もつかの間、父は事切れる。桜子は病室にあった白百合を胸に、海へ飛び込む。危機一髪、男に抱きとめられる。

此時片破月は雲間を破つて、白百合抱ける蒼く息絶えた桜子の半面を、いと物凄く照して居た。〔改行〕雲突く好漢何者ぞ。〔改行〕桜子果して永遠に息絶えしか。(完)〔改行一字下げ〕作者曰、本小説白百合以上七十回を前編として一先づ完結し更に次号より後編を理想郷と題して掲載すべし

と結ぶ。

白百合と純潔

白百合其十二挿絵に、バイブルの上に置かれた白百合が描かれる。そもそも百合は、須賀子「一週間(二十二)」に、〈聖書の「ソロモンの栄華の極の時だにも、其装この花一つに及ざりき」の百合花の譬の一節を思ひ出して〉と書かれた。『聖書』書誌を未調査だが、手元の『旧新約聖書』〔英国聖書協会・明治三十九年一月三十一日。昭和九年六月十日三十六版〕に拠れば、

○マタイ傳第六章二十九行〈野の百合は如何して育つかを思へ、労せず、紡がざるなり。我なんぢらに告ぐ、栄華を極めたるソロモンだに、その服装この花の一つにも及かざりき。〉

○ルカ傳第十二章二十七行〈百合を思ひ見よ、紡がず、織らざるなり。然れど我なんぢらに告ぐ、栄華を極めたるソロモンだに其の服装この

花の一つにも及かざりき。〉に当たる。

白百合 現存本文に拠ると、表題となる〈白百合〉は、其六十九で、父の遺骸のあった寝台四辺の〈卓子の上に美はしう活けられた白百合〉として出てくる。桜子は〈「オゝ白百合、妾の好きな白百合……父様も、屹度、〱、お好きであつたに違ひない、これ戴きます」〉と抜き取り、その花を抱いて歩む。〈むかし笹を肩にして狂ひし狂女を今様で行く〉（其七十）。

狂女の採りものであるが、古典藝能の笹でなく白百合であるところに須賀子好みが窺われる。

白百合については、髙木えりか「〈百合〉のパラダイム転換」（奥田勲編『日本文学　女性へのまなざし』（風間書房・二〇〇四年九月三十日）に学ぶ。髙木は言う。

> 明治三〇年代までは「白い百合」という概念は輸入されても、それはキリスト教の文脈そのままであり西洋の借り物といった様相は拭いきれない。「白い百合」が純潔や官能、恋愛、そして女性を表象する装置となるのは「明星」の登場を待たねばならないのである。

と。

例の高須梅渓「嗚呼少女」（明治三十四年一月一日刊『明星』）を、もう一度持ち出す。〈友〉の語る少女も〈一片の百合花〉、〈白百合にも似たる御身〉と形容された。須賀子の梅渓読書は証拠無しなので、比較に至らないが、「嗚呼少女」で〈友〉の語る〈一少女の運命〉と安藝桜子とを対照してみよう。

（1）誕生時の生家の経済状態。

梅渓 〈富家〉。

白百合 〈資産〉のある（其六十四）安藝家。

（2）容姿

梅渓 〈美はしき容貌〉。

白百合 桜子の美しさは〈如何に京の名妓が精神を凝しても、よも斯くまでは化粧れまいと思はるゝ程の色艶、血の気を帯びて透徹るやうに美はしく〉…以下精細に形容される。

（3）煩悶。

梅渓 〈嗚呼哀れなる少女よ。御身の文字知りそめしは、その最大不幸なりき。智識なく、品性なき少女は、漸く其境遇に甘んずることを得べし、されど御身の如く能く人道の何物なるかを知り、淑徳の如何なるものなるかを知れるものは、常に其罪悪の深きを自覚して恐れをのゝかん、御身はこれが為めに如何ばかり苦悩せしぞ、煩悶せしぞ〉。

白百合 桜子も〈煩悶てふものを覚え〉ている（其五十九）。

（4）生母の不在

梅渓 生母の死。

白百合 〈母〉が亡くなる（其五十四）。

（5）　残る保護者が無力。
梅渓　〈父の病死〉。
白百合　乳母の死。
（6）　禍。
梅渓　〈父が迎へたる継母の為めにかの女はあらゆる虐遇を受け、あらゆる鞭笞を蒙〉る。
白百合　安藝家の財産は秋夫に乗っ取られる。
（7）　純潔破壊。
梅渓　〈淫蕩なる継母の為めに妓楼に売られぬ〉。〈純潔〉が〈破壊され〉た。
白百合　桜子は秋夫に〈身を汚〉された（其五十八）。

相違点はもちろん多い。白百合で、桜子の父がロシア人公爵、という設定や、桜子の〈片思ひの恋〉の付加等である。

桜子は、妻子ある聖職者〈北岡〉へ片恋する。

〈北岡〉は、理想的男性に被さる名で〈大川喜三〉も〈何処やら北岡先生に似て居る〉と描かれ（「白百合」其六十四）る。この大川が理想郷の影の主役になる。

白百合で入水前の桜子は、四つの悩みを抱えこむ。安藝家の資産横領と、父探しと、かなわぬ恋と被凌辱の煩悶とである。

安藝家の資産横領は、秋夫・お菊焼死でけりがつく。安藝家火災はまさか桜子の報復放火ではあるまい。桜子が「理想郷」でも火の不始末を気に留めない点が気にはなるけれど、桜子は、専ら読者の同情を誘うよう、飽くまで無垢の、歯がゆいまでの被害者として描かれているので、無関係と見ておく。

父探しは、〈大川喜三〉の登場で急展開する。大川喜三の情報と配慮によって父と再会が叶えられる。父の絶息直前であるけれども。

かなわぬ恋については、続篇「理想郷」へ続く。

被凌辱の煩悶と、妙子の自由結婚と、この二つが、白百合のテーマとして残る。寒村記述に見られる須賀子の幼時被凌辱体験や「身の上相談」記事を私がしつこく追求したのも、それが当時の須賀子にとって重要関心事と思われるためであった。

「理想郷」

明治三十七年十一月十九日付『岐阜日日新聞』「新小説披露」に、

小説恋慕は本日を以て大尾を告げ明日よりは嘗て予告いたしたる如く「白百合」の後編として左の新小説を掲載すべけれど御愛読を乞ふ／理想郷　宇田川文海

と予告された「理想郷」は、明治三十七年十一月二十日付～明治三十八年一月二十八日付『岐阜日日新聞』一面（其三十四のみ四面）に連載された。署名は宇田川文海。「其五十六」までが確認できる（ただし、其九・其三十二・其三十三・其三十八は未見）。未完。以下、文海名義「理想郷」を、理想郷と略称する。

登場人物は白百合に継続するが、〈大川喜三〉（其六・七）は〈大川尭三〉（其十六以下）と変えられている。

大川の〈体量廿貫も有うかと思はるゝ大兵〉（「白百合」其六十六）というイメージは、西郷隆盛へ繋がるのかも知れない。

〈北岡〉は本作中で姿を消すけれど、類似人物として、

其ゴールドの子息らしい若紳士の風采が、心の迷ひか桜子嬢の眼には、何うしても、恋人の、今は此世の人ならぬ、北岡牧師に瓜二つ、もしやと疑はれる程好く似て居る事なのである。（其二十四）

と、〈ゴールド〉が、名詮自称、世界的大富豪の息子として登場する。

白百合より二年後、舞台は〈曾ては無人なりし南洋の一孤嶋、今は敷島山頭高く日章旗の翻る新日本〉。大川尭三を総裁に、好い人ばかり千余人が平和な一大家庭を築いている。

理想郷は、〈廿歳ばかりの美人〉安藝桜子・若者泉清一・渡辺健吉測量士の三人が、敷島山へ探検登山するところから始まる。桜子は〈此島の女王とも言ふ可き〉存在になっている。泉は〈年齢二十六七の、色の浅黒い、見上ぐるばかりの見事な体格〉とあるから、たぶん白百合最期に登場した〈雲突く好漢〉と同一人物であろう。三人は銀銅鉱・金剛石を発見し、かつ暴風雨のため十余日行方不明だった宇宙号の帰還を知る。

宇宙号からの情報で、桜子の初恋相手、北岡牧師の急死が伝えられる。宇宙号は難破船の乗客船員も運んできた。その中に、米国の資産家ゴールド父子がいる。北岡牧師と似た若ゴールドは桜子に一目ぼれ、熱心強引に桜子へ迫る。それを見て泉は心をいためる。泉に好意を持つ、醜婦のお広が泉のためにゴールドを害そうとする……。

今回判明分はここまで。中断したのであろうか。「其五十七」以下未見のため、不明である。本作の、殺人場面が引っかかったのかも知れない。

平民文庫を参考に

理想郷を、小山頼造・山口義三の伝道行商した書、平民文庫を覗きながら紹介しよう。

平民文庫のうち、

○ ベラミー氏原著／堺枯川抄訳『百年後の新社会』*、以下、ベラミーと略称。

＊平民社・明治三十七年三月九日刊か。Edward Bellamy の Looking Backward:2000-1887、初出は堺枯川の翻案「百年後の新社会」（明治三十六年九月二日刊『家庭雑誌』第六号）。

○ 安部磯雄『地上の理想国瑞西』*、以下、安部と略称。

＊平民社・明治三十七年五月二十八日。

○ ヰリアム、モリス原著／堺枯川抄訳『理想郷』*、以下、モリスと略称。

＊平民社・明治三十七年十二月二十五日。William Morris の New from Nowhere 抄訳「理想郷」(明治三十七年一月三日〜四月十七日付『平民新聞』第八〜二十三号)を補訂。

を取上げる。

例えば、平民文庫安部でいえば、

理想郷 〈我が本国の四国を小にしたる位の面積〉、島民千余で成立する(其六)〈新日本〉は、

安部 〈瑞西は西部欧羅巴の中央に位する一小国〉(二ページ)をさらに小さくした。

理想郷 桜子が〈瑞西などは、世界の公園と申す位で御座いますから、定めて好い処で御座いませうねゑ〉と言い、桜子に恋するゴールドは〈瑞西?、瑞西は中々好いです、然し日本は夫よりも、より以上です、全く世界の誇りです、殊に余は、此新日本が気に入りました〉と答える(其三十四)。〈世界の公園の瑞西〉(其四十五)とも。これらは、

安部 〈瑞西は富者の杖を曳くべき恰当なる避暑地である。海面を抜くこと千三百呎、而も山水の明媚なること世界無比と称せられて居る〉(四〜五ページ)〈世界万国の為に一大公園たるの職務を果たしつゝある〉(五ページ)を参考にしたであろう。

次に、平民文庫ベラミー・モリスと一致する点を取り上げる。

(1) 題名。

モリス 理想郷。

理想郷 理想郷。

と一致する。

(2) 自由平等社会。

ベラミー 〈総べての人が皆一様の分配を受け〉る(十ページ)。

モリス この社会となる〈変化の大なる原動力は、只無茶苦茶に猛烈なる恋人の情の如き自由平等のあこがれであった〉。

理想郷 泉は言う、〈僕等の今日の欲は〉〈世界各国総ての富豪や貴族が、己れ一人満足しやうと云ふやうなのとは訳が違つて、此新国の同胞一同が、同じやうに利益の分配して、同じやうに楽しみたいと言ふ、共同的の欲から出づるのです〉と。桜子も〈全体人間に階級など云ふものが有る筈が無い〉と応じる(其十三)。

大川英子は説明する。

〈一体此新日本には、総ての人なる者に階級が無い、上は総理の大川尭三から、下は農夫漁夫の子供に至る迄、些かも人為的の隔てが無いのである、自由平等は此新天地の基礎と成つて居るのである、されば人々互に人権を重んじて、筆執る者も肥汲む者も、あらゆる職業の上に、上下の区別が無い〉(其十七)、

と。〈上下の区別が無い〉と評しつつ〈上は〉〈下は〉と言い、〈富の分配が公平に行はれて居〉(其五十六)のに農夫の家が〈粗末な、多く丸木を用ゐて建て〉られ(其四)ともあり、〈人種排斥は禁ずべし〉とたしなめられる一方〈「毛唐の癖に失敬ナ」〉と憤慨する青年もいる(其五十一)

のは変だが、過渡期の現象であろうか。

新日本に漂着した、アメリカの富豪の洩らす感想、〈余等がヤレ旅行だの、それ漫遊だのと到る処あらゆる贅を尽して遊び歩いて居る間にも、夫等の費用を捧ぐる為に、何れ丈けの人が犠牲に成て居ませうか実に其様な事を考へると、しみ〳〵此国が羨ましいですよ、実際人間は此国のやうな社会を造る動物なんでせうねえ、神から同じ生を受けて居ながら、余等と労働者に於けるが如き、甚だしき懸隔の有う筈は無いでするもの〉（其五十）が、新日本の理念をよく伝える。

（3）　和の社会。

モリス　ハモンド翁は新社会で〈我々は只我々の好な通りに生活して居るのですが、それで自然誰か気の合った人々と一緒に住む事になって居ますよ〉と説明する（十八ページ）。

理想郷　新日本の農夫が〈新日本に来て居る人〉は〈好い人ばかり〉、〈平和な、楽しい、不平苦情を知らぬ、島民千余を一大家庭としたる、曽ては彼等が寒衾の中に夢想せし、此理想社会……否、今正に理想社会に向つて進みつゝある此新土〉で（其六）ある。

今日の社会は年一年に婦女の需用が多く成つて、或は工場に、或は会社に、歳々其数を増し行くのであるが、之等は資本家が男子よりは少しでも給料の安値なるより必要に駆られて、男子を廃し婦人を求むるより来る結果であつて、社会の大勢より言へば決して悦ぶ可き現象では無いのである。夫で婦人自身も、生活上の困難より止むなく些少の賃銀を得やうとて我勝に職を求むるのであるから、資本家と労働者の間が、如何しても暖かい訳には往かない、従つて底知れぬ冷たい結果が仕事の上にも顕はれて居るが、此裁縫場は実に夫とは反対である、和気藹々たる暖かい空気は場の内外に充ち〳〵て、何れも一寸の隙もなく熱心にそれ〳〵分担の裁縫に従事して居るのである（其十八）

（4）　労働。

ベラミー　昔の徴兵制度を労働問題に適用している（七ページ）。

モリス　ハモンド翁は〈仕事は皆楽しみですよ〉と説く（二十四ページ）。

理想郷　大川英子の説明。

〈凡ての人が業に従ふのは、私利とか私欲とか、又、衣食の為に義務的に労働すると言ふやうな観念が微塵も無い、否、各人比しく得意の業を励むと云ふの、義務は義務なれど、夫は私人と云ふものを離れた、島民全体に対しての、社会的義務なのである〉（其十七、

〈此新日本の人民は、小児、病者、廃疾者等の外苟くも普通の体力を備へた者は、何れも各々好む所の業に従ふべき義務のある〉（其二十一）ことが示される。

義務という点でベラミー的要素が残るが、〈各々好む所の業〉という点、モリスに近い。

（5）　大統領制。

ベラミー　大統領→省長→局長→団長→隊長→部長、の行政組織がある(二十〜二十一ページ)。

モリス　ハモンド翁は〈今では政府だの、陸軍だの、海軍だの、警察だの、そんな者は一切在りませんよ〉(二十ページ)〈今は政治と云ふ者はありません〉と言い切る。国家も消滅する。

白百合　〈大兵、炯炯たる眼光に美髯を蓄へた、一見新社会の大統領と仰がるゝ風采の大川喜三〉。理想郷　〈此島の大統領とも言ふ可き、総理大川尭三〉(其十六)。名前が一字違う。古代中国で伝説上の理想的皇帝の名へ変えたか。新日本が共和制かどうか、未詳。白百合の〈大統領〉も単に風采上のことと読める。

(6) 分業。

ベラミー　分業(七ページ)。

モリス　ヂツクは、職業を問われて、〈私はツマラヌ機織ですが、其外に少し印刷もやります。〉〈今度は数学をやつて見る積りです。それから私は又、チト十九世紀の歴史を調べている〉と、分業の廃止を実践する(六〜七ページ)。

理想郷　測量師、農夫が登場する。〈漁業に、農業に、工業に、夫々己が持場を定めて働ら〉く(其六)とあるから、分業が行われている。〈湯を沸かす者、薬で汚れ物を煮て居る者、洗つて居る者、晒して居る者、干して居る者、夫は〱秩序整然と各々受持の分業に、力の限り働いて居る婦人達〉(其二十九)の細かい分業も示される。

分業はベラミー的段階に止まる。

(7) 公食堂の存在。

ベラミー　主人公は〈我々の食物は総べて公立の料理所から供給せられるので、大概、朝と昼との二度は内で手軽な物を食べて、夕方だけ皆打連れて公食堂に行つて御馳走を食べる事になつて居るのです〉と説明される(十七ページ)。

モリス　主人公が朝食を食べる〈客館〉や、昼食をとる〈食堂〉が公食堂であろう。

理想郷　〈自ら好んで自炊をなす者の外は、食事は総て公食堂なる大建築物があつて、何れも其処に至つて、自由に食する事に成つて居る〉(其二十一)。

(8) 恋の人殺し。

モリス　〈時としては人を殺す事も無いではありません〉(二十二ページ)。一人の美女と二人の男の争い。女に厭われた男は〈其心を狂はせて、在りあはせたる斧を取上げ、恋の敵を打倒した〉、後〈今度は自殺したいと云つて居る〉(三十五ページ)。

理想郷　若ゴールドの存在がやはり桜子に恋する泉を悩ませる。そのまた泉に恋するのが島一の醜婦・お広。お広は泉から認められたくて、若ゴールドの命を狙う。未完なので、その後は不明。

〈理想郷〉とはいえ、恋の人殺し(未遂)騒ぎがある点はモリスがヒントか。

次に、平民文庫ベラミーやモリスと齟齬する点を取り上げる。

（1）新世界。

ベラミー　国家である（六ページ）。

モリス　国家は消滅している（二十ページ）。

理想郷　新日本は〈好い人間ばかり〉大川喜三が撰んで住民とする〈新世界〉（其四）、〈日本の不平等な社会に飽き〳〵して居つた〉人の集合した（其十二）〈国〉である。〈日章旗〉を掲げる（其十六）。

（2）時空の相違。

ベラミー　アメリカ・ボストン市の主人公が催眠術にかかって百年後の社会を夢見る（一～三ページ）。

モリス　イギリスの主人公が未来の理想郷を夢見る（二十六ページ）。

白百合　大川喜三妻・英子の説明に拠れば、新日本は〈横浜の豪商であるが、持て生れた冒険好〉大川喜〔尭〕三が〈去年来此船で、まだ人の行かない無人嶋を発見しやうと、西に東に航海した末まだ比較的野蛮な、南洋を目的に行きます中〉発見した。（其六十五）。夢落ちかどうかは、結末未見のため分らない。

ベラミーやモリスが未来を夢見たのに対し、白百合・理想郷は南洋海中に新日本を建設させた。

　となると、大日本帝国と共存するわけで、その関係が問題になる。大日本帝国民の義務は新日本にまで当然及ぶであろう。その中で、自由平等社会を維持して行くことは難しいのではないか。

理想郷はこの点ではベラミーやモリスよりも、西村天囚や押川春浪や伊藤銀月の世界に近い。

（3）文明の進歩。

ベラミー　物品陳列場の運輸管、〈運輸管と云ふのは水道の鉄管の様な者で、空気の圧力を用ゐて、手紙でも、小荷物でも、極めて速かに遠方に送る事になつて居る〉（十二ページ）。〈総べての人が自分の内で何の音楽でも自由自在に聞く事が出来る〉（十三ページ）音楽室、道路の雨覆。

モリス　〈石炭や蒸気の時代が去つて、電気か何かを自由自在に使ふ様になつた時代〉。

白百合　やっと、〈宇宙号と称する、小軍艦とも言ふ可き蒸気船〉が出てくる程度。

ベラミーやモリスには空想科学小説的要素があるけれども、白百合・理想郷にそれは期待できない。

蒸気船とはいえ、淀川に浮ぶそれが世界中を駆け巡る設定も危ない。

（4）貨幣類の有無。

ベラミー　切手・現物支給（九～十ページ）。

モリス　消滅（四ページ）。

理想郷　測量師・渡邊は銀銅鉱を掘り出し、桜子も金剛石を発見する。大川英子いわく〈今少しお金が無いと、是と言つて思ひ切つた事が出来ませんからね〉と金銭収入を計画する。

ベラミーやモリスが金銭無用の世界であるのに、理想郷には宝石譚が多い。須賀子は山師だった父の関心を受け継いでいるのであろうか。〈新日本の大財源〉(其二)・〈共同的の欲〉(其十三)と、個人的のそれでないことを断っているとはいえ、〈財〉や〈欲〉が住民の意識に厳存する。

(5) 労働者の団結による現在という歴史の有無。

ベラミー　旧社会を動揺させた第一は〈労働者の団結〉、〈労働者のストライキ〉であった(四ページ)。

モリス　〈労働者の結合〉、労働者の〈総同盟罷工〉(三十ページ)であった。

理想郷　労働者の団結、ストライキについて、言及無し。新日本は、南洋で〈不審にも一つの大きな、気候と言ひ、地質と言ひ、草木から水に至るまで、これこそ天から我々に与へられたのではあるまいかと思はれるやうな無人嶋を発見しましたので、良人は申す迄もなく乗組だ同志の人々の喜び、直ぐに夫を新日本と名けまして、其処を根拠地と定めたので御座います〉と、大川英子は説明した(其六十五)。僥倖の結果である。

須賀子の描く理想郷は海の彼方の無人島。〈今日の、日本の社会組織に飽足らないで、別に理想の新社会を作るといふ望み〉を持った、〈好い人ばかり〉、千余人くらいが、〈大統領〉あるいは〈総裁〉あるいは〈総理〉と仰がれる風采の人物を中心に、小空間を〈根拠地〉として、〈平和な一大家庭〉を築き、〈分業の工場で〉〈各自人間の天性を発揮〉し、〈同胞一同が、同じやうに利益の分配〉を受け、〈富の分配が公平に行はれてゐる〉、概ね〈階級〉が無く、〈平等な世〉である。

社会主義といっても、

1. 経済的公平を目指す、

点のみ明確だが、

2. 大日本帝国と新日本との関係が不分明で、
3. 労働者政権獲得への展望を欠き、
4. 唯物主義をとっていない。

社会主義の原理からでなく、ベラミーなどの未来社会的雰囲気に惹かれて近づいたものらしい。

小児的空想

平等といっても、むろん悉皆無差別ではない。美醜などの差別は厳存する。桜子の美しさが強調される。人柄と相俟って神格化さえ見られる。いわく、〈此地の弁天様〉(其五)・新日本の青年団は〈桜子嬢に敬服して、例へば旧教徒がマリヤに対する如き信仰……愛敬の念を持つて居る〉(其六)・〈絶世の佳人〉、ゴールドにとっては〈女神のやうな気高い姿〉(其三十五)、新日本の女房達の評も〈清い神様のやうな方〉(其四十)云々。〈女性の美醜を問うこと自体が男性優位の産物だともい

える だろう〉（山崎正和『アメリカ一極体制をどう受け入れるか』（中央公論新社・二〇〇三年十二月十日）に、それを注意する気配はない。

桜子は金髪美人である。桜子の美は〈雑種児〉（其四）とも関わる。内藤千珠子『愛国的無関心』（新曜社・二〇一五年十月三十日）は〈明治期における「混血」の表象については、広津柳浪の新聞連載小説『異だね』（『読売新聞』一八九四年七―一〇月）のなかで、イギリス人「洋妾」の子として生まれた「雑種子」の主人公の、赤い髪と緑の眼という異質な「美」が差別的に有標化されるという様式や、苦難と不幸を配置する物語の形式が参考になる。〉と書く。同作未読のため、私は立ち入れない。金髪美人は西欧憧憬の現れとも、あるいは主人公をナルシシスト著者の反映ととられないための予防策とも考えられるが、奇抜である。

〈身を土佐堀川に沈めた〉桜子は〈小軍艦とも言ふ可き蒸気船〉宇宙号に救われた。土佐堀川を通行するからには、宇宙号は川蒸気船である。とすれば、これに遠洋航路が可能かどうか、疑問である。寓見の、と学会編著『と学会白書Vol.1』（イーハトーヴ出版・一九九七年九月九日）は、中沢啓治「すすめ！ドンガンデン」を取上げ、少年が象をインドへ送ろうとする船のポンポン蒸気船である点をついて、〈絶対、途中で海の藻屑と消えますね〉とコメントする。これと似た感想を否めない。

＊近藤文二「明治初年大阪に於ける川船交通」（昭和四年十二月二十五日刊『明治大正大阪市史紀要』第十五号）は〈真偽の程も不確〉ながら、明治三年〈淀川に於ける汽船の嚆矢である〉淀川丸は〈噸数百十噸〉。野間恒『増補豪華客船の文化史』（NTT出版・二〇〇八年七月八日）に拠れば、日本郵船の欧州定期第一船土佐丸は五四〇二トン。

桜子は〈新社会の大統領と仰がるゝ風采の大川喜三〉の妻・英子から〈新日本〉の説明を受ける。宇宙号が、

まだ人の行かない無人島を発見しやうと、西に東に航海した末まだ比較的野蛮な、南洋を目的に行きます中、不審にも一つの大きな、気候と言ひ、地質と言ひ、草木から水に至るまで、これこそ我々に与へられたのではあるまいかと思はれるやうな無人島を発見しましたので、良人は申す迄もなく乗組だ同志の人々の喜び、直ぐに夫を新日本と名けまして、其処を根拠地と定めたのでムいます

と（其六十五）。南洋の無人島にヒントは、西村天囚「快男児」の〈新日本島〉、押川春浪『〔海島冒険奇譚〕海底軍艦』（文武堂・明治三十三年十一月十五日）の〈朝日島〉など、南進論反映小説類であろう。創設者個人に撰ばれた小人数が小島で公平理想郷を建設する点も、佐藤儀助編（銀月著）『美的小社会』＊（新声社・明治三十五年十二月十五日）にある。少年冒険小説の趣に近い。

＊『美的小社会』の存在は、横田順彌「近代日本奇想小説史第41回」（二〇〇五年九月一日刊『SFマガジン』）に教わった。

そして何より肝心な、労働に対する思索が、大人のように練れていない。ベラミー・モリス〈両者の重要な相違点のひとつは、たしかに労働観にある〉（モリス『ユートピアだより』（岩波書店・二〇一三年八月二十日）の、

川端康雄「訳者解説」）。労働を否定的に扱うベラミーに対し、モリスは労働の喜びを志向する。こういう労働に対する思索に理想郷の須賀子は深い関心を示さない。桜子は〈三十人ばかりの、幼稚園の園長〉（其二十二）であるが、その労働場面は〈天使の如き愛らしい子供等を相手に、数時間の慰籍を得〉る（其二十四）以上に描かれない。

　平民社で労働について一番真剣に取り組んだのは、原子基・深尾韶・渡辺政太郎の平民農場であろう。*平民農場に挫折した深尾韶の静養地・興津へ、須賀子が転地するのは、明治四十年冬であり、労働の意味を思考するのもまだ先のことである。

＊平民農場について私は、

・中村還一「平民農場」（昭和三十九年七月十四日付『北海タイムス』）
・山田昭夫「平民農場の興亡」（昭和四十三年五月二十四〜二十五日付『北海道新聞』。初出未見。『有島武郎・姿勢と軌跡』〔右文書院・昭和五十一年。初版未見。昭和五十四年七月三十日改訂二版に拠る〕）
・山田昭夫「平民農場の人々」（昭和四十三年七月十日付『北海道新聞』。初出未見。同右。）
・菊地寛『赤い靴はいてた女の子』（現代評論社・一九七九年三月十日）
・小池喜孝『平民社農場の人びと』（現代史出版会・一九八〇年十二月十日）
・北村巌「平民農場とその周辺」（二〇〇三年十一月十五日刊『初期社会主義研究』）
・阿井渉介『捏造はいてなかった赤い靴』（徳間書店・二〇〇七年十二月三十一日）を瞥見したに過ぎない。

平民農場関係者のからむ童謡「赤い靴」騒動を、阿井は〈虚妄の増殖〉と評した。〈妄などではなかった〉説の流布も類似の現象であろう。

　大逆事件は先のことながら、三宅雪嶺『同時代史第四巻』（岩波書店・昭和二十七年三月二十五日）が「明治四十四年」項で〈大逆事件の一人大石が冗談より駒が出でたりと云へるは、幾許か肯綮に中るべし。事件の大小は必ずしも当事者の意志に比例せず、根柢の深くして結果の小なるもあれば、小児の戯れに似て世間を騒がすこともあり、小児が戯れに火を放ち、多くの人を騒がすことなしとせず。幸徳一派は或る程度まで小児病に近くして、偶々大逆罪に問はれ、世間が之れに注意を奪はれたるが〉…と書く。須賀子の〈小児病に近〉い一面が、理想郷に早くもチラホラ窺えるのではなかろうか。

恋物語

理想郷の主眼は理想社会の披露としても、桜子をめぐる恋物語でもあった。北岡急死により桜子の初恋は終焉し、泉清一を軸に、新しい恋争いが展開する。

　なお桜子譚とは別に、作中、新日本の青年団員が〈年齢は十六か七か、色こそ黒けれ、眼鼻立のはつきりした〉〈お光〉に〈視線を集める場面がある。〈彼女も女性、女子に通有の一種の魔力は備ゑて居る〉とある（其七）。coquetterie の謂いであろうか。

　須賀子は〈女子に通有の一種の魔力〉を弁えている。現実から会得したのであろうが、本からだとすると、例の青柳有美「鼻毛を読む法」を思い出す。性的挑発で男を操る法を伝授する文であった。

白百合が、ヒロインの妻子ある年上男性への片思いを描いたのも、ひょっとすると文海宛てのサーヴィス設定であったかも知れない。

理想郷に戻る。〈幼稚園の園長〉の仕事は殆んど描かれず、美しい桜子は専ら多くの男性を接待し、愛される。まるでチエーホフ「ワーニャ伯父さん」アーストロフの台詞〈なるほどあの人は美人だ、それに異存はありません。けれど……じつのところあの人は、ただ食べて、寝て、散歩をして、あのきれいな顔でわれわれみんなを、のぼせあがらせる——それだけのことじゃありませんか。あの人には何ひとつ、しなければならない仕事がない〉(神西清訳『かもめ・ワーニャ伯父さん』〈新潮社・昭和四十二年九月二十五日〉)に似て居る。かような主人公を書くとき、須賀子に浮かんだモデルがあった。

モルガンお雪

モルガンお雪こと加藤ゆきである。加藤ゆきなら、無署名雑報「外人の失恋」(明治三十五年三月七日〜二十六日付『大阪朝日新聞』)で有名である。同作は、

(一) 明治三十四年春、モルガンがゆきを見初める。ゆきは従うつもりがない。

(二) 九月、帰国したモルガンへ、ゆきの兄音次郎が〈旦那と別れた〉旨、偽手紙を送る。

(三) 三十五年一月、モルガンはゆき落籍のため入洛する。

(四) ゆき、モルガンを断念させるため、四万円を要求する。

(五) モルガン、法律学者ビグローと相談し、二万現金残金月賦と回答。

(六) 音次郎、下女おまつを取り込み、策動する。

(七) モルガン、怒る。

(八) ゆきには恋人がいた。

(九) 学生・山下春作〈仮名〉である。

(十) ゆき、おまつを味方につける。

(十一) おまつ、まずビグローを帰国させる。

(十二) モルガン、行動が粗暴になる。

(十三) 三十六年三月六日、モルガン、ピストル自殺を図る。

(十四) ゆき、それを思い止らせる。

(十五) モルガン、帰国を決意。三月九日、離京。

(十六) モルガンは再来日を予告している。

と報じた。

この記事が喜ばれ、多くの人に読まれたことは、夏の〈大阪の一名物〉陶器神社の造物の一つ、〈朝日新聞雑報、外人の失恋、米人モルガン、藝妓おゆき〉となる例で知られる。須賀子自身の文章を引けば、

新意匠の表れて居るのは(外人の失恋)モルガンとお雪——モルガ

ンが、手に持てる煙草を忘るゝ迄、お雪の色に心ひかるゝ様、お雪が弾ずる胡弓に心を入れてモルガンの情をよそにしてゐる趣、双方の不調を能く表して、頗る妙である（「陶器神社の造物」）。

と紹介される。

その後、ゆき四万円の評判が高くなる。三十六年六月、モルガン再入洛、島原遊廓へ通う。七月、ゆきの恋人・川上俊介、帝大卒業。二人、別れる。三十七年一月二十一日、モルガンとゆき、結婚。アメリカへ出国…と続く。小坂井澄『モルガンお雪』（講談社・1975年4月24日）に詳しい。

須賀子は、同い年で、世間の評判を集める加藤ゆきに関心を持ったのであろう。彼女の話題を、[理想郷]其四十七、父ゴールドが若ゴールドへの台詞中、

兎に角御身の身の上なら、何の様な婦人でも自由に成らぬと言ふ筈は無い、現にモルガンを見なさい、一時は非常な頑固であった雪とか言ふ婦人さへ、遂には靡いて了ったでは無いか、

に取り入れている。

ゆきと桜子とを比べてみよう。

[一] 祇園生れ。

[加藤ゆき] 祇園〈新地にて胡弓の名人と云はれし程の加藤次香の実妹〉（二）。

[白百合] 〈西の京なる祇園の里に〉〈西と東の都をとほして、五本の指に数へらるゝ、富士子と云へる解語花〉の子（其五）。

[二] 美女。

[加藤ゆき] 〈容貌も亦十人並勝れた〉、二十二歳（二）。

[理想郷・白百合] 〈美人〉（理想郷其二）、〈十九か廿歳〉（白百合其一）。

[三] 接客業。

[加藤ゆき] 〈藝妓〉（二）。

[理想郷] 桜子は〈幼稚園の園長〉だが大川の願いで〈難船なすつた方々の歓迎会〉に（其二十二）、〈接待掛とでも言つたやう〉（其二十五）なかたちで出席する。

[四] 富豪子息の出現。

[加藤ゆき] 〈米国ニューヨルクに於て銀行及鉄道業に従事し居る豪家ジョーヂデンソン氏の息子ジョーヂモルガン（三十二年）〉（二）。

[白百合] 〈米国の大富豪ゴールド〉の〈子息〉（其二十四）。

[五] 男は女の才藝に感動する。

[加藤ゆき] 〈モルガンは其頃円山也阿弥に滞在し居たるがその夜ゆきの風姿のしとやかに舞も胡弓も堪能なりしに心残りて也阿弥楼に帰りし後もゆきの事忘れられず　〉（二）。

[理想郷] 桜子のヴァイヲリンが〈静かに弓を擦り初めた。急ちにして低く、大海の怒涛逆巻き来るかと思へば忽然潺々たる渓流の岩に砕くる響きあり。暮寺の鐘声に似たる無常の音あれど、美女の怨恨にも似たる絹を裂くの泣声あり、千変万化、秘術の妙は極まり、聴者一

同昏々として、暫時は悲哀の淵に投ぜられて居るのであった〉（其三十）。
〈「欧米の専門家にでも彼れ程の名手は無い、断じて無い」ベンヂヤミンゴールドは、我知らず呟かざるを得なかった〉（其三十一）。

［六］　富豪子息は女に求婚する。
［加藤ゆき］　モルガンより求婚される。
［理想郷］　桜子も若ゴールドより求婚される。

［七］　女には別に恋人がいた。
［加藤ゆき］　〈身命を掛けて末の末まで夫婦約束を固めし〉人あり（九）。
［理想郷］　桜子も〈曾て〉〈恋の悶え〉があった（其四十四）。

……と、桜子のモデルをモルガンお雪こと加藤ゆきと比定してよい。

桜子の母富士子のモデルもまたモルガンお雪である。モルガンお雪は富士子桜子二重のモデルである。富士子は、京都祇園の解語花（略）〈昔はふるあめりかに袖ぬらさじと、命を捨てた遊女もあるを、言葉にあまる誠のかず〳〵につい絆され、まゝよ僅か五十年の生命、人は笑はゞ笑へ謗らば謗れ、まことの情けある人なれば、異国人とて、許すに何の差支ない筈と、あれ〳〵富士子は黄金の為に、外国人に身を売つたと、雷鳴の如き世間の批評を、かよはき其双肩に担ふて、浮世を他所の妾宅に、誰憚からず腕組合して、酔後の庭のそゞろ歩きした〉人物（「白百合」其五）、露国貴族と結ばれた〈京は祇園に才色並ぶ者なかりし歌妓〉（「理想郷」其二十六）と設定されている。

おそらく、この後の桜子は、母富士子を繰り返さない。金権を斥け、ゴールドの失恋、泉との恋…と展開するのであろう。しかしこの予想の当否は、［理想郷］「其の五十七」以後未見の現在、不明と言うしかない。

用語〈醜業婦〉の消失

先に、須賀子の文海師事時代を便宜的に三分した。

Ⅰ期　明治三十五年六月〜三十六年四月
Ⅱ期　三十六年五月〜三十七年三月
Ⅲ期　三十七年四月〜三十八年二月

である。

全集の用語〈醜業婦〉使用回数で言えば、Ⅰ期百四例Ⅱ期一例Ⅲ期ゼロと、Ⅰ期に集中している。用語〈醜業婦〉を直接は『萬朝報』から仕入れたとしても、〈醜業婦〉にならざるを得ない事情、プロセスや心理には全く無頓着で、彼女達を攻撃した態度は、基督教矯風会のそれと同じ。佐伯順子『文明開化と女性』（新典社・一九九一年三月二十五日）がいうように、キリスト教フェミニストたちは〈女性解放をうたいながら芸娼妓の存在を無条件に軽蔑してかかろうとする〉。

国家神道の浸透下、天皇神聖観を楯にさらに威丈高になる。

Ⅰ期の著作として、博覧会余興反対キャンペーンが有名である。小稿では須賀子「博覧会百物語」を取り上げた。

幽月女史「再び市民諸君に告ぐ」（明治三十六年四月九日付『大阪朝報』）にはようやく〈女史は決して彼等賤業婦其人を憎むのでは無い、（略）其業をこそ厭へ、其人を憎むの念は寸毫も無い〉と、文海等の助言があったのかもしれないが、行き過ぎ訂正が見られる。

既に〈社会の罪〉という観点を得ていた須賀子は、〈醜業婦〉に同情を寄せ始める。この〈社会〉を資本主義社会と特定すれば、資本主義社会の罪となり、社会主義への展望が拓けて来る。幸徳秋水『社会主義神髄』（朝報社・明治三十六年七月五日。初版未見。『幸徳秋水全集第四巻』（明治文献・昭和四十三年六月二十日）に拠る）は、〈好し高利に衣食せよ、株券に衣食せよ、地代に衣食せよ、今の所謂文明社会に処して然る能はざる者は、則ち長時間の労働也、苦痛也、無職業也、餓死也。餓死に甘んぜずんば、則ち男子は強窃盗たり、女子は醜業婦たらんのみ、堕落あるのみ、罪悪あるのみ。〉と書いていた。〈醜業婦〉は、餓えに迫られる〈今の所謂文明社会に処して然る能はざる者〉の究極相となる。

Ⅱ期。キリスト教原理主義の非戦論に共感しながら、キリスト教現実主義の戦争協力活動にも加わる。『基督教世界』『みちのとも』寄稿で鬱憤を晴らす。

無職になった須賀子の生活は次第に困窮する。大金必要の弟正雄の渡米もあった。

Ⅱ期の特異な著作として、玉香女史名義の「真心」（明治三十六年七月三十日付『扶桑新聞』）がある。これは絵入りで一見読みきり読物のスタイルながら、内容は薬の広告である。売文の暮らしであった。

Ⅲ期。この時期の理想を窺える言説、「白百合」「理想郷」が見つか

扶桑新聞

真心　玉香女史

婦人神經丸

った。

士族的教育は、恋愛結婚で軋みを生じ、抑圧にと化す。「白百合」桜子と妙子との会話中に、〈「妙子さん、恋と義理とは何ちが重いでせうかね……」〉（改行）と、不思議な問を突然に発した〉（其五十四）〈恋と義理と何れが重きぞとの桜子の問に、妙子は流石に直ぐには答へかねた、と云ふのは、己れ自身の経験上より言へば、咄嗟に恋を重しと答へねばならねど、今日迄の教育の倫理道徳には、常に義理を重しとせられて居る世の中なれば、直ぐに答へかねたのも決して無理では無いのである〉（其五十五）と。

「理想郷」では、主人公・桜子の一モデルを、モルガンお雪に求める。お雪は〈結婚により、〃セレブ〃の生活を手に入れ、世界にはばたく〉（佐伯順子『明治〈美人〉論』〔NHK出版・二〇一二年十一月三十日〕）藝妓だった。I期に〈醜業婦〉と毒づいた藝妓が今や範例となる。

用語ワーキングガールは、〈二〇世紀になると「売春婦」をも意味するようになる〉（山口ヨシ子『ワーキングガールのアメリカ』〔彩流社・二〇一五年十月三十一日〕）。しかし当時性労働という概念はなかったであろう。森鷗外は、〈社会の妾を賤しむはそのたてすごしを以てなり〉と書く。小堀桂一郎訳・解説『森鷗外の『智恵袋』』（講談社・一九八〇年十二月十日）に拠れば、〈たてすごし〉とは、〈たかり根性に生きる〉こと、〈自らは労せずして他人の庇護にのみ寄生するような生活〉である。沢寿次『妾』（有紀書房・昭和三十四年五月十五日）に拠れば、〈今も昔も妾の相場は、サラリーマンの月給の一ヵ月分ということになるらしい〉。

小稿の範囲を超えて、文海と離別後の『牟婁新報』を覗くと、須賀子の廃娼意向は不動ながら、〈醜業婦〉観が一変している。

> 彼も人なる、我等の同胞なり。（改行）聖なる可き婦人の操を、風を逃れて暫時の碇泊せる船人に、些かの金に代えて鬻ざるを得ぬ、悲惨極まる其境遇や。（改行）噫、是果して誰の罪ぞや、噫。

と、娼婦への共感（須賀子「見聞感録」〔明治三十九年二月十五日付『牟婁新報』〕）を表明する。

・大谷 1989a

> 『牟婁新報』紙上に掲載された管野の文には、もはや娼婦を「醜業婦」「売女」とののしる言葉はあらわれない。彼女は、売春しなければ生活できない女性の味方になり、売春を社会問題として把握することができるようになっていたのである。（四十九ページ）

・田中 2016

> 『大阪朝報』時代の須賀子なら、彼女らを「醜業婦」と侮蔑し、口を極めて非難したにちがいない。あれからわずか三年だが須賀子は、社会の底辺で春を鬻ぐ女性たちの境遇への痛みを感じ、同胞と思えるようにもなっていた。（六十七ページ）

・堀 2018

> 『大阪朝報』時代、須賀子は娼婦のことを時に「醜業婦」と表現した。そこには自分とは違う道徳性の低い存在として、蔑視する

姿勢があったのではないだろうか。〔改行〕だが、「彼も人なり、我等の同胞なり」という言葉に、須賀子の人間的な成長が見てとれる。須賀子は、売春しなければ生活できない女性を、自分自身に重ね合わせて、怒りを感じているのだ。（四十九ページ）

と三人とも、この変化に気付きながら、いずれもその原因を考究しない。〈妾などではなかった〉説を前提とするからであろうが、一考を要する。須賀子「田辺婦人矯風会例会」（明治三十九年三月十八日付『牟婁新報』）では、〈妾の一身の上より言へば、稍思想の変化せる此頃、矯風会其物の上に、飽足らぬふしは少なからねど〉と記し、矯風会とも距離を置く。

「理想郷」に戻る。無論、お雪と主人公桜子とには差異がある。ましてお雪と須賀子とでその距離は拡がる。須賀子にお雪ほど、男から愛される理由はなかったであろうし、相手が独身の若い男性でない点が決定的に違う。理想というより、夢想というべきであった。無惨である。「白百合」「理想郷」では須賀子の作品にその〈名を署〉すことすら適わなかった。

付　後日譚

思い出の文海

大阪を去った須賀子は、自分を『大阪朝報』記者に採用してくれた永江為政に恩義を忘れず文通を続けたけれど、文海とは連絡を絶つ。文海との生活への〈反省と反撥〉があったためであろう。

〈曾て妾の師*が、御身程婦人としての欠点の多い婦人を見た事が無い、まあ大きく評すれば、太平の奸賊、乱世の英雄肌だナ、と妾を評し給ひましたが、まこと静かに思へば思ふ程、妾は始末にイケない女です。〉と綴った幽月「感片」（明治三十九年四月六日付『牟婁新報』）に出て来る〈師〉がおそらく文海であろう。

＊この〈師〉を、荒木1980は長田しんと比定するが、しんなら〈霊の母上〉と書くのではないか。堀2018は文海と比定する。

思い出の須賀子

文海にとって須賀子は、好色心の対象であったとしても、愛の幻想が交じらなかった訳ではない。

須賀子が師事して間もない頃の文海に「愛のはたらき」なる社説がある。明治三十五年九月十五日刊『みちのとも』に載った。当時の文海の愛論を窺える。

全体を紹介しよう。その第一段は、

何事をするのも、義務の念に駆られて、よんどころなくしてはいけません。愛の心に励まされて、いさんで為なくてはいけません。義務といふものは、私共を縛るものであります。義務を以て為した事に、温かな、緩やかな所はありません。教祖が「よくをわすれてひのきしん、これがだいいちこへとなる」と教へられたのは、乃ち此理を説れたものであります。

という調子で、各段、教祖の言葉が添えられて進行する。教祖の言葉の紹介部分を省いて、各段の趣旨を写そう。

人の悪を責めたからとまをして、其人はそれで心の直るものではありません。若も人を直さうと思ふならば、其善を認め、之を奨励するに若くはありません、善の大洪水を起して、悪の毒流を洗ひ去るのが、天理教信徒の社会改良法であります、

が、第二段。

愛は人の悪を念はずといふことがあります、即ち愛は人の悪に意を留めないと云ふことであります、他人の悪事にのみ眼のつく人は、愛の人ではありません。私共心に神の愛を受ますれば、人の悪が見えなくなります。即ち悪に就ては盲人となります、恰是「親馬鹿」とか申しまして、親には其子の悪が見えないやうに、私共も「親馬鹿」とでも申しませうか、神の子となつて、同胞の悪が見えなくなります。私共は神の愛に充されて、悪に対しては、全く馬鹿者とならなくてはなりません。

が、第三段。

神を愛してそして此人世を見て御覧なさい、人世といふものは決して救済の希望のないものではありません〔行末句点省略〕此世には善人は沢山おります。又その悪人と云ふ者でも、多少の善性を具へないものとてはありません、若世に善といふものが全くなければ、私共は絶望すべきでありますが、然し善なるものが、此くも沢山あるとしますれば、私共の失望は全く無用であります。

が、第四段。

世の改良とは、人の善を認めて、其悪に意を留めないことであります。さうすると善は段々と勢力を占め、悪は段々と自然に消えて了います。若し人が善を以て私共に対しますれば、私共は厚く之を謝すべきであります。然し若し彼が悪を以て私共に対しますれば、私共は善を以て之を迎へ、水が火を消すやうに、善を以て悪を消さなければなりません。悪に反対して私共は悪を増させるばかりでは、何の功もありません。悪を殺す法は、つまり悪に逆はないことであります。

が、第五段。

神は此世を救ひ給ふに、懲罰の剣を以てしられません、神は無限の愛を以て、我等人類に救ひたまひます。私は神とは決して怒らないものであると思ひます。私共が若も神を辱めることがあれば、神は私共のために、泣きたまふのみであると思ひます。教祖は、実に此様な方でありました。教祖は世に云ふ憤怒なるものはありませんでした、教祖は、総て柔和に、総て謙遜におはしました。世に教祖を怒らせる方法とては、一つもありませんでした、教祖は世を救ふのを途として、私共に無限の忍耐を教へられました、

が、第六段。

故に私共は、教祖に習はなければなりません、今日只今より私共の心の中に、憤怒といふものゝ全くないようにいたしたいものであります。今日只今より私共は悪に対しては全くの馬鹿になり、笑顔を以て瞋恚に対し、祝福を以て怨恨に応じ、世に善の奨励蕃殖を計つて、悪を消滅いたしたいものであります。

が、第七段で、了。

唯心的な愛による〈社会改良法〉である。漠然とした、摑み所のない説教であるが、いかなる悪に対するにも愛を以て解決し得べしと言うのであろう。

この社説は、宇田川文海編『天理叢書第一 嗚呼教祖』（木下真進堂・明治四十四年四月二十五日。初版未見。大正三年四月十五日刊三版による）に再録される。その際、第六段中の〈私は神とは決して怒らないものであると思ひます。〉を削除抹消するなど、字句の異同がある。再録時、全体の終了後に、次の文言を付した。

編者は此編を校正するに当り、時事に感ずる所あり、社会、人心を改良するは、此の、『愛のはたらき』にあると、しみ〴〵感じた。（四十四年二月某日）

と。

〈四十四年二月某日〉という付言執筆時期から見て、〈感ずる所〉を起こさせた〈時事〉は大逆事件、明治四十四年一月二十五日須賀子刑死に違いない。付言は、〈善の大洪水を起して、悪の毒流を洗ひ去る〉〈天理教信徒の社会改良法〉を採らなかった須賀子の言動への批判と読める。と同時に、須賀子を死刑に処して〈悪を消〉させた当局に対しても、〈愛の人〉の遣り方でないと異議申し立てしているように、読めなくもない。

事件報道後世間では、礫川逸客「大逆臣天誅記」（大正二年九月一日刊か、『武侠世界』のように〈八裂にす可き大逆賊〉視する須賀子評が氾濫した。その中で、すっかり掛け違ってしまったけれど、文海は一人〈しみ〴〵〉、師事して間もない頃の須賀子へ思いを馳せていたらしい。

初出一覧〔いずれも文章を改訂した〕

第一章の〈付〉二〇一八年七月十五日刊『日本古書通信』
第一章二の1、二〇一八年三月十五日刊『日本古書通信』
第一章二の2、二〇一八年四月十五日刊『日本古書通信』
第一章二の3、二〇一八年五月十五日刊『日本古書通信』
第一章二の4、二〇一八年六月十五日刊『日本古書通信』
以外　新稿

お断り

○〈石川啄木〉の〈啄〉が不備な印字になっています。
○索引の原稿を作成できませんでした。

諸機関へ御礼　資料掲載許可機関一覧

○国立大学法人東京大学大学院法学政治学研究科・法学部近代日本法政史料センター明治新聞雑誌文庫〔マイクロフィルム版『大阪朝報』・同『大阪毎週新聞』・同『岐阜日日新聞』〕
○国立国会図書館〔マイクロフィルム版『大阪朝報』〕
○名古屋市鶴舞中央図書館〔コピー版『扶桑新聞』〕
○岐阜県立図書館〔岐阜新聞社の「岐阜新聞データベース」〕
○エル・ライブラリー〔『大阪新報』〕
○天理図書館〔『みちのとも』〕
○京都府立京都学・歴彩館〔京都府行政文書〕
の所蔵資料を利用させていただきました。御礼申し上げます。

○・幽月女史「大阪滑稽つくし（三）」（明治三十六年一月二十五日付『大阪朝報』）
・幽月女史「黄色眼鏡―博覧会の余興に就て（一）・（二）」（明治三十六年一月二十五日付『大阪朝報』）・宇田川文海「白百合（其四十八）・（其五十三）〜（其七十）」（明治三十七年八月二日〜二十八日付『岐阜日日新聞』）・宇田川文海「理想郷（其三十四）〜（其三十七）、（其三十九）〜（其四十五）、（其四十七）〜（其五十六）」（明治三十八年一月一日〜二十八日付『岐阜日日新聞』）は、国立大学法人東京大学大学院法学政治学研究科・法学部近代日本法政史料センター明治新聞雑誌文庫から、
○・『大阪経済雑誌』第十年第八号・明治三十五年七月一日付『大阪朝報』・明治三十六年一月二十五日付『大阪朝報』・明治三十六年四月十九日付『大阪朝報』は、国立国会図書館から、
○・玉香「真心（上）」および薬の広告（明治三十六年七月三十日付『扶桑新聞』）は、名古屋市鶴舞中央図書館から、資料掲載を許可いただきました。
御礼申し上げます

旧著書誤記誤植の訂正

本書で、私は、しばしば誤記誤植の訂正を放棄した先行説を難じている。だが、そういう私自身、既刊拙著の誤記誤植を放置してきた。著書を一旦刊行してしまうと、不特定多数の読者に正誤する機会が無いからである。気になって仕方が無い。拙稿を信じて引用される方が出れば、誤りを再生産させてしまう。いたたまれない気分になる。

今の所判明した既刊拙著の誤記誤植を訂正する。場違い承知ながら、お詫びとともに本書に付すこととした。既刊拙著と同著者の本ということで

手にとって下さった場合もあろうかと想像したのである。そうでない読者にはご迷惑と知りつつ、自費出版者のわがまま勝手をどうぞお許しください。改訂理由までは紙幅の都合で書けず、結果のみの報告に終る。

　逐次刊行物上の誤記誤植の訂正法は、今後考える。

◎『漱石作品論集成別巻・漱石関係記事及び文献』（桜楓社・一九九一年十二月十日）

・目次三ページ上段四行目〈MEREDITHE〉を〈MEREDITH〉と改める。
・二二ページ下段十六行目〈句〉のルビ〈〵〉を〈く〉と改める。
・二四ページ上段十三行目〈万〉のルビ〈はん〉を〈ばん〉と改める。
・三一ページ上段本文一行目〈感じて、〉の読点を取り一字アキとする。
・同ページ上段本文四行目〈事が、〉の読点を取り一字アキとする。
・同ページ下段本文六行目〈区長〉を〈口調〉に改める。
・四四ページ下段七行目〈丁扶〉を〈丁抹〉と改める。
・六〇ページ⑤—5説明〈一分かつら〉を〈一分かゝら〉と改める。
・一三〇ページ上段本文十四行目行頭アキをツメル。
・同下段一行目〈as'〉を〈as〉と改める。
・一六二ページ上段十五行目見出し〈（八）〉を〈（六）〉と改める。
・一七一ページ上段一行目見出しゴチック体を明朝体に改める。
・一八二ページ上段三行目見出しゴチック体を明朝体に改める。
・一八五ページ上段一行目見出し明朝体をゴチック体に改める。
・同五行目見出しゴチック体を明朝体に改める。
・一八九ページ上段二行目〈妥当である〉の後に句点を付す。
・一九一ページ表四行目〈（八）〉を〈（六）〉と改める。
・一九八ページ表四行目〈ATHENEAM〉を〈ATHENAEUM〉と改める。
・同表五行目〈日本の〉を〈〔日本の〕〉と改める。

◎『「銀の匙」考』誤植訂正

　拙著『「銀の匙」考』（翰林書房・一九九三年五月三日）中に、私の調査不十分・不注意による誤記が夥しくありました。お詫びして訂正します。誤植と直ぐ分るもの、レイアウト上の不都合は略します。この他、〈指摘〉という語の用法、記号類の誤り、など気になりますが、かえって煩雑になるので、今回は見送ります。五五ページ流布版表、六八ページ先行注、二二五ページ「犬」参考文献、の中に増補の必要も有りますが、これも見送ります。

○「謝辞」
・〈徳川〉様の姓を〈徳川〉様と改める。

○「銀の匙」本文調査
・一〇ページ補注の二行目〈第一版〉を〈第四版〉と改める。
・一三ページ「B初版本文」の九行目に〈同〈子達〉、〈P67l.7〈いつ〉〉、を補う。
・三四ページ〈24日〉項。初出の回〈三十八〉に対応する初版の回〈二十八〉を〈三十八〉と改める。

○「「銀の匙」本文異同表例」
・三七ページ一四行目〈穢〉のルビ。〈きなた〉を〈きたな〉と改める。
・六一ページ一四行目〈柔かいを〉を〈柔かいこと〉と、六二ページ一行目〈するを〉を〈すること〉と改める。〈こと〉の合せ字であった。

○「「銀の匙」地図」

・一〇二ページ八行目〈著名〉を〈署名〉と改める。
・一〇六ページ十二行目〈長谷川雪且〉を〈長谷川雪旦〉と改める。
・一〇七ページ下のほうの写真キャプション〈徳川〉を〈徳〉と改める。
・一〇八ページ二行目〈徳〉二箇所とも〈徳川〉と改める。
○「「銀の匙」モデル考」
・一一七ページ五行目〈法制〉を〈法政〉と改める。玉井敬之氏御教示による。
○「「銀の匙」風俗図譜」
・一三七ページ以下の〈広島高師附属小学校音楽研究所〉を〈広島高師附属小学校音楽研究部〉と改める。一五二、一五六、一五七、一五八、一六二ページに同じ誤りがある。前田貞昭氏御教示による。
・一四二ページ一行目、〈右に阿型、左に吽〉を〈向かって、右に阿型、左に吽型〉と改める。
・一五二ページ〈おつきさんいくつ〉の出典〈広島高師附属小学校音楽研究部採譜〉と加える。
・一五八ページ〈お月様いくつ〉項四～五行目〈広島県高師附属小学校音楽研究所〉を〈広島高師附属小学校音楽研究部〉と改める。
・一五九ページ〈蛙とび〉の挿絵の、〈鮮斎永濯画〉を〈松本洗耳画〉と改める。
・一六〇ページ〈旗とり〉の挿絵の、〈鮮斎永濯画か〉を〈松本洗耳画〉と改める。
・一六七ページ〈雪をつる〉項の一行目〈紙鳶系〉を〈紙鳶糸〉と改める。
○「「銀の匙」回想部の展開」
・一九四ページ〈訪ねる場面〉横に注記号〈6〉を付す。
○「「銀の匙」補遺二編考」
・二三六ページ十二行目〈わたし〉を〈わたくし〉に改める。
○「漱石「私の個人主義」に引用された「銀の匙」」
・二四七ページ三行目〈しかしこの他に〉を〈しかし、浜田伸子「中勘助小論」（昭和四十七年三月一日刊『語文論叢』）が報じたように、この他に〉と改める。浜田論文を見落としていた。これはすでに小森陽一〈ほか五人〉編『漱石辞典』（翰林書房・二〇一七年五月二十四日）の「中勘助」項を依頼された際、訂正しておいた。

◎『近代文学と伝統文化』誤植訂正

拙著『近代文学と伝統文化』（和泉書院・二〇一五年五月二十五日）中に、私の調査不十分による誤記が夥しくありました。お詫びして訂正します。
○目次
・ivページ後ろから二行目〈近代文化〉を〈近代文学〉と改める。
○「「にごりえ」と小町説話」
・六〇ページ後ろから五行目〈媢妓〉を〈娼妓〉と改める。
○「〈落ちし雷を〉の周辺」
・一〇五ページ十一行目〈事件の断片を驚く許り鮮やかに〉を、〈事件の断面を驚く許り鮮かに〉と改める。
○「漱石「文話」紹介」
・一八一ページ上段最終行末の句点を読店に改める。
○「「羅生門」僻見」
・一八七ページ後ろから三行目〈文献目標〉を〈文献目録〉と改める。
○「「三人の稚児」と古典」
・二〇九ページ「一」の本文四行目、〈一号未満〉を〈一行未満〉と改める。
・二一五ページ引用部。段落頭一字下げをテンツキに改める。ルビは省略したことをお断りする。引用本文の二行目、〈殆んど〉を〈殆ど〉と、八行目、〈古沼に〉を〈山奥に〉と、同行、〈その体〉を〈あの体〉と、九行目、〈互ひに〉を〈互に〉と、十行目、〈闘わはした〉を〈闘はすのであつた〉と、それぞれ改める。二一六ページ引用部。引用本文の三行目、〈だらう、〉を〈だらう。〉と、同行、〈われわれ〉を〈われ〳〵〉と、六行目、〈居る〉を〈ゐる〉と、それぞれ改める。七行目、〈定めし〉を削除する。八行目、〈稚児だと〉の次の読点を削除する。

○「〃オダサク〃漂流」

本稿執筆時、『妖婦』所収「漂流」を見落としていた。『織田作之助選集』本文の評価で、浦西和彦氏・宮川康氏よりご批判を賜ったこともあるが、そのご意見を私は理解不十分のため、未だ応えることが出来ないでおります。引き続きご教導の程をお願い致したく存じます。

・三四九ページ「三 本文」の本文一行目、〈浦西目録記載分に[G]・[H]を付加する〉を、〈浦西目録記載分に『妖婦』・[’B]・[G]・[H]を付加す〉と改める。

・三四九ページ「三 本文」[A]項の次に、〈『妖婦』（風雪社・昭和二十二年二月二十日）一二五～一六七ページ所収本文、底本は[A]である。〉を追加する。

・三四九ページ「三 本文」[B]項を、〈[B]『織田作之助選集第一巻』初版（中央公論社・昭和二十二年十月一日）二〇七～二四五ページ所収本文、底本は『妖婦』である。〉と改める。

・三四九ページ「三 本文」[B]項の次に、〈[’B]『織田作之助選集第一巻』再版（中央公論社・昭和二十三年七月二十五日）二〇七～二四五ページ所収本文。[B]と同版で、ただ印刷具合が違うだけかも知れない。〉を追加する。

・三五〇ページ四行目、〈この八種六通りのうち〉を〈このうち〉と改める。

・三五〇ページ四行目、〈[B]〉を〈『妖婦』〉と改める。

・三五〇ページ五行目の後に、〈ついでに著者の関与しない[B]以後の相違も挙げておく。〉を付加する。

・三五〇ページ「1 章の相違」の本文一行目、〈二行分〉を〈一～二行分〉と改める。

・三五〇ページ「1 章の相違」の本文十一行目、〈二行分空けて〉を〈一～二行分空けて〇印を置いて〉と改める。

・三五〇ページ「1 章の相違」の本文十二行目、〈その点、[C]・[D]・[E]・[F]・[G]も[B]に同じ。〉を、〈全六章から成る点、[C]・[D]・[E]・[F]・[G]も[B]に同じ。ただし、〇印無しの誤植は[’B]で直っており、[B]版面の印刷具合でそう見えただけであったかも知れない。〉と改める。

・三五一ページ「3 文・字句の相違」の本文一行目、〈[B]〉を〈『妖婦』〉と改める。

・三五一ページ「3 文・字句の相違」の本文二～三行目、〈六十ページ六行目〈網〉は〈綱〉、六十五ページ八行目〈二十八人〉は〈二十人〉、七十六ページ七行目〈荒の浜〉は〈荒井の浜〉〉を削除する。

・三五一ページ「3 文・字句の相違」の本文三行目、〈同ページ〉を〈七十六ページ〉と改める。

・三五二ページ一行目の後に、〈[B]で六十ページ六行目〈網〉は〈綱〉、六十五ページ八行目〈二十八人〉は〈二十人〉、七十六ページ七行目〈荒の浜〉は〈荒井の浜〉と訂正される。〉を付加する。

・三五二ページ二行目冒頭に、〈逆に『妖婦』で新に生じた誤植もある。『妖婦』の、一三六ページ三行目〈あれは〉は〈あれば〉の誤り。一五一ページ六行目〈こはざは〉は〈こはごは〉の誤り。〉を付加する。

・三五二ページ三行目、〈ページ行末に〉は〈ページ一行目末に〉と改める。

・三五二ページ七行目、〈二三四ページ〉は〈二三四ページ五行目〉と改める。

・三五二ページ七行目末に、〈前記の、二三〇ページ一〇行目〈□り〉・二三一ページ一行目〈日本の者か。〉・二四四ページ八行目〈□向に〉の誤植は、,Bで直っており、B版面の印刷具合でそう見えただけであったかも知れない。〉と付加する。

・三五二ページ九行目、〈B本文〉は〈『妖婦』本文〉と改める。

・三五二ページ十一行目、〈これでまがふかたなき〉は〈これでまがふかたなき〉と改める。

・三五三ページ五〜七行目、〈〈ありやうは〉について言えば、二七ページ二箇所、三三、三七、三八、五〇、五三、六八、七五ページで削除した。〈とんと〉について言えば、二六、三七、四五ページ三箇所、五三ページ二箇所、六五、七三ページで削除した。〉は、〈〈ありやうは〉について言えば、一二八ページ二箇所、一三三、一三六ページ二箇所、一四五、一四八、一五四、一六四ページで削除した。〈とんと〉について言えば、一二八、一三五、一四一ページ二箇所、一四二、一四八ページ二箇所、一五七、一六三ページで削除した。〉と改める。

・三五三ページ「4　思想の相違」の本文一行目、〈B〉は〈『妖婦』〉と改める。

・三五五ページ二行目、〈B〉は〈『妖婦』〉と改める。

・三六三ページ「四　織田の工夫」の本文六行目、〈B〉は〈『妖婦』〉と改める。

・三六五ページ一行目、〈B〉は〈『妖婦』〉と改める。

・三六五ページ三行目、〈B〉は〈『妖婦』〉と改める。

・三六五ページ九行目、〈B〉は〈『妖婦』〉と改める。

・三六五ページ十行目、〈B〉は〈『妖婦』〉と改める。

・三六五ページ十一行目二箇所、〈B〉は〈『妖婦』〉と改める。

・三六五ページ十二行目、〈B〉は〈『妖婦』〉と改める。

・三六五ページ十三行目、〈B〉は〈『妖婦』〉と改める。

・三六七ページ五行目、〈B〉は〈『妖婦』〉と改める。

○「上林暁「白雀」を読む」

・四三〇ページ、追記の本文十五行目・十六行目・十七行目の〈良吉〉を〈良助〉と、改める。この誤植は、松本皎氏の御指摘のおかげで気付きました。有難く厚く御礼申上げます。

○「「婉という女」の参考資料」

・四三四ページ、表の備考欄。C項の頭に＊印、D項の頭に＊＊印を付す。

○「人名索引」

・四六六ページ第一段六行目〈撫象→巌本善治〉項に、126・127のページ数を付す。

◎『食文化・味覚雑誌目次総覧』誤記訂正

浦西和彦氏・荒井真里亜氏と共編の同書（日外アソシエーツ・二〇一五年二月二十五日）のうち、堀部担当。

○『ホームサイエンス』解題」

・三ページ、解題の二行目の〈創刊された〉を〈創刊した〉と、改める。

・同二十八行目の〈ちなみに文学的記事でなく〉を〈野田秀樹に『当り屋ケンちゃん』という小説がある（新潮社・昭和58・9）〉と、改める。

○『酒』解題」

・八ページ、解題の八行目の〈1955 年7月号から数えてらしい。復刊の1955年6月号を飛ばした点が不審だが、佐々木久子の関係した号から数えたのであろうか。1997年6月号を500号とみるのも、合わない。〉を〈1955年6月号から数えてらしい。佐々木久子の関係した号から数えたのであろう。1997年6月号を501号とみるのも、合う。〉と改める。

・同九ページ七行目の佐々木久子誕生日、〈1930年2月10日〉を〈1927年2月10日〉と改める。

・同九ページ四十二行目の〈輝峻桐雨〉を〈暉峻桐雨〉と改める。

○『うまいもの』解題

・504ページ、解題の三十五行目の〈第71号〉を〈第69号〉と改める。

○『サッポロ』解題

・541ページ、解題の三〜四行目の〈号数不明号と3・5・8・10・12・19・21・25・27・29・30・35・39・41・44・47・53・56・59・62・65・71号である〉を削除する。

○『ビール天国』解題

・574ページ、解題の三十二〜三十三行目の〈ノーメル賞については未確認〉を〈ノーメル賞は『洋酒天国』で実施した〉と改める。

付録一、須賀子著作目録

　宇田川文海に師事した頃の管野須賀子〔広義、その謂いは須賀子の筆記・筆写しただけのものも含む〕の著作目録を作成したい。管野須賀子〔狭義、須賀子がただ筆記・筆写しただけのものは含まない〕の全集逸文集を編む準備である。

　須賀子の全著述については既記の検討を享け、広義にとり、須賀子筆記の類も含めた。

　各項は、署名・著作名〔「　」内〕・〔（の後）掲載物の発行年月日・掲載紙誌名〔『　』内〕・号数・掲載面〔（）の前〕・『管野須賀子全集』収録巻数〔漢数字〕・ページ〔アラビヤ数字〕・〔●全集未収録、[再]は再録を示す〕・〔＊以下は備考〕・〔★は、●のうち、別に既報告のあるもの〕である。

一九〇二（明治三十五）年

菅野須賀子「黄色（きいろ）眼鏡（一）」（七月四日付『大阪朝報』三号一面）一5〜7　＊鴻池の鶴を見て

管野幽月「黄色眼鏡（其二）」（七月五日付『大阪朝報』四号四面）一7〜9

幽月女史「現今の婦人に就て」（七月六日付『大阪朝報』五号二面）

●　大谷1981に抄引。大谷引用以前部分、

　妾は現今の日本婦人に今少し確固たる独立の思想を養成して貰ひたしと思ふ、さればとて、何も生涯独身にて男子の保護を受けず、自活し給へと云ふにあらず、女子には女子の本分、勤と云へるものあれば、其れをも打捨てゝ独立自営の道を立て給へと云ことにあらず、女子は女子相応の分限範囲内に於て、確固たる独立的の精神を養成し、数百千年来の奴隷的悪習慣を打破して、婦人相応の位置を保たれん事を望むなり、

と、引用以後部分、

　日本人が斯くも侮辱を蒙りて、憐れなる境遇にある事は、妾が今更喋々を要する迄もなく、一般の人士の認むる処なるも、而も如何にして之を救ひ、如何にして其位置を進めんかは中々容易の問題にあらず、如何程学問をなし、亦如何に他より彼是苦心し光明に浴せしめんと焦慮するも、婦人自身に確たる見識、思想のあらざれば決して其効なかる可し、其例は相当の教育を受けし婦人等が、学校にある内は、高論壮語、自ら女豪傑を気取り大に為す事あらんと見ゆるも一旦人の妻と為ては、其勇気、否抱負は忽ち雲散霧消して夫たる人の自己を侮蔑し、婦人の権利を蹂躙するも、理非善悪の差別なく、唯命維奉じて、其悪感情を起さしめ憎悪の念を招かん事を恐れ、却て破廉恥、醜行を、奨励するかの如き感あるは、何等の薄志弱行ぞや、而も中心には涙を飲みて、空しく空閨を守りつゝ、不道徳なる世間、破廉恥なる夫を恐れて一言の恨も述べず日夜家事に齷齪して空しく日を送り、白髪を頭に戴きて、初めて自己の無気力、今少し早く断然たる決心の起らざりしを悔悟なす、斯る所以のものは、只自己に確固たる信念なき故にて、言を換へて云へば動もすれば、否、全然他人に依頼するの念のみにて、自身一己の判断力断行心に乏しき故ならん、左れば或は哲学或は宗教の力によつて女子各自に確固たる信念独立心を養成せられん事を二十世紀の賢妻良母たらんとする女子諸君に特に望むなり、

とを引いておく。

幽月「見るまゝ」（七月六日付『大阪朝報』五号四面）一20～21

幽月女史「婦人の潜勢力」（七月八日付『大阪朝報』六号二面）一22～24

幽月女史「行水談」（七月八日付『大阪朝報』六号四面）一25～28　＊はしがき／夕顔棚

▲「婦人患者外科切開奇談」中の「〔大阪病院婦人患者との問答〕」（七月九日付『大阪朝報』七号二面）●

幽月女史「行水談（二）」（七月九日付『大阪朝報』七号三面）一28～29　＊湯屋に就ての衛生

幽月「大阪婦人慈善会」（七月一〇日付『大阪朝報』八号三面）一48～50

幽月女史「あしたの露（上）」（七月一〇日付『大阪朝報』八号四面）二283～288

管野須賀子「黄色眼鏡（其二）」（七月一〇日付『大阪朝報』八号四面）一10～11　＊汽車中の所見

幽月女史「行水談（二）」（七月一〇日付『大阪朝報』八号四面）一30～32

幽月女史「行水談（四）」（七月一一日付『大阪朝報』九号四面）一32～33

幽月「堂島高等女学校（上）」（七月一二日付『大阪朝報』一〇号四面）一50～53

玉香「漫歩雑感」（七月一二日付『大阪朝報』一〇号四面）●

幽月「堂島高等女学校（上）」（七月一三日付『大阪朝報』一一号二面）一53～56

王香「夏気の衛生（一）」（七月一三日付『大阪朝報』一一号三面）●

王香「夏気の衛生（下〔二〕）」（七月一五日付『大阪朝報』一二号四面）●

〔無署名〕「某新聞の記事を読んで」（七月一五日付『大阪朝報』一二号四面）●＊自称に〈女史〉を使用するから、須賀子文と判断する。

幽月「琵琶行」（七月一五日付『大阪朝報』一二号四面）●　＊端山静徳談話。驢耳弾琴／琵琶の起原　**★大谷本1989a**で抄引。

幽月女史　微風道人「校友会」（七月一六日付『大阪朝報』一三号二面）●　＊清水谷高等女学校訪問記事。自称に〈余〉を使用する微風道人は男性、文海か。合作。

須賀子「あしたの露（中）」（七月一六日付『大阪朝報』一三号四面）二288～292　＊「あしたの露（下）」は未見

玉香「琵琶行（二）」（七月一六日付『大阪朝報』一三号四面）●　＊薩摩琵琶／四つの緒／鼓舞振起

菅野幽月女史「劇評　辨天座の劇を観る」（七月一七日付『大阪朝報』一四号一面）●　＊大阪演劇協会第三回観劇会　**★大谷本1989a**

幽月女史　微風道人「校友会」（七月一七日付『大阪朝報』一四号四面）●　＊小敦盛／川中嶋／閉場の挨拶

須賀子「黄色眼鏡（四）」（七月一七〔八〕日付『大阪朝報』一四〔五〕号三面）一11～14

玉香「琵琶行（三）」（七月一九日付『大阪朝報』一六号二面）●　＊脳と手／琵琶と教育／剛より柔

須賀子「清水谷高等女学校（一）」（七月二二日付『大阪朝報』一八号三面）一70～73

須賀子「夏期の衛生（三）」（七月二二日付『大阪朝報』一八号三面）一56～59　＊自己衛生、飲食物に就て／用法

玉香「琵琶行（四）」（七月二二日付『大阪朝報』一八号三面）●　＊琵琶の製作／琵琶の昔と今／猫も杓子も／嘈々切々

須賀子「黄色眼鏡（五）」（七月二三日付『大阪朝報』一九号三面）一14～17

須賀子「清水谷高等女学校（二）」（七月二三日付『大阪朝報』一九号四面）一73～76

須賀子「行水談(五)」（七月二三日付『大阪朝報』一九号四面）一34～37　＊夏祭（一）／祭礼の順序／祭典は何の為めにする乎／美麗な衣服と不消化物／嗚呼是果して誰の過失ぞや

須賀子「夏期の衛生（四）」（七月二四日付『大阪朝報』二〇号三面）一59～62

須賀子「行水談（五）」（ママ）（七月二四日付『大阪朝報』二〇号四面）一37～39　＊夏祭（二）氏子と氏神／神の本体と社の由来

須賀子「夏期の衛生（四）」（ママ）（七月二五日付『大阪朝報』二一号一面）一62～65　＊茶の話

須賀子「黄色眼鏡（六）」（七月二五日付『大阪朝報』二一号四面）一17～19

幽月女史「陶器神社の造物」（七月二五日付『大阪朝報』二一号三面）●

玉香「帝王開切」（七月二六日付『大阪朝報』二二号一面）●

幽月女史「黄色新聞の三大記事」（七月二六日付『大阪朝報』二二号四面）一77～80　＊医者と弁護士三大記事／盲蛇で無い、大胆者で無い／世に哲学といふものがある

須賀子「夏期の衛生（六）」（七月二七日付『大阪朝報』二三号一面）一65～67　＊肉の話

幽月女史「後の祭」（七月二七日付『大阪朝報』二三号三面）一82～86　＊海陸の二軍／男尊女卑／精神一到何事か成らざらん／好事魔多し／女は足手纏ひ／不平、失望／安価の烟火

須賀子「おもかげはしがき（一）」（七月二七日付『大阪朝報』二三号三面）二292～294

〔無署名〕「南窓笑話（一）」（七月二七日付『大阪朝報』二三号三面）●　はしがき／荒五郎の立腹　＊（二）以後、署名〈幽月女史〉。

幽月女史「南窓笑話（二）」（七月二九日付『大阪朝報』二四号三面）●　＊菊地侃二君対－松川－鴻池善衛門君

須賀子「おもかげ（二）」（七月二九日付『大阪朝報』二四号四面）二294～296

須賀子「夏期の衛生（七）」（七月三〇日付『大阪朝報』二五号三面）一67～69　＊魚肉の話

ＫＳ「所感」（七月三〇日付『大阪朝報』二五号三面）一86～87

須賀子「おもかげ（三）」（七月三〇日付『大阪朝報』二五号四面）二297～299　＊もう少しで土左衛門

須賀子「行水談（七）」（七月三〇日付『大阪朝報』二五号四面）一40～42　＊半日の閑（一）蟻と蝶とが羨ましい／蓮華と清僧／清涼の香世界

須賀子「おもかげ（四）」（七月三一日付『大阪朝報』二六号）二299～301　＊御褒美、二階から

「管野須賀子の経歴」（七月三一日付『大阪朝報』二六号二面）●　＊★後

半は、**清水卯之助** 1978 に引用済み。

〔永江為政宛書簡〕「初めて我輩と相見るの記」（七月三一日付『大阪朝報』二六号二面）三 139～140

須賀子「行水談（八）」（七月三一日付『大阪朝報』二六号四面）一 42～45

＊半日の閑（二） 瞑想と聯想

幽月女史「南窓笑話（二）」（八月一日付『大阪朝報』二七号三面）● ＊

片岡直温君、…吉勇、…片岡我当丈

須賀子「行水談（八）」（八月一日付『大阪朝報』二七号四面）一 45～48 ＊

半日の閑（三） 寒風

幽月「他人の妻」（八月二七日付『大阪朝報』二九号四面）二 303～309

幽月女史「慈善ビール会」（八月二八日付『大阪朝報』三〇号四面）一 87～91 ＊国益の親玉―婦徳会／名実の相違／慈善の濫用／廃む可し、止めさす可し

幽月女史「梧窓漫筆（一）」（八月二九日付『大阪朝報』三一号四面 ● ＊られて困る…られて欲しい 〈附言〉以外は〈ボーイ〉の投書。

幽月女史「一人籠城（上）」（八月三〇日付『大阪朝報』三二号二面） 一 91～95 ＊油断大敵（上）／戦宣公布／作戦計画／又もや失望

S生「厄病除」（八月三〇日付『大阪朝報』三二号四面） 一 95～96

幽月女史「虫の話（一）」（九月二日付『大阪朝報』三四号二） ● ＊〈腐化〉項中、空白字あり。『みちのとも』再録によって、補う。〈卵の数は一匹の雌虫が凡五百位づゝ生むので有るから、三十匹の雌虫として先づ一万五千……然し其中には腐敗して了ふものもあり、又、孵化してから共喰をするから〉の、傍線字である。 ★**大谷** 1981 で言及。

幽月女史「虫の話（二）」（九月三日付『大阪朝報』三五号四面）一 97～98 ＊松虫／轡虫

幽月女史「半日の旅（一）」（九月五日付『大阪朝報』三七号四面）一 101～104 ＊故障と疾病／住吉参詣／馬と鶴

幽月女史「半日の旅（二）」（九月六日付『大阪朝報』三八号一面）一 104～106 ＊無常観と清浄観／客観と主観

須賀子「家庭の注意（一）」（九月六日付『大阪朝報』三八号四面）一 108～110 ＊鶏卵の話

幽月女史「半日の旅（三）」（九月七日付『大阪朝報』三九号四面）一 106～107 ＊公園の散歩

須賀子「おもかげ（七）」（九月九日付『大阪朝報』四〇号三面） 二 301～303 ＊昼と夜（一）

幽月女史「雑誌と醜業婦」（九月九日付『大阪朝報』四〇号四面）一 114～116 ●

幽月女史「心の衛生（一）」（九月一一日付『大阪朝報』四一号二面）● ＊書籍をお読みなさい ★**大谷** 1981 で言及。

幽月生「ローズセル氏の度量」（九月一二日付『大阪朝報』四三号一面） ●

幽月女史「心の衛生（二）」（九月一二日付『大阪朝報』四三号二面）●

幽月女史「婦人の頭髪に就て（一）」（九月一三日付『大阪朝報』四四号一面）一 116～118

幽月女史「虫の話（三）」（九月一三日付『大阪朝報』四四号四面）一 99～101 ＊捕る法／雑話

幽月女史「婦人の頭髪に就て（承前）」（九月一四日付『大阪朝報』四五号四面）一 119～120

幽月女史「虫の話」（九月一五日刊『みちのとも』一二九号三四～三七頁）

再 *鈴虫の養 法／孵化／松虫／轡虫
幽月女史「観月（上）」（九月一六日付『大阪朝報』四六号四面）● *仲秋に月を賞る始／観月の行事／浪華人の観月／真の観月 ★大谷 1981 で言及。
幽月女史「観月（下）」（九月一七日付『大阪朝報』四七号四面）● *真の観月（つゞき）／水の都の観月 ★大谷 1981 で言及。
S生「観月のいろ〳〵 病室の観月」（九月一八日付『大阪朝報』四八号二面）一120～121
須賀子「家庭の注意（三）〔ママ〕」（九月一九日付『大阪朝報』四九号四面）一112～113 *乳汁
須賀子「家庭の注意（二）」（九月二一日付『大阪朝報』五一号四面）一110～111 *乳汁
管野須賀子「公園と名士（一）」（九月二七日付『大阪朝報』五五号四面）一122～125 *百人一首と一年有半／時節到来
管野須賀子「公園と名士（二）」（九月二八日付『大阪朝報』五六号一面）一125～127 *新陳代謝／針の山／工女の虐待
管野須賀子「公園と名士（三）」（一〇月一日付『大阪朝報』五七号一面）一128～130 *天然／人
管野須賀子「公園と名士（四）」（一〇月二日付『大阪朝報』五八号一面）一130～133 *青松白砂／頌徳と堕涙／小さな家
管野須賀子「公園と名士（五）」（一〇月四日付『大阪朝報』六〇号一面）一133～136 *四面の額／木戸侯と西郷侯／歌と火
管野須賀子「公園と名士（六）」（一〇月九日付『大阪朝報』六四号一面）一136～138 *御話の伝達／女権論
管野須賀子「公園と名士（七）」（一〇月一〇日付『大阪朝報』六五号一面）一138～141 *別荘論／鳥籠
ラクテン、抱海、扶布、瓢仙、如風、幽月、三渓、悟堂、禄堂「佐藤芙川を送る」（一〇月一〇日付『大阪朝報』六五号二面）● *第七段が須賀子文か。
幽月女史「重陽」（一〇月一〇日付『大阪朝報』六五号二面）● *重陽の起源／重陽の目的／重陽の効能
管野須賀子「公園と名士（八）」（一〇月一一日付『大阪朝報』六六号一面）一141～143 *雲雀／狂言綺語
幽月女史「盲者か―聾者か―」（一〇月一一日付『大阪朝報』六六号二面）●
須賀子「十三夜」（一〇月一四日付『大阪朝報』六八号一面）● *我朝の風俗／十三夜の異名 ★大谷 1981 で言及。
幽月女史「盲者か―聾者か―」（一〇月一五日付『大阪朝報』六九号四面）● *朝日新聞―毎日新聞―殿村事件 ▲で有う、の、で有う（其二）
幽月女史「観月」（一〇月一五日刊『みちのとも』一三〇号三一～三七頁）再 *仲秋に月を賞る始／観月の行事／浪華人の観月／真の観月／水の都の観月
管野須賀子「公園と名士（九）」（一〇月一六日付『大阪朝報』七〇号一面）一143～145 *新膝栗毛／御紹介状
管野須賀子「公園と名士（十）」（一〇月一七日付『大阪朝報』七一号一面）一145～148 *駅長さん節／瓦斯の事／訣別
〔無署名〕「櫛松物語（第十六葉）」中の「〔殿村家訪問記〕」（十月二十一日付『大阪朝報』七四号一面）●
エス生「〔はがきたより第一項〕」（一〇月二二日付『大阪朝報』七四号二面）

●
〔無署名〕「櫛松物語（第十七葉）」中の「〔殿村家訪問記〕」（十月二十三日付『大阪朝報』七五号一面）●
幽月女史「噫是果して誰の罪ぞや」（一〇月二五日付『大阪朝報』七七号一面）● ＊殿村事件／蛙鳴嬋噪
幽月女史「噫是果して誰の罪ぞや」（一〇月二六日付『大阪朝報』七八号一面）● ＊殿村事件（二）／お悦さんが詰らぬ
幽月女史「噫是果して誰の罪ぞや」（一〇月二八日付『大阪朝報』七九号一面）● ＊殿村事件（三）／お悦さんが詰らぬ（二）
幽月女史「噫是果して誰の罪ぞや」（一〇月二九日付『大阪朝報』八〇号一面）● ＊殿村事件（四）／お悦さんの罪では無い／お延さんが素でない／お延さんの罪では無い
幽月女史「噫是果して誰の罪ぞや」（一〇月三〇日付『大阪朝報』八一号一面）● ＊殿村事件（五）／平右衛門さんが悪い／平右衛門さんの罪ではない／親類の罪でも奉公人の罪でもない
幽月女史「噫是果して誰の罪ぞや」（一〇月三一日付『大阪朝報』八二号一面）● ＊殿村事件（六）／家庭と人道／結婚
幽月女史「噫是果して誰の罪ぞや」（一一月一日付『大阪朝報』八三号一面）● ＊殿村事件（七）／結婚の目的
幽月女史「噫是果して誰の罪ぞや」（一一月二日付『大阪朝報』八四号一面）● ＊殿村事件（八）／社会の罪 **★大谷1981**に抄引。
須賀子「紅葉狩（一）」（一一月二日付『大阪朝報』八四号三面）● ＊前口上／美術思想と歴史思想 **★大谷1981**で言及。
須賀子「紅葉狩（二）」（一一月五日付『大阪朝報』八五号三面）● ＊箕面山 **★大谷1981**で言及。
須賀子「紅葉狩（二）（ママ）」（一一月六日付『大阪朝報』八六号三面）● ＊牛瀧 **★大谷1981**で言及。
須賀子「紅葉狩（四）」（一一月七日付『大阪朝報』八七号三面）● ＊多武峰 **★大谷1981**で言及。
須賀子「紅葉狩（五）」（一一月一二日付『大阪朝報』九一号三面）● ＊奈良公園／笠置山 **★大谷1981**で言及。
須賀子「紅葉狩（六）」（一一月一三日付『大阪朝報』九二号三面）● ＊長谷寺／三輪 **★大谷1981**で言及。
幽月女史「住友と鴻池（上）」（一一月一四日付『大阪朝報』九三号一面）● ＊某君の不平／余が弁解／山師と金貸
須賀子「紅葉狩（七）」（一一月一四日付『大阪朝報』九三号三面）● ＊宇治／平等院／黄檗山 **★大谷1981**で言及。
幽月女史「住友と鴻池（下）」（一一月一五日付『大阪朝報』九四号一面）● ＊有神と無神／積極と消極 **★大谷1981**で言及。
須賀子「紅葉狩(八)」（一一月一五日付『大阪朝報』九四号三面）● ＊通天橋／新高雄 **★大谷1981**で言及。
〔無署名〕「二十人十腹欄」（一一月一五日付『大阪朝報』九四号三面）
●
宇田川文海閲・管野須賀子稿「後悔」（一一月一五日刊『みちのとも』一三一号二五〜二八頁）［初出変更］
幽月女史「住友氏と鴻池氏」（一一月一五日刊『みちのとも』一三一号三三〜三八頁）［再］ ＊某君の不平／女史の弁解／山師と金貸／有神と無神／

積極と消極

須賀子「紅葉狩（九）」（一一月一五日（ママ）付『大阪朝報』九五号二面）● ＊

長楽寺／知恩院／永観堂　★**大谷1981**で言及。

須賀子「紅葉がり（十）」（一一月一八日付『大阪朝報』九六号二面）● ＊

真如堂／銀閣寺　★**大谷1981**で言及。

須賀子「後悔（上）」（一一月一九日付『大阪朝報』九七号四面）二309〜311

再

須賀子「紅葉狩（十一）」（一一月二〇日付『大阪朝報』九八号三面）●

＊栂尾／槙尾／高尾　★**大谷1981**で言及。

須賀子「後悔（下）」（一一月二〇日付『大阪朝報』九八号四面）二311〜313

再

須賀子「紅葉狩（十二）」（一一月二一日付『大阪朝報』九九号三面）●

＊小倉山／嵐山　★**大谷1981**で言及。

S生「規律」（一一月二二日付『大阪朝報』一〇〇号一面）●

須賀子「紅葉狩（十三）」（一一月二二日付『大阪朝報』一〇〇号三面）●

＊嵐山つゞき／長岡／三井寺／唐崎の松と義仲寺／坂本

須賀子「紅葉狩（十四）」（一一月二三日付『大阪朝報』一〇一号三面）●

＊石山寺／永源寺

幽月女史「威張たい病ひ（一）」（一一月二五日付『大阪朝報』一〇二号一面）一148〜151

幽月女史「威張たい病ひ（つゞき）」（一一月二六日付『大阪朝報』一〇三号一面）一151〜153

須賀子「一週間（一）」（一一月二九日付『大阪朝報』一〇六号一面）一154〜157

＊序詞／病は罪／愛の鞭

須賀子「一週間（二）」（一一月三〇日付『大阪朝報』一〇七号一面）一157〜159

＊社会と避病院

須賀子「一週間（三）」（一二月二日付『大阪朝報』一〇八号一面）一160〜162

＊十一月　九日

須賀子「一週間（四）」（一二月三日付『大阪朝報』一〇九号三面）一162〜165

＊九日のつゞき

須賀子「一週間（五）」（一二月四日付『大阪朝報』一一〇号一面）一165〜167

＊九日のつゞき

〔無署名〕「一週間（六）」（一二月五日付『大阪朝報』一一一号一面）一168〜170

＊九日のつゞき

幽月女史「朝日座二番目　家庭乱を観る（一）」（一二月六日付『大阪朝報』一一二号一面）●　＊序言

須賀子「一週間（七）」（一二月六日付『大阪朝報』一一二号三面）一171〜173

＊九日のつゞき

幽月女史「朝日座二番目　家庭乱を観る（二）」（一二月七日付『大阪朝報』一一三号一面）●　＊総評

須賀子「一週間（八）」（一二月九日付『大阪朝報』一一四号一面）一173〜176

＊九日のつゞき

〔大阪朝報記者合評〕つたみ舎・幽月評「天満座二番目　新華族」（一二月一〇日付『大阪朝報』一一五号三面）●

エス生「病床漫吟」（一二月一一日付『大阪朝報』一一六号一面）三129〜130

須賀子「一週間（九）」（一二月一一日付『大阪朝報』一一六号一面）一176〜178

＊九日のつゞき

〔大阪朝報記者合評〕つたみ舎・桐の舎主人評・幽月評・狭布生「天満座二番目　新華族」（一二月一一日付『大阪朝報』一一六号三面）●

須賀子「一週間（十）」（一二月一二日付『大阪朝報』一一七号一面）一178～180　＊九日のつゞき

〔大阪朝報記者合評〕桐の舎主人評・幽月評「天遺座二番目　新華族」（一二月一二日付『大阪朝報』一一七号三面）●

須賀子「一週間（十）」（一二月一三日付『大阪朝報』一一八号三面）一180～182　＊十日の暁

須賀子「一週間（十）」（一二月一四日付『大阪朝報』一一九号一面）一182～184　＊十一月十日

管野須賀子「平日の間」（一二月一五日刊『みちのとも』一三二号三一～三六頁）再　＊雑録

須賀子「一週間（十三）」（一二月一七日付『大阪朝報』一二一号二面）一184～186

須賀子「一週間（十四）」（一二月一八日付『大阪朝報』一二二号一面）一186～188　＊十一月十日

須賀子「一週間（十五）」（一二月一九日付『大阪朝報』一二三号一面）一188～190　＊十日の午後

須賀子「一週間（十五）」（一二月二〇日付『大阪朝報』一二四号一面）一190～192　＊避病院へ入院の二日目

須賀子「一週間（十六）」（一二月二一日付『大阪朝報』一二五号一面）一192～195　＊入院の二日目

須賀子「一週間（十七）」（一二月二三日付『大阪朝報』一二六号一面）一195～197　＊入院の二日目

幽月女史「忘年会の記（一）」（一二月二三日付『大阪朝報』一二六号二面）一215～217　＊檄文の使者／無記名投票

須賀子「一週間（十八）」（一二月二四日付『大阪朝報』一二七号一面）一197～199　＊入院の二日目

幽月女史「忘年会の記（二）」（一二月二四日付『大阪朝報』一二七号二面）一217～219　＊紀年会

須賀子「一週間（十九）」（一二月二五日付『大阪朝報』一二八号一面）一199～201　＊入院の二日目／三日目

幽月女史「忘年会の記（三）」（一二月二五日付『大阪朝報』一二八号二面）一219～221　＊投票の披露／社長の濱説

須賀子「一週間（二十）」（一二月二六日付『大阪朝報』一二九号一面）一201～206　＊入院の三日目／〔詩〕愛の鞭

須賀子「一週間（二十一）」（一二月二七日付『大阪朝報』一三〇号一面）一206～210　＊入院の四日目／六日目

幽月女史「忘年会の記（四）」（一二月二七日付『大阪朝報』一三〇号二面）一222～224　＊石田三成／処女と脱兎

幽月女史「忘年会の記（五）」（一二月二八日付『大阪朝報』一三一号二面）一224～228　＊糧を敵に取る／姿は売れど心まで／隠し芸／貧乏籤

須賀子「一週間（二十二）」（一二月二八日付『大阪朝報』一三一号三面）

一210～214　＊六日目つゞき／七日目／退院の日

一九〇三（明治三十六）年

幽月女史「新年海」（一月一日付『大阪朝報』一三一号二面）●　＊神功皇后と豊太閤／新年おめでたう／平和の戦争／征韓と討明　★清水1980aで言及。

須賀子「元旦」（一月一日付『大阪朝報』一三一号五面）一229～230

幽月女史「新年の海」（一月七日付『大阪朝報』一三四号三面）●　＊神功皇后と豊太閤／難易、長短　★清水1980aで言及。

須賀子「追羽子」（一月七日刊『大阪朝報』一三四号三面）一230～233

幽月女史「元旦の所感（一）」（一月八日付『大阪朝報』一三五号三面）一234～237　＊一家団欒／歯痛／忍耐／伊勢参宮

（無署名）「追羽子」（一月八日刊『大阪朝報』一三五号三面）一234

幽月女史「新年海（三）」（一月九日付『大阪朝報』一三六号一面）●　＊神功皇后と豊太閤／遠征の目的　★清水1980aで言及。

須賀子「開口一笑（上）（下）」（一月九日刊『大阪朝報』一三六号三面）一247～250

幽月女史「新年海（四）」（一月一〇日付『大阪朝報』一三七号一面）●　＊神功皇后と豊太閤／遠征の目的　★清水1980aで言及。

幽月女史「元旦の所感（二）」（一月一〇日付『大阪朝報』一三七号三面）一238～240　＊絵附録

幽月女史「元旦の所感（三）」（一月一一日付『大阪朝報』一三八号一面）一240～242　＊虚礼、無礼／往来の妨害

幽月女史「元旦の所感（四）」（一月一三日付『大阪朝報』一三九号一面）一242～244　＊児童の衣裳／二見が浦／維摩の室

幽月女史「元旦の所感（五）」（一月一四日付『大阪朝報』一四〇号二面）一245～247　＊維摩の室／悦然として五分間／田舎の正月

幽月女史「新年海（五）」（一月一五日付『大阪朝報』一四一号三面）●　＊神功皇后と豊太閤／目的の相違／成功、不成功　★清水1980aで言及。

宇田川文海閲・管野須賀子稿「新年海」（一月十五日刊『みちのとも』一三三号二五～三三頁）二313～323　＊小説

幽月女史「新年の海（五[ママ]）」（一月一六日付『大阪朝報』一四二号三面）●　＊神功皇后と豊太閤／愛と智／平和と戦争

幽月女史「新年の海（六[ママ]）」（一月一七日付『大阪朝報』一四三号三面）●　＊神功皇后と豊太閤／★清水1980aで言及。

幽月女史「杉の木会諸君に申す（一）」（一月一七日付『大阪朝報』一四三号三面）●　＊発声会／諸君御安心なさい

幽月女史「杉の木会諸君に申す（二）」（一月一八日付『大阪朝報』一四四号三面）●　＊浄瑠璃を聴く女

幽月女史「杉の木会諸君に申す（三）」（一月二〇日付『大阪朝報』一四五号二面）●　＊浄瑠璃を研究する事

幽月女史「大阪滑稽つくし（一）」（一月二〇日付『大阪朝報』一四五号三

面）一251～253 ＊滑稽の定義／五花街芸妓の始業式
幽月女史「杉の木会諸君に申す（四）」（一月二一日付『大阪朝報』一四六号三面）● ＊浄瑠璃の発達する事
幽月女史「杉の木会諸君に申す（五）」（一月二二日付『大阪朝報』一四七号三面）● ＊浄瑠璃を保護する事
須賀子「嗚呼リツチ」（一月二二日刊『大阪朝報』一四七号三面）一253～255
須賀子「さゝやき」（一月二二日刊『基督教世界』一〇一三号）三130～131
幽月女史「杉の木会諸君に申す（六）」（一月二三日付『大阪朝報』一四八号三面）● ＊専門家を尊敬する事
〔無署名〕「大阪滑稽つくし（二）」（一月二四日付『大阪朝報』一四九号三面）● ＊朝日新聞社の大阪市歌
幽月女史「大阪滑稽つくし（三）」（一月二五日付『大阪朝報』一五〇号三面）● ＊博覧会の余興に就て／（第一）余興の新曲
宇田川文海閲・管野須賀子編「新年海（下）」（二月五日刊『わらべ新聞』二四号 再 ＊小説
須賀子「追羽子」（二月一五日刊『みちのとも』一三四号二九～三二頁）再 ＊小説
幽月女史「元旦の所感」（二月一五日刊『みちのとも』一三四号三六～四二頁）再 ＊絵附録／児童の衣裳／維摩の室／恍然として五分間／田舎の正月
幽月女史「黄色眼鏡─博覧会の余興に就て（一）」（二月二二日付『大阪朝報』一五一号三）● ＊余興の新曲／燈台元暗し
幽月女史「黄色眼鏡─博覧会の余興に就て（二）」（二月二四日付『大阪朝報』一五二号一面）● ＊一大滑稽─一大不都合／原作、訂正の両唱歌 ★大谷1981に紹介。
須賀子「大阪婦人慈善会員に申す」（二月二四日付『大阪朝報』一五二号二面）● ★大谷1981に抄引。
幽月女史「黄色眼鏡─博覧会の余興に就て」（二月二五日付『大阪朝報』一五三号一面）● ＊余興の新曲（四）／訂正とは何ぞや
幽月女史「大阪の画家諸君に一言す」（二月二五日付『大阪朝報』一五三号二面）● ＊生きて居らるゝか、死で居られるか／女史の言ふ所を聴き給へ／意気地が無さすぎる
須賀子「病の床にありて」（二月二六日刊『基督教世界』一〇一八号）三132～133
幽月女史「大阪の画家諸君に一言す」（二月二七日付『大阪朝報』一五四号一面）● ＊釈迦に説法
エス生「故尾上菊五郎と半痴居士」（二月二七日付『大阪朝報』一五四号二面）●
幽月女史「大阪の画家諸君に一言す」（三月三日付『大阪朝報』一五七号一面）● ＊ 第一策／第二策／第三策
須賀子「春の海」（三月三日付『大阪朝報』一五七号二面）二323～326
幽月女史筆記「勝諺蔵君の建碑式に就て」（三月三日付『大阪朝報』一五七号三面）● ＊新酒の酔／江戸ツ子と朴念仁
幽月女史「美術館に就て」・（三月四日刊『大阪朝報』一五八号一面）一255～258 ＊百度参り／獅子と鳩

幽月女史「美術館に就て（一）」（三月五日刊『大阪朝報』一五九号一面）一258〜259　＊刺繍補評

幽月女史筆記「勝諺蔵君の建碑式に就て　承前」（三月五日付『大阪朝報』一五九号一面）●　＊脚本の改良／新聞社と劇場

幽月女史「小〔松〕宮殿下の御遺徳」（三月六日刊『大阪朝報』一六〇号一面）一263〜266　＊博覧会に就いて―嗚呼難有い哉／嗚呼喜ばしい哉／此上のお願ひ

幽月女史「美術館に就て（承前）」（三月七日刊『大阪朝報』一六一号一面）一259〜263　＊女は愛の権化／卓掛と壁掛／他力より自力／補遺と正誤

幽月女史筆記「勝諺蔵君の建碑式に就て（三）」（三月七日付『大阪朝報』一六一号一面）●　＊小説と脚本／二葉の松と小松が原

幽月女史筆記「勝諺蔵君の建碑式に就て」（三月八日付『大阪朝報』一六二号一面）●　＊愁然…凋然

須賀子「看守婦人（上）」（三月八日付『大阪朝報』一六二号一面）二327〜331　＊小説

須賀子「工業館内の奇遇」（三月八日付『大阪朝報』一六二号二面）一267〜269　＊大分県の看守婦人

須賀子「看守婦人（下）」（三月一〇日付『大阪朝報』一六三号一面）二331〜336　＊小説

エス「飛ある記」（三月一〇日付『大阪朝報』一六三号二面）一269〜270

エス「積極消極」（三月一〇日付『大阪朝報』一六三号二面）●

幽月女史「博覧会小言（一）」（三月一一日刊『大阪朝報』一六四号一面）一271〜274　＊協賛会の事業／歌舞と書画

須賀子「出品画（上）」（三月一一日付『大阪朝報』一六四号三面）二336〜340

幽月女史「博覧会小言（二）」（三月一二日刊『大阪朝報』一六五号一面）一274〜277　＊式場とは何ぞや／余興とは何ぞや

エス生「不思議感」（三月一二日刊『大阪朝報』一六五号一面）●

エス生「場内見聞録」（三月一三日刊『大阪朝報』一六六号二面）●

幽月女史「博覧会小言（三）」（三月一三日刊『大阪朝報』一六六号一面）一277〜279　＊日本書画倶楽部／噫有難い哉／解らない／夫に何ぞや

須賀子「出品画（下（ママ）〔中〕）」（三月一三日付『大阪朝報』一六六号三面）二340〜343

幽月女史「博覧会小言（四）」（三月一四日刊『大阪朝報』一六七号四面）一279〜282　＊縦覧物と択ぶところはない／美術上の罪人／笑止、気の毒、遺憾

幽月女史「博覧会小言（五）」（三月一五日刊『大阪朝報』一六八号一面）一282〜285　＊博覧会と基督教、きたりてみよ／投機的伝道

須賀子「事務局へ一言す」（三月一五日付『大阪朝報』一六八号一面）一293〜295

須賀子「出品画（下）」（三月一五日付『大阪朝報』一六八号二面）二343〜347

須賀子「春の海」（三月一五日刊『みちのとも』一三五号二七〜三〇頁）再
＊小説
幽月女史「博覧会小言（六）」（三月一七日刊『大阪朝報』一六九号二面）—285〜287　＊博覧会と基督教、軽挙と浅慮／投機的、縦覧物／真率と熱心
須賀子「博覧会笑話」（三月一七日付『大阪朝報』一六九号三面）—295〜297
幽月女史「博覧会小言（七）」（三月一九日刊『大阪朝報』一七〇号二面）—288〜290　＊教育会と総踊、一種の福音／隴を得て蜀を望む／此上のお願ひ
エス生「見聞録」（三月一九日刊『大阪朝報』一七〇号二面）—298〜300
須賀子「博覧会百物語り（其一）」（三月一九日付『大阪朝報』一七〇号三面）—301〜303
幽月女史「博覧会小言（七）」（三月二〇日刊『大阪朝報』一七一号二面）—290〜293　＊博覧会と天王寺、不思議の現象／策の得たもので無い／学童だけはやりたくない〔全集の三月一二日は誤り〕
須賀子「博覧会百物語り（其二）」（三月二一日付『大阪朝報』一七二号一面）—303〜307　＊美術館曰く／忠臣と義士
エス生「女看守人（昨日）」（三月二一日付『大阪朝報』一七二号三面）●
須賀子「博覧会百物語り（其三）」（三月二三日付『大阪朝報』一七三号二面）—308〜310　＊忠臣と義士（二）
エス生「女看守人（昨日）」（三月二三日付『大阪朝報』一七三号二面）●
須賀子「博覧会百物語り（其四）」（三月二四日付『大阪朝報』一七四号二面）—310〜312　＊忠臣と義士（三）
幽月女史「日曜の半日」（三月二四日刊『大阪朝報』一七四号二面）—354〜357　＊堂島高等女学校と／浪華婦人会
須賀子「博覧会百物語り（其五）」（三月二五日付『大阪朝報』一七五号二面）—312〜315　＊忠臣と義士（四）
〔無署名〕「美術館前の廿分」（三月二五日付『大阪朝報』一七五号三面）—357〜361　＊観覧男子の一半
エス生「看守人（三）」（三月二六日付『大阪朝報』一七六号一面）
須賀子「博覧会百物語り（其六）」（三月二六日付『大阪朝報』一七六号二面）—315〜317　＊観音と羅漢
須賀子「博覧会百物語り（其七）」（三月二七日付『大阪朝報』一七七号二面）—317〜319　＊観音と羅漢
須賀子「博覧会百物語り（其八）」（三月二八日付『大阪朝報』一七八号二面）—320〜323　＊観音と羅漢つゞき
幽月女史「婦人と博覧会」（三月二八日刊『大阪朝報』一七八号二面）—361〜364
須賀子「博覧会百物語り（其九）」（三月二九日付『大阪朝報』一七九号二面）—323〜325　＊如来…画伯…俳宗…侠客
幽月女史「婦人と博覧会（つゞき）」（三月三一日刊『大阪朝報』一八〇号一面）—364〜366
須賀子「博覧会百物語り（其十）」（三月三一日付『大阪朝報』一八〇号二面）—325〜327　＊如来…画伯…俳宗…侠客

幽月女史「婦人の観覧に就て」（四月一日刊『大阪朝報』一八一号一面）一367～369

須賀子「博覧会百物語り（其十一）」（四月一日付『大阪朝報』一八一号三面）一328～330　＊如来…画伯…俳宗…侠客（つゞき）

須賀子「博覧会百物語り（其十二）」（四月二日付『大阪朝報』一八二号二面）一330～333　＊如来…画伯…俳宗…侠客（つゞき）

須賀子「博覧会百物語（其十三）」（四月三日付『大阪朝報』一八三号二面）一333～335　＊如来…画伯…俳宗…侠客

幽月女史「婦人の外出に就て（一）」（四月五日刊『大阪朝報』一八四号二面）一370～372

須賀子「博覧会百物語(其十四)」（四月五日付『大阪朝報』一八四号二面）一336～338　＊如来…画伯…俳宗…侠客

幽月女史「婦人の外出に就て（二）」（四月七日刊『大阪朝報』一八五号二面）一372～375

須賀子「博覧会百物語（其十五）」（四月七日付『大阪朝報』一八五号三面）一338～340　＊如来…画伯…俳宗…侠客

幽月女史「醜業婦の舞踏禁止の運動」（四月八日刊『大阪朝報』一八六号二面）一376～381　＊市民諸君に急告す

幽月女史「再び市民諸君に告ぐ」（四月九日刊『大阪朝報』一八七号二面）一382～384

須賀子「博覧会百物語(其十五)（ママ）」（四月九日付『大阪朝報』一八七号三面）一341～343　＊如来…画伯…俳宗…侠客

須賀子「博覧会百物語（其十六）（ママ）」（四月一〇日付『大阪朝報』一八八号三面）一343～345　＊如来…画伯…俳宗…侠客…大王

幽月女史「三度市民諸君に告ぐ」（四月一一日刊『大阪朝報』一八九号二面）一384～387

須賀「博覧会百物語（其十七）（ママ）」（四月一一日付『大阪朝報』一八九号三面）一346～348　＊如来…画伯…俳宗…侠客…大王

須賀子「博覧会百物語（其十九）」（四月一二日付『大阪朝報』一九〇号三面）一348～350　＊如来…画伯…俳宗…侠客…大王

幽月女史「謹んで投書家諸君に告ぐ」（四月一二日刊『大阪朝報』一九〇号四面）一387～368

幽月女史「醜業婦舞踏禁止の声（上）」（四月一四日刊『大阪朝報』一九一号二面）一388～391　＊正義の声／各国の宣教師

須賀子「博覧会百物語（其十九）（ママ）」（四月一四日付『大阪朝報』一九一号四面）一351～353　＊如来…画伯…俳宗…侠客…大王

幽月女史「醜業婦舞踏禁止の声（下）」（四月一五日刊『大阪朝報』一九二号二面）一391～394　＊大阪朝日新聞

須賀子「出品画」（四月一五日刊『みちのとも』一三六号二五～三三頁）［再］

管野須賀子「基督教世界愛読者諸君に告ぐ」（四月一六日刊『基督教世界』一〇二五号）一395～396

＊小説

幽月女史「醜業婦舞踏禁止一大福音」(四月一七日刊『大阪朝報』一九四号二面) 一 397〜401

幽月女史「醜業婦踏舞(ママ)禁止運動に就て」(四月一八日刊『大阪朝報』一九五号二面) 一 401〜404

幽月女史「開会式当日の二大不敬」(四月一九日刊『大阪朝報』一九六号二面) ＊大林の高塔 一 404〜407

幽月女史「感ず可き哉市民」(四月二二日刊『大阪朝報』一九七号二面) 一 407〜410 ＊協賛会の大失敗

須賀子「リッチ」(五月一五日刊『みちのとも』一三七号二五〜三四頁) 三 5〜15 ＊小説

須賀子「狂?」(六月一五日刊『みちのとも』一三八号二五〜三四頁) 三 16〜27 ＊小説

管野須賀子「成功」(七月一五日刊『みちのとも』一三九号二五〜三五頁) ● ＊小説

宇田川文海口述・管野須賀子筆記「講壇上の二大雄弁家(上)」(七月二十三日刊『基督教世界』一〇三九号) ● ★**大谷 1981** に紹介。

玉香女史「真心(上)」(七月三〇日付『扶桑新聞』六面) ● ＊高木寅四郎本舗「婦人神経丸」広告。

宇田川文海口述・管野須賀子筆記「講壇上の二大雄弁家(下)」(八月六日刊『基督教世界』一〇四一号) ● ★**大谷 1981** に紹介。

宇田川文海「成功」(八月一五日刊『みちのとも』一四〇号二五〜三三頁) ● ＊小説

須賀子しるす「(はしがき)」(宇田川文海口述・管野須賀子筆記「曲亭馬琴の信仰心(上)」(八月二十日刊『基督教世界』一〇四三号) ● ＊**大谷 1989a** に抄引済み。

宇田川文海口述・管野須賀子筆記「曲亭馬琴の信仰心(上)」(八月二十日刊『基督教世界』一〇四三号) ●

宇田川文海口述・管野須賀子筆記「曲亭馬琴の信仰心(中)」(八月二十七日刊『基督教世界』一〇四四号) ●

宇田川文海口述・管野須賀子筆記「曲亭馬琴の信仰心(下)」(九月三日刊『基督教世界』一〇四五号) ●

幽月女史「みなし子(上)」(九月三日刊『基督教世界』一〇四五号) 三 27〜32 ＊小説

幽月女史「みなし子(中)」(九月一〇日刊『基督教世界』一〇四六号) 三 32〜37 ＊小説

幽月女史「盂蘭盆会」(九月一五日刊『みちのとも』一四一号一九〜二六頁) ● ＊雑録。はしがき/盆と正月/盂蘭盆/盆の起原/盂蘭盆の趣意/支那の盂蘭盆/霊祭/盂蘭 盆雑事

幽月女史「みなし子(下)」(九月二四日刊『基督教世界』一〇四八号) 三 38〜44 ＊小説

須賀子「絶交」(一〇月八日刊『基督教世界』一〇五〇号) 三 44〜50 ＊小説

須賀子「愛の力(上)」(一〇月一五日刊『みちのとも』一四二号二五〜二九頁) 三 50〜55 ＊小説

幽月女史「心の衛生」(一〇月一五日刊『みちのとも』一四二号四四〜四八頁) 再 ＊九月十五日文学会席上演説筆記 書籍を御読みなさい/人は麺麭のみで生てゐるもので無い/何を喫べたら滋養分が多いか

幽月女史「十三夜」(一一月一五日刊『みちのとも』一四三号四四〜四七)

再　＊文学　我朝の風俗／十三夜の異名／古今の事実　★大谷 1981 で言及。

一九〇四〔明治三十七〕年

幽月女史「羽根争い」（一月一五日刊『みちのとも』一四五号二五～三二頁）

●　＊小説

須賀子「噫この子」（二月一五日刊『みちのとも』一四六号二五～二八頁）三55～58　＊小説　再録

須賀子「日本魂」（三月一五日刊『みちのとも』一四七号二五～二九頁）三59～64　＊小説　再録

須賀子「小軍人」（四月一五日刊『みちのとも』一四八号二五～二九頁）三65～70　＊小説

幽月女史「戦争と婦人」（四月一五日刊『みちのとも』一四八号二九～三二頁）二5～8　＊雑録

須賀子「関西連合婦人大祈祷会」（五月一二日刊『基督教世界』一〇八〇号）二8～12

須賀子「婦人の会合に就ての所感」（五月一九日刊『基督教世界』一〇八一号）二17～18

宇田川文海「白百合其一」（六月五日付『岐阜日日新聞』六八〇〇号一面）

●　＊小説

宇田川文海「白百合其二」（六月七日付『岐阜日日新聞』六八〇一号一面）

●

宇田川文海「白百合其三」（六月八日付『岐阜日日新聞』六八〇二号一面）

●

宇田川文海「白百合其四」（六月九日付『岐阜日日新聞』六八〇三号一面）

●

宇田川文海「白百合其五」（六月十日付『岐阜日日新聞』六八〇四号一面）

●

宇田川文海「白百合其六」（六月十一日付『岐阜日日新聞』六八〇五号一面）

●

宇田川文海「白百合其七」（六月十二日付『岐阜日日新聞』六八〇六号一面）

●

宇田川文海「白百合其八」（六月十四日付『岐阜日日新聞』六八〇七号一面）

●

宇田川文海「白百合其九」（六月十五日付『岐阜日日新聞』六八〇八号一面）

●

〔無署名〕「講話」（六月一五日刊『みちのとも』一五〇号一五～一九頁）

●　＊夏の初と人間／植物と小児

須賀子「山田敦子刀自」（六月一五日刊『みちのとも』一五〇号一八～二〇頁）二12～14　雑録

しらぎく「若葉の露」（六月一五日刊『みちのとも』一五〇号三〇～三二頁）二14～17　雑録

幽月女史「藤と牡丹」（六月一五日刊『みちのとも』一五〇号四六～四九頁）

●

宇田川文海「白百合其十」（六月十六日付『岐阜日日新聞』六八〇九号一面）

●

宇田川文海「白百合其十一」（六月十七日付『岐阜日日新聞』六八一〇号一面）●

宇田川文海「白百合其十二」（六月十八日付『岐阜日日新聞』六八一一号一面）●

宇田川文海「白百合其十三」（六月十九日付『岐阜日日新聞』六八一二号一面）●

宇田川文海「白百合其十四」（六月二十一日付『岐阜日日新聞』六八一三号一面）●

宇田川文海「白百合其十五」（六月二十二日付『岐阜日日新聞』六八一四号一面）●

宇田川文海「白百合其十六」（六月二十五日付『岐阜日日新聞』六八一七号一面）●

宇田川文海「白百合其十七」（六月二十六日付『岐阜日日新聞』六八一八号一面）●

宇田川文海「白百合其十八」（六月二十八日付『岐阜日日新聞』六八一九号一面）●

宇田川文海「白百合其十九」（六月二十九日付『岐阜日日新聞』六八二〇号一面）●

宇田川文海「白百合其二十」（六月三十日付『岐阜日日新聞』六八二一号一面）●

宇田川文海「白百合其二十一」（七月二日付『岐阜日日新聞』六八二三号一面）●

宇田川文海「白百合其二十二」（七月三日付『岐阜日日新聞』六八二四号一面）●

宇田川文海「白百合其二十三」（七月五日付『岐阜日日新聞』六八二五号一面）●

宇田川文海「白百合其二十四」（七月六日付『岐阜日日新聞』六八二六号一面）●

宇田川文海「白百合其二十五」（七月七日付『岐阜日日新聞』六八二七号一面）●

宇田川文海「白百合其二十六」（七月八日付『岐阜日日新聞』六八二八号一面）●

宇田川文海「白百合其二十七」（七月九日付『岐阜日日新聞』六八二九号一面）●

宇田川文海「白百合其二十八」（七月十日付『岐阜日日新聞』六八三〇号一面）●

宇田川文海「白百合其二十九」（七月十二日付『岐阜日日新聞』六八三一号一面）●

宇田川文海「白百合其三十」（七月十三日付『岐阜日日新聞』六八三二号一面）●

宇田川文海「白百合其三十一」（七月十四日付『岐阜日日新聞』六八三三号一面）●

宇田川文海「白百合其三十二」（七月十五日付『岐阜日日新聞』六八三四号一面）●

須賀子「軍事小説最後の夢」（七月一五日刊『みちのとも』一五一号二一～三五頁）三70～75　＊小説

宇田川文海「白百合其三十三」（七月十六日付『岐阜日日新聞』六八三五号一面）●

宇田川文海「白百合其三十四」（七月十七日付『岐阜日日新聞』六八三六号一面）●

宇田川文海「白百合其三十五」（七月十九日付『岐阜日日新聞』六八三七号一面）●

宇田川文海「白百合其三十六」（七月二十日付『岐阜日日新聞』六八三八号一面）●

宇田川文海「白百合其三十七」（七月二十一日付『岐阜日日新聞』六八三九号一面）●

宇田川文海「白百合其三十八」（七月二十二日付『岐阜日日新聞』六八四〇号一面）●

宇田川文海「白百合其三十九」（七月二十三日付『岐阜日日新聞』六八四一号一面）●

宇田川文海「白百合其四十」（七月二十四日付『岐阜日日新聞』六八四二号一面）●

宇田川文海「白百合其四十一」（七月二十六日付『岐阜日日新聞』六八四三号一面）●

宇田川文海「白百合其四十二」（七月二十七日付『岐阜日日新聞』六八四四号一面）●

宇田川文海「白百合其四十三」（七月二十八日付『岐阜日日新聞』六八四五号一面）●

宇田川文海「白百合其四十四」（七月二十九日付『岐阜日日新聞』六八四六号一面）●

宇田川文海「白百合其四十五」（七月三十日付『岐阜日日新聞』六八四七号一面）●

宇田川文海「白百合其四十六」（七月三十一日付『岐阜日日新聞』六八四八号一面）●

宇田川文海「白百合其四十七」（八月二日付『岐阜日日新聞』六八四九号一面）●

宇田川文海「白百合其四十八」（八月三日付『岐阜日日新聞』六八五〇号一面）●

宇田川文海「白百合其四十九」（八月四日付『岐阜日日新聞』六八五一号一面）●

宇田川文海「白百合其五十」（八月五日付『岐阜日日新聞』六八五二号一面）●

宇田川文海「白百合其五十一」（八月六日付『岐阜日日新聞』六八五三号一面）●

宇田川文海「白百合其五十二」（八月七日付『岐阜日日新聞』六八五四号一面）●

宇田川文海「白百合其五十三」（八月九日付『岐阜日日新聞』六八五五号一面）●

宇田川文海「白百合其五十四」（八月一〇日付『岐阜日日新聞』六八五六号一面）●

宇田川文海「白百合其五十五」（八月一一日付『岐阜日日新聞』六八五七号一面）●

宇田川文海「白百合其五十六」（八月一二日付『岐阜日日新聞』六八五八号一面）●

宇田川文海「白百合其五十七」（八月一三日付『岐阜日日新聞』六八五九号一面）●

宇田川文海「白百合其五十八」（八月一四日付『岐阜日日新聞』六八六〇号一面）●

管野正雄意訳・管野須賀子補綴「探偵美人（一）」（八月一五日刊『みちのとも』一五二号）●

幽月女史「夏祭」（八月一五日刊『みちのとも』一五二号三〇～三三頁）画

＊雑録　祭礼の順序／祭典は何の為めにする乎／美麗な衣服と不消化物／氏子と氏神　初出時「行水談（五）」より

宇田川文海「白百合其五十九」（八月一六日付『岐阜日日新聞』六八六一号

一面）●
宇田川文海「白百合其六十」（八月一七日付『岐阜日日新聞』六八六二号一面）●
宇田川文海「白百合其六十一」（八月一八日付『岐阜日日新聞』六八六三号一面）●
宇田川文海「白百合其六十二」（八月一九日付『岐阜日日新聞』六八六四号一面）●
宇田川文海「白百合其六十三」（八月二〇日付『岐阜日日新聞』六八六五号一面）●
宇田川文海「白百合其六十四」（八月二一日付『岐阜日日新聞』六八六六号一面）●
宇田川文海「白百合其六十五」（八月二三日付『岐阜日日新聞』六八六七号一面）●
宇田川文海「白百合其六十六」（八月二四日付『岐阜日日新聞』六八六八号一面）●
宇田川文海「白百合其六十七」（八月二五日付『岐阜日日新聞』六八六九号一面）●
宇田川文海「白百合其六十八」（八月二六日付『岐阜日日新聞』六八七〇号一面）●
宇田川文海「白百合其六十九」（八月二七日付『岐阜日日新聞』六八七一号一面）●
宇田川文海「白百合其七十」（八月二八日付『岐阜日日新聞』六八七二号一面）● ＊完
菅野正雄意訳・菅野須賀子補綴「探偵美人（一）」（九月一五日刊『みちのとも』一五三号五四〜五六頁）●
菅野正雄意訳・菅野須賀子補綴「探偵美人（二）」（一〇月一五日刊『みちのとも』一五四号三四〜三六頁）● 米国新聞所載ホルトン氏通信
宇田川文海「理想郷其一」（一一月二〇日付『岐阜日日新聞』六九四一号一面）● ＊小説
宇田川文海「理想郷其二」（一一月二二日付『岐阜日日新聞』六九四二号一面）●
宇田川文海「理想郷其三」（一一月二三日付『岐阜日日新聞』六九四三号一面）●
宇田川文海「理想郷其四」（一一月二五日付『岐阜日日新聞』六九四四号一面）●
宇田川文海「理想郷其五」（一一月二六日付『岐阜日日新聞』六九四五号一面）●
宇田川文海「理想郷其六」（一一月二七日付『岐阜日日新聞』六九四六号一面）●
宇田川文海「理想郷其七」（一一月二九日付『岐阜日日新聞』六九四七号一面）●
宇田川文海「理想郷其八」（一一月三〇日付『岐阜日日新聞』六九四八号一面）●
宇田川文海「理想郷其九」（一二月一日付『岐阜日日新聞』六九四九号）●
未見 ＊
宇田川文海「理想郷其十」（一二月二日付『岐阜日日新聞』六九五〇号一面）●
宇田川文海「理想郷其十一」（一二月三日付『岐阜日日新聞』六九五一号一面）●
宇田川文海「理想郷其十二」（一二月四日付『岐阜日日新聞』六九五二号一

面）●

宇田川文海「理想郷其十三」（一二月六日付『岐阜日日新聞』六九五三号一面）●

宇田川文海「理想郷其十四」（一二月七日付『岐阜日日新聞』六九五四号一面）●

宇田川文海「理想郷其十五」（一二月八日付『岐阜日日新聞』六九五五号一面）●

宇田川文海「理想郷其十六」（一二月九日付『岐阜日日新聞』六九五六号一面）●

宇田川文海「理想郷其十七」（一二月十日付『岐阜日日新聞』六九五七号一面）●

宇田川文海「理想郷其十八」（一二月十一日付『岐阜日日新聞』六九五八号一面）●

宇田川文海「理想郷其十九」（一二月十三日付『岐阜日日新聞』六九五九号一面）●

宇田川文海「理想郷其二十」（一二月十四日付『岐阜日日新聞』六九六〇号一面）●

宇田川文海「理想郷其二十一」（一二月十五日付『岐阜日日新聞』六九六一号一面）●

幽月女史「天上界（上）」（一二月一五日刊『みちのとも』一五六号二〇～二三頁）二19～22　＊彙報　河内恩池村山遊びの記

管野正雄訳・同須賀子補「最良の軍人」（一二月一五日刊『みちのとも』一五六号四三～四七頁）●　＊東西美談頁

宇田川文海「理想郷其二十二」（一二月十六日付『岐阜日日新聞』六九六二号一面）●

宇田川文海「理想郷其二十三」（一二月十七日付『岐阜日日新聞』六九六三号一面）●

宇田川文海「理想郷其二十四」（一二月十八日付『岐阜日日新聞』六九六四号一面）●

宇田川文海「理想郷其二十五」（一二月二十日付『岐阜日日新聞』六九六五号一面）●

宇田川文海「理想郷其二十六」（一二月二十一日付『岐阜日日新聞』六九六六号一面）●

宇田川文海「理想郷其二十七」（一二月二十二日付『岐阜日日新聞』六九六七号一面）●

宇田川文海「理想郷其二十八」（一二月二十三日付『岐阜日日新聞』六九六八号一面）●

宇田川文海「理想郷其二十九」（一二月二十四日付『岐阜日日新聞』六九六九号一面）●

宇田川文海「理想郷其三十」（一二月二十五日付『岐阜日日新聞』六九七〇号一面）●

宇田川文海「理想郷其三十一」（一二月二十七日付『岐阜日日新聞』六九七一号一面）●

宇田川文海「理想郷其三十二」（一二月日付不明『岐阜日日新聞』六九七二号）●　未見

宇田川文海「理想郷其三十三」（一二月日付不明『岐阜日日新聞』六九七三号）●　未見

一九〇五〔明治三十八〕年

宇田川文海「理想郷其三十四」（一月一日付『岐阜日日新聞』六九七四号四

面）●

宇田川文海「理想郷其三十五」（一月五日付『岐阜日日新聞』六九七五号一面）●

宇田川文海「理想郷其三十六」（一月六日付『岐阜日日新聞』六九七六号一面）●

宇田川文海「理想郷其三十七」（一月七日付『岐阜日日新聞』六九七七号一面）●

宇田川文海「理想郷其三十八」（一月八日付『岐阜日日新聞』六九七八号）●　＊未見

宇田川文海「理想郷其三十九」（一月一〇日付『岐阜日日新聞』六九七九号一面）●

宇田川文海「理想郷其四十」（一月一一日付『岐阜日日新聞』六九八〇号一面）●

宇田川文海「理想郷其四十一」（一月一二日付『岐阜日日新聞』六九八一号一面）●

宇田川文海「理想郷其四十二」（一月一三日付『岐阜日日新聞』六九八二号一面）●

宇田川文海「理想郷其四十三」（一月一四日付『岐阜日日新聞』六九八三号一面）●

宇田川文海「理想郷其四十四」（一月一五日付『岐阜日日新聞』六九八四号一面）●

幽月女史「天上界（下）（河内恩地村山遊びの記）」（一月一五日刊『みちのとも』一五七号二六～三二頁）　二22～29　＊小説

幽月女史「家庭小話」（一月一五日刊『みちのとも』一五七号四三～四六頁）　二30～33　＊家庭　クリスマスとお正月／姑嫁の調和

須賀子「七五三（しめ）の内（上）」（一月一五日刊『みちのとも』一五七号四六～五三頁）　三75～79　＊小説

宇田川文海「理想郷其四十五」（一月一七日付『岐阜日日新聞』六九八五号一面）●

〔「理想郷其四十六」は欠番〕

宇田川文海「理想郷其四十七」（一月一八日付『岐阜日日新聞』六九八六号一面）●

宇田川文海「理想郷其四十八」（一月一九日付『岐阜日日新聞』六九八七号一面）●

宇田川文海「理想郷其四十九」（一月二〇付『岐阜日日新聞』六九八八号一面）●

宇田川文海「理想郷其五十」（一月二一日付『岐阜日日新聞』六九八九号一面）●

宇田川文海「理想郷其五十一」（一月二三日付『岐阜日日新聞』六九九〇号一面）●

宇田川文海「理想郷其五十二」（一月二四日付『岐阜日日新聞』六九九一号一面）●

宇田川文海「理想郷其五十三」（一月二五日付『岐阜日日新聞』六九九二号一面）●

宇田川文海「理想郷其五十四」（一月二六日付『岐阜日日新聞』六九九三号一面）●

宇田川文海「理想郷其五十五」（一月二七日付『岐阜日日新聞』六九九四号一面）●

宇田川文海「理想郷其五十六」（一月二八日付『岐阜日日新聞』六九九五号

一面) ●

菅野須賀子「弔辞」(二月九日刊『基督教世界』一一一九号) 二33～34

須賀子「七五三の内(中)」(二月一五日刊『みちのとも』一五八号五七～六〇頁) 三79～82 ＊小説

幽月寄 半仙補「小説留守家族(上)」(三月二七日付『藝備日日新聞』五八四八号) ● ☆瀬崎2012で報告。

幽月寄 半仙補「小説留守家族(下)」(三月二八日付『藝備日日新聞』五八四九号) ● ☆瀬崎2012で報告。

須賀子「関西婦人大祈祷会」(五月一一日刊『基督教世界』一一三二号) 二35～37

幽月女「近事所感二、三」(五月一一日刊『基督教世界』一一三二号) 二37～38

菅野須賀子「小児と植物」(十二月二十五日刊『新家庭』三四号三頁) 再

一九〇六〔明治三十九〕年

白菊女史「藤と牡丹」(五月十五日刊『墨江』二号五八～六二頁)

須賀子「某夫人を訪ふ」(七月二五日刊『新家庭』四一号三頁) ●

付録二 「白百合」「理想郷」判明分の復刻はしがき

宇田川文海に師事した頃に限った、『菅野須賀子全集』未収録文集を編み、清水卯之助の仕事の継承を志し、霊前に献じたい。初め全集未収録文すべてを収めるつもりであったけれども、予算をはみ出すことがわかり、「白百合」「理想郷」の判明分のみとなった。同理由で「年譜」も割愛する。

逸文集は、校訂し新組で公開するのでなく、初出復刻で、責めをふさぐこととした。これで新たな誤植の発生を防げるであろう。一方、不鮮明箇所を生じ、申し訳ない。

著作目録で示したように、「白百合」は明治三十七年六月五日から八月二十八日まで『岐阜日日新聞』に掲載された。「理想郷」は明治三十七年十一月二〇日から『岐阜日日新聞』に連載された。明治三十八年一月二十八日まで確認できた。ただし、

- 「理想郷其九」(十二月一日付『岐阜日日新聞』六九四九号)
- 「理想郷其二十二」(十二月日付不明『岐阜日日新聞』六九七二号)
- 「理想郷其二十三」(十二月日付不明『岐阜日日新聞』六九七三号)
- 「理想郷其三十八」(明治三十八年一月八日付『岐阜日日新聞』六九七八号)
- 「理想郷其五十七」以後から完結まで

が未見である。

なお、「理想郷其四十六」は欠番である。ただし、その後の回数の順送り変更は行われない。

ちなみに、「理想郷其九」は未見であるが、前回末尾で思わせぶりな登場

人物の〈失敗〉は、渡辺が櫻子・泉二人分の兵糧を持っていったことであろう。

復刻の不鮮明箇所を補う。ただし、ルビ略、字体も厳密でない。

「白百合其一」第三段第三〜六行目　〈へ悠然と腰を下し、携へた譜本をくり広げる今一人が、即ち司会者の紹介した、安藝櫻子嬢と云ふので有う、三つ紋黒羽二重の裾模様に、白綸子の下着を襲ね、輝くばかりの繻珍〉

同第三段挿絵の左、第二〜三行目　〈此時優待席の前列に居る、丸髷婦人の膝に凭れた、六つ七つの愛らしい、友禅の被布を着た〉

「白百合其二」第三段挿絵の左、第一〜第七行目　〈へ倒れて了つた。〔改行〕さあ大変、露西亜が倒れたと云ふので、上を下への大混雑、惨酷にも、手を打つて日本万歳を唱へるもあれば、又、今更気の毒さに口を結ぶもあり、中には亦、何かと彼女の身の上を、心得顔に語るもありて、宛然鼎の沸くが如き有様。〔改行〕〉

「白百合其二十二」第二段挿絵の左、第一〜第九行目　〈江吉田さん、気がすまないわね江」〔改行〕と、痩形のは焦れ出した。〔改行〕「ホヽヽ、其様なに言はなくつたつて言ふわ、又仮りに妾が言はないにした所で、今に厭でも応でも分るんだもの、然しまあ知れたら大変だらうね江、妾だつて初めて聞いた時、手に持つてたペンを落しちやつたんだもの」愈よ大形に言れて二女は益々好奇心を動かし「何うしたつてエの、早く仰しやいなね江」〉

同第三段挿絵の左、第一〜第十二行目　〈あの人は、北岡先生の妹じやありませんか」〔改行〕「左様だワ、まあ何てエ情ない事をしたんでせうねへ」〔改行〕多少精神的教育を受けてゐる丈けに、感じも一入深く呆れた三人は　やがて〔改行〕「何んな顔してるか見てやらうじやありませんか、左様言へば何だか此頃は顔色が悪く成つて　滅切り痩せた様だわねえ」〔改行〕多少面白半分、前なる町の主を追ひかけた。此噂の主こそは、まこと北岡牧師の妹で妙子と呼び、今年十八の花盛りを、あはれ恋てふ悪魔に吹き散らされて了つたのである。〔改行〕〉

「白百合其二十五」第三段第三〜第四行目　〈お曽代は、妙子が常ならぬ顔色に心も心ならず、手に持つ雑巾を投げ出して、いと染々と〉

同第三段挿絵の左、第一〜第三行目　〈心弱き母は、兎つ置つ気を揉むのであつたが、やがて妙子が涙の顔を上げて〉「お父様は今いらしつたばかし?、ぢやまた」

「白百合其二十七」第三段第一〜第十三行目　〈「姉さん夕べ投身がありましたよ」〔改行〕乳母をやゝ小形にして、其口を軽くしたやうな従妹の女将は、櫻子の一興にもと、〔改行〕「良人が大津から、出入の猟師の船に乗つて遊びながら帰りがけに助けましたの、左様ですねえ、お嬢様より一つ二つ下位の、海老茶の袴を穿いた可愛らしい娘さんですよ」〔改行〕「へエ、そんな可愛い娘さんが……」〔改行〕乳母は櫻子の顔を見る。櫻子は熱心に耳を傾けて居る。〔改行〕今まだ寝かしてあるんですがね、可なりなとこの娘さんらしいが……どうも様子が、自身じや何とも言ひませんが、大阪あたりの娘〉

同第三段挿絵の左、第一〜第十行　〈らしいのです、万一としたら、お嬢様は御存じじや無いか知らんて」〔改行〕半ば独言のやうに言ふのを、好奇心に動かされて居た櫻子は、〔改行〕「妾一度、其人を見たいワ、万々一知つてないとも限らないもの、ね、乳母」〔改行〕「オホヽヽ、お嬢様は好奇者ですね」〔改行〕笑つたばかり、乳母は敢て反対もせぬので、櫻子は一刻も猶予なく、女将に案内せられて、其投身娘の打臥して居る部屋へと行くので〉

「白百合其二十八」第三段挿絵の左、第一〜第五行目　〈から、遂に罪の結果を身に宿し、悪事千里の譬に洩れず、友人の口の端に上るのみか、あの、神のやうな兄にまで知れた今、兎ても此世に生存へて、人々に後指さるゝ事は思ひもよらず、否兄に対しても、此儘ヂツとしては〉

「白百合其二十九」第二段挿絵の左、第一～第三行目 〈せうから、御無事にいらつしやる事丈け御知らせなすつて、そして、此家は家の乳母の従妹の家ですから、御遠慮なく、嬰児さんのお〉

同第三段挿絵の左、第一～第六行目 〈が、待てども〳〵出て来ぬので、乳母は案じてそと様子を見に来たのである。〔改行〕「あ、乳母、此方はね、以前妾の学校のお友達だつたのそしてね、色々御家の都合がおあんなすつて、御帰んなさる事が出来ないんだがね、当分此家にいらしつたつて好いわね、」

「白百合其三十六」第三段第四行～挿絵前まで 〈今迄、小児の如く無邪気に、只飲食をのみ事として居た秋夫は、此時、悪魔の如き冷やかな笑を浮べて、ヂツト其様子を見て居たのであつたが、やがて其の深き〳〵眠りに入るのを見ると同時に、静かに四辺を片附始めた。〔改行＊印〕やゝあつて秋夫は、酔眼朦朧と千鳥足心地好げに、勝誇つたやうな色を泛べて、フラ〳〵と散歩に出るのであつたが、凡そ三四十分も経たと思ふ頃再び帰り来り、出迎へた女中に〉

「白百合其三十九」第二段第三～第六行目 〈「如何も見込みが無いですから、……其お積りで覚悟なさらんと……」〔改行〕気の毒げに、泣き腫した櫻子の眼を、只乳母の為にのみ泣いたものと思ひつめて〔改行〕〉

同第三段第四～第七行目 〈曾て京都の済世学舎に、暫く学んで居たとかで、常から医学自慢の秋夫は、仔細らしう首を捻つて其脈など取り見るのであつたが、乳〉

「白百合其四十」第三段第二～第五六目 〈秋夫は殆んど万歳を叫ばんばかり、凱歌を奏せんとするのであつたが、此時早く櫻子は、「そ夫ア乳母不可ない……」〔改行〕言ひ掛けるのを、秋夫は、強て押へるやうに〉

「白百合其五十三」第二段第二～第四行目 〈言はれて見れば詮方なし、殊に今眼前へ来られて見れば、逃げも隠れもする訳に行かねば、妙子は恥かしさを忍んで逢ふ事としたのである、そして、櫻子が、「妙子さん、其他にも、実は妾、お兄様の事に就て、色々御話したい事があるんですけど」〉

「白百合其五十七」第二段第二～第六行目 〈何気なく言ふお銀の言葉も、多年鍛へ上げた敏いお夏の脳髄には、警鐘よりも尚鋭く響いたので、彼は一時立止まつて、咄嗟に思案を廻らすのであつたが、忽ち声和らかに、「あのお前さんね、お嬢様は大変お悪いんだ」

「白百合其六十三」第二段第一～第九行目 〈〔二字分空白、∧知らVであろう〕すとでも言ふんですか、妾は始めつから左様な気がして居ましたよ」「若し左様だつたら、妾あ如何なに嬉しいでせう……だけどね櫻子さん」うつとりとした声に力が籠つて、「若しや、直ぐに死ぬやうなんじや無いでせ」〉

同第三段第四行目～第十行目 〈「夜だつて何だつて、其様な事、些とも構やしませんワ」「今日は折角ですけど、又伺ひますワ、貴嬢いらしつたし、何うかお兄様に……あの先生にも、奥様にも、宜しく仰しやつて頂戴、ね、妾そしたら、直ぐ車で帰りますから」「だつて夫じやあんまりお気の毒ですから」「何の其様な事、早くいらつしやい、妾は大丈夫よ、すぐ車に乗るから」強て押やるやうにするので、妙子は気懸りな〉

「理想郷其一」第二段第四～第六行目 〈「ホヽヽ、僅かの時間に別世界のやうに成りましたね」〔改行〕言ひつゝ、稍々小高き平地に横たはつた、大〉

「理想郷其二」第二段第一～第十三行目 〈「ホヽヽ泉さんが亦お口の悪い、夫よりか、何だか早く見せて頂かうじやありませんか」〔改行〕流石に女性の櫻子は優しう、泉が無遠慮な言葉を気の毒に思ふて、熱心な中にも敬意を失はぬ眼で、我を見詰めて居る渡辺を慰さめるので。〔改行〕「イヤお目に掛けます、無論の事です、実に意外の掘出し物です、」〔改行〕言ひつゝ恭しく取出したのは、鉱石らしき二〉

「理想郷其四」第二段第一～第十三行目

〈「左様よ、乃公ア亦愚痴言ふやうだが、村に居て是丈けの地面持つて居たらなア……立派な地主様で何れ丈け好かんべい、一ペン村の奴等に見せて遣りてえだよ」〔改行〕「ハヽヽ又爺さんの愚痴が始まつた、全く左様思ひ成さるも無理ア無えだが、然し爺さんや、吾徒のやうな、村に……日本に居りやア、粟飯さへ碌に食えねえ水呑百姓が、大川様のお蔭で新日本へ来たばかしで、何の不自由も知らねゑで、斯うして結構に暮されるなア、全く神様のお導きだんべい、長へ間、あの欲張の地主に責められた報にサ」〔改行〕「ハヽヽヽ違ひねえ、然し恵作や、乃公だ」

「理想郷其五」第二段第一～第十三行目

へ、そして愛くるしく見えるので、「櫻子様方は、まだお帰んなさらねえんかネ」夕飯後運動ながら牧場の見廻りにでも行つたのか、草履脱だ足にも泥つかねば、爺は直ぐに、莚重ねて薄椽敷いた、座敷と言ふも名ばかりの、奥の六畳へと通りつゝ、先づ何より第一に夫を聞くのであつた。〔改行〕「オヽお帰んなさい、未だ帰らつしやらんので、今もお光と話して居たとこなんですがね……お前さんか、恵作でもちよつくら、山の小口迄でも見て来て上げなされば好い、屹度道に迷つて、困つてなさるんじやありますめへか」

「同第三段第一～第十三行」

〈お光は其儘片傍へ押しやつて〔改行〕「お父さん擦りませう」〔改行〕此島で焼いたのか、素焼の不格好な火鉢の前へ、ドッカリ胡座を組んで、荒刻みの煙草を、左も旨さうに鉈豆煙草で、スパリ／＼と吸ふて居た爺は、早やくも後背へ廻つて肩へかけたお光の手を振り払ふやうに押し退けて「ウンにや　今日はもう好いだア、櫻子様方が今頃、道にでも迷つて困つてゞも居なさらうもんなら、乃公が何うして、呑気に肩なんどを揉んで貰へるものしやねだ。〔改行〕櫻子様は、新京の人等ア言ふまでも無江事大川様の御夫婦でせへ、あげへ大切にしてなさ」〉

「理想郷其六」第二段第一～第五行目

〈言ひつゝ家の中を差覗くやうにして〔改行〕「アノ櫻子さんは此処へお寄んなさりやしないかね」〔改行〕「ア櫻子様でがつすか？」〔改行〕作兵衛は始めて合点が行つたやうに、幾度か〉

「理想郷其二十一」第三段挿絵の左、第一～第十三行目

〈イエ、あれはほんの内輪ばかりで御座いますの、今夜のは本式ださうで……」〔改行〕「ホヽヽ中々六つかしいんですね、承知致しました」〔改行〕春さんが立去ると同時に、先づ封書の差出人の名前を見て、踊らんばかりかも懐かしげに、櫻子は、幾度か封切る間も見直しつ悦びながら、やがて取出す丈なす一巻を、一字一句味はふやうに読みもて行く其顔色は、或は眉を顰め、或は微笑み、様々に変化するのであつたが、やがて中程に至つて、〔改行〕「アツ…………」〔改行〕と叫びざま、思はず手に持つ夫を取落した。〉

「理想郷其五十四」第三段第一～第十一行目

〈櫻子嬢の一語に、お広は

胸を刺さるゝ如く感じたのであつたが、直ぐに気を取直して、〔改行〕「ハ、お目にかゝりました」〔改行〕「アノ、二人　何か話してたかイ」〔改行〕聞きはしたものゝ、流石に余りの問と泉は一方ならず後悔した。〔改行〕「ハイ、イエ別に……私、一同、気がつきませんで……」〔改行〕「ハ　、イヤ詰らない事を聞いた……然し何かい、ゴールドは何んな顔をして居たね」〔改行〕「エ・・・・・・・・・・」〔改行〕〉

白百合

（其二）

宇田川文海

日露の交渉遂に破れて、平和はしばし砲煙の裡に影をかくし、號外、號外、又號外、街に鈴の音絶間なくて、市民は半ば狂する如く、幸先目出度仁川、旅順の閃捷に、毎夜数知れぬ提灯行列、口々に呼ぶ日本萬歳の歡呼は、練り歩く音楽隊の夫と合して、為に天地も震ふばかりの今日此頃、まして今宵は、大坂慈善婦人會の發起にて、恤兵献金の為に催ほす、音楽會が開かれた。

豫て定められた場所は、中の島の公會堂で、開場時間は午後の七時、出演者は、何の某誰様と、新聞紙は勿論、京都神戸邊へまでも、行き届く種の廣告をした結果か、但しは恤兵献金の趣意が、時機と人心に投じた為か、或は亦従来の音楽會が、兎角西洋主義にかぶれて、浄瑠璃的音楽の浸み込んで居る耳には、あまりに高尚すぎて、趣味を感ぜしめぬのに反して、和洋混交とでも云はふか、ピヤノ、ヴァイオリン、コルネット等の、西洋音楽の他に、琴は勿論、浄瑠璃、清元、常盤津、端唄、落語、講談、能狂言に活人畫、舞踏まで、それ〴〵其道に名だゝる人、殊に活人畫には、知名の紳士の花の如き令嬢が、数多く出演する故か、定刻の七時には早や、さしもに廣き公會堂の二階上階下立錐の餘地もない程の盛會。

高く低く、縦横に列ねられた日の丸の球燈は、焔々と燃え上る篝火と對して、ゆら〳〵と、静かに吹く春風に揺られながら、朧月夜の影を消さんとあせる如く、愛らしい眼はしい色を競ふて光を放ち、たゞさへ狂して居る人々に、來りて共に躍り共に踊れと命ずるが如き華かな光景を呈して居るのである。

今や時は九時を少し廻つて、順序書の半ば、某々令嬢等の、戦地看護婦の、看護實況活人畫が、拍手喝采の中に終つて幕を引かれ、鼻下に鬚髯を蓄へた、ヒョロ〳〵と背の高い、フロックコートの司會者が、靴音静かに歩み出で、やゝ錆びた聲を張り上げ

「次は剣舞詩吟、安藤菊子嬢」

と、今の活人畫の噂に、耳も貸せんばかり動揺めいて居る数千の聴衆に、響けよとばかり高く云つて、徐かに元の席へ復した。

が、何しろ蛙の鳴聲でさへ喧噪ましいのに況して数千の人々が、禮儀も秩序も無う、口々に饒舌り合ふのであるから、特別優待席の人々等より他には、殆ど其聲は聞ゑ無つた。

やがて暫時すると、左手の扉が開いて、徐々と演壇上に登る二人の人がある。その一人は、五十近い痩形の西洋婦人で、白のレースで飾られた黒地の服の品よく、孔雀の羽を翳げたやうな襟を附つて、据ゑられたピヤノの前へ悠然と腰を下し、携へた譜本をくり擴げる。今一人が、即ち司會者の紹介した、安藤菊子嬢と云ふので有う、三つ紋[illegible]の裾模様に、白綸子の下着を襲ね、輝くばかりの錦の帯を、上品な太鼓に結びて、すらりと立つた其姿は、實に繪にもかゝまほしく思はれるので有つたが、羞かしげに優やかな禮をして、やがて静かに揚げた俯向勝の其容貌を見ると、聴衆一様に異様な感に打たれて、今までの喧騒しさはどこへやら、囁ひさへせねど[illegible]に口を結びて呆れ顔に、何れもザッと彼の女に其明眼を注ぐのであつた。

此時優待席の前列に居る、丸髷婦人の膝に凭れた、六つ七つの愛らしい、友禅の被布を着た女の兒が、玉を轉ばしたやうな聲で

「母様、あれ雑種兒？」

言ふと、其隣りに腰かけた、兄らしい海軍服の凛々しい男の子が、

「ア、雑種兒だよ、僕知つてるよ」

と、やゝ聲高に云ふ。

母なる人はハッと思ふた様子で、言葉忙しく、

「其様な事を云ふものぢやありません」

と窘めるので有つたが、四邊が静まつて居る丈けに、是等の問答は、壇上に立つた彼の女の耳へ迄も、いと明晰と聞ゆるのであつた。

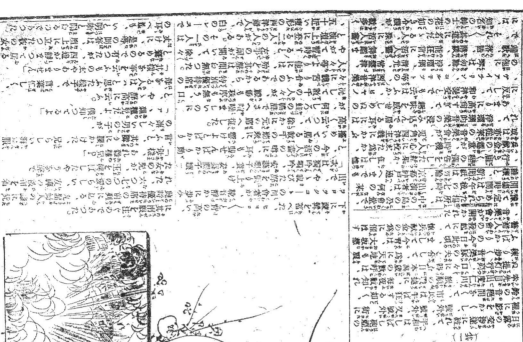

白百合(しらゆり)

（其二）

宇田川文海

此瞬間に、一時寂そりと靜まり返つた人々の口からは、再び、思ひ〳〵の言葉が出されるのであつたが、夫は何も彼待所で、第一に叫んだ小供のそれと畢竟同じ言葉なのであつた、此口々の批評の主、安藤櫻子孃とはそも何者ぞ、年の頃は十九か廿歳か、如何に京の名妓が精神を凝しても、よも斯くまでは化粧れまいと思はるゝ程の色艶、血の氣を帶びて透徹るやうに美はしく、ツンと形好く通つて鼻筋、薔薇の蕾を含んだやうな唇、やゝ眼の上に迫つた眉の濃く長く、春の女神に、食指もて、そと押された痕かと思はるゝ兩の笑渦、我知らず恍惚として其豐かな頰に、接吻したい程に愛らしさであるが、只少し異つて見ゆるは、緑の艶美はしかる可き黒髮が、ゆるやかに出された束髮の前髮に金色の波を打せ、黒眼勝の凉しかる可き眼色が緑大きく、パッチリと鈴を張つたやうに、長い睫毛に掩はれて居る丈けの相違、これが若し、鳶色か水色の浮設して、膚上に顯はれたのであれぞ、夫こそ、誰一人怪しむどころか、口々に其美はしさ、愛らしさを、賞讃せぬ者は無かつたで有ろうが、其名前の日本人らしう優しいのと、其服裝が純日本式なのとで、何も異樣な感に打れて、口々に兎角の批評をするのであつた。

只さへ極り惡げに俯向勝であつた彼女は、豫て覺悟はして居たので有るが、此聲が耳へ這入ると共に、乙女心の今更に亦、ハッと思ふたらしう、耳元まで紅の潮を漲らして、暫時は顔を得上げなかつたが、此時ピヤノの前にある、何事も知らぬ西洋婦人は、其細やかな指を纖にかけて、天女の奏するも斯くやと思ふ、妙なる樂を奏し始めた、其一節を終ると

共に、彼女は其唇の扉を開いて、謡はなければ成らぬのである。

此間、數千の聽衆は、何も口々に彼女の容貌風采に就て、嘖々讃嘆し合ふので有つたが、今や西洋婦人の十指が、ピタッと鍵盤の上に止まつて、再び動き始めやうとする時、彌羞んで居た彼女も、今はと覺悟を定めたらしう、俯向いた花の顔を擡げて、手に持つ歌の譜を捲き棄に、囀るが如くヂッと、その緑滴らんとする大きな眼を注ぐのであつたが、此時突然後の三等席の方から、濁れた聲高く、

「ヨー、緑の瞳、露西亜の姉さん」

と、無遠慮にも叫ぶ者があつた。

聲を聞くと同時に、聽衆は一時にドッと動揺めき渡り、中にも氣早の彌次馬連は、

「ヤーイ、敵の片割れ」

「引摺り下せー、」

「面の皮が厚いぞー」

「氣付ろ〳〵」

など、流石に少し物の解つた人々は、顔見合せて苦笑するのであるが、只露西亜とさへ聞へば、煙草までも仇のやうに思ふ、一圖な敵愾心に富んで居る下流の者等が、口々に罵しり叫ぶ群の、殺氣立つた騒がしさ。

あはれ只さへ狹き乙女心に、ハラ〳〵として居た彼女は、此音樂が耳を貫ぬかぬ先に、早やく〳〵もハッと取逆上せて氣を失ひ、塗と其場へ倒れて了つた、

さあ大變、露西亜が倒れたと云ふので、上を下への大混雜、傍觀にも、手を打つて日本萬歳を唱へるもあれば、又、今更氣の毒さに口を精ぶもあり、中には亦、何かと彼女の身の上を、心得顔に語るもありて、宛然鼎の沸くが如き有様。

此時第一に驚ろいて、彼女を抱き上げたのは、ピヤノを弾いた西洋婦人。

「櫻子さん、どうしました、櫻子さーん」

と、今は臘石の如く眞白に成つた彼女の頰へ、其頰をつけて呼ぶのであつたが、憐れむ可し、色褪せたその唇はかたく閉ぢて、何等の聲も無いのである。

白百合（其三）

宇田川文海

此所のみは別世界の靜かな休憩室、取敢ず卓子二脚を竝べて寢臺に代へ、其上へ坐蒲團を敷き毛布を重ねた、急拵への衾の上に、死せるが如く横はつた安藤櫻子孃。

此方の椅子には、今しも應急の手當を施して、容体如何にと、眼を八字髯を捻りながら、其やゝ下つた細い眼を、彼女の顏に注いで居る醫師の他に、彼女の附添らしい、十八九の織田嬢の小間使らしいのが、涙含んだ眼に手巾を當てながら、ウロウロするより他に人は無く、物淋しい程の靜かな有樣。

聽て扉の隙間洩つて、微かにヴァイオリンの響きが、絹を裂く如く聞え出した刹那、靜かに此室へ這入つて來た、一人の洋裝の紳士がある、年の頃は三十七八か、艶やかな髮を美くしう分けて、筋通つた鼻下に黑々としたカイザル式の髯を蓄へ、秀でた眉の下に慈愛溢るゝ兩眼の光り、フロックコートに白蝶のネクタイ、胸間に燦めく金鎖までが、普通ならず一種の威嚴と愛とを添へて、神々しく見ゆる程の氣高さ。

其姿の見ゆると共に、醫師も小間使も立上つて、均しく慇懃に一禮した、そして小間使は、直ぐに傍の椅子を、醫師と對してすゝめるのであつたが、紳士は、櫻子孃の横はつて居るのに心を置いてか、醫師に對つて落付いた小聲にて、

「經過は如何です、話聲がしちや不可ますまい、一寸急に伺ひたい事が有つて參つたのですが、後にしませうか」

醫師は孃の方をヂロリと見返り

「イヤ、大した事は無い樣です、もうすや氣がつくでせう、神經の過敏な而して此位の年頃には、得て有勝の事ですから、然し氣の毒な令孃ですナ」

言ひかけたが直ぐに氣を更へて

「何か御用なら彼方へ參りませうか？」

「ヂヤ甚だ失禮ですが……然し御病人は」

「其儘にしとけば好いです」

云つて更に小間使に打對い、

「若眼がさめたら是を飲してお上げ成さい」

と、小さな藥瓶を手渡して、紳士と共に打つれて立出やうとする折しも、彼方の舞臺では、今やヴァイオリンが終つたと覺しく、俄かに樂隊がマーチの曲を奏し始めたので、此室へまでも手に取る如く、其壯快な響が聞ゆるのであつた。

夫故かあらぬか、此時櫻子孃はウーンと唸つて、微かに其兩眼を見開き、夢見る如く、やゝ四邊を見廻すのであつた、是を見て、今や扉に手をかけやうとして居た醫師は、その枕元へ直ちに引返して鮮優しく

「オヽ、お眼が醒めましたか　孃さん、確乎なさらんければ不可ませんぞ、直ぐ好くなりますよ、サ此藥をお上んなさい、頭が痛みますか」

と、笑顏よく、其額に手を當てゝ、熱を見るのであつた。追々正氣に歸つた櫻子孃は、人々の面を見廻して、恥かしげに綠の眼を反らし、聞とれぬ程の小聲で

「何うも色々御厄介樣で……濟みません」

謂つて、正氣づいた嬉しさに、其手に縋つて居る小間使を見やり

「オヽ、菊、居て呉れたの」

と　懷かし相に、力ある手に力を籠め、其顏をヂッと見て頓てホロリとするので有つた

「ま、お孃樣、よく御氣づき遊ばしました」

菊と呼ばれた小間使も、眞に嬉しさに迫つて、又も二三滴ハラハラと、其手の上へ、涙の露を落すのであつた。

此樣を見た二人は、何とはなしに譯知らぬ感に打たれて、互に顏を反けるのであつたが、流石に職業柄、醫師は直ちに氣を取直して、

「ハヽヽ、もう大丈夫、今暫時靜かに休んで、夫から歸りに成つたら好いでせう、夫迄に今一度診て上げますから、ヤヤ一寸失禮します、あなた好く氣をつけてね」

小間使に注意を與へ、巳れ先に立つて扉外へ立出たが、此時孃は圖らずも、愛の漲る優しい眼に、ヂッと自分を見詰めて居る、氣高い紳士と顏見合せ、驚ろいて目禮したまゝ、サと蠟石のやうな頬に紅潮を散らして魅せられた如く、その面を見まもるのであつた。

白百合

（其四）

宇田川文海

櫻子孃が我を忘れて巳れの顔を見詰めて居るのを、紳士の方は左程氣にも止ねらしく、只可憐と思ふ樣で、慈愛溢るゝ笑を湛へ、輕く目禮して其儘足音靜かに醫師に續いて、扉の外へ立出ると、踉蹌を拋りあがら待措へて居た醫師は、

「ヤ、失敬しました」

愛想よく云ひ、打竝で長い廊下を歩みあがら

「何か込入つた御話でゞ」

と紳士の顔を見る、

「イヤ、別に左樣いふ事でもア無いですが」

言ひかけた其顔は少し曇つて

「今一寸御宅の方へ出たのでしたが、此方へ御越しに成つたと云ふ事を伺つたので」

言ひつゝ、人や居らぬかと前後を見廻し、影の見えぬのに安心して、やゝ聲を低め

「今日、隠居の妹を御診察下さいましたか」

「ヘ……ア診察しました」

「如何でせう?」

問ひかけた紳士の顔には、得もならぬ悲痛の露が顯つて

「君しや……」

「……………」

流石急には答へかねてか、醫師は其手燭なる燭を、けたゝしく捻つて、用もせぬ形ばかりの咳拂ひ一つしたが、直ぐに立止る稗歩みを緩めて、

「何ともまだ、確かには申し上げられんですが……」

迹は言はず、餘韻に響かせて首俯れる。

此櫻子にヒシ／＼と、鋭利な刃もて心臓のわたり、抉らるゝ如く感じた紳士は、徴かに慄ふかと思はれる脣を噛み占めて、暫時石像の如く立止つたが、やがて漸々口を開いて

「然し御見込は何うしても」

「イヤ、まだ何分にも、充分には分りませんから、今茲で明言は し難いですが」

又もや聲は穏ねて、只、舞臺の三曲の介姿が、或は高く、或は低く、手にとる如く妙なる音色を傳へて居る他には、寂として、巳が踏む靜かな靴の足音が耳朶を打つばかり。

かくて無言の中に兩人は、いつしか堂外に立出で、まだ若き朧月の影を踏みつゝ、圖書館の大建物を後に、依然ゆるやかな歩みを運ぶのであつた。

「然し北岡さん」

春とは云へ、まだ冷々と夜風の身にしむ今日此頃、サと吹き來る一陣の夜嵐に、紳士の胸のそれのごと、亂れつ縺るゝ青柳の枝を、心ともなく見て居た醫師は、呼ぶと同時に例の聲を捻つて、

「未確と定つたと云ふのでは無いのですから」

首飛に力を入れて慰さめ顔に言ふ

「ヘ、イヤ仮令夫で有つた處が、今更取返しのつかない事で、此兄が不面目な丈けです」

殊更にヤッパリ言ひ、我にもあらずホと溜息吐いた紳士は、愁然と月を仰いで、暫時思案に暮れるのであつたが、忽ちに亦、他人の前に巳が姿を顯はす事は、紳士の作法にもあらずと思ひ返してか、強て笑顔をつくろふて

「イヤ何うも色々有難う御座いました、世の中には、兎角思魔が多いですから、ハ、ヽ、ヽ」

磊落と、而して何處やら力無げに笑つた紳士は、急に思ひ浮べた如く、

「時にあの御病人は何うでせう、大變勝手な事に御煩ひをかけました」

「イヤ何うしまして、……安藤の令孃ですか、もう大丈夫です」

茲に兩人は言ひ合さねど踵を返し、月を浴びて我影を追ふ如く歩みあがら、

「あの令孃は、實際隣人の娘さんですか?」

少しでも、巳が愛を紛らさんとてか、紳士は醫師に問ひかけた。

白百合

（其五）

宇田川文海

安藝櫻子嬢と云ふのは、嚢に聽衆の叫んだ如く、まこと露國人の落し胤、父なる人は、彼國貴族の一武官で、今より凡そ二十年の昔、昔に名高き日の出の國の、自然の絶景を見んものと、實は秘密に軍事上の視察をかねて、僅かばかりの供人を従へ、はる〳〵我邦へ來遊したのであつたが、聞きしに優る天然美に先づ醉ふて、秘密の命令帶べる事をさへ、忘れんとしつゝある上に……彼の山紫に水明らかなる、西の京なる祇園の里に、これも土產の一つにと、通辯まかせに一夜の豪遊を、試みたのが、そも〳〵の緣のはし、西と東の都をとはして、五本の指に數へらるゝ、富士子と云へる解語花に、醉ふて迷ふて我を忘れて、馴れぬ日本語をあやつる中に、溢るゝ愛と情けを見せ、二月あまり、人種はかはれど變らぬ心誠の數々をつくして、漸う手折る事を得たその悦びは、二十年後の今日までまだあの里の童女の、口の端に殘り居る位であつたが、好事魔多しの譬へに洩れず、附添の者から其夢中に浮るゝ一始一終を、本國政府に通知した故か、但しは又偶然の結果か、急に歸國すべしとの命令を受けた。其時の彼の驚き、仮令魔王が劍を以て、兩人の間を割かうとしても、この燃ゆる愛の焔は、忽ちそれを燒き盡して、未來永劫天國までも、互にかはらであれかしと、折柄恰是賣物に出て居た、加茂のわたりのさる金満家の別莊を、金に飽かして購ふた妾宅に、日ねもす自然と富士子の笑に醉ひ、口馴れぬ伊丹の上物に舌鼓打ち、酒はシヤパンに限ると迄が、つて、甲斐の長煙管無器用に啣へてゐた彼は、此時は始めてつく〴〵と、己が露國に生れて不幸を感ぢたのであつた。けれども他ならぬ露帝の嚴命たとへ再び出で來るとも、一度は是非とも其命に隨はねばならず、さりとてかほどまで可愛き者を、何うして後に殘して、已れ一人歸國れやうと、左つ右つ思案に暮れた末、矢張り他に道なき只の一策、露西亞とて、人喰ふ鬼ばかり住むにもあらねど、是非とも我身と共に行き給へ、さすれば直ぐに結婚式を擧げ、其方は貴族の令夫人で、憂き事知らず、榮耀に飽かして暮さるゝと、三日三晩傍の見る目も可憐しいまで、說きつ口說きつしたのであつた。此富士子と云ふ女、以前は九州のさる大名の家老の娘、乳房探るころその兩親に死分れたのがそも〳〵不幸の序開きで、寄邊なき捨小舟の纖弱い身は、無情の風に揉まれ、用捨なき浪に弄され、遂には浮川竹に三節の世渡りする身と成つたが、生れついての美貌さは、此淵に身を沈めて、初めて輝くばかりの光りを放ち、忽ち競ふ者なき全盛とは成つたが、憂さ恐ろしさの場數を踏んで居る丈けに、人は自辛の着衣に纒の、組みに成らぬものばかりと、深くも肝に銘ぢて居る事とて、花の色香にあこがるゝ、胡蝶に比しい色餓鬼の、我こそ先陣の功名せんと、右に左に綺羅の袂を引かるゝを、柳に風と受流して、廿一の今日が日まで、惜しき夜半の床にはさすが、色香褪せ行く未來を思ふて、折ふし枕紙濕ほしつゝも、男嫌いの仇名とつていや増す其全盛に、まゝよ末は野となれ山となれ、まだ〳〵急には逝いぬ躰、その内には又好い分別も幸福も有らうと、只眼の前の、張と意氣地と酒の三つに、面白可笑しう夢のやうに日を送る中、出張の神の戯れか、昔はふるあめりかに袖ぬらさじと、命を捨てた遊女もあるを、賞翫にわせる賊のかず〳〵につい絆され、まゝよ僅か五十年の生命、人は笑はゞ笑へ譏らば譏れ、まことの情けある人なれば、異國人とて、許すに何の差支ない筈と、あれ〳〵富士子は黄金の爲に、外國人に身を賣つたと、蜩鳴の如き世間の批評を、かよはき其双肩に擔ふて、浮世を他所の妾宅に、誰憚からず腕組合して、醉後の庭のそゞろ歩きしたのも束の間、豫て期しては居る事ながら、主の歸國は早くも迫つて、我身も共にと泣いて口說かれ、乗りかけた舟の今更否とも云へず、さりとて、人に情けはあらずとも、何うして此の父母の骨を埋めた、此懐かしい故郷離れられやうぞ、左つ右つの富士子も決しかねた

白百合

（其六）

宇田川文海

人誰れか故郷を愛せざる者あらん、流石氣丈の……矢をも楯をも背負よて立つ程の富士子も、左つ右つ思案の果は、假令どうあつても、此日本を離れぬとの、堅い決心をしたのであつた。

醫師は以上、已れの聞き居るまゝを、言葉短かに物語つた上、更に言葉を續いで、

「で、何うしても一所に行かないと、堅くとつて動かないものですから、詮方なしに武官は泣く泣く歸つたんださうですが、其時に富士子は既に、早や懐姙して居つたのださうです」

小說にあるやうな一條の物語に、暫時は已が憂さを忘れて、耳傾けて居た紳士は、

「ハヽア、夫があの令嬢なんですね」

「左樣です、其後嬢が生れてから、何でも又一度日本へ來たさうですが、何うしても富士子は行かないと云ふし、又子供も渡さないで、到頭其時に緣を切つて、しまつたんださうですが、其時に何でも、二万圓ばかり、嬢の生涯困らないやうに、殘して行つたとか云ふ事を聞いてますがね、其後富士子は何と思つたか、加茂の妾宅を疊んでしまつて、大阪の、今嬢の住んで居る、北濱の家へ引越して來たんですが、可愛想に間も無く肺で、……左樣、丁度嬢の三歳の時に死で了つたんです」

「死んで……」

「其時の主治醫が私の親父ですから、好く話を聞きましたがね」

「左樣ですか、ヂヤア中々古い交際ですナ」

「左樣ですとも、おやから私が親父の跡を繼いでからも、嬢の病氣は辛づと手にかけて居るのです、ウ、、、然し眞實の孤兒ですから可愛想なものです」

何か古い記憶を呼起すものゝ如く、空を仰いで考へた醫師は、

「すると嬢は、他人の手に依て育てられたのです」と紳士に問かれて

「イヤ夫は、嬢の生れた時から手にかけた乳母がありまして、……是は京都の者ですがね……一時は居なかつたものですが、富士子の死ぬ少し前に、再び呼び寄せて、嬢の一身を托したのです、夫で此乳母が又、中々氣質の好い者で、嬢の母なり後見なり、現に自我が肉身の娘のやうにして、今も尚、一家の主宰をして居ますが、餘程確乎した婆さんです」

事細かに、櫻子嬢の身の上を聞いた紳士は、同情の念に堪へ難きものゝ如く、

「伺へば伺ふ程、實に氣の毒な身の上です、然し其様な家庭で育たれたんぢや、何うしても何でせう、充分の教育を與へられると云ふ事は無いでせう」

醫師は幾度か點頭いて

「左樣です、只だわ、今日まで嬢を慰めて居るものは、其乳母の外に、嬢に天性備はつた、音樂の才でせうナ」

さもあらんと、是も幾度か點頭いた紳士は

「然うでせう、尤もです、然し高木さん、我田引水で言ふのぢや無いですが、さう云ふ方こそ、宗教的の慰藉を與へたら好いかと思ひますが、如何でせう、嬢は從來に教會へ出られた事はありませうか」

と、いと熱心に問ふのであつた。

白百合（其七）

宇田川文海

醫師と紳士が餘念なく、櫻子孃の身の上話をして居る間に、遽たゞしげに靴音高く、彼女の横はつた假病室の扉を開けて、

「櫻子さん、貴孃ア一体、ど、どうしたてエんです、僕ア今來たばかしなんだけど、友人に聞いて驚ろいちまつたんサ、ヤ、泣いてたんか、菊さん迄が――」

口早に、主従の顔を見比べながら言つて、扉を閉すもそこ〳〵に、醫師の用ゐし椅子を遠慮もなく、櫻子孃の枕邊近く引寄せて、ドッカと計り腰を下したのは、年齢二十四五でも有うか、色の白い、凉やかな眼の大きい、眉の濃い、鼻筋の通つた、只兩脇の骨が出張つたのと、眞一文字に引締つた口元が、何となう冷やかに見ゆる丈けが難なれど、兎に角好男子と言はるゝ丈けの資格を備ねた容貌、スラリと高き背にスコッチの背廣服もしつくりと身に合つて似合しく、焦茶の中折帽を片手に持つて、ネクタイを正しながら、

「委しくは聞かなかつたが、何だか大變失敬な事を言つたかてね何てつたんだへ……エ、菊さん」

何と思つてか櫻子孃は、一寸目禮したるのみ、堅く花の唇を結んで居るので、彼は其引締つた口元に、莞爾な笑を浮べながら、彼女の枕の方に控へて居る、小間使の菊に對つて、其答を求めるのであつた。

「ハイ、あのう、お孃様に……」

流石に少し口籠つて、

「[illegible]だとか何だとか……」

と迄より言ひ得ぬ、

「ウム、左様だらう〳〵、實に憎む可き奴等だ、僕の來やうがまう少し早かつたら、怒鳴りつけて遣るんだつたのに、惜しい事をした」

思ふよりは、やゝ表情に富み過ぎる程憤慨の様をして、

「一體最初に言ひ出したのは、何の邊の席に居た奴だへ」

「何でも後の方のやうで御座いました」

「君も居たのか?」

「ハイ、一番横手の方に……」

「ウム……すると何だなア、三等席邊の奴等だナ、彼奴等にやア、禮儀も作法も道徳も、何にも解らないのだから仕方が無いが、然し夫にしてもあんまり失敬な話だ」

言ひつゝ櫻子の、涙に霑ふ睫の眼元を、熟々と打見やるのであつたが、

「櫻子さん」

不意に、やゝ鄭重く呼びかけて、

「何うしても、僕の言ふ事を聞かなくつちや不可ないね」

何事?、と、口には出さねど、櫻子の眼は睜くのであつた、

「ハヽヽ、僕が今度ア止し給つて、あんなに止めるのも聞かないで出演たりなんかするもんだから、斯んな、ハヽヽヽ、僕の言ふ事を用ゐなかつた罰かも知れない、ハヽヽヽ」

戯言半分に聲高く笑ふのであつたが、唯さへ神經の悩ゆるばかり過敏に成つて居る櫻子孃は、将と言はれた一言に、痛くも脳を刺激されて、得も言はれぬ悲しさが一時に込上げ、再び湧き出づる涙の止度なく、毛布に顔を掩ふて泣くので有つた。

「秋夫さま、貴方、そ、そんなひどい事を仰しやるものぢやムいませんよ　お孃様を御覧遊ばせ、お孃様〳〵、もうそんなにお泣き遊ばさないで、ね、お孃様」

物なれぬ菊は何うしてよいやら、只ウロ〳〵とせるのみである

「ハヽヽヽ、戯談だから免し給へ、ね、櫻子さん、僕が悪かつたら謝るから、……菊さん、醫者は如何した、もう歸宅ても好いんだらうなア、静に寝ませなくつちや不可ないが」

折柄扉を開く人は、噂の主なる醫師で有つた

白百合

（其八）

宇田川文海

東區は北濱の三丁目、安藤と記した墨跡の、見ね分かぬまで古びた標札に、殿屋霧住み馴れて腹を止めてゐるが、そもや主人は何者ぞ、富豪の隠居か但しは亦、よしある人の外妾かと、所用に急ぐ人々をも、我知らず振り返らせる、土塀圍ひの奧床しい一構、之ぞ可憐お櫻子孃が、つれなき浮世の嵐を厭ふて、奧深く垂籠て居る唯一の城廓たる住居である。男手とては更に無き女護の嶋、主人とては櫻子孃只一人、其他には、外務も内務も大藏も、總理も兼ねた乳母のお種とて、彼女の爲には、父とも母とも杖とも柱とも、廣い世界に二人とあらき、男優りの相談相手と、そのお種の姪なる小間使の菊と、水仕女の銀の四人暮し、主人の素性が普通ならぬ丈け、世間並の交際とてはせざれど、さりとて別に何の淋しさをも感せず、わけて如才なき乳母の取まはしに、唯一人厭な顔をする者なく、朝夕陽氣に暮して居るのであつた。

處が不圖昨年の夏頃、亡き櫻子の母なる富士子が、まだ京は祇園に花の全盛を歌はれて居つた頃、姉妹と隣んだ一人の歌妓綾菊と云ふのが、然る高官の名ある人に落籍されて、生み落した男の子、櫻子よりは四歳兄の小嶋秋夫が、博覽會の見物ながら此大地に來て、今は昔まだいたいけ盛りの頃、母に連れられて立寄つた事のある、此家を思ひ出して久し振に尋ね、己が履歴の一始一終、愛深かりし實母を失ふて以來、彼郷の母に邪慳にせられ、今は同志故郷の東京に居ながら、我家へとては足踏もせず、自營獨立して苦學中と、しみ／＼身の上話に時を移したのが始め、まあ／＼夫はお可愛想にと、乳母のお種が先づ同情を寄せて厚い接待をしたのが、身に浸みて嬉しう感じたとかで、其儘當地に止まつて、已が専門たる法律學の研究も、兎角怠り勝のそつち退け、朝に夕に此家に訪ひ、主人の櫻子孃は勿論、真面目で情深い乳母にまで、些かの隔てをも設けしめぬやうに、親しく笑ひ興ずる間柄とは成つた。

されば只さへ、慣れては左程淋しとも感せず、寧ろ樂しく面白可笑しく暮して居た上に、物靜かなやうで身も口も輕い秋夫、殊には此家としては珍らしい男性が交つた事とて、一時に千朶萬朶の花開く、春風駘蕩たる好時節が來た如く、絶えず笑聲は屋内に充ち滿ちて、境遇の故か何となう、陰氣であつた櫻子まで、此頃は見紛ふばかり、世の常の乙女の如く、無邪氣にそして快活に成つた。

けれども此境遇は　あまり長くは續かなかつた。と云ふのは、元來此櫻子は、天性音樂の趣味深く、多く得難き天才を備ね、今後發達の方法に依つては、天晴の大音樂家と成り得るの資格を備ねて居るので、其道の教師は、何れも彼女の將來に望みを屬して居る爲に、隨つて音樂會等のある毎に、臨み半分修練の爲に、是非にと強て勸められ、據無く從來に二三回、青年會館、或は公會堂に、演奏或は獨吟をしたのであつたが、彼女の年齡が若くして、其容姿の優れて美はしいため、毎も非常の喝采を博するのであつた。夫で今回も、虫の知らせか何と思ふても氣が進まず、殊には已れの素性を思ふて、再三再四斷つたのを　ピアノの教師ケース夫人が、是非にと無理矢理に勸めるので、終には謝絶るに言葉が無くなり、止むなく出演る事と成つたのであるが、實に此據無き決心こそは、彼女の爲には、實に、實に、非常なる恥辱と、そして、今一つ、玲瓏玉の如き其心に、痛すべからざる疵傷を負はしめたのであつた。負傷とはそも何ぞ。

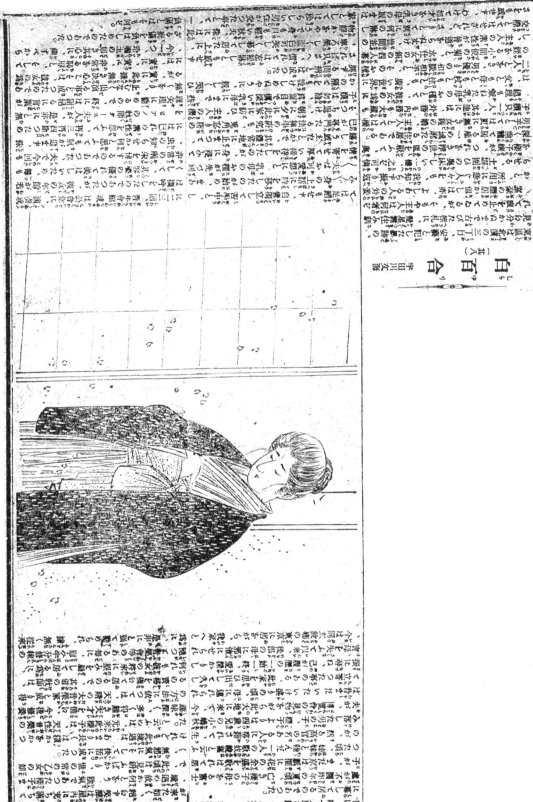

白百合

（其九）

宇田川文海

ひとめみし君もやくると櫻花、けうはまちみてちらばちらあん、と詠みける貫之の上をも忍むれて、精神上に癒し難き手傷を負ふた櫻子は、ヒラ〱と散る花を見るに付けても、やがては同じ名の其身の行末を諷せらるゝ如く感ぢ、力無く椽側に立つて、數奇を凝した庭の面に、露持つ緑の視線を注ぐのであつたが、やがて瞼は重ふあつて伏目に、立つ足の力も拔けて、間近の柱に凭り掛り、稍ゝが如く佇ずんで、眼に見らぬ春の行衛を追ふ如く、夢のやうに凝と木間を通し見て、深き〱思ひに沈みつ、思はずホと微かな溜息を吐くのであつた。

「お孃樣、アノ高木先生が」

取締の種が嚴しい教訓の結果か、華族の姫君にでも對するやうに恭しく、小間使の菊は兩手を支へて、醫師の來診を報ずるので。不意に聲かけられて驚ろいた櫻子は、

「エ、先生が……其邊を一寸片附けて、直ぐ此方へ……」

大島紬の衽生羽織を重ねた、荒い秩父の寢衣の襟かき合せ、八丈の豐かな縞の毛布團の上に、友禪メレンスの夜具掻き退けて、悄然と坐つた櫻子は、雜り種とは見らぬ淑優やかに、そして氣高い品格を備て居るのであつた。

飽く迄鷹揚な態度をもて、ズーッと此室に通つた高木醫師は櫻子の丁寧な一禮を輕く受て

「今朝は何うです」

一夜の中に見紛ふばかり、色艶の衰へた櫻子の顏を、憐れげに熟々と見まもり、

「あまり詰らない事をクヨ〱考へちや不可ませんぞ、何事にも氣を大きく持て、成る可く精神を穏やかに成さらんと、直ぐに癒る病もつい長引くですからナ」

言ふ内に、唐木の煙草盆を持て立出たのは、是ぞ比家の大黒柱、櫻子の爲には父とも母とも頼りとする乳母のお稲、生れは江戸で、神田上水の產湯を使つた、酸いも甘いも知り拔いて居る剛の者、年齢は五十近くでも有らうか、女には珍らしい、大兵の、肥れ上つたやうな瞼の奥に隱れた細い眼には、一種利かぬ氣性を顯はし、薄い縮れ毛には男優りの剛情を見せて、其落付いた態度には、動かし難き意志の力を示して居るので、實に夫等の上からは近寄り難き老女ではあるが、只一つ、其凡てを掩ふて、否、男性に近き程の其威嚴を、優しき女性化せしめ、何となう人を懐かせる一大特能は、打笑む時ゝ其眼と口と、今一つ、添へて珍らしい透き徹るやうな、色の白さの二つである。

「先生、昨晩はとんだ御厄介を掛けまして」

低く艶氣の無い、男子に近い聲で言つて、慇懃な一禮をする、

「ヤ、久濶……あなたは何日も御壯健ですナ」

高木醫師は、例と同じ挨拶をして、艶々しいお稲の顏色を諂附に見るのである。

夫から昨夜の音樂會の模樣やら、櫻子孃の內氣な事やら、……を、高木醫師は輕妙洒落に、お稲は一生懸命の、懇意の間柄とて隔てもなく語るのであつたが、其間櫻子は始終俯首れて居るのであつた。

やがて高木醫師は、手輕く診察を終つて

「もう何ともありません、けれども孃さん、人は心の持ち樣で病が起るものだから、あんまりクヨ〱考へ事など必ずしちや不可ませんぞ、エ、何うです、近頃自轉車にはお乘りなさりませんか、誰か友達を拵らへて、時々は遠乘りでもなすつたら好いでせう」

小間使の菊が運んだ銅の手洗で、靜かに兩手を滌ぎながら、櫻子とお稲の顏を見くらべて相も變らず美くしい笑を浮べるのであつたが、やがて何を言ひ出さんとてか、やゝ容を正して櫻子に對ふのであつた。

白百合（其十）

宇田川文海

少し容を改めて向き直つた高木醫師は
「孃さん、貴女基督教會へお出でゝすか?」

と、聞くのであつた、

「ハイ、わのう高等女學校に居ります頃には折ふし參りましたが、學校を出ましてからは頓と……」

乳母のお種と顔見合せて微笑む。

「あ、左様ですか、イヤ別に何でも無いんですが、實は昨夜……貴孃がおやすみの時に、余に逢ひに來た立派な紳士を」

聞くと何故か櫻子は、さと其頬を紅に染めて
「ハ、ハイ」

と、如何にも羞てたやふな返事をする。

櫻子は從來曾て斯る様子を、他人の前でした事が無いから、その一舉一動に、常に非常な注意を拂つて居る乳母のお種は、ハテ不思議な事と直覺的に奇怪を感じて、甚く胸を打たるゝのであつたが、斯くとも知らぬ、醫師の高木は、再び口を開いて
「あれは中之島教會の牧師で、北岡保時と云ふ人で永く洋行もして居たし、まだ年齢は若いですけど、大坂の牧師中、いや日本の教役者中でも學問と云ひ、思想と云ひ、辯舌と云ひ、指折の人物ですがね、あれが……」

乳母の意向は……と躊躇しかけたのを、直ぐに思ひ返したらしく
「あの人が、是非とも貴孃に、せめて日曜の朝丈けでも、教會へ御出席なさる様に勧めて、發れと言て居つたでしたが、何うです運動ながら些と行つて御覧でしたら」

「あの方 あの牧師さんで御座いますの、あの……中の島教會の……」

櫻子は熱心にくり返して問ふのであつたが、不圖心づいて乳母を見ると、偶然にもピタリと合ふた其鋭い視線に打たれて、我知らずドキドキし、

「あの乳母や、行つても好いわね」

と哀願する如く言ふのであつた。

「耶蘇で御座いますか」

乳母は冷やかに只一語言つたのみ、行けとも何とも云はず、如何にも其様子が苦々しさうなので、高木醫師は故意とカラ〱と打笑ひ
「ハ、、、乳母さんは耶蘇は嫌ひかも知れない、けれども孃さんのお父様の……」

と言掛て、不圖口を緘み、更に言葉を更めて
「イヤ 兎角年をとつた御婦人には、嫌いなお方が多いものです」

言つて卷煙草入を仕舞いながら、

「お氣が向いたら行て御覧なさい」

と敢ては勸めず、明日再び診察に來るので、成る可く靜かに養生を成さる様にと、其他の注意を何くれとなく親切に言ひ置いて、やがて高木醫師は立歸つた、
すると廊下から裏口で、小間使の菊を相手に頻りに何事か囁告て笑はせて居た小間使秋夫は、臺所に置いた葡萄酒か何かの壜を片手に提げて、

「ドレお孃様の御見舞を仕様ナ」

と、今しも高木醫師を玄關に見送つて再び出て來た菊に對つて、獨言のやうに言つて、

「乳母さんは?」

と常に無く眞面目に尋ねた、

「あの只今お孃様の部屋で」

左様かとばかり點頭いた秋夫は、何故か一寸眉を顰めて、案内知つた櫻子の寢室の次の室まで來たのであつたが、居室の中より、常に無き乳母の高聲が聞ゆるので、直ぐに中へは這入りかねて、如何なる談話かと、暫くヂツと
と櫻子を顧みのであつた

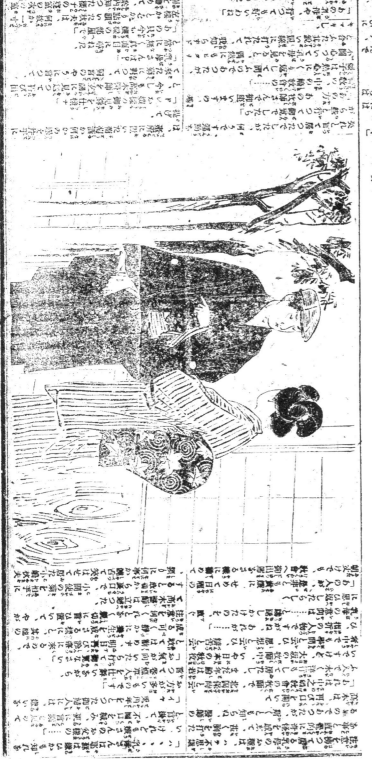

白百合（其十二）

宇田川文海

「お孃樣が是非行きたいと仰しやるものを、何も乳母が無理にお止め申しやア致しませんけど、耶蘇なんかにいらつしやる位なら、乳母がお天氣の好い日に、天神樣へでも御伴致します、ね、左樣成さいまし、耶蘇なんか、碌な事を言やアしませんから」

と賺すやうな乳母の口ぶり

「あら乳母てば、耶蘇〳〵つておんな事を言ふんだもの酷いわ、基督教はチツトも惡いもんぢや無くつてよ」

「イエ假令惡く成くつても、外に神樣は澤山あるんですもの、何も碌なんか拜まなくつたつて好ろしうございます」

「碌だつて、夫だから耶蘇樣は余計尊いというんぢや無いか、妾共の爲に死んで下だすつたんだもの」

「そんな事を仰しやるもんぢやありません、日本には日本の神樣がどつさりあるんですから、不自由らしく外國のまで拜まんでも好ろしう厶います」

飽まで乳母の反對するに、櫻子は

「其樣に云ふのなら好くつてよ、もう行かないから……」

と、少し涙聲に成つたらしいので、次の室に立聞して居た秋夫は、時はよしとエヘンと咳拂一つして急に足音高く、

「ヤ御免なさい、今日は」

と聲かけて襖を開けた、

「おや秋夫さま、好く御出で下さいました、今お孃樣がおむづかりで、私一人で困つて居つた處でした」

やゝ持餘して居た乳母は、丁度好い處へと云はぬばかり、醫師の敷いた座蒲團をすゝめて、ニコ〳〵しながら

「何時の間に御出で成さいました」

「僕ですか、今しがた來たんですが……」

と愛想よき笑顔を見せた秋夫は、本尊の櫻子が何となう濟まぬ顔に沈んで居るので

「櫻子さん、何うです御加減は」

「難有う、もう大變好うござんす、昨晩は飛んだ御厄介に成りました」

「オヽほんに昨晩は飛んだ御厄介樣で」

お種も櫻子について思ひ出したやうに禮を云ふ

「ナンの、わたしきの事」

と、口には云へど、秋夫は得意然たる樣

「お是れは、獨逸の葡萄酒ですがね、朝晩に盃に一杯づゝ位飮むと大層滋養に成るつてエ事だから持て來たですが、飮つて御覧」

と携へた葡萄酒を無造作に櫻子の前に突やる

「まあ夫は〳〵、再度とんだ御氣の毒樣ですね、お安く無いものでせうがね、どうも有難うムいます」

櫻子に先立つてお種は氣の毒さうに押いたゞくのである

「ナニ詰らない物です、けれども日本ぢや出來ないさうだから……」

秋夫は當の櫻子が、難有うと一禮したのみ、あまり悦んで與れぬのを、些か不滿に思ふ樣子であつたが、何かに拔目なき世辭とて、直ぐに話を轉じて、

「大層沈んでますね、乳母さんに叱られでもしたんぢやありませんか」

と、櫻子を見て打笑む。すると

「オホヽヽヽ秋夫さま、まあ斯うなんでムいますよ」

「あら乳母や、妾が言つてよ、秋夫さんに聞いて頂くは」

今迄打沈んで居たのとは、打て變つた別人のやうに、櫻子は勢よく秋夫に對するのであつた、席で殘らず樣子を聞いて居た秋夫は、心中可笑しくて堪らないのである。

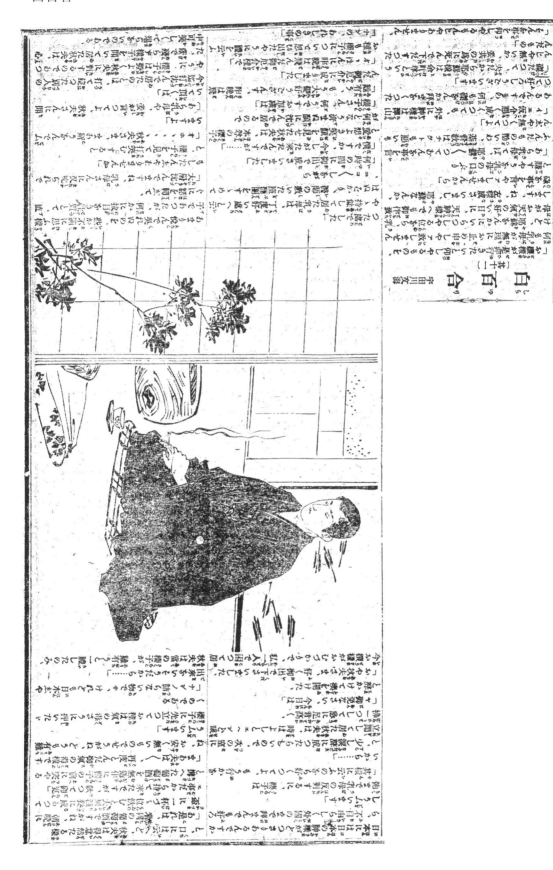

白百合

（其十二）

宇田川文海

可笑しさを忍んで、眞面目に耳傾け居る秋夫にむかひ、櫻子は、今しも醫師に教會堂行をすゝめられた事から、乳母が夫に反對して、其代り天神樣へ連れて行くと云ふ事、然し自分は基督教を惡いものとは思はぬ事、殊に昨夜逢ふた立派な紳士が中の嶋教會の牧師とやら、學問と云ひ、思想と云ひ、辯舌と云ひ、日本でも指折の人の由なれば、是非とも一度丈けでも其說教を聞きたいと思ふ事、殊には牧師が高木先生に傳言して、是非妾に教會堂へ出るやうにと云はれた事など、非常なる熱心で云つて

「だから妾が行つて見たいと思ふのに、乳母が不可ないつて言ふんですもの」

訴ふる如くに言ふのであつた。すると乳母も負けぬ氣で横合から

「ねへ秋夫さま、お鐵樣はあんなに仰しやいますけど、邪魔なんか、碌なんか、行かない方がようございますね」

と、夫から双方秋夫を裁判官にして、頻りに我主張を辯へるのであつたが、非常の熱心な丈け、夫丈け櫻子の方が優勢である。

「ハ、、、、さう双方から言はれちや困る」

秋夫は可笑しくもあり困りもして、何とか双方へよい樣な返事は無いかと苦しむのであつたが、やがて靜かに口を開いて、

「先づ僕が一つ裁判官に成つて正當な判決を與へやうかなハ、、、、」

被告に對しても原告に對しても、此裁判官は大に情實があるから叶ゝ、と、秋夫はニコ〳〵して、何か面白い事は無いですか」

氣を轉へやうと、秋夫は已れまづ愉快氣に四方を見廻すのであつたが、不圖枕元にある新聞紙に眼をつけて引よせ、

「旅順の閉塞も隨分非常な事をやつたもんですね、何うも日本人は思ひ切つた事をするから、露西亞の奴等ア驚いてるだらう」

愉快氣に、半ば獨言のやうに言つて、第一面の戰報に注目するのであつたが、不圖我がすべらした露西亞の一言に氣がついて、遂て、櫻子の樣子を窺ふのであつたが、幸ひ櫻子は何をか深く考へ込んで居て、我言葉には氣づかなかつた樣子なので、ホッと安心して、再び

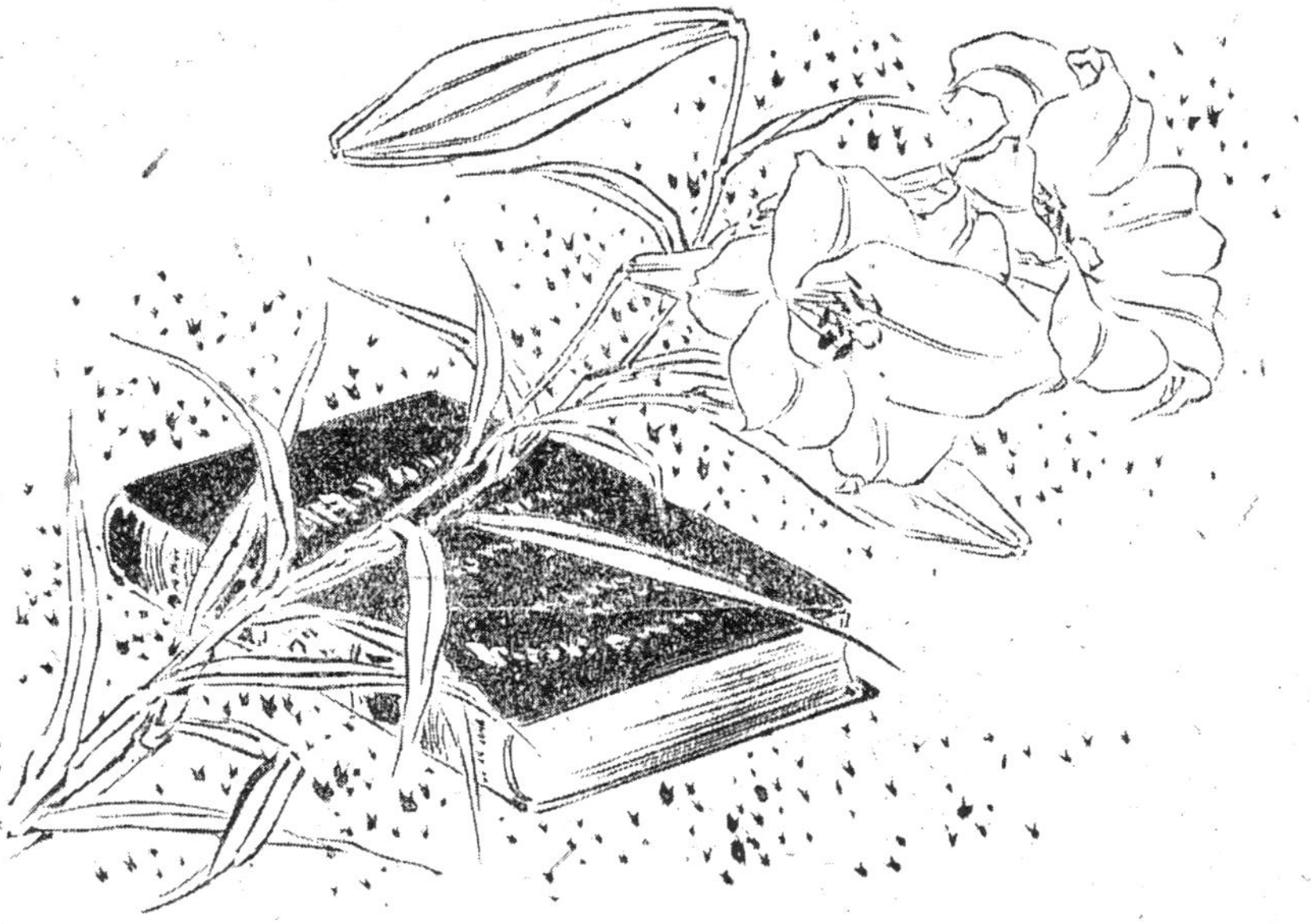

笑ひながら

「櫻子さんが非常な熱心で行きたがるのなら、乳母さんは夫を無理にとめるのは好くないから、運動のため、保養の爲と思つて、教會堂行を許すんですな、其代り、櫻子さんは亦、乳母さんと一所に、天神樣へも生魂さんでも何所へでも、グズ〳〵小言を言はないで連れて行て貰ふ可しです、何うですハ、、、、是なや裁判官は免職で控訴でもしますかね」

ハ、、、と眞底からの高笑ひ、櫻子は勝誇つたやうな勢ひで居り、乳母はやゝ不滿らしい色はあるが、保養の爲めの一言に折れて、夫でもとまでは言ひかねて居る、

「ハ、、、、まあ其樣な事はどうでも好いと、新聞を見るのであつた。何時の間にか、乳母は立つて室には、櫻子と秋夫の二人丈けが殘つて居るのであつた。やがて、

「秋夫さん、今日は何曜日でせうか」

考へに沈んで居た櫻子は、不意に問ひかけるので、

「今日？、今日はヱート木曜日」

「木曜……」

木金土日と、櫻子は心の中に日を數へて、日曜迄まだ二日あるのをば待遠しく思ひながら

「妾の聖書は何うしたかしら」

呟きつゝ遂に立つて、次の書齋へ行くのであつた、秋夫は、櫻子が已れに親しく物言はねと、非常に不愉快に感じたのである。

白百合

（其十三）

宇田川文海

櫻子嬢が指折數へて來るを待つた日曜は、遽てず騒がず、夜と晝とを幾度かくり返して、來たのであつた。

秋夫の裁判に據無く服した乳母のお種は、もう再び耶蘇と磔をくり返さなかつた。と云ふのは、教會堂へ行くと定まつて以來、櫻子の樣子がガラリと變つて、遽かに元氣よく、食事なども メキ／＼進んで、常にはあまりした事の無いお化粧をさへする樣に成つて、高木醫師さへ、

「それならもう大丈夫です、お藥をお止めに成つても宜しい」と言ふ程なので

「何故だらう、どうも不思議だ、常から沈み勝の性質の上に、音樂會であんな思ひをしたのだから、兎ても斯う早くよく成らうとは思はなかつたのに、何したのだらう餘程變だ」

と思ひながらも 兎に角壯健なのが何よりも嬉しく、一度教會堂行の攻撃をしかけた時、忽ち、殊に氣むづかしい顔に、些か恐れを成して、尚更再び口にはしなかつたのであつた。

常日は乳母に起される迄もなく疾く起き出で念入に黄金色の髪をハイカラ風の束髪に結び

「菊や　何れ着て行からかね」

と、着物の撰擇にまで、絶えて無き苦勞して、漸う目眩むばかりの美はしい容姿を整へ、乳母が思はず口の中にくり返す

「あゝ、あのお髪が黒かつたら」

との一語、只夫のみ、一點の批難すべき所もない、氣高さは、朝夕見馴れて居る者さへ、今更に恍惚々とする程に美はしいのであつた

やがて午前の九時過ぎお伴の菊の支度も出來、お種と水仕の銀に送られて、紫の深張りの洋傘に、成る可く人に見られまいとの用心深く、顔を隠して立出た櫻子は、心の底に何とやら、處女の見合にでも行くやうに、嬉しいやうな恥かしいやうな、そして、何となう恐ろしいやうな感じがするのを無理に押へて、

「菊、お前も前に淇花教會へ行つた事が有つたから、始めてぢやないね」

「ハイ、お嬢樣のお伴を致しまして、何でも二三度参つた事がございました」

「中の嶋教會の前を通つた事はあつて？」

「ヘイ、何日か難波の方へ参りまする時、其他にも折ふし通りまして御座います」

「左樣、大きい會堂？」

「左樣でございます、淇花教會なんぞとは、とても比べものに成りません、それにまだ花新らしう御座いますから、眞個に美くしう御座います」

聞いた櫻子は、何か自分の事でも賞められたかのやうに、非常に嬉しく感じつゝ、往來の人の視線が、殘らず自分に注がれて居る事にも心づかず、小鳥の囀るやうな美はしい聲で

「此間の音樂會の晩ね、妾が休憩室に潜んで居た時、高木先生の外に見ゑた、立派な紳士が有つたのを覺ゑて？」

菊は一寸思ひ出しかねたのであつたが、少しく考へてる間に　アリ／＼と氣高い紳士の容貌が目の前に浮んで來た、

「ハイ、覺ゑて居ります、一寸見ますと西洋人のやうな、立派な、品のある方」

「ア、それ／＼あの方がね、今行く中の嶋教會の牧師さんなんだつて」

「エ　彼の方が牧師さん……まア、私ア亦お醫師樣か、左も無ければ外交官……でゝもおありなさるのかと存じました」

「眞個にね、御樣子がお立派だから」

など囁らう内、何時の間にか早や、土佐堀川に沿ふた、菊の所謂、廣く美くしい中の嶋教會の前へと來た、

折から、今や聖書の研究でも終つたのか、閉會の讃美歌が、嚠喨たるオルガンの音に和して、いと美はしく而も嚴そかに耳を貫く、

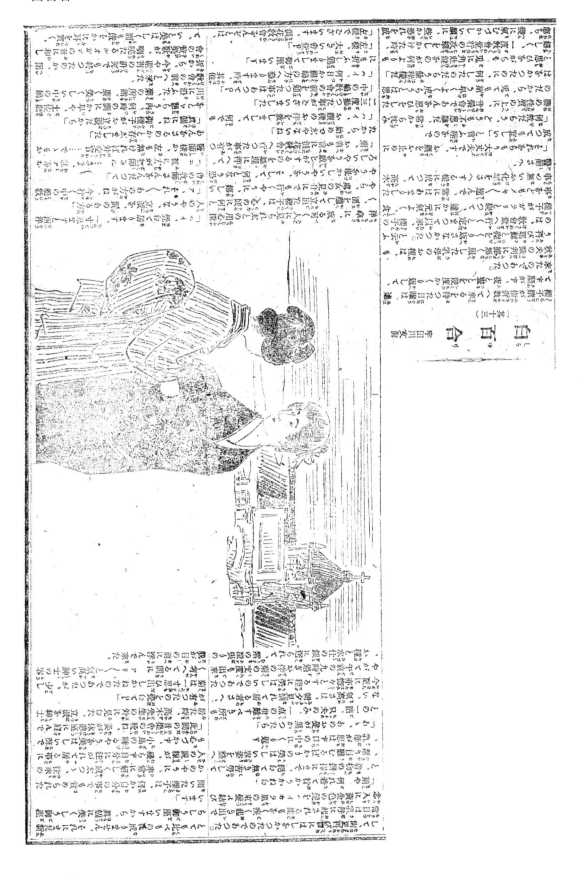

白百合

（其十四）

宇田川文海

會堂は二階を別にして、八百の人を充分に入るゝの廣さ、現に角大坂で、否、日本でも指折りの大會堂、牧師は現今、基督教界での大立物たる北岡保時、基督教の何者たるかを知らんと思はゞ、先づ一度、現に角中の幅教會へ行つて見よと云ふ位、殊に信者も、大坂で指折の有力者が尠からぬ上、求道者には將來有望の青年男女が多く來り、毎日曜の禮拜説教と夜の演説會には、滿場立錐の地も無い程の盛會、

今しも上靴に穿き替へて、左側なる婦人の入口から、手を引合ふて極り惡げに這入つた櫻子と菊は、生花を以て飾られた會堂の廣さ美はしさと、餘席も無い迄聽衆の充滿して居るのとに、豫想以上の驚きに打たれて、何處へ腰をかけて好いやら、勝手の分らぬまゝ顏を赧めて立つて居ると、此教會の女執事でゞも有らう？、年齡四十位の、デップリと肥つた重味のある、血色の好い、そして其顏と態度に、何とのう一種の威嚴を備へた、駄の肥つて居る割に身輕な、やゝ薄い毛を櫛跡奇麗な引つめの束髮にして居る一婦人が

「ア貴孃好くいらつしやいました、サ此方へいらつしやいまし」

と、手を取らぬばかりに、先に立て、ギッシリ人の充ちた椅子の間を、演壇の間近まで進み、幼兒連れた老婦人の席の隣りに空席のあるのを指し

「此方へ御掛けなさいまし」

滿場の視線が悉く、寶ひ合さねど見馴れぬ美はしい櫻子の上に注いで、中には密かに

「あれ此間の音樂會の晩に氣絶した人よ」

など囁く婦人も有つて、まこと山の端を離れた月の如く、彼女は仰ぎ見らるゝので、極り惡さと耻かしさに、堪り得ず俯向いて居た事とて、ヤレ嬉しやと言はぬばかり、婦人に一禮して菊ともく腰を下し、ホッと溜息を吐くのであつた、

ト見ると、北岡牧師は、威儀嚴然と演壇に立つて、尤も明晰な、そして透き徹るやうな聲で

「讚美歌四百六十番」

聲につれて、櫻子の前列に居た、二十六七の鼠色の袴着けた瘦形の婦人は、ツト立つて演壇の左手に飾られたオルガンを彈初めた、

會衆は一同起立して開會の讚美を謡する。夫が終ると今度は主の祈りである、

「天に在します我儕の父よ、願はくば爾名を崇めさせ給へ、爾國を來らし給へ、爾旨の天に成るごとく地にも成らせ給へ……」

終ると再び、讚美歌、次で聖書の朗讀約翰傳第八章の一節から十一節迄、姦淫せる婦に對する基督の裁判の項を牧師が其獨得の明瞭なる、人々の腦裡にまで、浸み渡るやうな調子で讀み終ると次は祈禱が始まるのである、牧師は勿論、人々は何れも頭を下げた、西瓜畑のやうに、黑き頭は一樣に、敬虔の念を顯はす可く一樣に下げられた。そして牧師は口を開いた。

「在天の父よ、我父の優渥なる恩惠は、過ぐる一週の間、ともすれば我父に背かんとする所の、我等一同の上にも公平に下し給ふて、今日此淸らかなる朝を迎へ我父の此神聖なる殿に參ふ事を得せしめ給ふたる事を、誠に難有く感謝し奉る……」

と、夫から會衆一同の上は勿論、病氣或は其他の事故の爲めに出席し能はざる者、未だ神の教を聞かざる者、亦今や軍國多事の際、我等を代表して海陸に、干戈を交へつゝある將卒の上、尚進んで世界各國の兄弟姉妹の上にまで、届かぬ隈なき感謝と祈願を、尤も愼重に、又尤も莊嚴に、滔々流るゝが如く、凡そ十五分間も述るのであつたが、其間人々は神と同化して殆ど我あるを忘て居るのであつた

白百合

（其十五）

宇田川文海

心の奥の奥底までも浸み渡つて、只何とはなく有難さに、涙溢るゝばかり怪しくも強く感じつゝ、牧師の祈禱の終ると齊しく、醉ゑるが如く會衆一同と共に顔を上げた櫻子は、[illegible]濕れる其視線を、演壇に立つた牧師の顔に、恍惚として注ぐのであつたが、忽ち牧師の視線と衝突して、遽てゝ他へ反らすのであつた。夫より花の如き少女が十人ばかり、下髪の波打つ肩を並べて、演壇の下にズラリと並び、まこと天使が天降つて、平和の曲を謡ふが如く、又一時に百鳥の群集はしく囀づるが如く、單さへ敬虔の念に満ちて居る人々の頭腦に、謂知らぬ静かな、美はしい、敬神の情操を催さしむる讃美歌の合唱を終つて後、牧師は徐ろに「眞の基督教」なる題下に、其獨特の流るゝ如き快辯もて、今日の基督教なるものが、兎角其眞の解釋を枝葉にのみ用ゐて、基督の說き給ひし眞髄に達したるもの少なく、口に愛を說けども、愛の何者なるかをも知らざる牧師傳道師を以つて充さるゝ有様、實に前途を思へば戰後の日本を思へば心細さの限りである、されば吾人は、相互に切磋琢磨して、眞の基督教徒たらざる可らず、基督の開き導き教へ給ひし、眞の道を歩まざる可らず、然して社會人類の、生ける模範とならざる可らず、と、夫より項目を分つて、說き去り說き來る、其趣味津々として、汲めども盡きぬ、そして會衆一同の胸を刺す如き、實例と教訓は、或は渓間の岩に碎くる清水の如く、或は滔々たる大瀑布の落下するが如く、或は錐もて胸を刺すが如く、或は鐵槌もて頭腦を碎くが如く、實に千變萬化極りなき其快辯は、一たび之を耳にしたる者をして、永遠忘るゝ能はざる、快感を覺ゑしめたる上、其說教の趣味と道理以外に、我知らず何ものか、眼に見ゑず口に言はれぬ、あるものもて引寄せらるゝが如き、一種敬愛の念を起さしむる牧師の偉大なる力は、實に今日の基督教社會には、殆んど比すべき人は無いのである。

やがて說教の終つた頃には　老幼男女の區別なく、滿堂幾千の聽衆は何れも醉へるが如く、ホツと呼吸をつくのであつた、殊に櫻子は、單に牧師の辯舌に醉へるのみならず、その一擧一動に、殆んど我身を釣り込まれたかのやうに、半ば夢心地で聞き終つたので有つたが、次で式の閉會の祈禱と讃美歌に、漸う少しく我に歸つたのであつた、

「お嬢様、私アあんまり感心して、呆然致しまして御座いますよ」

人々は、早や大方立つた後に、まだ夢心地にうつとりして居る櫻子の様子を不審ながら、菊は物靜かに言ふのであつた。

「あ、菊なの、眞個に、妾、夢のやうに聞いたワ、もう歸るの?」

「ハ、もう皆様御歸んなさいます様で御座いますから」

「左様……」

名殘り惜しさうに櫻子は、菊に手を引かれて門外へ出でんとする時、

「ア、貴嬢好くいらつしやいました」

と、聲かける人のあるに、驚ろいて振り仰ぐと、其處には、演壇に立つた時とは別人のやうな、柔和な笑を浮べた北岡牧師が、姿勢正しく立つて居るので、櫻子は、只一語、

「ハイ……」

と云つたばかり、サと美はしい頬に紅の潮を漲らすのであつた。

白百合

（其十六）

宇田川文海

不意に踏かけられた羞かしさに、顔をも得上げあかつた櫻子は、やがて、痩形の、牧師と、より三つ四つも姉さんかと思はるゝ、其夫人に紹介せられた。

今猶夢見る如く、うつとりとして居た櫻子は「これは私の妻です」と牧師に紹介せられて、柔和らしい、其老けた夫人の顔を見上げた時、何故か、へと謂知らぬ胸の痛さを覚ゐて、何と挨拶してよいやら、強ひつた舌の根は、動かす事さへ出来ぬのであつた。

かくて漸うの事で、菊に手を引かれて、夢の如く家に帰つた櫻子は、乳母が、

「如何で御座いました」

との間に只一語

「面白かつたよ」

と答へたばかり、我が書斎に閉ぢ籠つて、常には快よく逢ふ秋夫にすら、

「今日は少し勞れてるから失禮します」

と菊に言はせて、五月蠅げに襖閉てきり、敢て横に成るでも無く、終日机に凭れて、何かは知らず深く／＼考へ込むのであつた。

此様を案じて、乳母は幾度か様子を見に、亦聞きに来るのであつたが、何と言ふても櫻子が一向取あはず、氣の無い返事ばかりをするので、不器ながらも、暫く打すてゝ様子を見んものと、其後はあまり繁々と閉ぢた襖に手をかけなかつた。

然し、櫻子の、此異様な様も、當日切りの事で、翌日からは例の如く、否、常よりはハキ／＼と、總てが活潑で、只夜半世静かに人無き折、深き物想ひに沈むの外は、世の常の、憂き事知らぬ乙女の如く、無邪氣に、よく笑ひ、よく騒ぐやうに成つたのであつた。

そして夫と同時に、日曜に會堂行きを待かねる事も一層甚だしく成つたのである、然し不思議は只一つ、夜の目も合はぬまで待ち焦れて、乳母の勧めた劇に氣嫌しながらも、いそ／＼と出て行く癖に引きかへ、歸宅つて後、半日或は一日は必ず最初の如く、夢のやうに不快な色をして我書斎に閉籠る事であつた。

されど馴れては家の者も左程に思はず、何事にも注意周到な乳母でさへ、

「毎日お宅にばかりいらつしやるのだから、折にお出ましに成ると、太陽の加減で、少し御氣分がお悪いのだらう、然しまあ、以前と違つて、あんなに冴々しうおなんなすつたも矢張り日曜を楽しんでいらつしやる故だから耶蘇なんか、實際感心したものぢや無いけど、まあ仕方が無い、其内にやア亦何か、他に好いお楽しみになる事も出来るだらう」

と、考へる程故、誰一人怪しう思ふ者さへ無かつたのであつた。

間断なく進む月日は、早や何回か、日曜をくり返して、日露の戦局は愈よ進み、市民は擧つて號外に熱中する四月の下旬、彼の敵國の東洋艦隊提督マカロフ中将が、其旗艦ペトロパウロスク號を枕として、旅順の海角に、盡きぬ怨みを長へに抱いて戦没して後数日、木曜日の午後、緣縫に厭き、書見に倦んだ櫻子は、柔らかき日光を浴びつゝ只一人、何か物思ひに沈みながら、庭の花畑をそゞろ歩きして居る折、不意に駒下駄の音けたゝましく駈け来た小間使の菊は、

「お嬢様、お嬢様、大變で御座いますよ、入来しやいまして御座いますよ」

何者が来たとも云はず、手に持つ名刺を差出した。

白百合

（其十七）

宇田川文海

名刺の主はそも誰ぞ、見ると同時に櫻子は、

「オヤッ」

と微かな叫びを發して、サと其頰を染めるのであつたが、些さか遽てた調子で、

「あの、應接室へお通し申してお呉れ」

高ぶる動悸を押へて、菊よりも先に立ち、身輕に飛び石を渡つて、奥座敷の椽から化粧室へと這入るのであつた。

餘りに櫻子の遽てた様子に、小間使の菊は不審ながらも心に可笑しく、一人打笑みながら、玄關へと出で行く途の廊下で、小切の入れある小箱を抱ねた乳母のお種に行き逢つた、

「お伯母さん、今探したのにいらつしやら無かつたのね」

伯母姪の間柄とて急ぎながらも打とけて言ふ
「アー一寸お厠へ這入つてゝから、何誰かお客様かイ？」

「エ、あの、教會の先生が、牧師さんがいらしつたの」

「エ、牧師……」

お種の眉は著しく顰んだが、直ぐに
「そしてお嬢様は？」

「今お化粧室でせう」

乳母はさも〳〵汚らはしいと言はぬばかり、キと玄關の方を振り向いたが、亦據無いと云ふ風で、

「早く〳〵お出で……」

と、眼で知らせて、トツカワ櫻子の跡を追ふた。菊は急いで玄關へ立出で、美はしい花籠を手にして悠然と立つた北岡牧師に恭しう一禮し、

「何うも失禮致しました、どうか此方へお通り遊ばして」

と、先に立つて、玄關の次の、洋風に椅子卓子を据いた應接室へと導いた、

「お差支は御座いませんか」

と、カイゼル式の美事なお髯を撫りながら、進められた椅子にヨツタリと腰掛けた牧師は一禮して出で行く菊の後姿を見送つて後、靜かに室内を見廻すのであつた。

華美ならず質素ならず、何方かと云へば、年若き女主人の住居としては、過ぎたる位總ての整頓した、快よき室内の飾付を見終つて、やがて明放した椽の面に、咲き亂れた様々の和洋の草花に眼を轉じ、遂に蝶の行方までも追ふた頃、靜かに襖を押し開けて、極り惡げに立出でた櫻子、

「よく入來つして下さいました」

慇懃に一禮して、相對した椅子に腰を下した其容姿、羞を含んで俯向いた其黄金の髪の色さへ、一層の氣高さを増す程、美はしくも、亦氣高く見ゆるのである。

「ヤ、突然に出まして、一寸お門を通つたものですから……」

彼女が美はしい程、可憐らしいとでも感ずてか、牧師は我子にでも對するやうに、優しい視線もて對するのであつた。

其所へ菊は珈琲を運んだ。何となく間の惡るさうにモヂ〳〵して居た櫻子は、

「あの乳母に早くつて」

と、小聲に命ぜて、自ら珈琲皿を進める。

「どうかもうお搆ひなく、直ぐにお暇にしますから、飛んだお邪魔をしました」

無付いた明瞭な口調で、笑顔よく菊を顧みた牧師は、やがて、俯向勝の櫻子に、

「靜かなお好いお住居ですナ、永くお出ですか」

「ハイ、もう十五六年……」

「おう、左様ですか、夫は〳〵、お庭も大層廣いやうですが……美くしい花が澤山ありますね」

「ハイ、わたし、妾、花がだい好きなもんですから……」

言つて、櫻子は、牧師の前に置かれた、眼さむるばかりの花籠に、羞かしげな瞳を注ぐ。

「ハア花がお好きですか……」

今是れを貰つて參つたのですが、お好きなら差上げませう」

と、牧師は、櫻子の前に其花籠を靜かに、そして態と押しやるのであつた。

折柄次の間に、重い足音が聞えた。

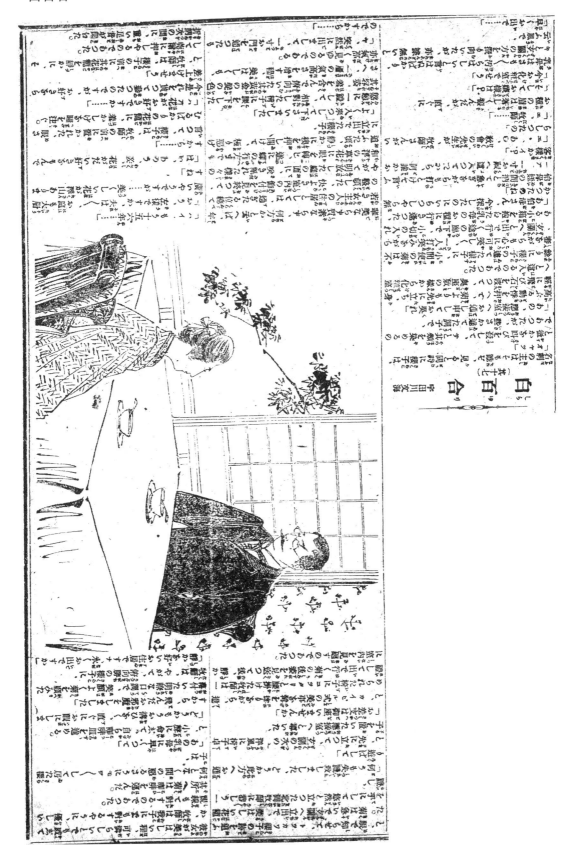

白百合（其十八）

宇田川文海

立出たのは乳母のお種である。

「貴方好くお出で下さいました、私は此お嬢樣の乳母で御座います、每度お嬢樣がお出であさいまして、色々と御厄介で……」

常からあまり愛嬌の無い乳母ではあるが、今日程、其言ふ事は兎に角、態度の冷然たる事は、多年間接に居る櫻子さへ見た事が無い程愛想氣ないので、櫻子は心の中に獨で、ハラ〳〵しながら

「乳母、此お花を頂戴したのよ」

折角援兵を得た思いで悅こんだ櫻子は、味方があまりの無愛想に、何とか言く取あさんと、受けた花籠を指さすので有つたが、

「オヤまあ夫はどうも」

と言つた切り、乳母は美くしいとも言はぬのである。此樣に櫻子は心ならず、我が指先と乳母の顔を、交る〳〵ハラ〳〵しつゝ見ながら、そして牧師の、心を擱む如く顔を見て、不安の動悸を高めるのであつたが、斯かる事には經驗ある、物馴れた北岡牧師は、成程高木醫師の話しの通り、中々確乎した乳母らしい、夫にどうやら我身を厭ふらしく見ゆるのは、耶蘇、佛教——眞宗か日蓮宗の凝固まりで、基督教を厭ふからで有ろ、然し此家には大權力のあると云ふ此婦人、櫻子孃を救はんとあらば、先づ第一に此婦人を救ふて、延いて一家を 我が基督の奴隷としたいものである。と、獨り心に問ひつ答へつ、暫時默想しつ、やがて徐ろに口を開いて、戰爭談やら世間話やら、恕と宗教に關する事は避けて、不言の内に、先づ已れの人格を知らしむ可く、例の迫らず悠々たる調子に、成る可く對手にも語らせやう、對話の秘訣は成る程此處かと聞く人わらは感せしむる程、自在に面白く語るのであつた。

されば櫻子は言ふまでも無く、殆んど醉ふたかの樣に、うつとりと耳を傾けるのであるが、流石剛情な乳母さへも、何時しか牧師の、其特性ある引力と、談話の妙に引寄せられて、初めの無愛想は何處へやら、親しい友か兄弟にでも久し振りで逢ふたやうに、餘事を忘れて聞きつ語りつするのであつた、やがて凡そ三十分も經つた頃、牧師は

「イヤ初めて上つて、とんだ御邪魔をしました。どうかお嬢樣も貴女も、お暇に遊びながら、宅へお出で下さい、そしてお嬢樣、次の日曜は、小兒の花の祭日を守りますから、乳母さんも、皆樣御一所に御出であさい」

と言ひ置いて、立ち歸つた。

玄關まで見送つた乳母は、徐然其後姿を見入つて居る櫻子の肩に輕く手を掛いて、

「ねお嬢樣、耶蘇の牧師なんてエ者は、きつと氣障な厭味なものですが、彼の方は中々落付いた、立派な好さゝうな方で厶いますね」

激しく反對する者は、又折れ易いの譬に洩れず、乳母は早くも北岡牧師の風采と人品の氣高いのに、すつかり惚込んで了つたのである

「眞個に彼の方は立派な方よ、だから乳母が磔だなんて排斥すのは好く無いわ、ま、一度、今度あの方の演說を聞て御覽、夫は〳〵、我ら耶蘇嫌ひな乳母だつて感心してよ」

櫻子は我事の樣に誇つて言ふのであつたが、乳母は夫には答へなかつた。

やがて櫻子は、頰が卓子の上を取片付けて居る應接室に再び這入つて、突然其花籠を抱へるやうに引寄せて、露滴たらんばかりの美はしい、とり〴〵の色に咲き亂れた花瓣に、接吻せんとかり顔をつけて、

「まあ何てあ奇麗な花だらう、ねへ薊」

其香に醉へる女神の如く、美はしく微笑むのであつた。

白百合

（其廿九）

宇田川文海

菊が室を立去つて後も尚、櫻子は卓子に凭りかゝり、牧師が贈の花籠を、我を忘れて恍かしげに打眺め、自ら可笑しい種々の空想に耽り、果は、一際優れて美はしう、そして尤も香り高きヘリオトロプの紫の花に、我にもあらず可憐な唇を運んで、情溢るゝ接吻するのであつたが、やがて何とは知らず耳朶に響く音のあるに、漸う初めて我に歸つて、不圖うつとりした眼を轉じると、細目に開いた襖の間から、嫉妬の目の光りするどく、ヂツと此方を見詰めて居る秋夫の姿。

「チヤ、秋夫さん」

櫻子は思はず叫んで、紫の花の色に染つたかと思ふばかりの朱唇を離した、

「大層お樂しみですね」

秋夫は、針持つ言葉を先づ吐いて、靜かに、殊更落付いて、今迄牧師の腰かけた椅子に座を占め、

「北岡牧師の贈り物ですかね」

何とまあ嘲笑ふ如く云ふ。

「ハ、北岡先生から頂戴しました」

「ハヽヽ、洋行歸りは違つたもので、總てにハイカラ流丈け面白い、ハヽヽヽ」

櫻子の柳眉はキリ〱と動くのであるが、莟の唇は堅く結んで開かぬ。

「櫻子さんは、近來はすつかり基督教徒染みましたね、流石有名な牧師の感化は違つたものだと、僕は一人で大に感心してるのさ。然しね櫻子さん、人間てエ奴ア可笑しなもので、一旦自分が信じた事は、少々誤りがあつても何でも、もう夫より他に好い事は無い様に思ふもんだから、兎角過ちを仕出かし易いもので、甚だ厄介なものですよ」

意味ありげな、そして譯の分らぬ事を言ふ。

「其様な事を仰しやると、何だか妾が、悪いものでも信じたやうですね」

と、櫻子は不快な色をする。

「イヤ、僕ア別に貴孃がどう彼うと言ふんじや無い、只世間話しをして居る丈けなんだけど、お互に人間は感情の動物だから、余程其邊に注意をして居ないと、誤り損なつてから、取返しはつかんですからな」

五月蠅と云ふ色を隱して、櫻子はヂツと花を見詰めて居る。秋夫は亦、櫻子が、近來兎角己れを厭ふ如き様子のあるのが、何となう嫉ましく心外で堪らず、何うかして、彼女の心を我一身に集中させ、其心に、我に對する愛の焔を燃させんと、夫にのみ心を砕いて居る事とて、此冷やかな様を見せられては、ヂツと落付いて居られぬまで口惜しいのを、態と何氣なく裝ふて、

「まあ然し櫻子さんの信じて居る、北岡牧師なんかにやア無論、其様な事アあるまいが、此節の牧師はね櫻子さん、實に非道いですよ」

初めは自らも勸めた教會堂行に、あまりに櫻子の身が入り過ぎ、夫かあらぬか、我が僻目か、北岡牧師の事とし言へば、殆んど夢中に成るまで熱心な櫻子の素振りが、不快で殘念で堪らぬ秋夫は、何とかして彼女の心から、牧師の信用を落さんとしたるのである。

「口ぢやアーメンだとか、天國だとか言つて、立派な說教をするけど中々、一々其品行を調べて御覧なさい、實に情ない様な、憐れむ可き代物が多いですからなア」

「夫ア左様でせうよ、多勢の中にやアね」

流石の櫻子も默しかねたのであつた。

「イヤ實際どうも厄介なものさ、全体僕ア、あの牧師なんてエ奴等が、己れ一人悟つた顔に、澄まし込んで居るのが癪に觸る」

言つたが夫は、櫻子には何の感じをも與へなかつた、のみならず、彼女は五月蠅しとばかり立上つて

「彼方へ參らうぢやありませんか」

と、花籠を抱いて、秋夫には眼もくれず、己れ先へスタ〱と、奥の方へ出行くのである。

ヤツと跡見送つた秋夫は、

「畜ッ、雜種兒奴、今に……」

と、微かに呟くのであつた。

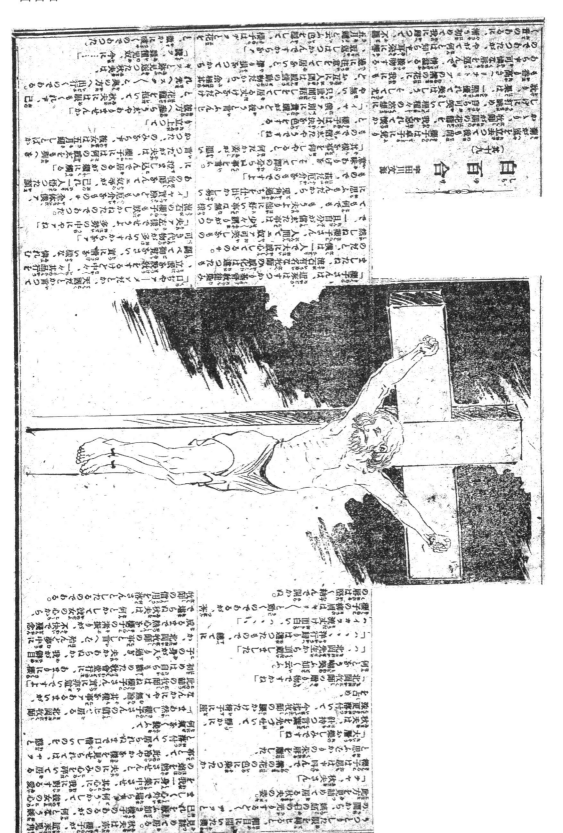

白百合（其二十）

宇田川文海

十何年來淋しい生活を續けた櫻子は、實は秋夫が我家へ出入するやうに成つたのを、非常に嬉しくそして心丈夫に、急に兄でも出來たやうに悦んだのであつた。然し乍ら秋夫に對する彼女の情は兄妹以上には出なかつたのであつた。

然し秋夫は、果して夫に滿足し得るで有うか、否彼は、到底夫に滿足し能はぬのである、のみならず、彼の希望は、單に櫻子と純潔の愛もて交はるのみに止らず、夫以上に、低い卑しい、慾あるものが其心裡に地盤を占めて居る事とて、彼女が厭へば厭ふ丈け夫丈け此方の思ひは愈よ增して何としても、如何なる非常手段を取つても、彼女と、其財産を、我所有とせずば措かぬとの決心をして居る事とて、彼女が他の或る者に心を寄せて、彼に對して冷淡にすればする丈け、彼女の身邊には、ある危險が迫ると同樣なのである、然し飽く迄清く、飽まで無邪氣な、玉の如く、嬰兒の如き彼女が、何うして此の恐る可く憎む可き心を知らう筈が無い、否、單に櫻子のみならず、殆んど生馬の眼をも拔く可き程の乳母でさへ、其手中のものと成つて、夢にもさる事には思ひ及ばぬ位故に、乳母に些か氣兼する他、思ふ事を成し、仕たい事を仕て、心の儘に育つた櫻子は、秋夫の言葉を面白からず感じたまゝ、深き思案も分別も無く、先に立つて我書齋へ這入るのであつた。

不快の念に充ち滿ちた秋夫は、常の樣に、嬢に對して戲談も言はず、頻りに何事か考へながら、やがて辭して立歸つた。

其夕暮れ櫻子は、今迄我と共に書齋に潜た、例の花籠を持ち出して椽側に立ち出で、百花亂れ咲く庭の面には眼もくれず、懷かしげに飽かず見入つて居る折しも、乳母のお種は其豐かな腹を抱へながら、彼女に對してのみ見する、愛を湛へた眼に笑を含みながら出で來たり、

「大層又お氣に入りましたね」

と、彼女の隣りへドツカリ座を占め

「全く然し美くしう御座いますねえ」

「幾ら見たつて飽かないんだもの」

「ホヽヽ、餘程お氣に入つたものですねえ、其樣にお好きなら、乳母が毎日拵へて上げませう」

「アラ、乳母が拵へたんぢや不可なくつてよ」

思はず言つて顏を赧める。然し乳母には氣がつかなかつた。

「オホヽ、乳母がしたんぢや不可ませんの、夫ア困りましたね、然しねお嬢樣、乳母は全く案外で御座いましたよ」

と、笑顏を少し眞面目に成つて、

「實際今日いらしつた方は、同じ耶蘇でも中々立派な方でムいますね、乳母が前に知つて居た耶蘇なんかは、眞實にイケ好かない人間で御座いましてね、とうとう終いに好い家のお嬢樣と野合いて、到頭京都に居られなくなつて、夜逃のやうな事をしたのが御座いましたけど、今日のやうな方なら、人格と云ひお話振と云ひ、斯んな耶蘇嫌ひの乳母が感心する位ですから、中々優しい方なんで御座いませうよ、ねえ」

流石の乳母も心から感心して言ふので、櫻子は何だか躍り出しでもしたい程に嬉しく

「オホヽヽ、乳母まで感心しちやッたのね、全く優い方だワ、學校の先生にだつて、那んな方は無かつたワ」

一寸先は暗の世界、如何なる運命を持つて生れ、如何なる使命を果して終るとも知らず、否、現在我が肉の父さへ知らずして、果敢なき泡の如き樣に弄される彼女は、それ人として幸と言はふか、不幸と云はふかな。

白百合　　宇田川文海

（其二十一）

今しも川口なる、ウイルミナ女学校の門内から、潮の湧るが如く立出たる、数百の海老茶式部が、殆んど帰り尽したかと思ふ頃、其中の最も上級らしい何れも十七八才位の三人連が、親しげに何をか語りつゝ、吾党の殿りよと言はぬばかりに、門前を東へ歩みながら、頻りに笑ひ興じて居るのであつたが、其中の一人、年増のやうに肥つた色黒の縮れ毛が、急に前方に何をか認めて声をひそめ、

「妾の話ッてエのは彼の人よ」

腮で指す方を見た他の両方は同時に、

「北岡さん？」

「北岡さんが如何したつてエの？」

やゝ痩形なのと、キリヽと口元に締りのある小肥の二人に右左から問れて縮れ毛は大得意

「如何したつて、そら大変な事なのよ」

と、殊更真面目に勿体ぶつて話さない、

「小川さん、何だか早く聞かして頂戴ナ、ね

ね吉田さん、気がすまないわね」

と、痩形のは焦れ出した。

「ホヽヽ其様なに言はなくつたつて言ふわ、又夫れに妾が言はないにした所で、今に厭でも応でも分るんだもの、然しまあ知れたら大変だらうね、妾だつて初めて聞いた時、手に持つてたペンを落しちやつたんだもの」

愈よ大形に言れて二女は益々好奇心を動かし

「何うしたつてエの、早く仰しやいなね」

もう此位焦らせば充分と思ふ様子に、少し真面目に成つて、

「大変な事なのよ、若し是が世間へ知れたら学校の名前は勿論、妾達だつて世間へ合す顔が無くなるワ」

「まあ其様なに大変な事？」

「驚ろいちや不可なくつてよ、あのね、北岡さんね……」

一入声を低めて

「懐妊なの」

「エッ」

大層に叫んで、ピタリと歩みを止め、互に顔見合せた二女は

「まあ真個？」

と、ヒタ呆れに呆れるのである、若い女の常として、何事か話の種のあれかしと、単さへ人の言葉に注意する者が、彼等の為には非常の大事件たる此事を聞いた時の心中、実際学校の名前を悲しむの念よりは、先づ一種の愉快を感じたのである、

「して相手は誰なの」

「中の嶋教会の会員で、銀行へ出てる青年だつて」

「中の嶋教会の、誰れだらう？」

「貴女中の嶋教会の人だから心当りがあるでせう」

と、痩形のは熱心に、吉田と呼れたのに言ふと、

「左様ねエ、彼の人と、〳〵とあるんだけど、誰だらう、妾の考へぢやア、多分小橋つてエんだらうと思ふけど」

「然し兎に角困つた事が出来たはねエ、夫にあの人は、北岡先生の妹ぢやありませんか」

「左様だワ、まあ何てエ情ない事をしたんでせうねへ」

多少卵翻的教育を受けて居る丈けに、些も一入ぼく呆れた三人は やがて

「何んな顔してるか見てやらうぢやありませんか、左様言へば何だか此頃は顔色が悪く成つて」

「滅切り痩せた様だわね」

多少面白半分、前なる噂の主を追ひかけた。

此噂の主こそは、まこと北岡牧師の妹で妙子と云ふ、今年十八の花盛りを、あはれ恋てふ悪風に吹き散らされて了つたのである。鬼も十八の美し盛り、色の白いのと、愛くるしいのが其特性で、十人好のする容貌、房々と束ねた束髪、腹の秘密を隠さんとてか、胸高に穿いた袴の色の華やかに、物思はしげな其蒼白い顔に反射した其姿、様子と云ひ、格好と云ひ、一山百文の海老茶式部には見られぬ妖姚さである。

白百合

（其二十二）

宇田川文海

急いで妙子の跡を追ふた三人は、

「オヽ苦しかつた」

「北岡さん一所に歸りませう」

ヂロリと言ひ合せたやうに、まだ眼に立たぬ妙子の腹を見て、少し力を落したやうに、縮れ毛の小川が先づ口を開き

「貴女北岡さんが、何處か悪いんじや無くつて、大層お顔色がねね」

と、他の二人に眼交せする、

「眞個にお悪いわ、胃病？」

と、痩形のは殊更に云ふ、

「其樣なに悪く見ねて？」

と、淋しく耶恐ろしげに微笑んだ妙子は、

「時候の加減か、少し頭腦が重い丈けなの」

「左樣？、頭腦丈け？、お腹はや」

縮れ毛は他の二人と顔見合せて意地悪く聞く

妙子はハッと思ふた樣子で、

「お腹、イヽエ別に……何とも……」

と、猪猪包抱た袖で、掩ふやうに隠すので

わつたく縮れ毛は又口を開き、

「北岡さん、今もね、吉田さん方と話してたんだけど、大變な事が出來たのよ」

「大變な事つて何？」

「大變つて、夫ア余程大變なの、貴女は乾度御存だと思ふけど、大變な大變よ」

「オホヽヽ小川さんつたら、大變ぞかり言つてるのね」

と、吉田が口を挾む間も、妙子は若しやと、

ハッと全身の血は躍り、洋傘持つ手もブル／＼と戰ないて、

「何、何んな事なの？」

三女は亦も顔見合せたが、

「私の口からア言へないワ」

と、意味ありげに笑はれて、妙子は一入消ね入りたき心を無理に押ね

「あゝ何か淡の事？」

「イヽエ、左樣でも無いけど……ね」

見交した三人の眼は、愉快氣に異樣な輝きを増すので、チラと見た妙子の顔からは火が出るやう。

「まア其樣な事ア何うだつて好けど、御互に人から後指さゝれない樣に注意しませうね」

「全くね、余程考へないと、取返しのつかない事になるからね」

「エヽ／＼左樣ですとも、ね、北岡さん、左樣ぢやありませんか」

右左から、一々胸を刺さるゝ言葉に、妙子は絞り出したやうな微かな聲で、

「左樣ですねへ」

と只一言、折から安治川橋の袂へと來たのを幸ひ、

「妾、一寸寄りたい家があるから、失禮してよ」

云ふよりスタ／＼と橋を渡ると、跡からはドッと笑ふ聲か、我身を追ふやうに聞ゆるので、悲しさの餘り妙子は夢中に、我知らず溢るゝ涙の眼を洋傘に隠して、半ば駈けるやうに何町か歩んだと思ふ頃、

「妙子さんぢや無いか」

不意に聲かけられて、フト振り向くと、兄とは云へ、師とも親とも敬ふ北岡牧師が、曾て見た事の無い悲痛な笑を浮べて立て居るので

「オヤ兄さん」

とは云つたものゝ、罪なる者が警官を恐るゝ如く、逃げ足に傑ねる、

「今歸りかイ、兄さんも是から歸るんだが、一度宅へお出ナ、少し話したい事もあるから」

拗てそと妙子は小さく成るのであつたが、否と答ふる丈けの氣力は無かつた。

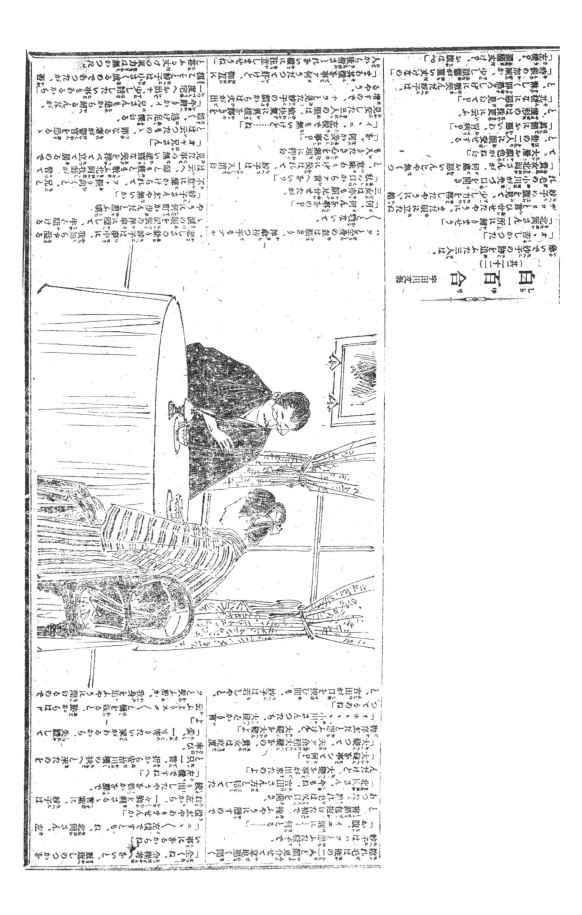

白百合

（其二十三）

宇田川文海

脛に疵持つ身の妙子は、同窓の友が針ある言葉に散々悩まされた上に、今又常から兩親よりも氣の置ける兄の保時に、厭應なしに引連れられ居所に引かるゝ羊の如く、悄々と其後に隨ふて、中の橋教會に近き其家へと急ぐのであつたが、その途次折々從來曾て無き物思はしげなる兄の樣子を偸み見ては、是も若しや我が爲にではあるまいかと、秘密ある身の心の中千々に亂れて、歩みも兎角後れ勝に半ば夢心地に來たのであつた、

「あ、妙子さん、好くゐらつしやいました」

貞節の聞え高き嫂が、常も變らぬ優しい笑も、何か我身を嘲ける如く思はれて、

「御無沙汰致しました」

も口の中、兄の牧師が

「緩くり茶でも飲んでから書齋へ」

と言はれたのを機會に、逃ぐるが如く席を外して、二階ある牧師の書齋へと打通つた。二階は八疊と三疊と四疊半、その四疊半の客室を通り抜けて、周圍三方に書籍の滿ち居る、總て歐風にしつらへた書齋の、小卓子の前の椅子に腰を下し、初めてホツと息を吐くのであつた。

「ヘエ姉ちやん」

と、やがてビスケツトと、珈琲を後生大事に運んで來た、牧師の愛兒で有う、六才ばかりの愛らしい女の子が、常の如く纏ふのを、

「愛ちやんは何日も温順しいのね」

と、愛想氣なく言ふたなり、頭一つ撫でゝ遣らぬので、愛ちやんは些か不平顔に見返りながら下へ降りて行つた、妙子の心中は中々夫處では無いのである。

兄の牧師は何をして居るのか割合に暇が入る妙子は、その少しでも遲くなるのを希ふと共に、亦實は一刻も早く來て欲しいやうな心もするので、立つたり腰かけたり、椅の楼を正したり、兎つ置つして居ると、やがて亜い、一段〱に何事をか命令してゞも上るやうな足音が聞ねて、やがて牧師は上つて來た。

「お父樣もお母樣も、今日は別にお變りは無かつたかイ」

和服に着替へて、ユツタリと安樂椅子に腰を下した牧師は、先づ何よりも先に夫を問いて、夫から二三の世間話しをした後、少し容を正して、

「妙さん、お前に態々來て貰つたのは、他の事では無いがね、實はその……」

言ひかけた言葉を絶めて

「お前、兄さんに何事も隠さず言つて呉れるだらうね」

握こそと妙子は俯向いたまゝ

「ハイ……」

「實は、兄さんは、斯んな事を聞きたくは無いのだが、止を得ずなんだから」

苦しげに、眉を寄せて

「お前に、何か秘密がありはしまいか、兄さんの心は、實は秘密があつても聞きたくは無い、聞かずに仕舞ひたいのだが、實に、實に據無い」

言へと頭から責くれるよりも身にしみて、妙子は身動きもしず聞いて居る心の中は、刻らるゝ如く苦しいのである。

牧師は再び口を開いた

「妙さん、無ければ誠に幸ひだが、若し、萬一、お前に犯した罪があるなら、神樣の前で、兄さんに殘らず懺悔をしてお了い、彼處に救主も見てお出になる聞いて居らつしやる」

壁上に掲げた、鮮血淋漓たる物凄い基督の畫像をチラと見て、默禱する如く其眼を閉おたと讀まれるのである。

心中の苦悶は、少なくとも妙子にはアリ〱堪へ兼ねて妙子は頭を上げた、そして、

「兄さん、殺して下さい」

と、顫くやうに微かに叫んで、ワツと其場に泣き伏すのであつた。

白百合（其二十四）

宇田川文海

夫と心に承知はして居ながらも、萬が一つも間違であれかしと念じて居る牧師は、妙子が発して下さいと泣き沈んだので、亦今更のやうに胸に打たれ、己が聖職にある丈け夫丈け、一入心中の苦痛も甚しく、頓には言葉も出なかつたのである、

暫時四邊は寂として、川を隔てゝ、遠く微かに號外賣の忙しげな鈴の音が響くのであつたが、やがて牧師は氣を取直して、

「そして、其の、青年……男子は誰れだ？」

血を吐くやうな苦しげな詰問、

「アノ……」

流石に妙子は口籠つて、サッと顔を赧めながら

「教會の……共勵會の……小橋さん……」

と、切れ〳〵。

「小橋？……此間出征した？」

「ハイ……」

妙子は、又もワッと泣き沈んだ。

「彼れなら人物も確乎して居るし、信仰もあつたが……」

牧師は嘆息するやうに言つて、再びヂッと瞑目するのであつたが、

「今更言つても仕方が無いが、何故お前は……其樣なら左樣と、兄さんに言つて呉れなかつたのだ、早く兄さんの耳へさへ入れて呉れたら、兄さんは、お前方の爲に、決して惡くは計らはなかつたのに、公けに結婚をさせて上げたのに……」

くり返し言つて更に悵然と、

「噫、此事が若しも世間へ發表したら、兄さんは、實に……講壇へ立つのも面目ない、妙子さん、大變な事をして呉れたね……………。噫、然し、是も全く兄さんの德が足りないからだ」

神に憐れみを乞ふ如く空を仰いだ牧師。

「兄さん、何うか〳〵、免して下さい、此度、妾、兄さんの御顔に關はらないやうにしますから……」

妙子は、顔をも得上げず泣き入る。

此時梯子段に可愛い足音はトン〳〵と聞ねて、やがて先刻の愛ちやんは、

「お父様……」

と、膝に縋つて一葉の名刺を差出した、そして、常ならぬ此場の様子を子供心にも不審と思ふてか、

「アラ、姉ちやんが泣いて、可笑しいわ」

と、父の顔を仰いで、不審を解けと言はぬばかりの顔色。

「此人が見ゑたのかイ」

牧師は、名刺の表を見て、何用？と言ひたげな眉を寄せて、

「直ぐ行くからね、下のお座敷へお通しするやうに母様に言つてお出で、ね」

柔らかい、若葉のやうな髪を撫でられ、イソ〳〵と、下へ降りた愛ちやんは、先づ第一に、二階へまでも聞ゆる大聲で

「母様、姉ちやん泣いてるのよ」

妙子は、聞いて、亦も身の縮まるのを覺ゑた。

「急がなければ、今少し居てお呉れ、直ぐ濟むお客だから、然しあんまり遅く成つて悪いやうなら、何れ兄さんが晩よ行くから……」

穏やかに言ひ儀た牧師は、心の亂れを鎮めん爲め、三分間ばかり默禱して、平常の通り平和な色を粧ふて、徐かに下へと立たのである

其足音が、段梯子を下り盡した頃、妙子は又も一しきり聲を洩して泣くのであつたが、やがて涙の泉涸れ盡したと思ふ頃、不圖顔を上げて四方を見ると、先づ第一に、例の基督の畫像が眼に入つた。

此像は牧師が米國に滯在中、或貴人から恵まれたもので、罪無き者と雖も一眼見れば、其威嚴と物凄さに、精神の奥底までも顫へさせられるやうな心地がして、ヂッと見詰めては居られぬ程巧みに出來た、世にも得がたき名畫なので、夫を見ると同時に、妙子は電氣にでも打たれたか、自身釘附にでもしられたやうに、氣絶するばかりの恐しい感に打れたのである

白百合

（其三十五）

宇田川文海

兄が下へ降りて後、涙の顔を無理に笑ひに紛らす丈けの気力もなく、そこ〳〵に北岡家を辞した妙子は、進まぬ歩みを無理に移して、淡路町なる我家へと帰るのであつた。

妙子は、北岡牧師が十歳あまりの時、其の産の母が先だつて此世を辞して後、貰ひ受けた後添の母が只一人の愛娘で、腹こそ異れ牧師とは、跡にも先にも只二人の兄妹なのである。

父は北岡保と云つて、以前は鎌倉武士の一人で、低からぬ家柄に生れた人、其子保時が東都へ遊学中、基督教の感化を受けて、終には同志社に神学を修め、引続いて修行するやうに成るまでは、殆んど基督教を悪魔視して、君子の六日[illegible]、己が動くる政治的野心の、我子に遮せざりしを悔ひつゝ、我が身は慢性の胃病に苦しみ乍ら、多少の資産のあるを幸ひ、不平の中に日を送つて居るのであつたが、彼が伝行せんとするに臨み、決別の為数日間帰国した時、其熱心にして忠実、而も好く人を動かすに足るの言動は、流石頑固な保の頭脳をも和らげて、終には信仰の決心までもせしむるに至つたので、八年苦学の後帰朝した保時の眼には、実に意外に感ずる程、以前の父と異つた新らしき父が映ずる

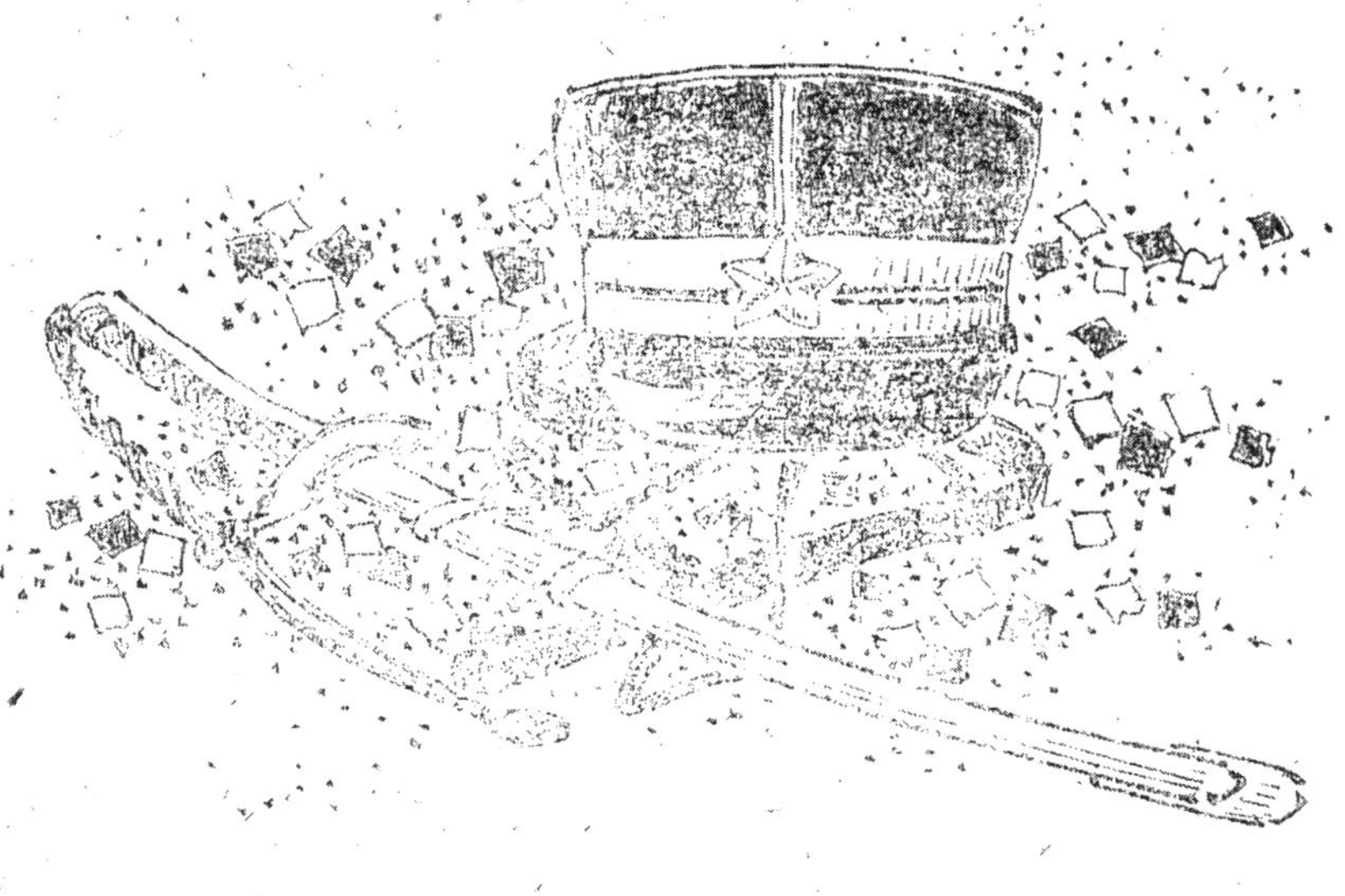

たのであつた。

後添の母なる人は、仏の如き善人で、只此世の楽しみは、我子妙子の成長を楽しむの外、何の野心も邪念もなく、継子保時へも、決して辛くも当らねば、亦さして深き親切もなく、良人の勧めのまゝ一言の返答にも及ばず、基督信者となつた人、今は良人と妙子と三人、淡路町の小奇麗な住居に、不自由なき生活を送つて居るのを、此上も無く楽しんで、早く妙子が生れた孫の守をして見たいとの一事が、其多年の希望なのであつた。

「お母さん只今、お父様はお留守？」

悄々と帰つて来て、先づ何よりも厳格な父の所在を問ふ妙子、

「父様は今兄さんの家へいらしつたよ」

「エッ兄さん家」

今我が身の打明けた罪を、行違ひに成つた父上の御耳に入るのは必定と、妙子は我にもあらずハッとばかりに狼狽くのであつた。

「お前まあ大層顔色が悪いやうだが如何したのだへ、エ妙ちやん、夫に今日は帰りが遅かつたぢや無いか、何かお友達と喧嘩でもしたのぢや無いかい、お前が其様な蒼い顔をして居て呉れると、お母さんは真個に悲しく成て了ふぢや無いか、たつた一人の便りにして居るお前に」

五十の坂を越ねたばかり、今日結んだばかりとも見ゆる丸髷の艶々として、一條の白髪も見えぬ小柄の、見るから人の好さゝうな母の、お留代は、妙子が常ならぬ顔色に心も心ならず、手に持つ雑布を投げ出して、いと案々と言ふのであつた。

「お母様、済みません」

何と思つたか妙子は、手に持つ風呂敷包を、上り框へ投げ出して、其上へワッとばかりに泣き伏すのであつた。

「妙ちやん、お前まあ如何したつてへんだい、泣いたつて訳が分らないぢやないか、其様なつまらない真似をして、お母様を困らしてお呉れで無い」

心弱き母は、[illegible]を揉むのであつたが、やがて妙子が涙の顔を上げて

「お父様は今いらしつたばかし？、おやまだ中々お帰んなさりやしませんねへ」

と熱心に聞くので

「あ、まだ一寸お帰んなさりやすまいよ、夫に帰りに、運動ながら大隅さんへもお寄んなさるさうだから……」

聞いて妙子はホッと胸撫で下して

「左様？……」

と、不安気な母の顔色をしみ〴〵見ながら、

「ホヽヽヽお母様、妾は余程馬鹿ですねね」

と笑つた声は、泣くよりも悲しげに聞ゆるのであつた。

白百合

（其二十六）

宇田川文海

「まあ厭な子、お前今日は余程變だよ」

余りに妙子の様子が可笑しいので、不審の眉を顰めた母のお登代は、夫でも妙子が笑つたのを嬉しく、ホッと安心の眉を開いた。

「お母様、今日は妾が臺所をしますから、お母様は休んで入下さいナ」

妙子は手早く袴を脱つて、早や襷がけに成るのである、

「眞個に今日は可笑しい」

母は小聲に呟きながら、手近の板の間を急いで拭いて襷を外し、

「もう濟んだから好いよ、夫よかお前御飯をお上り、お母様も一所に頂くから」

「ヂヤ、お母様、もうちやんとして下さいましたの、まあ、濟みませんでしたね、つい遲く成つたものですから」

「オホヽヽ、今日に限つて何も其様な禮なんか言はなくつたつて、眞個に何うかおしだつたのかへ」

母は妙子の常と變つて、不思議に堪へられぬのであるが、妙子の心中を讀むには、あまりに其智惠が乏しかつたのである。

父の歸りはどうせ夜に入つての事ならんと、水入らずの親子二人は、對座で樂しい夕餉を認めながら、様々の話に移るのであつたが、夫でも何とのう、妙子の様子は異つて居る。

「お母様、若し今妾が居なく成つたら如何でせうね」

妙子は、今や箸を納めて小楊枝に手を掛けた母に、眞面目に突然と問かけるので、

「居なく成つたらつて、馬鹿な事をお言ひで無い、お前が居なく成つてどう成るもんかね、お母様は如何します」

呆れた顔と沈んだ顔は暫時ヂッと見交されるのであつたが、

「オホヽヽ一寸聞いた迄なんですよ、お母様は何でもすぐ眞にお受け成さるから話も何にも出来やしない」

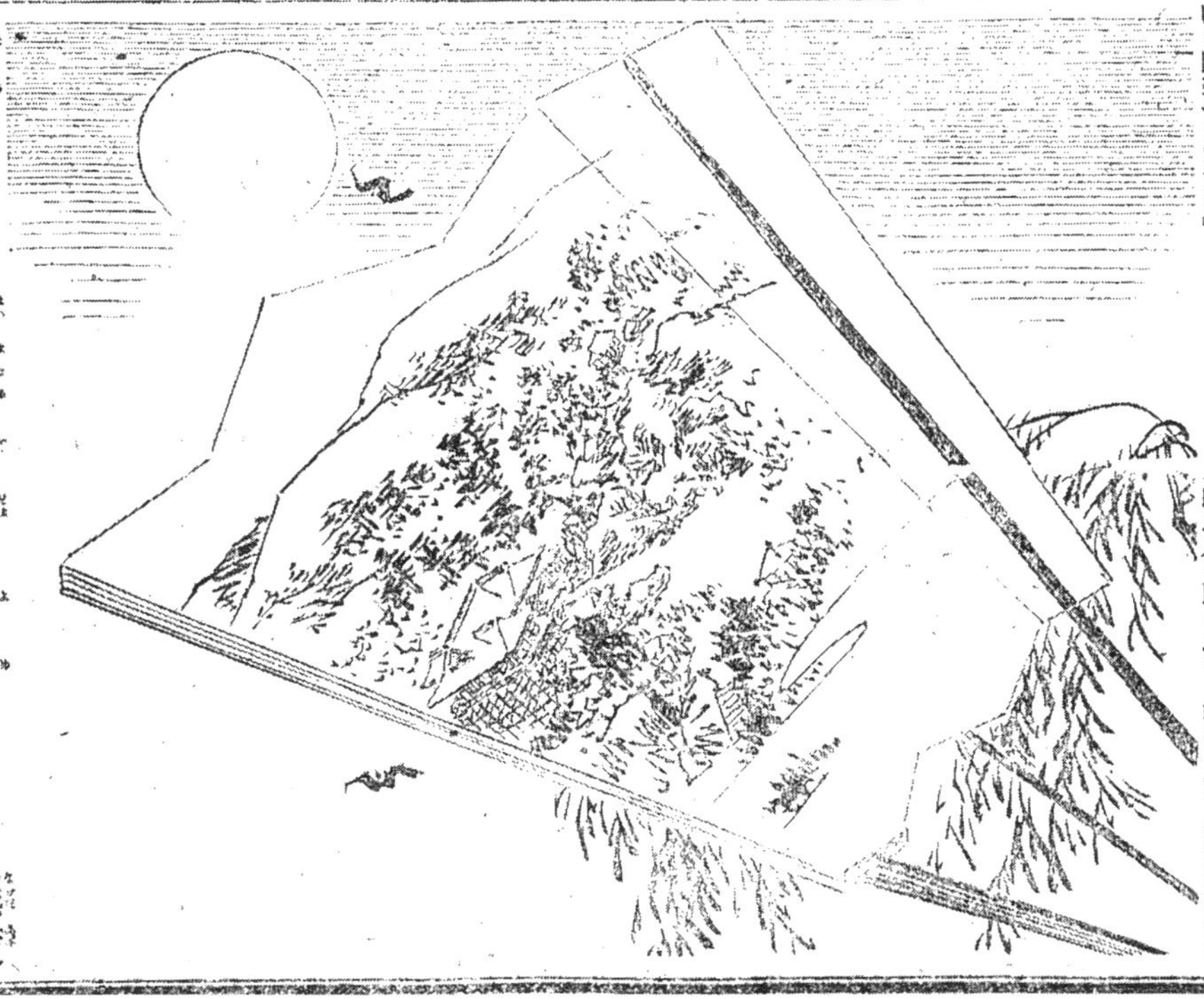

「眞に受けるつたつて、お前が眞面目で言ふんだもの……夫よりかもうそんな下らない事は止めて了つて、お母様にピアノでも聞かしてお呉れ」

「ピアノ？、今日はサッとも彈きたく無いんだもの……」

ヂッと考へ込んで居た妙子は、忽ち、

「イヤヤア只た一つ丈け彈きませう、何にしませう、お母様の一番お好きなものは」

「好きなもの？、ホヤアね、我が子よ〳〵つてエのを聞かしてお呉れ」

「オホヽヽ、あんな淋しいのを」

心中の苦痛を無理に隱して立上り、奥の四疊半に据ゑ付けたピアノの前へ靜かに腰を下して、やがて彈き出す調べは冴たる音に和して

花よりも愛でにし我子よ、
戀しい衣だにいと懐かし、
たのみ無き旅路をいづくに、
さまよへるか今は花ちる暮れ、
我子よ我子よとく歸り、
心行く節り共にせずや、

一節より二節と進む、妙に美はしき其韻は、やがて、月すむ夜半……と、二節の終りを告げた時、聲も音も、ピタリと止まつて了つたのである。

兩女は顔を見合せた。

歌ふ人も聞く人も、絶えて無き悲痛な感情に迫つて、四つの眼からはハラ〳〵と涙が溢れて居るのである。

「ア、悲しく成つた、どうしたんでせう、もう止しませう」

妙子はつと立つて、呆氣にとられた母を殘し、二階の我が部屋へと驅け上るのであつたが、凡そ三十分も經たと思ふ頃、泣腫した眼の縁赤う、外出の着物に袴さへつけて降て來た

「お母様一寸お友達の處へ行て參りますよ」

「エッ、今から、もう日が暮れるじや無いか、今にお父様もお歸んなさるから、もう今日は行かずにお置きなさい」

母がくり返し止めるのを聞かず、妙子は隠るゝ如く家を出たのである。

白百合

（其二十七）

宇田川文海

京都七條の停車場に、今や午後四時何分發の列車が、大坂へ向つて發車する、同時に、二人乘の人車は喘ぎ〳〵横たはつたのであるが、下り立つた人は、華美なお召縮緬の袷に、紫紺の丸帶を氣高に締めた櫻子孃と、銘仙に黒繻子の丸帶した乳母の兩人であつた。

「まあ惜しい事、たつた一歩の行き違いで……車夫が年寄だから仕方が無い」

櫻子孃の手を引いて、一二等の待合の椅子に腰かけた乳母は、親の仇敵でも取り逃したやうに殘念がるのであつた。

「だつておんなに、瀧のやうに汗を流してるんだもの、可愛想ぢやないか」

櫻子は、乳母を慰さめるやうに言ふのであつたが、不圖四方にある一同が、我身に悉く其視線を集めて居るのに心づいて、サと顔を赤めながら

「乳母、汽車は出ちまつたし、折角京都まで來たんだから行かうぢやないか」

と、聲低く言ふ、

「エ、石山へで御座いますか……」

乳母は考へ込んだ、

「宿泊る心算なのがあんなに早く歸れたんだから、ね、乾度もう伯母さんが來る時分だと思つて一同が待つてゝよ」

近江八景の一なる石山に、乳母のお種の從妹が、桂屋と云ふ旅館を營なんで居るのであるか

「お孃樣がそんなに仰しやるのなら、一寸參りませうかね」

乳母も元より悪い心地はせぬので、茲に相談は一決して、間もなく發する上り列車に投じたのである。

我が身より主家を大切に思ふ乳母は、已れの事は總て犠牲にして、櫻子の爲よかれかしとするのであるが、只一つ、道樂……では無いが之も櫻子の爲に、三ヶ月に一度位は京都北野の天満宮へ參詣するのである、そして其都度櫻子孃を伴ふのであるが、今日は石山の地に少し面倒な用事をかねて來た事とて、都合に依れば一晩泊るかも知れぬと言ひ置いて來たのであるが、案外其用事が早く片附いたので、かく石山の從妹を、久々振で尋ねる事と成つたのである。

馬場停車場で降りた兩女は、合乘の人車を飛ばして、珍らしげに見惚る田舎人には眼もくれず、一直線に石山なる、桂屋へと着いた。

「まあ久し振りで好く、まあお孃樣」

山紫に水清き、石山の下宇治川の勝地に、料理と旅館を兼ねた、一際優れて廣く美はしい桂屋の女將なる乳母の從妹は、思はぬ珍客を得た嬉しさに上へも置かず接待して、態々の來訪を謝すのであつたが、やがて兩人が湯にも入り、琵琶湖の鮮魚の様々な料理で、樂しい夕飯を終つた後、

「姉さん夕べ投身がありましたよ」

乳母をやゝ小形にして、其口を輕くしたやうなお從妹の女將は、櫻子の一興にもと、

「宿人が大津から、出入りの漁師の船に乘つて遊びながら歸りがけに助けましたの、左樣ですね、お孃樣より一つ二つ下位い、海老茶の袴を穿いた可愛らしい娘さんですよ」

「へえ、そんな可愛い娘さんが……」

乳母は櫻子の顔を見る。櫻子は熱心に耳を傾けて居る。

「今も寝かしてあるんですがね、可なりなとこの娘さんらしいが……どうも樣子が、自身元や何とも言ひませんが、大阪あたりの娘らしいのです、萬一としたら、お孃樣は御存じの方や無いか知らんて」

半ば揶揄ふやうに言ふのを、好奇心に動かされて居た櫻子は、

「一寸一度、其人を見たい、或は一寸知つてないとも限らないもの、ね、ね、乳母」

「オホヽヽヽお孃樣は好奇者ですね」

笑つたばかり、乳母は敢て反對もせぬので、櫻子は、刻も猶豫なく、女將に案内せられて、其投身娘の打臥して居る部屋へと行くのであつたが、今すや〳〵と眠つて居る其顏を見ると同時に

「オヤツ」

と、我知らず叫ぶのであつた。

白百合

宇田川文海

（其二十八）

浮世の火影を斜に受けて、死人のやうな眞蒼な顔に、微かに淋しい笑を見せながら、すや〳〵と安らかな夢路を辿つて居た、まだうら若い令嬢は、我知らず叫んだ櫻子の聲に驚ろいて、ハッと眼を瞬くのであつたが、驚ろき乍らツカ〳〵と進入り來る、櫻子の姿が見ゆると同時に、

「オヤ……」

と、聲も微かに叫んで、夫でも尚、まだ夢の醒きでも見て居るかのやうに、蒲團の上へ起き直り、ウッとりと櫻子の方を見詰めた。

女將は兩女の意外の様に、小聲で

「お嬢様あのう御存知なんで御座いますか」

「エヽ、一寸知つてるのよ」

「おや矢張り大坂の方で？」

「…………」

櫻子が口を開かんとした時、初めて與の我に歸つた娘は、「何事も穩密に」との眼交せをして、極り惡げに差俯向たので、櫻子は別に答へず、

「あの、暫く一寸彼方へ行つて下さいな」

と、女將を外させ、改めてその枕元へ座つた。

「貴嬢、まあ、此樣な處へどうしてお一人？」

やゝあつて櫻子は先づ口を開いた。

娘は言ふまでもない妙子である。妙子と櫻子は、櫻子が教會堂へ行き初めて後、牧師に紹介せられて、初めて懇意に成つたので、まだ左迄深しい間柄では無い。されば我身の上の恥かしさに、妙子は只俯向いて涙含むのみ。

「あの、如何な御事情がおありなさるのですか知りませんが、構はなければ、妾に仰しやつて頂戴ナ、先生には、お兄さんには色々御厄介に成るんですし、何か妾に出來る丈けの事はしますから、眞個に……此家な所で、夢にも思はない御目にかゝるなんて、矢張り是も神様の思召ですか、ね、妙子さん、何うなさいましたの」

櫻子は咄嗟の間に、如何なる事情のあるかは知らねど、兎に角我身は、能ふ限り妙子の世話をして間接に牧師に悦ばれんとの決心をした事とて、その云ふ一語一句には、非常な力が籠つて居るのである、

「御親切に有難う、妾、妾、罰が當つたんですワ……」

妙子はハラ〳〵と落涙した。

「罰、そんな事があるもんですか、何うか隔個に、便りない相談相手ですけど、お構ひなきやァ何も彼も仰しやつて下さいナ」

如何はせんと我身一つを持餘して居た妙子は、あまりに櫻子が熱心なので、親しく膝つき合せて言葉交ゆるのは初めてながら、何となう、我身を救ひに來れる神のやうにも思はれて、恥かしい秘密まで打明かさずには居られぬやうな心地に成つた。

「御親切に、何うも有り難う御座います」

言はんとして、先づ漠然たる妙子は、櫻子が注意して障子の襖を開ける間に、少しく精神を落付けて、

「もう何も彼も申上げますが、妾は、妾は、身を誤りました……」

と口を切つて、我が一時の心得違ひから、我中の婚教會の共勵會員で、過ぐる日豫備の召集に應じて出征したる小橋貫一と云へる銀行に勤むる青年と、わりなくも懇ろに成つた事から、遂に罪の結果を身に宿し、惡事千里の譬に洩れず、友人の口の端に上るのみか、わの、神のやうなお兄にまで知れた今、兄でも此世に生存へて、人々に後指さゝる事は思ひもよらず、殊兄に對しても、此儘チッとしては居られぬ次第、自殺の罪は重けれど、生恥をさらして父や兄の顔を汚さんよりは、寧ろ

「一層を……京都の友達に暇乞ながら、此所へ參つたのでしたが……神様は、まだ〳〵、妾の罪を御許し下さらないと見えて、又、こ、斯んなに助けられたんで御座います」

妙子は、我罪の恐ろしさに身顫して又もや其所へ泣き伏すのであつた。

白百合

（其二十九）

宇田川文海

妙子が語る一始一終を、同情の眼優しく耳傾けて居た櫻子は、以前なればいざ知らず、戀知りそめた昨日今日の我身に引くらべて、思ひやうも亦一入、殊には妙子が我が床しと慕ふ北岡牧師の妹なれば、何となう、他人の樣には思はれず、偶然にも我身が此家へ來合せたのは、畢竟妙子を助けん爲に、神が態々遣はし給ふたのであらうと、樣々に親切な言葉の數を盡して肉身の姉妹も及ぬ程に慰め

「もう此後は決して御心配なさいますナ、力は足りませんけど、妾が乾度何とか御都合の好いやうに計らいますから」

言はれて妙子は又も新し涙に咽のであつたが

「然しあの、もう家へは歸る事が出來ませんから、矢張り、あの……妾はもう……」

と、悄然として俯向く。

「お家へお歸んなさる事が出來ない……夫でもお父樣やお母樣がどんなにお案じ成さるでせう」

「夫でも妾、家へは、何うしても……歸れませんもの……」

身二つに成るまではとの意味か、悲しげに左の脇腹を押へるので。

「おやア斯う成さいましナ」

世馴れぬとは云へ、流石に年上丈けに櫻子は、妙子よりは考へも深く

「あの兎に角、御家で皆樣が御心配なさいませうから 御無事にいらつしやる事丈け御知らせなすつて、そして、此家は家の乳母の從妹の家ですから、御遠慮なく 嬰兒さんのお生れなさる迄御養生なさいましナ、然うでなくば、大坂の妾の家へいらつしやるかですけど、夫よりは此家にいらしつた方が御身の爲にも好いかも知れません、ね、左樣なさいましナ」

櫻子が、口を極めてすゝめるので、妙子は流石に乙女心の、戀しい小楠が戰場での成行と、又、可愛とにはあらねど、何となう腹の子も見たさに、櫻子の言葉に從ふ事と成つたのである。

然し左樣成て見ると只便りに思ふは櫻子一人

「妾は、もう世間からも、神樣からも捨てられた躰なんですから、如何か、貴女、御見捨てなく……」

泣き伏すのを、可憐げに背を撫つた櫻子、

「左樣な事があるもんですか、神樣だつて、乾度免して下さいますワ」

兩女は暫時一團と成て泣くのであつたが、やがて妙子は、涙に濡れた顔を上げて

「あの、色々御厄介に成つて、大變勝手な事を申す樣ですけど、何うか貴女、妾の身分を、誰方にも御洩し下さいませんやうに」

「ハ夫は大丈夫」

衆々と語り合つて居る折しも、あまりに櫻子が、待てども〜〜出て來ないので、乳母は案じてそと樣子を見に來たのである。

「わ、乳母、此方はね、以前妾の學校のお友達だつたのそしてね、色々御家の都合がおわんなすつて、御歸んなさる事が出來ないんだがね、當分此家にいらしつたつて好いわね、あの、何はうちからすることにしと……」

費用は我身が引受けるとの眼交せをして、其同意を求めるのである。

然し乳母には又乳母丈けの考へがあるので、中々諾と承知をせず、兎に角一度は御兩親へも御相談をしての上と言ふのを、櫻子は一生懸命、妙子の爲に辯護して、漸く一時納得させる事にした。

白百合

（其三十）

宇田川文海

妙子の前では、一時引受ける事を納得した乳母のお種、妙子の前を退いて、櫻子と只二人對話に成つてからは、却つて親元へ紹介する方が、彼のお孃樣の爲にもよければ、又、貴孃の御爲で厶います、餘計な處で世話をして却つて親御さん達から、恨まれるやうな事が有つては、切角の心切も水の泡と成る譯なればと、兎に角今は世に無き櫻子の母富士子が、櫻子の爲に委托した資產を、十數年後の今日では、眼に立つて殖した程の乳母の事とて、理由の乏しい事には、一錢も無用にせまいの心懸深く、容易に諾とは承知せぬのを、櫻子は又、一生懸命此事のみは、假令乳母が何のやうに反對をするとても、是非とも妾はせねばならぬと、果は淚をさへ浮べて、言ひ張るので、遂には乳母も詮方なく、雖々承諾するのであつたが、

「然し一体如何云ふ御宅の孃さんで厶ます」

と第一の不審を聞くのを

「誰れにも、此事丈けは言はないつてエ約束をしたんだから、何れ乳母に丈けは言ふけれと、今些との間聞かずにお吳れ」

と、夫も云はね、我儕には無邪氣な事、聞見のやうな櫻子は、又、ある場合には、英雄にも優る程の豪膽な性質を備へて居るので、一旦斯うと思へた事は、假令誰人が何と言はふとも、否・母として慕ひ又敬ふて居る乳母にさへも、一歩も讓らぬ事が度々あるので、その都度乳母は、お〻この頑固な心さへ無かつたら……と、我育てた子ながら、持餘す所故、今日も亦、一旦言はねと拵ふた妙子の素性を、乳母が何と言ふても明さぬ。

されば日頃の性質を知つて居る乳母は、其無益な事を知つて居るから、深くはくり返して

聞はなかつた。そして詮方なく、櫻子の望む、靜かな離れ座敷のあるのを幸ひ、當分、此家に世話に成る可く、改めて妙子を女將の從妹に托して、翌日歸りともながる櫻子を無理に引つれ、匆々に大坂へと歸つたのであつた。

歸りがけ、門口まで悄然と見送つた妙子が

「何うか、あの、又御都合の時にいらしつて頂戴よ……」

と、淚を浮べた顔が、何うしても眼先にちらついて、櫻子は忘れられぬので、歸坂る途すがら汽車の中から

「乳母や、何日又行かうかね」

のみをくり返して、乳母の顔を、一入苦々しくさせるのであつた。

然し櫻子は、人の顔色などには一向頓着せぬ、のみならず、不圖我身が妙子を救ふやうに成つたのは、一面我果敢ない戀の上に、新らしい希望が湧いたやうに思はれて、深き思案も考へも無く、只嬉しいやうな樂しいやうな、我ながら可笑しいまで、春の如き心に成た

妙子の父、優しいその母、殊に嚴格な其兄の北岡牧師等は、不意に妙子の姿が見えず成つて、定めて何の樣に驚ろいて居で有う、櫻子の言ひ置た通り、妙子が無事の報知を出すまでは、如何ばかり氣を揉んだ事で有う、然し常から何事かあれかしと、牧師の地位と名譽を猜むで居る輩の耳へ入れば、忽ち針小棒大に言ひ觸らして、其位地を突落さうと待構へて居る事を、常から承知して居る彼等一家は、妙子が一身上に就ても、極めて秘密にわらん限りの手別けをして其行方を求めたで有うが、また公けに發表せぬと見ねて、翌朝の新聞紙には、何事も載つては居なかつた。

夫は兎に角、只一人イソ〳〵と、心の嬉しさを包みかねた櫻子は、其夕べ、絕ねて久しく手にしなかつたヴアイオリンを取り出して、片破月の光の木の間を透す、庭の面へと駒下駄を運び、年古る桜の大木の根に、隱と椅子を据けて腰打かけ、心中の愉快さを糸に顯はさんと、靜かに調子を合し始めた。

白百合（其三十一）

宇田川文海

華美な絹入お召の平常着に、乳母が好みの櫻散樣の友禪の、紫繻子と打合せの帶をお太鼓に結んで、月洩る松の根に腰打かけ、病氣の爲と稱して、過ぐる日公會堂の音樂會で氣絶して以來、一日交代りに稽古に來た、ピアノとヴアイヲリンの敎師を斷つて後、絶ねて手にだも觸れなかつた。名さへ知らぬ父が米國土産の遺物なる、最愛のヴアイヲリンに、玉を竝べたやうな指をかけて、自ら溢るゝ心の悅びを無心に彈き出した櫻子、雅さへ天才として其道に稱へらるゝ伎倆の上に、裏心に溢るゝ樂しい活氣が籠つて居る事とて、是が僅か四本の糸と、纖柔い十指の運びに依つて出る音かと、常々聞馴れて居る乳母や小間使の菊でさへ、

「まあお孃樣は、今夜久し振りでお彈き成さいますのに、あの調子の好い事は如何で御座いませう」

と、感に堪ねて、用事の手を止むる程であつた、我を忘れ、我が指の運びと、妙なる糸の音に同化して、身も世も戀も忘れて、やがて一曲を奏で終つた櫻子は、我自ら感に堪ねたのか、弓持つ右手を膝の上に落して、斜にさした鮮やかな、足許の月影に、ウツトリと綠涼しい兩眼を注いで、暫時無心の境に入つて居るのであつたが、此時不意に、

「實に一幅の好畫題だ」

と云ふ聲が耳を貫いたので、初めて我に歸つて振り返ると、直ぐ後の葉櫻の蔭に、秋夫が莞爾に立つて居るのであつた。

「まあ厭な秋夫さん、先刻からいらしつたの」

と、櫻子も、ニッコリ久し振で笑顔を見せた

「實に櫻子さんは音樂の名手だ、僕は我を忘れて聞いて居つたです」

飛白の着物に白縮緬の兵子帶無造作に結んだ秋夫は、斯く言ひ乍らツカツカと進んで、櫻子と少し離れ、同じ松の木蔭に佇立んだが、此時のみは、眞に利欲の念を離れて、櫻子を、氣高く美はしい、そして可愛い誠の戀人のやうに感ぜたのであつた。

「京都行は泊りがけで緩りでしたね」

と、懷かしげな瞳を先づ注いで、

「何か面白い事がありましたか」

「別に……何にも」

「ハヽ、石山へいらしやつたさうですね」

「エヽ」

「何うでした月は」

「好う御座んしたねエ」

と、氣の無い返事。夫から暫くは音樂の事、琵琶湖の事、月の事、京都の事など櫻子が不充分な返事をするにも關はらず、已れ一人調子に乘つて饒舌つて居た秋夫は、不圖思ひ出したやうに

「櫻子さん、一度自轉車の遠乘をしませんか、此節は大阪の婦人も大分乘るやうに成りましたよ、昨日ね、僕が一寸天王寺の方へ行つたら、飄尖倶樂部とかの一團が二十人ばかり、女が五六人、まだ馴れない便りないのもあつたけど、何でも住吉か堺へ行つたんでせう、大層な勢で行つたですぜ、何うです、貴孃も一度行つて見ちやア、何時でも僕はお伴するです」

と、熱心にすゝめる。

「自轉車ですか、極りが悪いぢやありませんか」

櫻子は氣が進まぬ樣子で、ヴアイヲリンの絃を左手で徐かに彈いて居る。

「極りが悪い？、ハヽヽ、其樣な馬鹿な事、ちツとも極りの悪い事は無いぢやありませんか、僕と一所だからですか」

など頻りに言つて居る内に乳母も來た。すると秋夫は、直ぐに自轉車輪を持出して、乳母を味方に引込み、

「ね、折ふしにやア運動の爲に好いでせう」

勝誇る如く言ふのであつた。

當然なれば、この物堅い乳母のお種が、我身よりも愛して居る櫻子を、若い男の手に任せて、三十分間でも離さう筈が無いのであるが、何うしたものか秋夫に丈けは、常から成る可く接近せしめんとつとめるが如く、何事も、見て見ぬ振を装ふ位故、今も秋夫の自轉車論に一も二もなく賛成して

「自轉車だつてあるんですし、秋夫さんもあゝ仰しやるんだからいらつしやいまし」

と、右左からすゝめるのであつた。

白百合（其三十二）

宇田川文海

櫻子は果敢ない朧幻の機な戀の俘虜となり、乳母は油斷のならぬ秋夫が手中の者と成た。何とかして櫻子を、好い貴人に嫁はせたいが第一の願ひの乳母のお種は、帶に短かし襷に長しの譬に洩れず、今日迄も樣々に心を碎いた甲斐もなく之ぞと思ふ人物を見出さなかつたのに、初めて秋夫に逢つて以來其櫻子と口前の旨いのにすつかり乘せられ、只其口より聞いたばかりの素性から身分を露疑ふ事なく信用して、日本廣しと雖も、我がお孃樣を托するは、此人より他には無い、是こそ天の與へ給ふたお貴人と、深くも思ひ定めて居る事とて、言語擧動のはし／＼に、櫻子が何となう秋夫を厭ふ樣子のあるのを、此上もなく心を痛めて、何うかして、一日も早く互に相愛し給ふやうに成れかしと、想と成る可く兩人を近づかせるやうにするのであつた、秋夫只一人のみならず、力と賴む乳母迄が、言葉を盡して勸めるので、何となう妙子の一件で心惱しう感えて居る折柄とて、櫻子はつい釣込まれ、

「おやア行つて見やうかねえ」

と、思はず口を辷らして、餘儀なく出掛けねば成らぬやうに成つた。

「誰でも好いから、今一人行くと好いのにね、秋夫さんと二人きりじや可笑しいワ」

と、翌朝起きてから躊躇する櫻子を、

「何の貴孃、お可笑いつたつて、御夫婦だと思ふ丈けで御座いますよ」

など、乳母は、何日に無く莞爾して冷嘲しながら自轉車には矢張り洋服で無ければと、自ら土藏の奥深き簞笥より、見るから心地すが／＼しうなるやうな、水色絹の洋服に、花飾り美はしい帽子から、何から何迄取揃へて、前に後に自ら廻つて、すつかり其裝を終らせ

「乳母は洋服は好きませんけど、斯してお孃樣の御召に成たのを拜見しますと、又好きに成て參りました、矢張りお孃樣には、洋服の方がよくお似合なさいます」

つく／＼と既に堪ねて、繪にある外國の貴婦人を見るやうな、氣高くそして美はしい櫻子の立姿に、惚々と其視線を注ぐのであつた。

「其樣な事言ふの厭、眞個に厭な乳母だよ」

姿見の前にスラリと立つて、帽子を正して居た櫻子は、鏡に映る乳母の顏をキツと睨む眞似するのであつたが、折から一足先に庭に下りて待兼て居た秋夫が、

「未だですか、隨分長い、こちらへですね」

と、聲高に呼ぶのに勇氣を挫られ、匆々に、進まぬながら立出で、菊の揃へた踵細の半靴を穿ちながらも

「何だか、出て了ふまでは極りが惡いツ」

など言ひながら、磨き上げたやうな美はしい我自轉車の把手に手をかけて、

「ねえ、乳母、妾もう止さうか知らん」

と、また躊躇するのであつた。

「サア／＼行きませう、愚圖／＼してると、嬰兒ちやんは何を言ひ出すか知れない」

散步の他に何の目的でもあるのか、身輕な洋裝の秋夫は、今止められては大變と思へるまで、焦てゝ、已れ先づ、門外へ自轉車を引出した。

「今更そんな事を仰しやるものじや御座いません、さ、早くいらつしやいまし、遲くなると不可ません、秋夫さんがお待兼です」

前後から責められて、櫻子は詮方なく、何となう進まぬ足と自轉車を無理に引摺り、

「ヂヤア、まあ一寸行つて來てよ」

と出で行くのであつた。

行先は何處ぞ、朝露まだしげき住吉の松原。

白百合

（其三十三）

宇田川文海

學校通ひの生徒は勿論、銀行、會社、扨は區役所、警察署等に、辨當持のテク〜通ひの先生達は勿論、打水心地好げに、番頭、手代、小僧に至るまで、ズラリと竝んで眼を鐘だてゝ居る朝の心齋橋筋を、其身一つに數千の觀線を集めて、疾風の如く、流石自慢の秋夫をさへ、たぢろがす稽懸直に自轉車を馳せた櫻子。

「ま、もう少しゆつくり行かうぢやありませんか」

阿邊野街道へ出ると同時に、秋夫は櫻子を呼び止めて、左手に持つ、香水の香り高き手巾で、流るゝ額の汗を拭きながら、いと苦しげに言ふのであつた。

「オホヽヽヽ」

と、櫻子は笑つたばかり、少し冷笑の氣味を含んで。

「其樣なに急がんでも好いでせう、夫とも濱寺へでも行きますかね」

「左樣ですねえ、兎に角住吉へ行た上の事にしませう」

家を出るまでで、大坂市中を通り拔ける迄は、何となう面羞かしいやうに成つた櫻子も、一旦野外の新空氣に浴しては、忽ち其心機も一轉してか、流石歐州人の血を分つた丈け、見紛ふばかり快活に成つたのである。

やがて十分も經たぬ内に、早くも住吉の松原へ乘り込んだ兩人。

名のみで現今は形ばかりの高燈籠を去る一町ばかり、蓮淸き小池の傍に建てられた茶店へ休んで、

「何うも驚ろいた、櫻子さんは餘程熟練い」

と秋夫は先何よりも嘆辭を發するのであつた。

「ホヽヽ、妾が早いんで無くつて貴方が遲いんでせう」

櫻子の冷笑を受た秋夫一生懸命眞面目に成て

「イヤ、一つは僕の自轉車が惡い、何と言つても借り物だからね、貴孃のとは譯が違ふ」

「ホヽヽ、自轉車の罪にしとけば世話が無くつて好でさんすワ」

あまりに朝まだ早いので、漸う急須に一杯沸した茶を運んで來た老婆は、櫻子の樣子をヂロ〜珍らしげに打見やり、殊に櫻子が、巧に我邦の言葉遣ひするのを不審氣に、

「貴孃さん、此國へ御いでに成りまして、餘程長い間に成りますか」

など聞く、秋夫は。

「イヤ、つい此間米國から見えたんだが、覺えが好いから甘いもんだらう」

など戯言を言ひながら、驚ろき呆るゝ眼先に二拾錢銀貨投げ出して、

「まだ時間は早いし、折角此所まで來たんだから、序に濱寺へ行きませう」

と、朧寐言はさず、巳れ先づ前に立つて自轉車を奔らせる。何うも櫻子が、始めから、住吉宛に來たのでは無かつたらしい。

秋夫に如何なる考へがあるかは、神ならぬ身の知る由もなき櫻子は、此所まで來た上は五十歩百歩、多く時間がかゝると言ふではなし、入し振りで松靑く沙白き濱寺の、朝景色見んも亦一興と、常から自然美に憧がるゝ性質とて、住吉公園の莊嚴なる美に醉ふた紛れ、今一段と進んだ歩の轍は、一歩〜、彼女を地獄の、奈落の底へと引入れるのではあるまいか。

漸く新らしき空氣を充分に吸ふて、輝く女神の今盛に姿を顯はしたかとも思はるゝ櫻子は、かくて無心に、晴々しい其笑顔を、仇浪打寄する高師が濱の、緑滴たる松の影へと運んだのである。

白百合（其三十四）

宇田川文海

奥深く、荘嚴に、何となう、有難さに涙こぼるゝばかりなる、住吉公園とは又趣きを殊にしたる濱寺公園、松の緑は露と滴たり、白き砂地にしめやかな力を落して、麗らかなる朝日影を、浴衣地に染め込むが如き美はしさ、夫も暫時、やがて眞黒に鮮やかな染上げを、打寄する女波男波に晒して、自然の擬物主なる神の前に、其出來ばえの鑑定を乞ふが如き日中、櫻子はその理想に近き絶景に、我知らずそゞろ歩るきの時を移して、何時しか晝前に成つたのも知らなかつた。否、單に知らなかつたのでは無い、少なくも秋夫が、時てふ觀念を櫻子の頭腦より忘れしめんと、殊更彼女の心に逆らはぬやう、面白可笑しく話しかけて、態と時を忘れしめたのであつた。

「まあ何てエ好い心地なんでせう、もう歸るのが厭に成りましたねエ」

波近き磯邊より歩みを返して、自轉車立てかけた松陰の、自然のベンチに作られた岩の上に、稍勞れた腰を下した櫻子は、まだ飽足らぬ氣に四方の景に見惚るゝのであつた。

「一生涯居つたら如何です、僕が三太夫を勤めますよ、ハヽヽヽ」

秋夫は一種謂ひ難き樂しげな笑を浮べて、其名の如く櫻色に輝くやうな美はしい、櫻子の顔を見入るのであつたが、忽ち何か心づいたやうに懐中時計を出して眺め、

「ヤア、もうつい十一時ですね、如何です、僕腹がすきやアしませんか、運動の結果か、僕は馬鹿に空腹に成つた、何か喰ひませんか、彼處に中々好い料理屋がありますよ」

櫻子は眉を顰めて、

「喰べるのは好いけど、何だか只た二人で行くのは可笑しいぢやありませんか、夫よりか歸りませう、ね、出かけたら直ぐですッ」

と受ひく色が無い。

「何の可笑しな事があるもんですか、僕は貴嬢の通譯官のやうなつもりで行くから好いぢやありませんか、然うだ、外國だつたら如何します、些とも可笑しな事は無いぢやありませんか」

「だつて日本は日本ですもの」

「ハヽヽヽイヤ夫ぢやね、僕は腹が空いて仕方が無いんだから、少しでも何か食はないと歸る事が出來ないから、一寸丈けで好いから交際て下さい、ね、決して永い間御迷惑は掛けませんから」

と、己れズン〳〵先に立つて、一際高く、枝振面白き松の、自然に入口をなした「さゝなみ」と云へる奥まつた料理店へと這入て行く、我一人氣を揉みながら、疲れた足元に喰込むやうな砂地を歩みつゝ、詮方なげに跡についた櫻子。秋夫は早や、數人の女中に迎へられ、靴ぬぎながら手招きして居る。

「入來しやいまし、大層お早く」

「よくいらつしやいました」

やがて踏石を打つ駒下駄の音高く、早や二人ばかり門口に出迎へて、手を取らんばかりにする意氣な女中の如才なさ。

茲に至つて櫻子は、もう引返す事も出來なく成り、殊には永く顔見らるゝも心苦しと決心して、何事をか女中に囁いて、ニツコリ先に立つ秋夫に随ひ、氣味惡きまで奥深き小座敷へ、詮方なく打通るのであつた。

白百合（其三十五）

宇田川文淵

「飛んだ迷惑をかけましたね」

秋夫は上衣の胸のボタンを外しながら、寛容と膝を頽して、洋服姿には不似合な程、キチンと行儀よく坐つて、極り悪げに差し俯向いて居る櫻子の顔を、心地よげにヂロ〳〵見ながら、自然に湧き出づる笑を禁ぜ難き風情である。

やゝ暫時無言のまゝ、あたりの様子をヂロ〳〵見廻して居た櫻子は、突然、

「此家は何だか變な料理やですね、こんな小さな座敷ばかり澤山あつて、……夫に此室は格別に奥まつて淋しいやうですね」

本家を離れて、小松の蔭に建てられた奥深き亭座敷四疊半ばかりに押入がついて居る、無論中間の床があつて、秋夫は譯もなく笑つた。

「ハヽ、奥深いと恐いですか、さうさ何か怪物が出るかも知れんですナ、ハヽヽ、まあ然し何が出やうと、僕がついて居る以上は安心なさい、貴嬢の躰にやア指でも差させはしないからハヽヽ」

快活な笑ひ聲も、低い天井の隅に反響して、さも悪魔の笑ひ嘲るが如く聞ゆるのである、

櫻子は、何とは知らず一種異様な感に打たれて、一刻も早く逃げ出したいやうな氣がするのであつたが、折から女中は、鯛の刺身に吸物を始め、凡て日本式の種々の料理と、麦酒と葡萄酒を運んで来た。そして脱俗の効能か馬鹿にホロ〳〵して居るのである。

「何うせ斯うして交際て下すつたのだから、少し位好いでせう貴嬢の分は、麦酒は不可ないと思つて葡萄酒にしたです」

否むを強て杯を取らせ、自ら満々と血の如きを注いで、己れは心地よげに、幾杯か手酌で麦酒を傾けた。

無理に突付けられ、喰はぬも同然と思つた譯でもあるまいが、兎に角、多少空腹を覺れた櫻子は少しばかり箸をつけたのであつたが、あまりに秋夫の見事な飲み口に、些か呆れて了つたので。

「貴方、そんなに飲つたら歸れなく成りますよ」

と、恐ろ〳〵と言ふのである。

「ハヽ、歸れなく成つたら、櫻子さんの優しい介抱を受ける丈けです、ハヽヽ、イヤ、何もそんな顔をしなくつたつて、大丈夫です、安心なさい、小島秋夫は、中々二本や三本の麦酒位でビクともするやうな意氣地無ぢやア無いから、夫よか、まあ貴嬢一杯お召んなさい」

手にだも觸れぬ櫻子の杯へ、又も酌せんとするので、櫻子は、

「此様なにあるぢやありませんか、妾は飽きませぬから」

と、些か怒氣を含んだ。

「ヘヽヽ、イヤ夫ア失禮、お姫様がおむづかり遊ばしちや三太夫大きに閉口仕る、ヘヽヽ、ヤアもう強てお勧めはしません」

言つて暫時無言のまゝ、飲んでは喰ひ、喰ふては飲み、櫻子の顔をも見ず忙がはしげに、洋盃と箸を動かせるのであつた。

櫻子は待遠しげに、ヤツと其様を見て居るのである。するとやがて秋夫は、

「貴嬢は些とも召らんですナ、實際僕の爲に交際て戴いたやうなものでお氣の毒でした」

今迄戯談を言つて居たのとは別人のやうに、眞面目に成つて言ふので、櫻子は些か氣の毒に成り、

「氣の毒なんて、そんな事はありませんけど、ね、若い者が此様な家に二人居るのは可笑しう御座んすからねエ」

「左様言へば左様です、おやア早く仕舞いませう」

忙がしげに洋盃を傾けて、虹のやうな息を吐きながら、そと櫻子を睨み見ると、彼女は紅の手巾に薔薇の香り高き床しげに、うつとりと嗅いで居る、

「あ一寸貴嬢の手巾を見せて下さい、何です薔薇ですか」

と、櫻子の手から受取つて、幾度か嗅うやうに嗅いだ後、櫻子に返して、

「薔薇だ、薔薇は矢張り上品ですね、僕のも好い香でせう」

と、己れの、何やらん香り高き白絹のを櫻子に渡すのであつた。

白百合

（其三十六）

宇田川文海

秋夫の差出した手巾に、櫻子は暫時餘念も無く其鼻を掩ふて居るのであつたが、やがて、

「何うです、好い匂ひでせう」

と、秋夫に言はれて、初めて我に歸つたやうに、香り高き香水の夫を顔より離して、

「之は何てんでせう眞實に好い匂ひですね」

と、秋夫に返すのであつた、

「ハヽヽイヤ、全く珍らしい匂ひですね……

……ア、左樣く、持つてやしなかつたか知らん」

かく低く呟きながら、飲み干した麥酒の洋盃を下に置き秋夫は、遽てゝ洋服の衣嚢をかい探るのであつたが、上衣、下衣の夫を殘らず探した末ヅボンの衣嚢から小さな瓶を取出し

「ア、有たく、まあ櫻子さん、一度之を嗅いで御覧なさい、夫ア好い匂ひの何のつて、話に成らん程好い匂ひがする、僕は平常夫を持つて居て、氣分でも惡く成つた時にやア、直ぐに嗅ぐんです、左樣すると大抵の病氣から癒つて……仕舞もしないけど、一時は非常に精神が爽快に成るです、ハヽヽ、まあ試して御覧なさい」

と、無雑作に差出す。

無雷に受取つた櫻子は、何と思ふてか、直ぐには其口を開かず、不安げにヂッと見詰めるのであつた。すると、

「ハヽヽ、如何です、實際好いですよ」

と、秋夫が輕く再び勧めるので、櫻子は何心なく其堅きコロップを拔き、言はるゝまゝに嗅ぐのであつたが、胸のすくやうな香かと思ひの外、一種腦髄の興底までも染み渡るやうな異樣な香りが鼻を衝くので、

「オヤヲ……」

と微かな叫びを洩らして、遽てゝ其口を栓るのであつたが、もう其時は遲かつた、室内に

充ち滿ちた一種の惡臭が消え失せた頃には、あはれ櫻子はくしくも深き睡眠に入つて居るのであつた。

今迄、小兒の如く無邪氣に、只飲食をのみ事として居た秋夫は、此時、岡崎の如き冷やかな笑を浮べて、ヂッと其櫻子を見て居るのであつたが、やがて其の深きく眠りに入るのを見ると同時に、靜かに四邊を片附始めた。

＊　＊　＊　＊　＊

やゝあつて秋夫は、醉眼朦朧と千鳥足心地好げに、膝詰つたやうな色を浮べて、フラくと散歩に出るのであつたが、凡そ三四十分も經たと思ふ頃再び歸り來り、出迎へた女中に

「醉つて寢て了つたが起きたか知らん」

と、半ば呟くやうに訊く、

「お孃樣で御座いますか、……あの何ですか只今一寸伺ひましたら……泣いてお居でに成りましたやうで……」

と、意味ありげにニヤリとする。

「泣いて居る……ハヽヽイヤ乃公が居なかつたんで淋しいんだらうハヽヽ」

「オホヽヽまあお手放しで……」

「ハヽヽヽ」

「オホヽヽヽ」

と、高笑ひして、秋夫は其儘、獨り何か心中に點頭きながら、足を早めて、櫻子の打臥した例の室へと急ぐのであつた。

白百合

（其三十七）

宇田川文海

四邊取片附けられた室の中に、泣き伏して居る櫻子を、半ば冷笑ふが如くヂッと見下した秋夫は、

「ハヽヽ、櫻子さん、何うしたね」

と、低くゆつたりした聲で言ひ、靜かに其傍らへ席を占めて、心地好げに卷煙草の烟を吐きながら、彼女の樣子を見るのであつた。

眼の縁の腫れ上るまで泣きに泣いた櫻子は、やがて、其髏よりも血の氣なき顔に、亂るゝ髪の毛を牛切れよとばかり噛み占めて、日頃の優しき笑渦は跡形もなく、恨みに燃ゆる眼の光り鋭どく、起上つて、冷やかに打笑ひ秋夫の顔を、今にも飛びかゝらんばかりの勢に、蒼き唇を慄はしながら、屹とばかりに睨み詰めるのであつた。

「ハヽヽ、如何しました」

秋夫は飽く迄も冷やかに、半ば面白げに言ふのである。

何か言はんとして、ブル〳〵唇を慄はした櫻子は、あまりに胸が迫つてか、口を開いても、言ふ可き言葉が出ぬ。

「ハヽヽ、強く僕を恨んで居るやうだが、何か挽恨があるにした處で、其樣な恐ろしい顔をせんでも好いでせう、ハヽヽ、夫れとも何うしても免せないやうな事でもありますかね」

と、飽く迄冷やかに言つて、更に言葉の調子を替へて優しう、

「其樣なに怒り給ふナ、ね、櫻子さん、僕は貴女の、此樣なに怒つた顔を見やうとは思はなかつた、實に意想外だ、……櫻子さん」

更に稍眞面目に呼びかけて、

「貴孃には僕の心中が分らんですか、イヤ、僕が如何程貴孃を思つてるかと言ふ事が分りませんかヱ、櫻子さん」

靜かに近寄つて、其怒りに慄ふ肯を撫でんとするのを、素早く身を交して、サと血潮騷ぎる唇を開いた櫻子、

「ナ、何ですッ、秋夫さん、失、……獣ナ……」

腸から絞り出したやうな聲に、溢るゝ怒りの力を込めて、寄らば咽喉笛へでも喰ひつかん勢、凄まなく、

「秋夫さん、……貴方は、人、人間ですか」

と迄は言つたが、あまりの口惜しさに跡の言葉は續かず、我知らずハフリ落る涙を拂ふて

「よく、よくも……」

と、切れ〳〵に叫んだまゝ、其擴へ泣き伏して了ふのであつた。

「是ア驚ろいた、何もさう恨まなくつても好いじやないか、何事も皆、僕があまりに貴孃を愛するから起る事で、僕の物數奇でも無ければ、又、貴孃を羞かしめる考へでも無いのだ……櫻子さん、僕の心中が分りませんか」

秋夫は尚もヂリ〳〵と詰め寄せる、

「貴方は、大、大罪人ですッ……」

櫻子は、切れ〳〵に叫んで、

「妾、にも考へがありますから……」

一刻も同席するを汚らはしとばかり立上つた櫻子は、涙溢る、眼に秋夫を睨んだまゝ、裾を蹴つて立出るのを、

「まお待ちなさい、櫻子さんッ」

と、秋夫は手早く彼女の洋服の裾を捉ねて、

「まだ言ふ事があるッ」

白百合

（其三十八）

宇田川文海

駈け出づる洋服の裾を捉へて、無理に引戻した秋夫は、やゝ焦烈た聲に力を込めて

「櫻子さん、貴嬢怒るのも宜しい、怒つて歸るのも宜しい、イヤ、さうして思ふ通りにするのも好いです、けれども……」

と、一入力を罩めて

「貴嬢自身の身分を知つて居ますか」

血走る櫻子の綠色の眼を、嘲けるが如く見るのであつた。

「そ、其樣な事、何も貴方の」

言ふ櫻子の跡は顫へて言葉は續かず、只金色の鬢の毛が、ユラ〳〵と蒼醒めた頰に波打つばかり。

「世話に成らんと言ふんだね、ハヽヽ、何とでもお言ひなさい、世の中の事は成るやうにしか成らないのだからハヽヽ、假ら貴嬢が泣いたつて騒いだつて、矢張り眞身の味方は僕位なもんだらう、考へて見りやア氣の毒にもなるサ、ハヽヽ」

憎さげに高笑ひして、捉へた櫻子の裾を離し、悠々と卷煙草を吸ふのである。

然しあまりの悲しさ悔しさに、櫻子の眼や耳へは其言葉も態度も入らぬのであつた。そして半ば夢中に、物をも言はず、秋夫が其手を離すと同時に、飛鳥の如く飛び出して、自轉車に乗る丈けの勇氣もなく、ひた走りに走つて、停車場に行き、折から今や發車せんとする列車の一等室に飛び込んで、他に乗客の無いのを幸ひ、堪へ〳〵た涙を一時に、天鵞絨柔かき腰掛の上へ、瀧とばかりに降りそゝぎ、大坂へ着車するまで、前後も知らず泣き入るのであつた。

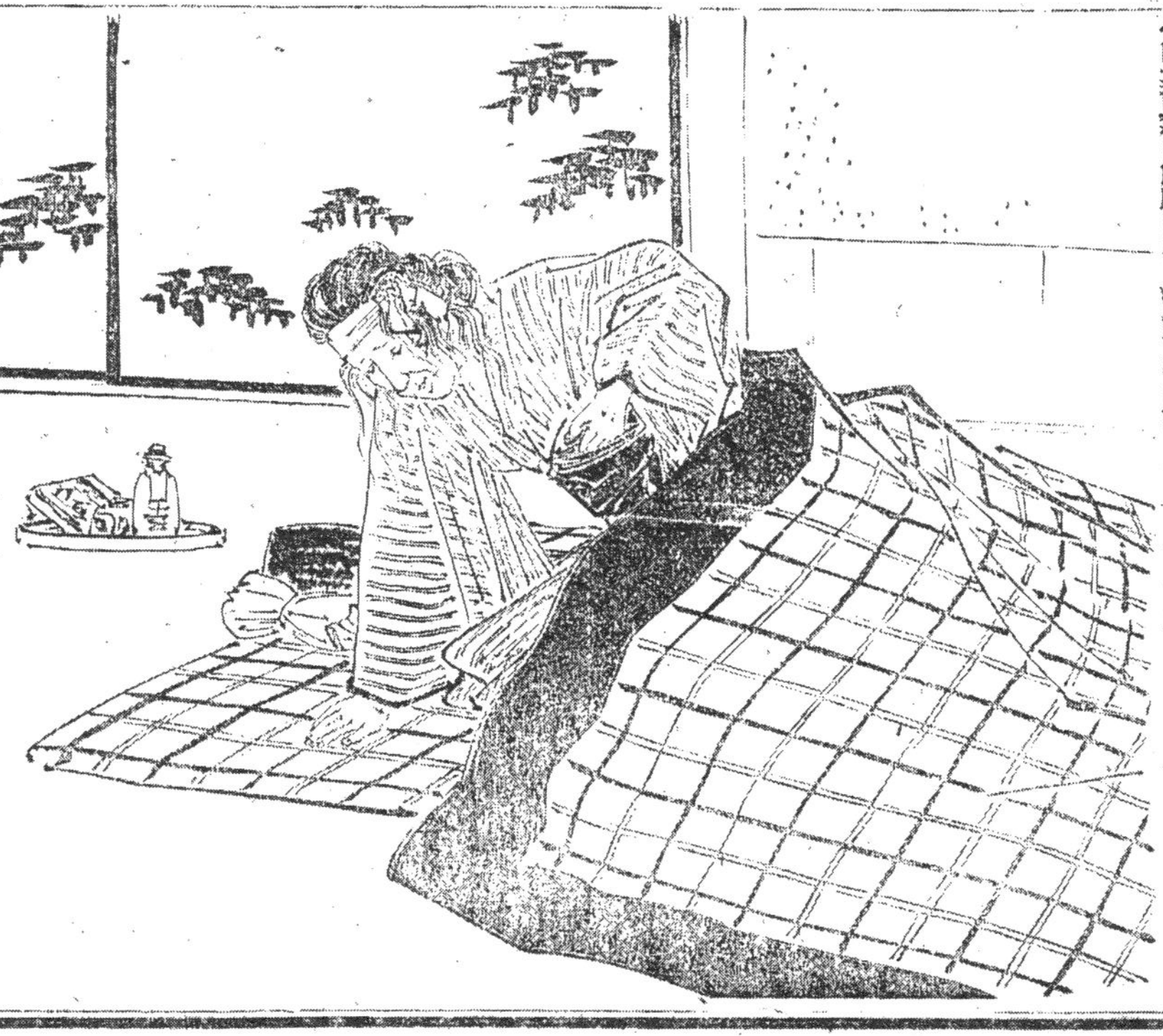

涙の顔を見られまいと、半ば手巾で掩ふて、切符も貰はず應對もせず、人車を飛ばして我家へと歸つた櫻子は、例に無く乳母の姿の見えぬにぞ、不安氣な面持して出迎へた菊に突然

「乳母は?」

と、聞くのであつた。

「ハイ、あのお嬢様、大變なのでムいます」

と、菊は何故か涙含む。

「エッ、大變つて如何したの、乳母が如何かして……?」

我家へ歸つて、初めて漸う少しばかり我に歸つた櫻子は、杖とも柱とも一筋に頼りとする乳母の身に異變ありと聞き、我身の悲しみを忘れて、先づ其上を不安氣に聞くのであつた。

「ハイ、あの急に……お嬢樣がお出ましあさいますと間もなく、……あの卒中見たやうな工合で、直ぐに高木先生をお迎へして診て頂いたんで御座いますが、何うも六つかしいやうに仰しやいますので……」

と、菊は早や泣いて居る、

「エッ、卒中だつて、……まあ如何したら好いだらう……」

と、櫻子は叫び終らぬ先に驅け出して、常に乳母が寢室として居る、四疊半へと轉び入るのであつたが、あはれ今朝まで、我身の爲に心を盡し、血色好き頰に笑を浮べて、門口まで見送つた乳母は、顔色蒼然と死人の如く、氷の枕と袋に頭腦を冷して、昏々と仰向樣に寢て居るので、

「乳母……」

と、只一言、櫻子は狂氣の如く取縋るのであつた。

白百合（其三十九）

宇田川文海

取縋つた櫻子の膝に、やゝ正氣に返つたか、今迄昏々と深き夢路を辿つて居た母乳のお謙は、細く其兩眼を睜き、櫻子の顏を見るや否や、嬉しげに其口を動かして、何をか言はんとするのであつたが、遂賊？、只微かな叫びを發するのみで、言葉は少しも出ぬのである

「乳母……」

櫻子は再び叫んで、冷れた乳母の手を確乎と握り、

「大變な事に成つたのね……」

ハラ〳〵と涙を溢えて、是も亦涙溢るゝ眼にヂツと見返す乳母の顏を、懐しげにしみ〴〵と見るのであつた。

暫時は兩人共無言で、取縋つたまゝ、身動きだもしなかつたのであるが、やゝあつて漸が

「あの先生が……」

と、高木醫師の來診を報たので、漸う其手を離したので。

診察終つて後、高木醫師は櫻子を隣室に呼んで、

「嬢さん、決して力を落しちゃ不可ませんぜ」

と、前置きして、

「……其お積りで覺悟なさらんと……一切何も見込みが無いですから、」

と、泣き腫した櫻子の顏を、只乳母の爲にのみ泣いたものと思ひつめて、

「斯命ばかりは如何かに思つたつて、悲しんだつて仕方が無いのだから、諦めて了つて、貴孃自身の躰を大切に成さらんと不可ませんぜ」

と泣き伏す櫻子を、可憐しげに見て、

「何れ又晩にも一度伺ひます、二三日は保つだらうと思ふですが、成る可く好く頭腦を冷してお上げなさい」

と、言ひ置て、怱々に立歸つた。

跡に櫻子は茫然と、暫時は成す可き事を知らなかつた、そして、あまりに悲しさの極、やがて涙も涸れて了つたのである。

何分が過したと思ふ頃、玄關の方に秋夫の聲が聞れた、そして夫と同時に、けたゝましく鳴くやうな叫び聲が聞れて、やがて間も無く足音は近づき、

「ヤ、櫻子さん失敬、乳母は大變ですね」

と、常に異らぬ調子で言ひ、

「自轉車は僕が引て歸りましたよ」

と、意味ありげな一瞥を殘して、見返りもせぬ櫻子を逆に、乳母の横たはつた次の室へと

道入つたのであるが、

「ヤ、乳母さん、飛んだ事に成つたね、確かり給へ、確り、大丈夫、直ぐに癒る、貴女なんかァ根が壯健なんだから」

暫く東都の衛生學會に、暫く學んで居たとかで、常から醫學自慢の秋夫は、仔細らしう脊を恐つて其脈など取り見るのであつたが、乳母が何か頻りに求むる如く四邊を見廻すのに心づき、小聲に、

「櫻子さんかね……」

乳母は嬉しげに點頭くので、

「櫻子さん、櫻子さん」

呼ぶ際に先立つて、今や充分決心の色を顏はした櫻子は、女王の如き優やかな態度で、まだ着替ぬ洋服の裾捌き美事に、靜々と這入つて、秋夫には眼もくれず、ズツと乳母の枕頭へと座つた

「櫻子さん　案ずる事ァ無いです、大丈夫」

あまりに櫻子の態度が冷淡なので、秋夫は少し衒て、横合から口を出す。

然し櫻子は返事もせぬ。そして乳母の冷ねた手を再びヤツと握り占めて

「乳母、早くよく成てお呉れ、ね、そして何か言ひたい事があるなら、殘らずね、……安心してね、……あの姿はね……」

流石に言ふ言葉は亂れて、一旦涸れた涙は再び我知らずハフリ落るのである。

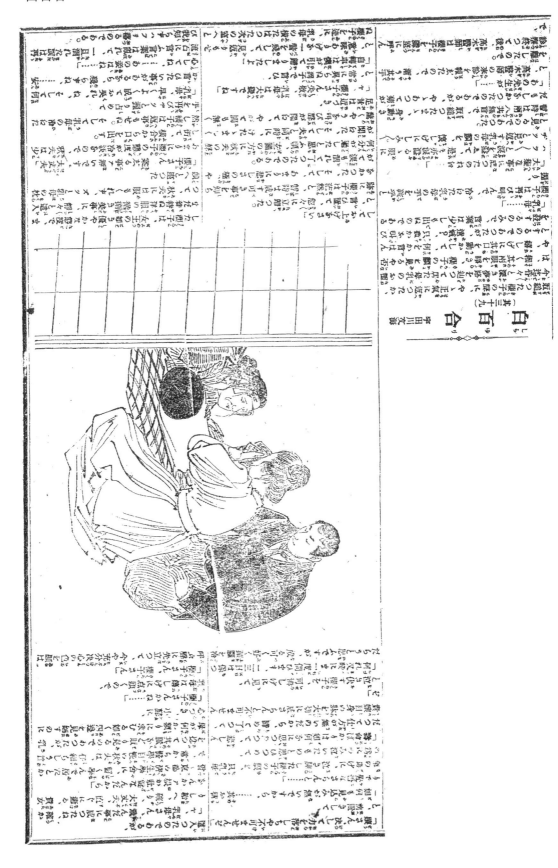

白百合（其四十）

宇田川文海

山なす言ひたい事を胸に懐いて、空しく口を動かすばかりなる乳母のお種は、稍血の通ひ居る右手に全身の力を込めて、ヂッと櫻子の手を握り、涙の頬を流るゝに任せ、ドンヨリと濁れ行くやうな眼に得も言はれぬ懐かしげな笑を浮べて、夫でも尚、何か頻りに口を動かし乍ら、離れまじとばかり彼女の顔を見詰めるのであつたが、やがて何と思ふてか、櫻子の後ろに、手持無沙汰に控へて居る秋夫を、眼もて傍へと招くのであつた。

此儘に大に力を得た秋夫は、勢よく進み出て

「僕ですか、何か用ですか、言つて下さい」

と言ふ、けれども勿論口の利かれぬ乳母は、何事をも言ひ得る筈なく、依然只其口のみを動かして喘くが如く微かな聲を洩すのみであるが、不思議は涙含るゝ其兩眼が、櫻子と秋夫を交る〲見て、何をか頻りに頼むが如く、又命ずるが如き樣に働く一事である。

「何だらう……」

と、小首傾けた秋夫は、

「何でせう櫻子さん……？」

と、彼女の顔を覗き込んだ、然し櫻子は相變らず見返りもせぬ。茲に於て秋夫は、些か憤然としたのであるが、又忽ちに思ひ返して、そしていと滿足氣な色を浮べて、獨り心に點頭いた。

斯かる内にも、時々刻々に死の手へ胸に迫りつゝある乳母は、一刻も早く我が思ふ旨を悟れよかしと言はぬばかり、怪しげな呼び聲をへ立てゝ激しく其兩眼を動かすので。

此儘に、もう猶豫する必要は無いと思つたか、秋夫はズッと、櫻子と並ぶまで膝進出して

「乳母さん、何か、何ですか、僕と櫻子さんが、如何かすると言ふのですか」

平常充分に取込んである事とて、秋夫はそれと信じて疑はず、些さか極り惡げな樣を態と見せて斯く言ふた、すると乳母は、我意を得たと曰はぬばかりに點頭いて、また頻りに口を眼を動かすので

「僕と櫻子さんが如何すると言ふのです、ハヽ、まさか夫婦に成つてエんぢやあるまい」

殊更半ば獨言の戯談のやうに言つて、可笑しげに打笑ふのを、乳母は眞面目に、又非常に嬉しげに點頭くのである。

秋夫は殆んど當惑を叫ばんばかり、亂暴を爽せんとするのであつたが、此時早く櫻子は、

「そ夫ア乳母不可ない……」

言ひ掛けるのを秋夫は、強い押へるやうに

「御異存があるんなら、今言はんでも好いでせう、まア少し乳母さんの氣の落つついた時にしないと……妹へ叱るです」

終りの一句は低く言つて、其一句に櫻子の總ての自由を抑包んだ。

假りに到底助からぬと定まつた生命にもせよ、一刻でも疾くと思ふはすべての人心、殊に櫻子には廣い此世に便りとする只一人の乳母の事とて、醫師に見放された今も尚、万が一つも助かるやうな事は無いかと、夫のみ思ひを集めて居る事とて、秋夫が強く障ゝとの一句は、山々の言ひたい口を餘儀なく緘ばせて了つたのであつた。

櫻子が泣いて悶ゆく惱み惱しんだ心中の悲は知るや知らずや、乳母は安心な顔色に、微かに滿足の笑を浮べて、再び昏々と深き眠りに入つたのであるが、あはれ其眠りは永へに醒めず、三日目の夕、小雨そぼ降る靜かな此世に、可憐な櫻子を殘して只一人、神の御手に其靈を委ね、冷へた一塊の肉を殼かきヤツトの上に殘したのであつた。

白百合（しらゆり）

（其四十一）

宇田川文海

我が生命よりも大切に思ふ櫻子の成長を待ち、やがて相應しき配偶もとめて、可愛き愛情の其良子を、第二の母と成りて抱く折の、一時も早く來れよかしと、夫のみ此世に唯一の樂しみとせし乳母のお種も、天命は如何とも成す能はず、櫻子が生れて十九年目の今日、初めて眞の浮世の憂を知ると同時に、あはれ幽冥遠く所を隔つる、悲しき運命の末を見るに至つた。

然し先だつ乳母が靈魂の苦痛、夫よりも尚、悲しく、淋しく、情なく、あらゆる痛惧を感ぜ、大打擊を蒙つたのは、まだ世馴れぬ、然も普通ならぬ生れの櫻子であつた。

此廣い世界の中に、父はあれども行方は知れず、否其誰人なるやをさへ知らず、母なく兄弟なく、親族なく、隔てなく打語らふ友さへ無くて、只一人の杖とも柱とも力ともして居た乳母は、先だゝれた櫻子の嘆き、殊に生れて十九年、初めて戀てふものを知り、又、聞くさへ恐ろしき罪惡の犠牲と成つて、眞の涙を味はひし今日、何事も知らで過せし十九年間の今日までよりは、一入其力を恃まねばならぬに、突然にも我身一人を振り殘して、只一人先立つた乳母の、如何に天命とは言へあまりの無情さ、何故我身も共に連れては呉れぬと、乳母が冷へた亡骸に縋つて、見る眼可憐しいまで泣き通した櫻子は、秋夫と石山なる乳母の從妹が、拔目なく準備して相當の葬式を營んだ後、漸う少しく己れに歸つて、重き頭を臥床の中に、持上げ得るやうに成つたのであつた。

かくて、泣いて〳〵泣き通して、漸う我に歸つた時の櫻子は、あまりの意外に驚いた。と云ふのは、其名を思ひ出すさへ、身慄ひする程厭はしう成つた秋夫が、乳母亡き後の我家を、さも己がもの丶如く振舞ふて、主人顏に總ての指圖をして居る事であつた。そして、乳母の從妹の女將が事情を知らねば只一圖に、秋夫の口から聞いたまゝを信じて、秋夫を櫻子の良人たる可き人と思ひつめ、氣の附く限り總てを托して、石山へと歸つて後は、彼の暴慢は一しほ甚しく成つたのである。

去る者日々に疎きにはあらで、日毎夜毎いや增す戀しさ懷かしさ胸に懷いて、空しく病の床に閉ぢこもり、十日ばかりを重き枕に沈んだ櫻子は、ある日石山なる妙子より、無名の手紙を受取つて、今ではせめてもの心ゆかしと、懷かしげにくり返し見て居る處へ、浴衣に縮緬の兵兒帶ゆるやかに巻きつけ、主人顏に懷中手して、ヌーと這入つて來た秋夫は、

「何處から來たんです？」

と、詰問するやうな調子で言ふ。

「何處からだつて好いぢやありませんか」

櫻子は秋夫の方をヂロリと見たぎりで、構はず肩を寄せながら讀みつゞける。

「好い事ァ無いさ、言はれないやうな所から來たのかイ」

言葉までが改まつて、さも妻にでも對するやう。

「何處からだつて、何も貴方に言ふ必要はありません、貴方はな、何です、……お歸り下さい」

思ふ十分一も口へは出ねど、兼ての思ひを言ふは今ぞと、櫻子は男々しくも、起直つて容を正したのである。すると、秋夫は、

「お歸り下さい？ ハヽヽヽ、櫻子さん、戯言ぢや無いよ、君ァ余程何うかしてるね」

と、冷やかな嘲笑を浮べ、彼の女の枕邊近く膝を進めて威丈高に成つた

白百合

（其四十二）

宇田川文海

櫻子の枕邊近く膝押し進めて、威丈高に成た秋夫は、嘲むやうな口を開いて、

「お歸り下さいつてヱのは、他人に遣ふ言葉でせう。ヱ、櫻子さん」

と、殊更丁寧に、

「以前から格別、今日の僕に對して、さう〱何日までも他人扱ひをするのは、ちと酷過ぎやしませんか、ハヽヽヽ貴女は何か考へ違ひをして居るんでせう」

静かに取出した卷煙草を吹して、傲然と空嘯くのである。此言葉に櫻子は呆れた、

「今日の僕に對して仰しやるのは、何う云ふ貴方ですッ」

「ハヽヽ分り切つた事を聞く人だ……僕は……貴女の良人ぢや無いか、此家の主人ぢや無いか」

「エッ、貴方がッ」

「ハヽヽ聰く驚ろくね、乳母の死ぬ時に現在契暫た夫婦の間柄ではあり、殊に、いつづや……」

「モ、そんな、馬鹿な事があるもんですか、貴方は、まあ貴方は、人間ぢやありません」

櫻子は狂氣の如く、打消さうとするのであるが、秋夫は一向澄したもので、

「今更貴女が何と騒いだ處で仕方がない、僕はもう公けに此家の主人に成つて居る」

「エッ……」

「ハヽヽ又、夫が當然だもの、死んだ乳母、貴女の爲には母同樣の乳母がしや遺言に、貴女だとて不服のあらう筈はあるしヤ、又、貞女兩夫に見ゑずと云ふ上から言つても、貴女は今更夫を拒む事は出來まい、でせう、夫に先づ今日の貴女の位置を考へて御覧なさい……」

と、尚も頻りに説き出でんとする折から、漸く高木醫師の來診を報ぜたので、話は一時夫で中絶したのであるが、一旦斯く口を切つて言ひ出した後の秋夫は、一入闘々しく我物顔に振舞ふて、高木醫師にまで、

「でもまあ兎に角、貴方がお出でるから嬢さんも御安心です」

とまで言はせるに至つたのである。

あまりの口惜しさ腹立しさに、碌に食事もせず泣き苦しんだ櫻子は、其身は刻々に衰弱して、やがて乳母の跡を追ふのではあるまいかと思はるゝばかりであるが、夫と反對に精神は益々敏に働らいて、絶えず目下只一人の味方ある菊を離さず、夜も同室に枕を並べて打臥すやうになさしめ、懷劍をまで備へて、敵の來襲を防ぐ用意に、をさ〱怠りは無かつたが、今一つ、非常な警戒、拔目のある事に付些かも氣がかからなかつた。

然し兎に角かく用心の堅固な爲か、亡き乳母が二七日の夕べまでは別に何事も無く、只秋夫の我儘と、櫻子の衰弱が募るばかりで至極平穩に過ぎたのであつたが、其夕、折柄秋夫が外出して居るのを幸ひ、此間にとて、菊は入浴すべく湯殿へ行つた、その跡へ、外出したと思つた秋夫はノッソリと這入て來て、

「何うです、些とは好いかね」

ドッカリ枕頭へ胡坐して言ふのであつた。然し、櫻子はヂロリと唯一眼其顔を見たばかりすると、

「ハヽヽ僕に丈けは醫者になるね」

と、何か下心ありげに、秋夫は言葉優しく言ひかけた。

白百合

（其四十三）

宇田川文海

何か心ありげに言葉優しう言ひかけた秋夫は、暫時櫻子の様子をぢつと見て居るのであつたが、やがて其口を開いて、

「櫻子さん、僕ア今夜、貴女に能く〳〵考へて貰ひたい事があるんだが……」

日頃の愚昧な風を取り去り至極真面目に、

「貴女は只一圖に僕を恨んで居るやうだけど、櫻子さん、能く考へて見て下さい……貴女の方から言へば、色々言ふ可き事も、又僕に對する恨みもあるでせう、けれども櫻子さん、又一方から、僕の身にも成つて考へて見て下さい、男子として、自身の口からは言ひ悪い事だが、僕は實際貴女を愛して居るです、そして此世に妻とすべき女は、貴女より他に無いと信じて居るのです、貴女は、天が、神が、僕に授けて下すつた婦人だと確信して居るのです、だから僕は、今更事新らしく言ふ迄もない、貴女に對しては、滿腔の愛を捧げて居つた心算だ、だから貴女も满更木や石で無い以上は、多少知つて居つて下さるだらうと信じて居た、イヤ、確かに僕の心中を憐れんで、僕の愛の何分一でも注いで下さるだらうと確信して居たのです」

言葉は稍急に熱心の瓣を見せて、

「夫に貴女は僕の豫想に反して、冷淡此上もない……左様思つて居るのか、居ないのか知らないけど、……現に内非常に冷やかな態度を取るでせう、櫻子さん、僕の位置に成て考へて御覧なさい、何れ程心苦しく残念なかを……」

「そ、其様な事、伺ひたくありません、貴方のやうな方から……」

堪りかねて櫻子は口を挾んだ。

「イヤ、左様一圖に言つて了ふもんじや無い、まあ靜かに僕の言ふ事をお聞きなさい」

と、秋夫は無理に櫻子を押へて、

「夫に乳母さんだつて……僕は何日か乳母さんの口から現在直接に聞いた事だつてあるのだ、……エ、其事ですか、夫ア乳母さんが僕に對つて、行々は是非とも貴女と結婚して、此安藤家を立てゝ呉れろつて、幾度も僕に言つた事がある、現に御覧なさい、貴女も知つてる通り死にかけにだつて、彼んなに言つた位なんだから、……あゝ、僕の身に取つちやア、今少し乳母さんが生きて居て呉れたら、何も斯んなに氣を揉む事も無かつたんだが……然し今更夫を言つた處で歸らない事だから仕方が無いが……將來の事ですよ」

何と思ふてか、差俯向いて悄然たる櫻子の顔を、稍暫りかにぢつと見詰めて、

「過ぎ去つた事は先づ別問題として、御互に大に考へなきやア成らんです、ね、夫に就て僕ア貴女に大に考へて貰ひたいのだ」

と、暫時櫻子の様子をうかゞつた後。

「貴女の今日の位置から言へば、急に他に結婚すると云ふのも六づかしいし、左様ならつて貴女が此儘一人やつて行くと言ふ事は尚更危險な譯だから……矢張り、能く精神を知り拔いた信頼すべき人物に便るのが、言ふ迄もなく一番の上策だらうと思ふ……夫には、矢張り、自身の口から言ふのは可笑しいが、乳母さんだつて、あれ程迄に言つてたんだから、僕より他にあるまいと思ふです、殊に僕は最前からも言ふ通り、滿身の愛を貴女に捧げて居る人間なんだから、……夫に殊に……僕が悪かつたにもしろ、……」

と、流石に躊躇して言ひ淀りながら、ツと進んで不意に櫻子の白く柔らかき手を確乎と握り、

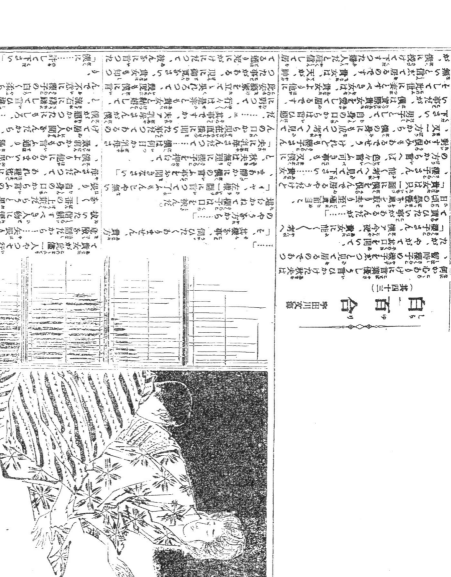

「僕に……許して下さい」

白百合（其四十四）

宇田川文海

秋夫が握る手先を、必死と振り離した櫻子は

「ナ、何を成さるんですッ」

怒りに慄ふ言葉激しく、血走る眼に屹と睨んで、何か非常の決心の色を顯はした。此樣に、流石厚顏しい秋夫も些か辟易して、再び容易うは近寄らず、

「是ア驚ろいた、大變な權幕ですね、へゝゝ櫻子さん、幾何貴女が怒つたつて、かんだつて無効ですせ、貴女はもう、表面上僕の妻と成つてるんだから」

「エッ……」

「だから此間もさう言つたぢやないか、ハヽ、まあ今度氣の落付いた時に、緩くり話して聞かしたげやう、ワハヽヽ、だからもう、幾らぢたばた騒いだつて仕方が無いのだから、詰らない剛情なんか張らずに、柔順しく僕の言ふ事を聞き給へ、ね、櫻子さん、其方が如何あに好いか知れないんだから……」

我一人承知した顏に饒舌り立てる。

餘りの事に櫻子は、暫時言葉も出なかつたのであるが、漸うの事心を靜めて、

「おや何ですか、貴方は私の印形を盜み出して、屆けをなすつたんですね」

と、語尾は顫へて居る。

「盜みやアせん、そんな盜賊のやうな眞似はせんが、豫て此事は乳母さんから托されて居たからね、夫を其儘實際に行つた丈けの事サ、まあ其樣な事ア何うにしたつて好いぢやないか、夫よりか柔順に諾と言つて、面白く月日を送つた方が好いぢやないか」

さも妻にでも對するやうな言ひ振り。之を聞た櫻子は狂氣の如く怒つて、

「貴方は惡人です、大惡人です、……妾は之から、貴方の惡事を殘らず訴へます」

憤然と立ち上つて、裳裾の披勞をも忘れた如く、驅け出さうとするのを、秋夫は手早く抱きすくめて、

「ま、お待ちなさい、訴へるのも好い、貴女の自由にするが好い、けれども櫻子さん、よく考へて見給へ、貴方は一体何者の子だ」

若しも之が平和の世であるなら、何の憂も煩ひもなけれど、今や幾萬の同胞を犠牲にして、干戈を交へつゝある其敵國民の落胤、過ぐる日の音樂會以來、一人肩身狹く淋しく暮さつゝある心に、尤も刺激すべき一針を與へられた櫻子は、其憐れむ可き境遇上、我知らず泣ろかざるを得なかつた。

我言葉の意外に効を奏したのを、誇るが如き笑を浮べて、櫻子を、無理に座らせた秋夫は

「櫻子さん、御互に何事も緣だと諦めて、六つかしい事は言ひつこなしに、柔順しくしやうぢやないか、ね、もう吠々も大抵にして置き給へ、決して僕か惡いやうにはしないから」

あまりの口惜しさ悲しさに、我にもあらず其場へ泣き伏す櫻子を、半ば面白げに、秋夫は頻りと勝手の理屈をつけて、暫時慰さめて居るのであつたが、やがて如何した拍子にか、秋夫の手が櫻子の躰に觸れたと思ふと同時に、怫然と袂を挪つて起き上つた櫻子は、咄嗟の間に簞笥の下から、豫て用意に隱し置た懐劍を取出して、手早く鞘を挪ふと同時に、物をも言はず、半ば夢中に、攫みつき來る秋夫へと切りつけた。

白百合

（其四十五）

宇田川文海

狂氣の如く夢中に切り込む櫻子の刃尖を、左の二の腕に受けながらも、危ふく身を交した秋夫は、

「ナ、何をするッ」

鋭どく叫んで、白く柔かき其胸を確乎と握り、忽ち其場へ捻ぢ伏せた。

「口惜しいッ」

と、微かに叫びを洩した櫻子は、半狂亂の姿にて、せめて一太刀でもと悶も跳ね起きやうとする折から、普通ならぬ物音に驚ろいて驅けつけた菊は、此の樣子を見るより二度吃驚し、

「ま、お孃樣、と、何う遊ばしました……」

と、只うろうろと成す可き樣を知らぬのである

「失敬な、菊さん、亂暴じやア無いか、僕に斬りつけたんだ……て、是れ」

鮮血淋漓と流れて、浴衣の袖の絞るばかりなるを眼もて知らせ、

「乾度發狂したんだ、菊さん、手を借して與れ給へ……」

と、秋夫は傍らに落ちて居る、櫻子の友禪縮緬の細紐を足もて引寄せ、

「そ、そんな亂暴な事を成さいませんでも」

と、菊がハラハラして止めるのも聞き入れず、矢庭に繊弱い腕を取つて、櫻子の兩腕を縛り上げた。櫻子は、もう胸が一杯に迫つて、身をもがき、口を漱ぐ程の力も無いのである。

「まあお孃樣、飛んだ事を……秋夫樣お藥を取つて參りませうか、……現に角袖を解かなきやあ」

と、菊は櫻子の上は勿論、血潮流るゝ秋夫の傷をも案じて、只ウロウロするのみである

「イヤ醉ふちや不可ん、斷じて不可ん、……ナーニ傷は淺いから、直ぐ癒るけど、現に角發狂して居るから危險千萬だ」

と、秋夫は片手に傷口を押へながら

「何か繃帯にするものをくれ給へ……菊が有つた筈だ」

と、繃帯を菊に命じ置き、自分は、我物顏に占領して居る八疊の座敷へ匆急の手當せんとて出で行くのであつた。

跡に菊は、兩手を縛られたまゝ、夢心地に疊の上に打倒れて居る櫻子を抱き起して、

「お孃樣、まあ飛んでも無い事を遊ばしましたねえ、秋夫樣は、あの、大變なお我怪を成さいまして御座いますよ」

「ヱッ、怪我を?」

「ハイ、お手から大變な血が……」

「手負けかい?ッ、口惜しい……」

單さへ病後の勞れて居る上に、壯健な者さへ成し得まじき大事を、假令不成功なりしにもせよ、婦人の柔軟き身を以て成さんとしたる後の疲勞は、到底想像にも及ばぬ譯なれば、櫻子は其不成功なりしを知ると同時に、張り詰めし繊き非常な勞れを覺ねて、呼吸する氣力も無い程に、ガツカリ其場へ倒れて了つたのである、

「お孃樣、お孃樣、まあ大變、お孃樣が……お孃樣、お孃樣……」

おはれ櫻子は、此儘長へに眠るのではあるまいか、菊が取縋つて呼べど叫べど、只一聲の答へをだにせず、やがては其微かな呼吸さへ絶ねて了つたのである。

白百合

（其四十六）

宇田川文海

一旦氣絶はしたものゝ、幸にも櫻子は蘇生つた、否、此蘇生りは、彼女の爲には幸でなく、寧ろ不幸であつたかも知れぬ、否々、非常な不幸であつたのだ。

彼女が無邪氣な乙女には似合はぬ恐ろしい刃物騒ぎをして、手傷まで負はされたに拘らず、我身にやましき所のある故か、但しは亦、他に何かの目的があつてか、秋夫は公けになさんとはせず、曾て濟生學舍で學んだ醫學を應用して、手當を施し、家の者にさへ其傷口を見せぬやうにして、其身は依然、櫻子にこそ、あまり親しく近寄らねど、安藤家を我物顔に寢起するのであつた。

乳母亡き後の日に増し行く淋しさ、夫のみでさへ堪られぬに、誰に遠慮も氣がねもなき我家でありながら、敵とも仇とも思ふ秋夫が我物顔に振舞ふても、追出す事さへ出來ぬ女手とかり、殊には打つゞく惨事に身も魂も傷なはれた櫻子は、日夜亡き乳母が上にのみ思ひを寄せて、暫時は、心の奥底に、優しくも潜め出でし戀さへも打忘れ、昏々と夢の如く過すのであつた。

然し夫も暫時の間、やゝ熱さめて頭の輕くなるにつれ、先づ第一に胸に浮ぶは、秋夫が自分を公けの妻と云つた一事である。

公けの妻……と云ふからは、結婚屆けでもしたので有うか、イヤ〳〵萬一乳母が自分に一言の相談もなく、其様な大事を獨斷でする筈もなければ、尚更彼人に頼みさうな理由もない、尤も常から乳母の素振りは、餘程彼人に傾いて居た樣ではあり、殊に死にがけにも、夫らしい事を言つて居たれど、何うして〳〵、妾は假令此儘に死んだとて、あの様な人非人の惡人の妻と成るものか、……若しも〳〵、妾が純粋の日本人であるなら……此様な耻辱を、此儘忍んでは居られぬけど、噫、夫にしても、母樣か、せめて乳母でも居て呉れたなら……。

我身が異人の胤と云へるは、あらゆる不平と無念を忍んで、櫻子は只一人煩悶するのであつたが、夫でも尚秋夫が、如何なる程度まで横行して、否我が所有物を横領して、濟まし込んで居るかには、經驗無き身の少しも氣附かなかつたのであつた。

丁度例の騷ぎがあつて四日目、石山なる妙子と乳母の從妹から二通の手紙が届いて、妙子のは、是非御相談したい事があれど、都合が出來れば一度逢ひたいとの旨が細々記してあり、乳母の從妹のは、御保養ながらお二人連れで、ゆる〳〵御遊びにとの事が記るしてあつた。

お二人連れ……其字を見ると櫻子は、電氣にでも打たれたかのやうに、身のすくむのを覺えたのであつたが、何れにしても相談對手なき今日では、比較的尤も親しい乳母の從妹にでも縋るより道が無く、殊には其誤解をときて、將來の相談もしたしと、急に石山行の心が動いて、菊に對ひ

「妾一度石山へ行つて來るからね、そして色々相談して來るからね、お前宅に居て、何彼の事をよく注意してお呉れ、ね、すぐ歸つて來るから……」

と言ふと菊は驚ろいて

「エツ、お孃樣お一人で……?、夫ァ不可ません、私お供致しませう、まだお歩き遊ばす事も出來ませんのに……」

「イヽエ、好いのよ、妾もお前も居なく成つちや跡が仕方が無いぢや無いか、あの人が好いやうにしちまうぢや無いか」

「夫でも、お一人では、ぢや銀でもお連れ遊ばしちや如何で厶います」

「銀?、まあ可いわ、兎に角妾一人で行くから……」

と、無理に聞き入れぬのを、漸う銀を隨はせる事にして、まだ歩みさへ不充分な櫻子は、石山へと行く事に成つたのである。

白百合

（其四十七）

宇田川文海

人の脉は不思議なもの、まして精神的に犯された疾病は、氣の持ちやう一つで、一時は余程憐かになるものなれば、愈よ石山へ行くと決した櫻子は、歩行さへ六つかしからうと案ぜた割に恙なく、曾て乳母がありし日

「是れはお家の爲に大切なもので御座いますから、何かの時には第一番に持出さなければ成ません」そして之は、ある愈よと云ふ塲合、仮令お嬢様が、どう成さる事も出來ないと云ふやうな塲合迄は、開けて見る事は出來ないので、母様がくれ／＼も仰しやつたので御座いますから……」

と、何と云つても見せて呉れなかつた、紫縮緬の小風呂敷包と、秋夫が散々自由に用ゐて、今では木片も同様な我が實印と、百圓ばかりの金子を土藏の金庫から取出して、選矢の着物に華美な單衣帯締め上るもそこ／＼、菊に不在中の萬事を托し、銀を供に、梅田の停車場へ驅けつけたのは丁度乳母が二七日の翌朝であつた。

斯く櫻子の出で行くのを、秋夫は呆然と、

「早くお歸り、無理すると弱れるよ」

など主人顔に言つて、夫でも表門まで見送つたのであつたが、其眼中には、微かに勝利の光りが輝いて居た。

夫は現に角停車場へ驅けつけた櫻子主從は、發車にはまだ二十分も間があるので、我が一身に集る衆目を避けんため、直ぐに婦人待合室……云ふまでもなく一二等の……へ這入つたのであるが此時不意に後ろから

「ヤ、安藤さん、お嬢様何方へお出でゞす」

と、聲かける者のあるに驚ろいて振り返ると、乳母の異變以來、忘れるとにはあらねど、や〻其思ひの薄らいで居た北岡牧師が、悠然と背後に立つて居るので、櫻子は、

「オヤ……」

とばかり、單さへ蒼きに、病後の一入血の氣なき頬をサと染めて、其嬉しさ耻かしさを、慇懃な禮の裡に隠したのである。

「何方へ御出です?」

牧師はニコヤかな銀の盤大面と見竝べながら、再び聞くので

「ハイ、あの一寸石山まで……先生は?」

と、聞くのが漸う。

「余、一寸大津へ招かれまして……おやア同じ馬場で下るんですナ御一所に參りませう」

飾り気もお世辭もなけれど、例に依て何となう人を引よせる力がある。

「ハ、有り難う御座います、何うか何分宜しく……」

櫻子は夢では無いかとまで喜ぶのであつたが、不圖何事をか思ひ浮べて、銀を見返り

「あのお前ね、折角來て貰つたけど、先生が馬場までお出で遊ばすさうだから、もう其先ア譯が無いし……家でも手が無くつて、菊が一人で困るだらうから、もう此處から歸つてお呉れ、ね、」

と、言ふ。すると銀は真赤な呆れ顔して

「孫から歸る云ひまして、お嬢様……夫では御病氣のお嬢様が……」

實はお嬢様の病氣は附たり、夢にも思ひ及ばぬ二等室の列車に乗つて、豫て噂に高き石山を見る事が出來るとは、何と云ふ果報が向いた事かと、怪物面に念入りのお化粧をなし、田舍の母親が手自ら織つた、村で自慢の立縞絣の着物に、綿博多と黒繻子の、最上の晝夜帯を大きな太鼓に背負つた甲斐もなく、港で船を割つたよりも殘念な、此處まで出掛てチヨイ／＼追返されて堪るものかと言はねばかり、銀は一生懸命にお嬢様の病氣を振りまきながら、余計な奴が出たばかしにと言はぬばかり恨しげに、牧師の方を横目でヂロ／＼睨むのであつた、

白百合

（其四十八）

宇田川文海

櫻子の病氣を言ひ立てに、强て供せんと云ふ下女の銀を、無理矢理に追ひ返すやうにした櫻子は、牧師が
「折角茲まで御一所に御出でなすつたのだから……お遅れに成つたら如何です」

と、くり返し言ふのをも聞かなかつた、そして半ば泣顔に不承無承見返り勝に歸り行く銀の後姿を見送つて後、

「宅でも乳母が亡く成つたもんで御座いますから、手が無くつて……何うも……」

言譯らしく言ふので、牧師は驚ろき
「ヱ、乳母さんがお亡くなんなすつた……何日?」

「二週間ばかり前に……」

と、愁然とする。

「夫はどうも……ぢやア跡が非常にお困りでせう」

眞に同情に堪ぬ如く言ふ内に、五分鈴が鳴るので一時話を中絶して、相携へてプラツトホームに出で、夢の如く櫻子は、牧師に扶けられて、名古屋驛の列車へと同乘したのである。

櫻子は、牧師に對し言ひたい事が山々あるもながら居竝んだ乘合客に氣をかねて、何事をも口には出さず、沈默を守つた。

然し牧師は何をか頻りに神に祈るが如く瞑目しては考へながら、折ふし思ひ出したやうに、乳母の死に就て、又櫻子の今後の方針に就てなど質問もし、慰さめもし、又勵ましもしつゝ、其間に怠らず、人の頼むべからざるを説き、只一意神に縋れよとの意味を、遠廻しに懇々と語つた。

斯かる中にも、汽車は山や、河や、木や、電信柱を振り拂ふやうに通り越して、九時前に目的の馬場停車場へと着いた。

「あの先生は何日大坂へ御歸りに成りますんでムいませう?」

分れに臨んで、櫻子は殘り惜しげに聞くので
「明日歸ります」

と、牧師の返事は簡短、

「あの妾……是非とも……折入つて先生に御話し申し上げたい事がムいますんですが……大坂では……何ですし、夫に是非先生に逢つて頂きたい方」

言ひかけて不圖口を結んだ。

「へ、ア何か予に御用が……此地で無ければ成らない……ぢや今夕でも伺ひませうか」

「何うかさう願へましたら、大變結構なんで御座います、大層勝手な事で御座いますけど……」

「イヤ何、態々來る譯ぢや無いのです、石山の少し手前に、懇意な信者がありまして、豫てから此地へ来たら是非とも寄れつて言つたのですから」

と、牧師は快よく承諾して、自ら櫻子の爲に車を雇ひ、車上から振り返る櫻子と反對の方面なる大神の町へと急ぐのであつた。

途中櫻子は種々に思ひ亂れて、我身が今日の不運薄命な位置よりも、只一圖に、今宵逢ふ牧師に先づ何より如何に話したものぞなど、其事にのみ思ひを惱ましつゝ、意外にも、さしての勞れをも覺えずして、乳母が從妹の料亭へと着いたのである。

「まあお嬢様よくいらつしやいました、まあ大層御やつれ遊ばして」

など、女將のお夏が下へも置かずチヤホヤするのを程よく聞き流して、

「あの妙子……さんは?」

と、第一に聞く、

「あ、あのお嬢様で御座いますか、あの方は、あの離れ座敷の方でも、此節は隨分お客様がおあんなすつて、何かに御都合がお惡いので、此節は隱居所の方にいらつしやいますで御座います」

と、お夏は先に立つて案内した。

白百合

（其四十九）

宇田川文海

櫻子を見た妙子の悦こびは、多年相見ざりし兄弟の邂逅よりも、尚非常なものであつた。

「まあよく……御加減がお惡かつたんですつてね……夫に乳母さんが……妾、まあ如何なに心配したんでせう、夫でもまあ好くいらしつて下さいましたのねえ」

と、縋りつかんばかり

「寂淋しかつたでせうね……家もあんな騷動や何や彼やで、大變御無沙汰致しましたわ、まあ何故、人間の事は斯う思ふやうに成らないんでせうね、妾、考へると、もう〳〵人間が厭に成つちまうの」

力なき身を投げ出すやうに、櫻子は悄然とする、

「夫アね、眞個に御察し申しますワ、あんなに便りにしていらつしやる乳母さんに御別れなさるし……色々ねえ……夫に妾のやうな厄介者まで舞ひ込んで居るんですもの」

「そ、そんな事……妾、貴孃でもいらつしやらなければ、何んなでせう、兎ても斯んな事しちやア居られないのよ」

「………」

悄然と、思ひは互に異なれど、不幸は同じ境遇にある兩女が、我知らず溢す幾滴。

やがて突然と櫻子は、

「あの貴孃の家の方は何うでせう？」

「妾の……？」

妙子は少し改まつて、

「あの無事だから、安心するやうにつて出したんですから……其樣なに案じちやア居ますまいけど……」

流石に戀しき我家の上を思ふて、瞼は潤く成るのである。櫻子は少し言ひ憎げに躊躇ひながら

「あのう、若しも……不意に何誰かいらつしやるやうな事でもあれば何うなすつて？、あの……貴孃の罪を……許すつて……」

氣色をうかゞいながら、一句〳〵刻むやうに言ふので、

「不意に誰か來たらつて……許すからつて連にですか、？……左樣ですねえ、厭だけど仕方がありませんわねえ、……何故左樣な事を仰しやるの？」

「イヱ別に何でも無いんだけど……一寸聞いて見たの……」

「左樣？、妾ア亦何故かと思つて、ホヽヽヽ」

と、淋しう笑つて、

「然し妾もね、いろ〳〵考へて見ると、此樣に永く御厄介に成つて居るのも……寧そ、もう思ひ切つて、宅へ歸つて見やうかなどゝも迷ふんですよ」

など、言ひつゝ夫から共に食事をして、終日しみ〴〵と語り合つたのであるが、夕刻に成つて櫻子は、

「妾一寸一度、本家の伯母さんに話したい事があるから行つて來ますよ」

と、何氣なく隱居として建てられた、小やかな妙子の假住居を出で、足も地につかぬまで急いで、

「さ、お孃樣、お湯にでもお這入り遊ばして」

と、お夏がチヤホヤ款待すのを斥け、只顏を拭ひ、髮を撫で上げ、美くしう取繕ろうた後

「あのね妾、一寸、調べたい事があるから、靜かな御部屋があつたら……御話したい事が澤山あるんだけど」

と、以前妙子の打臥して居た離座敷へ陣取り、今にも、牧師が來さうなものと、思ふ心を無理に押ねて、要ありげに、携へた書類の包を解いたのであつた。

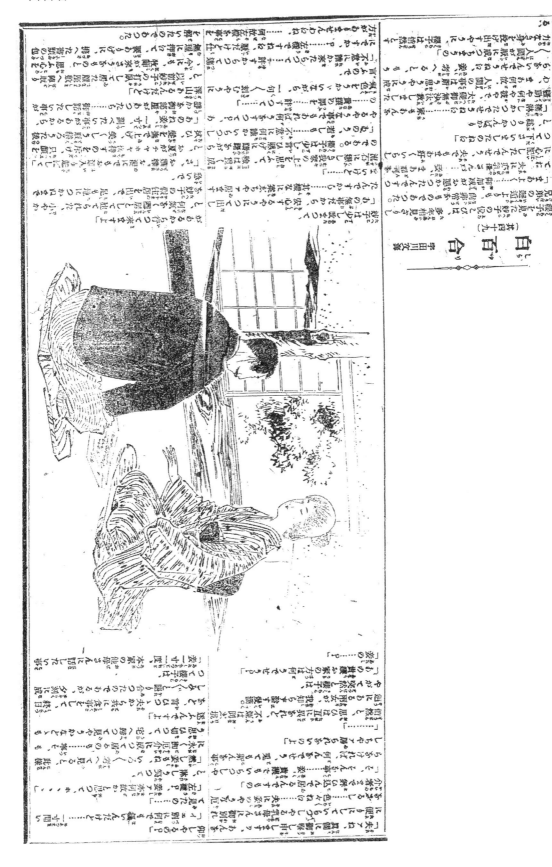

白百合

（其五十）

宇田川文海

亡き母が遺言に、ある特別の場合迄は、必ず開封すべからずと、堅く乳母のお福に言ひ渡した、紫縮緬の小風呂敷包を開いて、幾重か厚紙もて糊堅く貼りつけた封じ目を、櫻子は無意識にベリ〱と解き放し、中なる一綴の書類を取出した。そして夫を手に取上げて、萌黄の打紐の結び目を解きかけた時、

「あのお嬢様、此お方が、お嬢様を尋ねて見えまして御座います」

と、女将のお夏自ら一葉の名刺を携へた、言ふ迄もなく北岡牧師が来訪したのである。

「オヤ、左様?」

怪訝な顔してヂツと見詰むるお夏には眼もくれず、櫻子は我一人、半ば駆け出して牧師を迎へ、

「よく御出で下さいました、サ、何うか此方へ、穢くるしい所で御座いますけど」

と、先に立つて案内する、あまりに其款待やうが嬉しげなので、居並ぶスレツ枯らしの田舎仲居どもが、呆れ顔に見て居る中を、貴公子の如き氣高く眉目美はしい牧師は、悠然と、愛嬌あつて而も品格を失はぬ輕き一禮を殘して、その離れ座敷へと打通つた。

「あの何うか好いお茶とお菓子をね」

紹介されて、丁寧な慇懃な挨拶を流るゝ如く殘して立去りかけたお夏に、櫻子は小聲で命じた上、更に、微かな、牧師には聞とれぬ程の小聲で、

「そして何か……御飯を……新しいお肴で」

お夏は聞も終らぬに幾つか默頭て立去つた。

跡に櫻子は今朝同行されし證やら、何やら彼やら恥かしげに一生懸命述べ立てたのであるが、何故か言葉は痛くも亂れて、牧師の耳には異様に響く事さへあるので。

「貴孃大分御勞れの御様子ですが……お話しして居つても御差支ありませんか」

「エヽ〱、ちつとも、何うか御緩くり遊ばして……」

言ひつゝ櫻子は不圖心づいて、今迄只牧師の上にのみ心を奪はれ、傍にあるを忘れて居た、例の書類を、現に再び風呂敷に包んで、始末よく他へ移さんとした途端、ヒラリと落ちた薄つぺらな袋があつて、何うやら中には寫眞でも這入て居るかのやうに思はれるので、何心なく取出して見ると、胸間に數多の勲章を竝べた、眉目美はしき外國少年士官の肖像

「オヤツ……」

我知らず微かに叫んで、不意に親しい人にでも逢つたやうに、得も言はれぬ懷かしいやうな情がムラ〱と起つた櫻子は、若しやと裏を打返し見ると、敏行の手跡見事な英文の他に、亡き母の手跡らしく『櫻子の父上キリール公爵』と、御家流に優しき紅筆もて記されてある。

「まあ、是が、父様……」

櫻子は我にもあらず叫んで、再び懷かしげに、流石心を奪はれて居る程の牧師の前をも忘れて、ヂツと見詰めたまゝ、やがて、今にも盆を覆すべき夕立の来らんとする兆の如き大粒の熱涙を、ハラ〱と注ぐのであつた。

「あの貴孃の御父上ですか?」

何とか言はねば間の悪いやうな場合に成つた牧師は、少し膝を進めて聞くのであつた。

「ハ、ハイ……何うか是を……失禮で厶いますが、お讀み下さいますまいか」

と、櫻子は、其寫眞の裏を差出すので。尤も櫻子は、今日まで、随分英語の稽古も怠りなくした事とて、あまり込入らぬものなれば、讀み下し得る程の力はあるのであるが、咄嗟の場合、其道に堪能なる牧師を煩はす事にしたのである。

白百合

（其五十一）

宇田川文海

受取つた寫眞の裏書を、サラ〳〵と讀み下した牧師は、

「是は娘……「貴嬢が成長の後、若しも父を尋ねた場合に見せる爲、特に寫して送る」と、言ふ意味ですが、……此キヤール公爵は、今、旅順に居らるゝ、あのキヤール公爵と同じお方ぢやあるまいか？」

流石沈着な牧師も些か好奇心に動されて首傾けるのである。

「あ、あの、左樣かも知れません……」

涙の奥に光る櫻子の兩眼は輝いて、更に無言で同じ袋の中にある、矢張り英文の、手紙やうのものを、牧師の前へ差出した。

無言で出すのを、無言で受けた牧師は、無言で一通り目を通して、再び櫻子の前へ差出しながら、

「實に親御の情として、左もある可き事です……イヤ嬢さん是はね、……お讀みに成れば分るでせうが……貴嬢の御身の上に就て、色々と注意やら教訓やら、又貴嬢が成長の後の方針など、一言一句、愛の溢れる筆で書いてあります、そして最後に、貴嬢が萬一にも、何か非常に……無論成長の後にです……お困りやでもなさると云ふやうな場合には、陛下へさへ尋ねてゐらつしやれば、皇族の嚴封として何時でも世に立てる……と、云ふ事がくり返し書いてあります」

世に遊けられ、人に疎まれ、半ば勘當せらるゝ上、只一人の便りと思ふ乳母には先だゝれ、今は只、神より他に便る者とては無き寄る邊なき身の上に、假令二十年の昔結び染められた、否、ペン走らせ給ふた御心の跡とは言へ、其溢るゝ暖かさは、僅かに初戀の焔に依てのみ多少の温氣を存する、冷たき腦底から九腸までを、一時に沸騰さする程の、謂知らぬ暖かき感を、櫻子の身体に漲らしたのである。

答へんとして言ふ能はず、櫻子は只、嬉しさと懐かしさの涙に咽んで暫しは顔から手布を離し得なかつた。折しも、女將のお夏は、出來合とは言へ、豫て來客の爲に備へある、種々の自慢の料理を持運び

「サ、何にも御座いませんけど……御嬢樣も御一所に」

と、いそ〳〵勸めるのであつたが、何分にも此場の樣子が只ならぬので、少し呆れて、

「まあお嬢樣どう遊ばしました」

と、銚子を持つたまゝ聞くので、

「あら伯母さん、お酒なんか召上らないのよ」

櫻子は無理に笑顔を裝ふて、

「これ御覧なさい、妾の……お父樣……」

と、寫眞を出す

「エ、お嬢樣の……」

お夏も驚ろいて、ツク〳〵見ながら、銚子を後へ押しやつて、

「左樣仰しやれば、何處やらに面影が、似ていらつしやいます」

つく〳〵と、櫻子の顔と見較べる。

「左樣……夫アまあ兎に角、何にも御座いませんけど、先生、サ、何うか御飯を召上つて……時分で御座いますから」

何時の間にか夕日は餘光をも止めず、夕風颯々たる背後の石山で、頻りに啼く鳥の聲が、耳聳ましいまで聞ゆるのである。

一時氣の毒がつた牧師も、折角なればとて箸をとり、櫻子もほんの一口、お夏が自慢の料理を土嚼む如く玉露の滋味で流し込んだ。

「ヤ何うも大層御馳走でした、勝手な事を言ふやうですがお嬢樣、御話とか、何とか今朝仰しやつた事は、如何な事ですか、兎に角あまり暮れない内に伺ひたいものですが……」

其事に對して櫻子が、一言をも口にせぬので、牧師は堪ねかねて、食後茶を啜りながら口を切つた。

白百合（其五十二）

宇田川文海

遥々我を招いた用事は何ぞと詰問でもさるゝかのやうに、牧師の言葉を獻じた櫻子は、

「ハイ、夫は、あのう、少しばかり……」

と、切々に言つて要領を得ぬ。然し何時まで斯くてあるべきにあらねば、漸うの事思ひ切つて、

「色々申し上げたい事は御座いますんですが……」

言ひ淀みつゝ、

「夫は又申し上げる事と致しまして……あの大變失禮で御座いますが、お妹さんの事に就きまして」

「妹……？」

隠れて行衛知れずに成つた妹、只一度無事との報知があつたばかり、其後秘密に手に手を尽して尋ねあぐんだ其妹か、若しやと、牧師は、膝の進むのを知らぬので。

「ハイ、あのう、實は、妾が……」

「貴嬢の御宅か……又此地にでも居るのですか」

「ハイ……あの實は妾、ある場合までは、隠密にして、何誰にも申し上げないと存じて居りましたので御座いますが、又、色々と御心配をすで御座いませうから、兎に角先生の御耳へ丈けは入れて置た方が宜しいかと先刻御目にかゝつて、不圖思ひついたので御座います」

「左様でしたか、夫は何うも、イヤ然し實に意外でした、妹が貴嬢の御手に御厄介に成つて居やうとは……そして何處に居ります」

牧師は實に意外の感に打たれたのである。

「ハイ直ぐ近い處にお出でに成りますが……あの先生は……妙子さんの、過ぎ去つた罪は……屹度、免して御上げ下さいませうか、そして何うか妙子さんが、身一つに御成んなさいますまで、妾の方に……、此方にいらつしやる事も御免し下さいませうか」

我事のやうに櫻子は問ふので、暫時沈默して考へて居た牧師は、

「彼が一旦懺悔をして悔悟した以上……實際既に余に對して懺悔をしたのですから、余は決して今更彼の罪を責めやうとは思はんです、のみならず何んとして彼の為に計らうとして居た場合に姿を隠したのですが……先づ兎に角貴嬢の仰せ通りにしますからお逢はせ下さい」

底に一種の悲痛を帯びた、沈んだ聲音。

さらばとて櫻子は立上り、下女の案内を辭して自ら、妙子が仮に住居なる隠居所へと牧師を導く道すがら、幾度か、何事をか言ひたげに脣を動かしたのであるが、何故か思ひ切つて口を切り得ず、暮れ行く石山の寂莫たる光景にでも醉ふたかのやう、夢の如く石コロ道に、軽き桐柾の音を浮くやうに響かせるのであつたが、やがて、

「大變勝手な事で御呼立申しまして、御忙しい中を申譯が御座いません」

「何うしまして、余こそ、妹が其様な御厄介に成つて居やうなどゝは夢にも思はない事でした」

などの問答から、何故妹と此かる大阪・離れた地に御世話下さるとの牧師の問に、簡短な答へなどをして居る間もなく、程近き妙子が隠れ家へと来たので、櫻子は一歩先に内へ入り、今しも餘念なく新聞紙の戦争記事を讀んで居る妙子に、

「妙子さん驚ろいちや不可ませんよ、怒つちや不可なくつてよ、大變な方を御連れ申したんだから……」

白百合

（其五十三）

宇田川文漪

意外の時に、意外の人の来訪に、妙子は呆れて了つたのである、のみならず櫻子が一旦我身の裁てある事を、口外せぬと契ひながら、態々兄を招いた事を、深くも心に恨んだのであるが、櫻子が、

「お兄様は彼の言ふよく物の分つた御方ですし、夫に貴嬢も御兄様に丈けは御打明なすつたやうに聞いてたんで、不圖御一所に馬場まで参つたゝんですから、……妾も少し御話し申しけたい事があつたり何か旁たで、此御近所迄御越しに成る御序、御わんなさると云ふ事だつたもんですから……妾は、お兄様に丈けは打明けて置いた方が好いと思つたのね、好いでせう」

言はれて見れば證方なし、殊に今夜神戸へ来られて見れば、逃げも隠れもすべきで行かねば、妙子は恥かしさを忍んで逢ふ事としたのである、そして、櫻子が、

「妙子さん、其他にも、實は妾、お兄様の事に就て、色々御話したい事があるんですけど、夫は亦後で緩くりね……」

言ふ言葉に、何やら非常な意味が含まれて居るかのやうにあるので、妙子は一旦顰めた眉を延して、極り惡げに兄を迎へ請ずたのであつた。

流石に愛を以て立つ職業柄の牧師、普通人なれば櫻子の手前、仮令笑顔を装ひ言葉を和らげたにした處で、多少其中に怒りと憎みの分子が加はる可きも、牧師には些かも夫が無いのである、のみならず却つて憐愍の情が溢れて、其說くところ言ふところ、總て慈愛の泉から溢れ出づるので、妙子は、今更のやうに有難涙に咽びつゝ、只、

「何うも誠に、御心配をかけて済みませんで御座いました」

をくり返す外は無かつた。

やがて暫時態と席を外して居た櫻子も這入て、三人しみ〴〵語らうのであつたが、牧師は

「夫にしても、斯んな、特別な厚いお世話に成つて居つては済まないから、父様も母様も、前刻からも言ふ通り、非常な御心配をなすつて被居るのだから、兄さんと一所に大坂へお歸り、其上で、御父母とも御相談して、何とか法を立てた方が好からう」

言つた妙子は、油氣なき顏を、東髮の頭を打振つて、

「兄さん、御心配をかけました上に、大層勝手な事を申すやうで御座いますが……何うか御願ひですから、妾を此地へお置き下さいますまいか、此後は、決して、決して、もう御心配をかけるやうな事は致しませんから……」

櫻子も傍から口を出して

「先刻も御願ひ申して置きました通り、何うか此事丈けは……妙子さんの仰しやるやうに、妾に、お任せを願ひます」

右左から言はれて、牧師も強てとは爭はず、

「おや兎に角今暫く御厄介に成るとして、兄様は今日に少し急ぐなら、もう是で失禮する……嬢さん、何れ亦出ますが、何うか宜しく願ひます、……随分妹を勞つてね」

懇々と言ひ置て、切心の奥底に、愛の塊を抱ける如き様に何事をか考へつゝ、分れを告げて立歸つた。

薄月夜の影淡き一筋道を半町ばかりも見送つた兩女は、無理に追歸されるやうに牧師と別れを告げて仮住居へ歸つた後、顔見合せて、互にホッと吐息を吐いた。

白百合 （其五十四）

宇田川文海

「突然で吃驚なすつたでせうね」

牧師を逐つて、漸う心落ち付いたらしい妙子に、しみ〴〵言ひかけた櫻子は、更に、

「妾ね、大變な事が知れたのよ」

「何んな事?」

「……父が……父の名前が……」、

「エ、お父樣の?」

「エヽ、實はね、妾の母は、何故だか妾に父の事は知らせないやうにしてたんですね、尤も亡く成つた時にやァ、妾はまだ嬰兒でしたけど……乳母だつて、妾が聞いても、只露西亞の豪い方とばかりしきや言はないんですもの」

「夫が何うしてお分んなすつて」

「今日ね、母樣が明けて見ちや不可ないつて……妾が大變困る時までは見ちや不可ないつて仰しやつて居たものを見たら、すつかり分つて了つたの」

「何んな方ですの、で、何と仰しやる方?」

「後に寫眞を御目にかけますが、ね、キリール公爵つてエの」

「大層豪い方なんですね、聞いたやうなお名前だこと」

妙子は首を捻つて考へるので、

「エ、先刻先生のお話がやァね、今旅順に居るあのキリール公爵ぢや無いかつて仰しやるんですがね」

「かも知れませんね」

「……………」

「お逢ひなさりたいでせうね」

「夫アもう矢張り何つてつても人間の情ですからねヱ……」

櫻子は悄然とするのである。

彼の女の胸中には、今や熱する戀と情とが、激しく戰ひつゝあるのである。片思ひの戀と日本を捨てゝ父子の情に奔らんか、多年亡しと思ひし父を、此儘亡きものとして、一旦許された身を捨ち乍らも夢の如き戀に憧がれんか、二つに一つ、噫如何にせん、血も重し、されど戀も亦我身の心には輕からず、と、思ひ惱み煩悶する。

「貴孃大層御顏色が惡う御座んすよ、御無理なすつた上に、一時に氣をお使ひなさる事が出來た故でせう、もう今夜はお休みなさいましな、ね、余程お惡いやうですよ」

餘りに櫻子の顏色が變り行くので、妙子は非常に氣遣ひ出した。

「左樣ですか、大變勞れたやうな氣がします、から、ぢやァもう今夜は臥みませう、そして貴孃と御一所に寢て、色々の御話をしませうねヱ」

氣の張りで、今迄も勞れを忘れて居た櫻子は、妙子に看はれて始めて夢から醒めた病人のやうに、一時に非常な勞れと苦痛を覺ねて、座にも堪ねぬ程ガッカリしたのである。

折柄辞ひ其處へお夏がチャホャと見舞に來たので、早速夜着を運んで貰ひ、生れて始めて、兩女は優しき枕を並べて打臥したのである

「人間てエものは、眞個に不思議なものですね」

妙子は何と思へたか、淡き龍洋燈の光りに、死人の如き顏色して、ウットリと微かな兩眼を見開いて居る櫻子に向つて、春風のやうな和らかい息を繰りつゝ、

「貴孃と斯樣なに親しくして頂かうなんて思はなかつた事ですわねヱ、眞個人程可笑しなものはありませんねヱ」

櫻子は微かに莞爾笑つたなかり、やゝあつて何と思つたか、

「妙子さん、戀と義理とは何ちが重いでせうかね……」

と、不思議な問を突然に發した。

白百合

（其五十五）

宇田川文海

戀と義理と何れが重きぞとの櫻子の問に、妙子は流石に直ぐには答へかねた、と云ふのは、己れ自身の經驗上より言へば、聊嘘に戀を重しと答へねばならねど、今日迄の教育の倫理道徳には、常に義理を重しとせられて居る世の中なれば、直ぐに答へかねたのも決して無理では無いのである。

妙子が答へかねて、斯くもじ／＼して居る間に、如何したものか櫻子の顔色は、次第／＼に蒼褪めて、やがて苦しげに、

「妙子さん、もう寢ませうねえ、妾何だか變な氣分になりましたから」

と、そのまゝすや／＼と、見る間に早くも寢入るのであつたが、其呼吸は頗る苦しげであつた。

何となうソワ／＼した落付かぬ其素振りから、總てに不審の點多き櫻子を、妙子は我が果敢なき身の上に引きくらべて、微かな火影につく／＼と、打まもつて居るのであつたが、これも何時の間にか、戰地にある戀人の上に、相逢ふ夢路を辿る事と成つたのである。峯の梢を傳ふてやがて、鏡の如き湖水の上に、意味ありげな波を湛はした終夜の嵐は、明鳥の二三羽が、まづ曉の夢を破る頃、ハタリと止んで了つて、木々の葉末に静かな身揺ぎを殺すばかりとなつたのであるが此時、櫻子は不意に苦しげな呻きを發して、やがて息も絶え／＼に成つた。

「まあ如何なすつたの、櫻子さん、姉さん……大變ッ―」

夢醒めて驚ろき呆れた妙子は、手早く用意の藥など含ませて様々に介抱した後、足も地につかぬまで宙を飛んで本家の人々に知らせ、直に醫師を迎へるやら井戸水で頭を冷すやら、偏僻な地としては及ぶ限りの手當をして、女將のお夏共々看護するのであつたが、時經へ勿體らしく診察した醫師の見立は、極輕症な腦溢血との事であつた。

「鬼に角充分に思ひ切つて腦を冷さなければ成らんから、氷枕に袋の二つ三つも當てお上げなさらんと不可んです」

との醫師の言葉に、俄かに人を大津に走らせて氷枕を買はせた後、辛ひ習ひある料理用の氷もて、必死と頭部を冷した故か、其夕刻、櫻子は漸く人事不省の境を通り抜けて、パッチリ其兩眼を開く事と成つたのである。

此様を見た妙子と女將の悦び、

「是でもう安心ですね、夫にしても何故大阪から誰方も見えないんでせう」

と、妙子が聞くと、女將は

「旦那様が御自分でいらつしやりさうなもので御座いますね、夫ともお弟でも早く還りさうなもので御座いますのにねえ」

と言ふので妙子は不審の眉を寄せ

「旦那様って……何誰？」

「まだ御存知でいらつしやいませんの、お嬢様の御良人」

「そんな方がおあんなさるの、まあ些とも知らなかつた……」

不審さに堪へず問打凝めて居る折しも、本家から下女が、

「あの大阪からお客様で」

と、知らせるので、妙子は逸早く迎へにとて驅け出したが、客なる人の顔を見ると同時に

「アラッ」

と我知らず叫ぶのであつた。

白百合

（其五十六）

宇田川文海

妙子の驚ろいた來客と云ふのは、餘人では無いその母のお脊代なのである。

「お母様まあ……」

我にもあらず叫んで逃げ出さんとする妙子の背後から、母は

「妙ちやんお前まあ無事で」

只一言に慈愛溢るゝ言葉を浴せて、妙子を賦懸るしの針づけにした。

「お母様……濟みません」

「兎角此處でやお話も出來ませんから……」

優しき櫻子に眉撫でられ、千萬無量の思ひを抱いて、涙潸然たる妙子は、四方見廻す折しも、見馴れぬ人と不審に思ふてか、女將が會釋よく出て來たので、

「あ、御母さん、これ、妾の母なのです、お母様この方、妾が大變お／＼御厄介に成つてる……」

と紹介する。母は只娘の顔見たばかしで胸が迫がる程嬉しく思ふて居る處へ、其娘が非常な厄介になる人と聞いたから堪らない、涙ながらにくり返しく／＼と禮言ふのであつたから……

「兎に角彼處はお嬢様もお寢みで御座いますから……何處か離座敷か二階でゝも」

女將のお夏は氣を利かして、涼しげな二階の一室へ案内した。

相對して座を占め、ホッと息を吐いて、我にもあらずスル／＼と近寄つて手を取交した母子兩人、暫時は言葉無く相擁して泣くので。やがて、漸う涙を拂つた妙子は、

「お母様……何から申し上げて宜いんですか……あんまり、く、言ふ事が多くつて……夫にしてもよくまあ……兄さんが仰しやつたんでせう」

母は二つ三つ点頭いて、激しく涙の雨を降らすのである。

折から下女の運んだ茶に咽喉を濕した妙子は

「斯うしてお前の無事な顔さへ見れば……もう私は、何にも」

と、嬉し涙に咽ぶ母を慰めるやうに、又翻するやうに、我がそろ／＼家出を決心するに至つた原因から、遥々此地へ來て、不埒とは知りつゝも捨身した一條から、ゆくりなく此家の主人に助けられた事、夫に不思議にも此家が、豫て數會堂で見た事のある櫻子孃の乳母の從妹とやらの家であつた事其效ではからず櫻子に逢ふて、終に身二つになる迄世話に成る事とした一始一什を事細かに、そして手短かに物語つた上、

「今朝からその櫻子さんが大變酷くつてね、大騷動なんですよ」

今は涙の跡も無くキッパリと言葉を添るので

「左樣かへ、まあ……」

とばかり、只嬉しさに醉へるが如く聞いて居た母のお脊代は、

「だかねお父樣も大變御心配なすつていらしつたんだから兎に角一度、お母樣と一所に歸つてお呉れ、ね、妙ちやん、無事な顔を斯うして見る迄、お父樣やお母樣が何れ程案じたか、お前、お前にやナお分りなさるまい」

今にも引つれ行かん意氣込み。

「だつてお母樣、斯うにしたつて、櫻子さんを彼のまゝで、どうして其樣な事が出來るもんですか、夫丈けはね、何うか後生ですから仰しやらずに、もう此後は決して前のやうな不心得はしませんから」

言葉を尽して樣々に說いても母は一生懸命廻れ歸ると言ひ張つて中々聞き入れる氣色が無いので、夫ではせめて櫻子の病氣が今少し落付いて後と、一時逃れの據無い義理と言ひ立てゝ漸う其場丈けは說き伏せた。

櫻子の介抱しながら、其從妹なんおりとなせず語り明した母子兩人は、翌朝櫻子がうつとりと兩眼を瞬いた時、綿よりも柔らかきその双の手を確乎と握つて、無言で、感謝にあまる嬉し涙を、ホロ／＼と溢したのである。

然し櫻子は、まだ充分口を開く事が出來ぬのであつた。

其日の午後、大坂なる櫻子の宅から、見舞と迎ひをかねて下女の銀が只一人、意氣揚々と人車を飛してやつて來た。

白百合（其五十七）

宇田川文海

意氣揚々とお銀只一人、迎へをかねて看護に來たのには、妙子母子は勿論、流石秋夫味方の女將お夏さへ驚ろいた。

「お前さん一人お出でなすつたのかへ、そして大層遲かつたのねえ」

と、聞かざるを得ないので、

「ヘイ……あの秋夫……旦那樣とお菊さんが昨日お留守でしたので……」

と、何かまご〳〵お銀は言ひ惡げに口籠る。

「お菊でも來さうなもんだに、可笑しな子だね、何うしたんだらう」

再び女將は呟いたが、然し今更何と云つたとて始まらぬ事なれば、不審の眉を寄せつゝも、に伴んで、直ぐに傴二の打臥した妙子の仮住居へ案内する道すがら、再び

「昨日電報が早く着いてる筈だのに、今頃に……大變來やうが遲いぢやありませんか、お菊は如何して居ましたへ」

「お菊さん……は、あのう、昨日家を出て、昨夜他所で泊つて、つい今の先、私が家を出ます前にお歸つたんで……」

「エ、お菊が……して旦那は？」

「あの秋夫樣ですか……矢張り昨夕はお留守で……私一人で、昨夜は、……廣いお家ですので、怖うて、恐ろしうて」

何氣なく言ひお銀の言葉も、多年鍛へ上げた敏い女夏の耳には、聲音よりも尚鋭く響いたので、彼は一時其れ迄つて、附は思案を廻らすのであつたが、忽ち顏和らかに、

「あのお前さんね、お嬢樣は大變お惡いんだから、家の事なんか決してお耳に入れないやうにね好いかい、乾度だよ」

何故かくり返し口止めして、始めてホッと安心したやうに常の如くイソ〳〵と、まだ全く我に歸らぬ夢の如き櫻子の看護法など、事細かに教へるのであつた。

をも隣人の夢を結ぶのか、折ふし微かな笑を洩らしたり、赤熱獄にでも魘はれるかのやうにお呻きを發したりして、昏々と半ば死し、半ば眠つて居たかのやうな櫻子は、丁度發病後三日目の夕べ、始めて正氣を復したやうに、パッチリと其鈴やかな雨眼を見開き、折から只一人悄然と枕頭に坐つて居る妙子に、

「妙子さん……」

微かに、そして嬉しげに呼んだ夫が始め、一に看病二に藥の靈に遇はず、せめての御恩返しは此時ぞと、妙子が夜の眼も合はぬ苦心の看護の結果は、一日増しに快方に赴いて、一週とかゝりの後妙子の母のお督代が、今度こそは是非とも連れ歸るとて再び來た頃には、兎に角何かの話をしても勞れぬ位、勢づいて居たのであつた。故に妙子の母は、今度はもう些かの猶豫もしなかつた、

「兎に角此の位よくおなん成すつたんだし、夫に宅でもお父樣が、何も彼も許すから是非歸れつて仰しやるんだから、假令又出直して來るにしても、一旦はお母樣の顏を立てゝ歸つておくれ、ね、お母樣が斯んなに頼むんだから」

不整の案山しな姫には答ろしい勿體ない慈愛溢るゝ言葉に、妙子も流石に夫でもと拒む丈けの氣力は無かつた。そして辛さ懐かしさの、胸に迫る數々の思ひを押包んで、櫻子にも、兎に角一寸其の顏を立つるため歸るとの意をのべ

「貴嬢がお惡いのに、眞個に〳〵濟まないんですけど、直ぐ又出て參りますからね、何うして妾大丈夫に居られるもんですか」

と、快よく微笑み櫻子を殘し、居所の差に異らねまでも悄々と母に連れられて歸坂つた。

櫻子の病氣は存外輕症で、初め案じた程でもなく、數日の後にも不充分ながらも早や既に歩み得るやうに成つたので、其後只一度菊から簡短な形式的の見舞状が來たばかりで我家が急に戀しく成り、追々快復するにつれ漸々增し行く數々の思ひを兎も角も押へて、大坂へ歸る事としたのであつた。

白百合

（其五十八）

宇田川文海

身は異郷の人の落胤、父こそ知らね、母こそ早く別れたれ、頼む木蔭の氣丈の乳母が、温かき懐中に生長て、昨日までも浮世の荒波を知らで過ぐせし櫻子孃、憐れにも亦優しき戀てふ春風に包まれて、人の嬉しさ苦しさを味ひそめた折から無常にも、よしなき災禍の身に襲ふて、玉の如き其身を汚したばかりか、廣い世界に只一人の力と頼む乳母のお稲は、思ひもかけぬ急病で先だち、虎狼に比しき秋夫が、飼食にせんと大口開いて居る我家の恐ろしさに、せめては安き眠りを得んものと、遙々石山へ來たは好けれど、不圖我一人片思ひの戀人に逢ふたのと、多年不審の雲の奥深く閉されて居た父を知つた嬉しさ、悲しさ、懐かしさ、小さき胸に溢るゝ思ひの數々が、健やかならぬ肉體を犯して、一旦は人事不省にまで陷つたものゝ、情ある人々の手厚き看護に、漸う我家にまで歸れるやうには成つた櫻子は、今又一倍不幸な憂目を見ねばならぬ悲しき運命を有つて居た。

と言ふのは、彼女が石山へ行く以前の我家と、歸つて後の我家の相違があまりに甚だしかつたのである。

石山に呻吟せる日子僅かに十數日なりしとは言へ、菊の手から只一回の見舞狀を送つたばかしの櫻子が家は、よくも斯く迄異つたものと驚かるゝ程の變り方である。

誰に相談すべき對手もなく、只一人煩悶した櫻子は、歸つた其夜、廁へ行つた次手に、何心なく奥座敷へ這入らんとして、初めて事の眞相を知つたのであつた。

夫は彼女が閉された襖に手をかけんとした時、内より、今朝怪しいまで不機嫌な顔して出迎へた小間使、櫻子の爲には、今は只一人の姉妹とも思つて居る、乳母の姪なる菊が、艶から可笑しさうな笑ひ聲を洩らしたので、何事？と其儘立つて、好からぬ事とは知りつゝも、耳傾けて立聞すると、夫とは知らぬ、内には菊と秋夫のさも睦まじげな物語り。

「ですけどもね、妾又考へ直して見ますと、叔母からはくれ〴〵も頼まれて居ますし、夫に、半分は此家で大きく成つたんですから、まあ言はゞ大恩ある飼主人の、お嬢様の眼を偸んで、大それた、貴方と斯んな交情に成るなんて、考へると恐ろしく成りますワ」

「馬、馬鹿ナ、女つてものは何故左様氣が小さいかなア」

「だつて全く左様ですもの、……お嬢様のいらつしやらない間は、左様思ひながらもついね、うか〳〵暮して了ひましたけど、斯うして歸つて被居つて見ると、今更何うも氣が濟まないやうで……斯んな辛い事はありませんワ」

「ハヽ、意氣地が無いなア、以前ならばイザ知らず、僕が斯うして此家の戸主に成つた以上は、誰に遠慮も氣兼も無いぢやないか、おんな雜種兒なんか押込めて了つて、お前がお部屋樣でやつて行けば好いぢやないか」

「だつてね、まさかお嬢さんや世間の手前だつて……」

「お嬢？、あんな者ア追ひ出せば好いサ、世間なんか何の構ふ事があるもんか、一々世間〳〵つて其樣な事ばかり苦にして居た日にやア、何する事も出來やア仕ない」

「だつてお嬢樣が……」

「まだそんな事を言つてる……夫程お嬢樣が氣に成るなら……」

潜めた秋夫の聲は、襖越しの櫻子には聞えなかつた。

白百合（其五十九）

宇田川文海

次の室に立聞く人のありぞとは、夢にも知らぬ秋夫と菊は、尚も何やらひそ／＼と語らふのであつたが、やゝあつて菊の聲で、

「それでもね、あんまりそんな事……」

と、半を恐れたやうな言ひ振り、

「ハヽ、全く女は意氣地が無い、然し何だ……」

跡は暫時聞取難いひそ／＼聲、やがて、

「ハヽヽヽ」

「ホヽヽヽヽ」

との高笑ひが聞へて後は、聞くにも堪らぬ痴話の數々。

不圖縞りかゝつて此様を、襖越しに見る如く聞いた櫻子の驚ろき、近來こそ、煩悶てふものを覺えたれ、兎に角十九年來清く温かき家庭で、物語る乳母の教へに馴れた耳には、斯人の此對話が、惡魔の囁きとも思はるゝ程、恐ろしく聞えたのであつた、否、單に聞えたのみならず、現在、其言葉こそは判然と聞えなかつたが、我身が上に就て恐ろしい計謀の相談をした事丈けは明らかなのであるから、櫻子が思はず戰慄して、夢の如く我室に逃げ歸つたのも無理はないのだ。

暫時はづむ呼吸を、胸撫で下して押鎭めた櫻子は、やゝ其精神が落つくにつれ、溜息を吐くと同時につく／＼と思ふた。

噫、人の心程變り易い、又恐ろしい者は無い、あの人非人の畜生にも劣つた秋夫は兎に角、妾の爲には、乳母が此世に居た間は言ふ迄も無い事、亡く成ての後は猶更、身寄とて無い獨り坊の自分には、只一人の妹とも亦姉とも思ふて便りとして居たあの菊が、あらう事か、薄々妾の恨みも知り居る筈のあの秋夫と、剰へあのやうな交情に成つて、少さい時から一所に育つた、然も現に角主筋の自分を、邪魔にしてのあの振舞、妾が石山に居る間に、當然なれば、先づ何を置いても第一番に飛んで來べき筈であるのに、只錦と一人寄越して、申譯ばかりの手紙一本、不思議とは思ひ乍らも、まさかあのやうな次第であらうとは夢にも思ひ及ばぬ事、玄關へ上つた時に出迎へた顔付から、總ての様子が何うも普通ならぬとは感じながらも、よもや、／＼、あれ程とは、噫……人の心は恐ろしい……。

さりながら夫も妾が、半歳か一年も居らぬとでも言ふのなら又格別、僅かに十日あまりの留守中に、多年の恩義と情愛とを打捨てゝ、あの恐ろしい秋夫の爲に、此妾を邪魔者にするやうに成らうとは、あゝ、人は恐ろしい……戀は恐ろしい、……妙子さんが戀の爲に、親も家も捨てゝ死なうとしたのも、みなこれ戀のなす所業、世の若い女の心に、戀程恐ろしい魔力は無い……然し、然し、如何に戀の爲とは言ひながら、あの菊が、乳母の優しい血を引いた菊が、さりとは、淺ましい、情ない心に成つたもの……。イヤ／＼、只淺ましい、情ないとのみでは濟まぬ、假令如何程戀の爲に我を忘れるとした所が菊一人ならさしての事もあるまじけれど、鬼にも優つたあの恐ろしい秋夫がついて居ては、何のやうな事を仕出さうとも限らぬ、現在、聞取れなかつたあの密々話の間に、どのやうな相談をしたとも計られぬ、あの亦、濱寺の時のやうな……。事の意外と恐ろしさに、痛くも腦を刺激した櫻子は、かゝる事をくり返しつゝ何時しか昏々と深き眠りに陷つた。

白百合

（其六十）

宇田川文海

元來が健全ならぬ上、病後の衰弱に加ふるに、意外の刺戟を腦に受けた櫻子は、一時昏睡に陷つたのであつたが、幸か不幸か天緣は未だ盡きずして、誰れ介抱する者無き淋しき夜半の部屋に我に歸つて、其兩眼を見開く事を得たのであつた。

「あゝ、水が欲しいけど……」

呟いて枕頭を見ると、そこには藥瓶の外に水差から洋盃まで殘りなく竝べられてはあるのであるが、不圖秋夫と菊の物語りを思ひ出で、櫻子は思はず身慄をして其儘にやんだが、如何にしても渇を紛らす事が出來ぬので、

「毒が這入つてゝ死んだつて搆はない」

と水差を取上げ洋盃に移して一息に、半ば恐るゝが如き眼を閉ぢて、グッと飲み干し、今や毒が全身に廻るかと力なき身を枕に投げかけて、胃の腑から胸へかけて浸み渡るやうな水の行方を考へて居たが、別に何の異狀もなく、新たな苦しさも覺えぬので、漸う胸撫で下して橫はり、夫から夫へと悲しい、苦しい、果敢ない、悲觀的の空想を、夢の如くに繰返して、短かき夏の夜を長く〳〵漸うと明したのであつた。

然し其悲しい空想の間に、無邪氣な乙女としては非常な決心をしたのであつた。

夫は、自分はもう今は全く世間からも捨てられ、我家の者にさへ邪魔にせられ、父はあれど、これとても旅順におはす君か夫か定かならず、假令夫とした處で、島ならでは、今は通ひ難き別世界、此世で逢ふ事は思ひもよらず、折角味はひかけたる戀の甘味は、到底叶ふ見込みなき片思ひ、寄る可き人も、相談對手も無き、殊に路人の胤として賤しめらるゝ淋しく悲しき獨り身の自分は、一時も早く此世を辭して、天に在す懷かしい母上や乳母の膝に縋つて思ふ存分泣いて見たい、夫には幸ひ、千代萩の千松ならねど、毒と見たら成るべく食べて、此世の一切の怨みと、老先長き壽

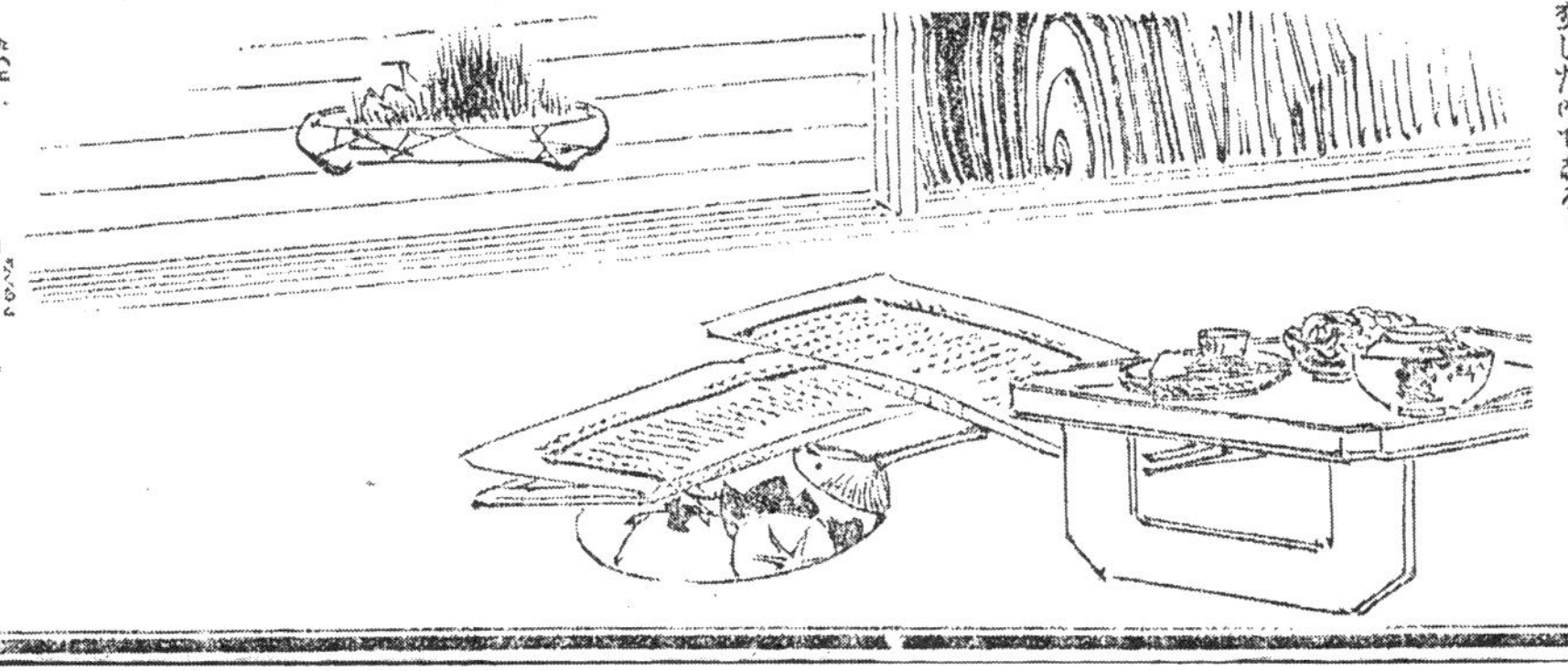

命を捨つるが、結局自分の爲にも幸福……。

と、夜半毒と見し水を飲んだ後、更に死を希ふに至つた櫻子、其朝の食事からは、強ゐると勇み進んで箸を取るやうに成つた。

然し流石に不義の胤人も、又た大悟の苦惱に長けて居ぬと見えて、其日も、其翌日も異狀は無く、只秋夫が然しも顏を見せぬのと、菊が猶々餘所〳〵しく成る心なので、強て食事をする故か、櫻子は却つて元氣づいた。

其夜妙子が突然に訪づれた。

兩女は相見ると直ぐに、何の言葉もなく、ハツ〳〵と落淚して、燃ゆるやうな兩手を取り交したのである。

「妙子さん……」「櫻子さん……」

やゝあつて呼び交して後亦無言、頓て妙子は

「まあ何から言つたら好いでせう、櫻子さん、妾、妾……小橋は戰死しましたつて」

「エッ、小橋さん……が……?」

妙子は聲を忍んで泣き伏した、

「何して分つたの……知せが有たんですか」

妙子は只點頭くばかり、

「何、何處で……?」

櫻子は蒲團の上をすべり出でゝ聞くので。

「あの、大、大石橋で……」

思はず聲を揚げて泣く妙子と、同情の熱淚を禁ゑ得ぬ櫻子は、暫時一團と成つて泣くのであつた。

白百合

（其六十二）　宇田川文海

やゝあつて涙を拂つた樣子は、少し改まつて

「妙子さん……現に角すつかり話して聞かせて頂戴」

言はれて妙子は、溢るゝ涙を抑へつゝ、

「家へ直接に報知が有つた譯ぢや無いんだけど、彼の人の家へね、其筋から通知があつたんですわ、今日……先刻、彼の人のお母樣が泣きながら、家へ來て……」

聲は斷絶する。

「ぢや間違ひぢやありませんね……」

妙子は幾度か點頭いて、

「夫アもうね、何うせ戰爭をしに行つてるんだから、死ぬのは當り前の事だけど、夫でもね、妾……妾の躰……」

と、再び泣き沈んで。

「せめて、せめて……お腹の……」

と言つたが、もう跡は出なかつた。

「察しますよ妙子さん、全く察しますよ、けれどもね妙子さん、今貴孃が幾ら泣いたからつて、小橋さんが生き返つていらつしやる譯ぢや無いんだから、夫が爲め、貴孃の躰に障るやうな事でもあると大變ですからね」

「妾の躰なんか、もう入らないワ」

「イヱ貴孃ア一人なら好いかも知れないけど、小橋さんがお亡くなんなすつたら、尚更、其の胎児さんが大切ぢやありませんか」

「だつて妾……」

「全くですよ、夫アもうね、死にたいとお思ひなさるのは、決して妾無理とは思はないけど、小橋さんは國の爲に名譽の戰死をお遂げなすつたのだから、何んなに立派だか知れないけど、貴孃が、其爲に大切なお命をお捨てなさるやうな事が有ちやア、夫こそ小橋さんに對して不可ないばかりぢや無く、お父樣や、お母樣や、兄樣や、亦國家に對しても、そんな事は出來ないぢやありませんか、假令人は何と言つても、尚々躰を大切にして、大變差出がましいけど、小橋さんのお母樣とも御相談なすつて、其胎児さんを立派にお育てなさらなきやアね、左樣ぢや無いでせうか」

言ふ自らが、一刻も早く死を願ふて居る人とは思はれぬまで、熱心に妙子は説くのである

「夫アね、道理は全く左樣なんですけど……是が御存知の通りのね、我侭者……嫁したんぢや無いんだから、色々の事が……」

瀧とばかり下りし涙もやゝ納まつて、しみ〴〵と妙子は言ふので、

「で、貴孃のお父樣やお母樣の御考へは？」

「考へつて、別に……實は小橋が無事に歸つたら、表面上結婚させるつて言つてたんですけど、まさかね、死んだ靈魂ともね……」

淋しく微笑んでホロリと二三滴。

「然し何でせう、通知は有つたつて、まだ慥かに、何處で何うして、何う言ふ戰死をお遂げなすつたかつてヱ樣な、委しい事は分らないんでせう、……夫にあの通知は、折ふし間違があるつてヱ事だから、萬々一にも其樣な事でも有つて御覧なさい、貴孃が、今あまり早まつた事して、却つて取返しのつかない事にでも成ると尚更大變ですからね、まあ現に角今少し氣を落付て樣子を見ていらつした方が、妾は好いと思ひますワ」

説く人に説かるゝ人、胡蝶に比しい夢のやうな短かい露命を、優しき花の双肩に荷ひかねて、胸の中に早くも散らさん願ひを、男々しき言葉に押し包んで。

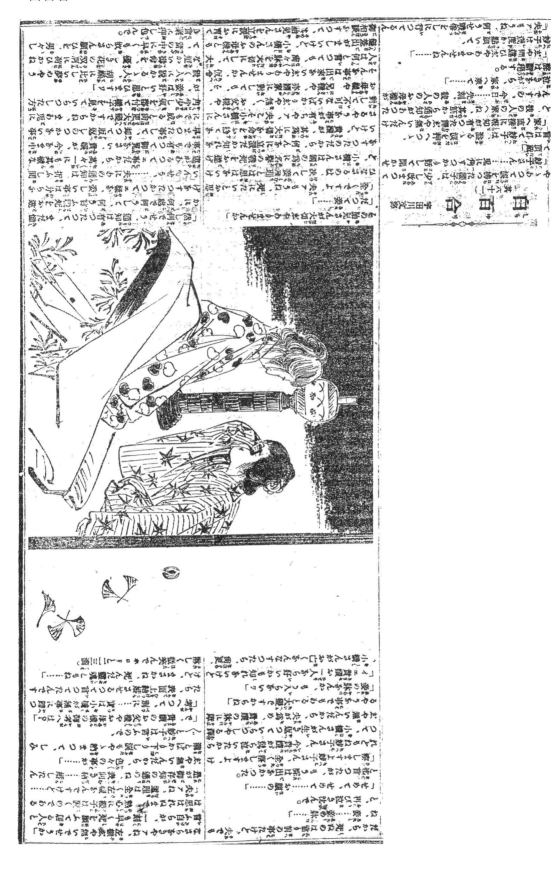

白百合

（其六十二）

宇田川文海

様々と櫻子に慰められた妙子は、漸う納得して、兎に角一時の涙を納めたので、夫からは互に不幸な身の上を暫時慰さめ合つゝ、時の移るを忘れて居るのであつたが、不圖妙子は
「大變お靜で誰人も被居らないやうですね」

「エ、居るん……ですが……妙子さん、妾久しく外を歩かないやうな氣がするから……其邊まで貴嬢を送りませう、そして色々御話したい事があるから……」

「エッ貴嬢がそんなにお加減のお惡いのに？」

「エ、搆はないの、チッとも搆はないの……頭髪なんか如何だつて好い」

半ば呟きつゝ、妙子の强て止むるをも聞入れず、小ザッパリした秋草模様の絽浴衣に、枚纈の單帶を締めて「ま……行きませう」と、貴嬢お一人ぢやア迚も……又お歸りを送らねばとゝ不安氣にくり返す妙子の手を引き、よろ〳〵と半ば助けられながら、難波橋の袂まで來た。勿論誰一人其外出を止める者も無い。

堪え難き日中の暑さと煩雜熱に、肉と靈とを燃されて居る市民は、毎夜水の都の紋なる綾上に、我後れまと清涼劑の如き涼風を吸ひに來るので、兩の欄干は人を以て埋りたるが如く、其間を人車自轉車の提灯が、絶間もなく往き交ふ様は、流れに棹さす涼み船と共に、他に見られぬ光景である、

「まあ大變な人ですねえ、これぢやァお話も出來ない」

と、兩女は中の嶋の公園を拔ぎつて、人通りなき日本銀行の南川岸を、手を引合つゝ歩みながら談ましい話しみ〳〵と語らうのである
「妾の家ね、實は大變なの……」

突然櫻子は嘆息と共に前置して、我が話され度い事は流石に言ひかねたが、秋夫との關係から菊と秋夫との交情、昨今の兩人の振舞、我家ながら居たゝまらぬ事等を簡短に述べて、

「ですから妾こそ、つく〴〵此世が厭に成りましたよ」

妙子は聞く事々何れも意外ならぬは無く、今始めて石山の女將お夏の言葉も思ひ合されて
「夫にしても餘りひどいぢやありませんか、道理で今出がけでも、あの肥つた女中さんが見送つて、何時も貴嬢について居らつしやる、其お菊さんとかの姿が見えないと思つたんですよ、まあ然し何てェんでせう、そして貴嬢何う成さる御つもりなの？」

「何うつて……妾には相談する人が一人も無いんですもの……石山の伯母さん、ね、あの乳母の從妹位なもんですけど、あれだつて矢張り菊の親族ですからね……」

櫻子は歩みを止めて悄然とするので、

「困つたのね、けれども何うしたつて、其儘打捨つとく事は出來ませんワ、ね、馬鹿〳〵しい、あ、妾兄に角兄さんに言つたげませう
ね左様したら又乾度何とかして下すつてよ」

言ふ折彼方から呼吸せき驅けて來る十二三才の悧發らしい男の子が、目早く妙子を見附て
「あ、先生んとこの姉さん」

勢の滿ち充ちた聲
「オ、健さん、何處へ行つたの」

我弟にでも對するやうに、妙子は其肩へ手をかけて親しく聞く、

「あのね姉さん、兄さんはね、死んだんぢや無いんだつて、重傷だつて、だからね、今先生の處へ知らせに行つたの、

「エッ、兄さんは、小榊さんは重傷だつて」

妙子は夢かとばかり、あまりの嬉しさに、健さんを確乎と抱き占めて叫んだのである。

白百合

（其六十三）

宇田川文海

櫻子が無意識の豫言は偶然にも實現されて、一旦戰死との通知があつた小橋貫一は、幸にも重傷で宥つたとの重ねての報知は、其家族のみならず、妙子は勿論、櫻子をまで狂せしむる程悦ばせた、

「まあ何てお目出度んでせう、……重傷がお目出度つてエのは大變可笑しいけど、夫でも戰死なすつたのとは、全つきり寄へが違ひますからね」

我事のやうに悦ぶ櫻子。馳け行く健さんの後姿を悲然と見送つて居た妙子は、櫻子に言はれると同時に我に歸つて、ハラ／＼と落涙しつゝ、突然櫻子の柔かき手を確乎と握り、

「夢か、虚まや無いでせうか……」

「其樣な事があるもんですか……何だか虫がすとでも言ふんですか、妾は始めつから左樣お氣がしてゐらしつたよ、

「若し左樣だつたら何んなにか嬉しいでせう……だけど餘り櫻子さん」

うつとりした樣に力が籠つて、

「若しや……死ぬやうな事や無いでせうか……今に？」

「夫ア何とも……けれども其樣な事は無いでせう、懇々重ねて知らせがある程ですもの」

「……」

「兎に角にも、此樣なお目出度い、嬉しい事はありませんツ、此度又嬉しい時が來ますから、貴孃もよく／＼しなや不可ませんよ」

「有難う、全くね……」

今迄我憂を押包んで、櫻子の身の上に同情を寄せて居た夢の如き妙子は、重傷の一点に懸念ましつゝも、我が戀人はまだ此世の空氣を吸ひ給ふとの嬉しき知らせに、殆んど別人の如く活々と冴ねた。

何時の間にか歩みは運ばれて、早くも北岡牧師が住居間近く來て居るので、妙子は遽かに思ひ出したやうに、

「オヽ兄さんの近所へ來ましたね、貴孃お勞れなすつたでせう……妾嫂さんに逢ふのは些と極りが惡いけど……小橋さんの事もあるし、此間から行きそくあつてるから、一寸寄つて見やうかしら、……貴孃もお寄んなさいナ、エ、お厭？」

「でも妾、あんまり此樣な風姿して、夫に役ですもの」

「其樣なのを何だつて、其樣な事ア些とも構やしませんツ」

「今日は折角ですけど、又伺ひますツ、貴孃いらしつたら、何うかお兄樣に……あの先生にも、宜しく然う仰しやつて頂戴、ね、妾もしたら、直ぐ跡で歸りますから」

「だつて夫じや何うもお氣の毒ですから」

「何い其樣な事、早くいらつしやい、妾は大丈夫よ、すぐ跡に來るから」

強て押やるやうにするのや、妙子は紅隠るあからも、小橋の上に就て兄の牧師と相談して見たく思ふ心が充ちて居るので、

「まア貴孃に大丈夫で、濟みませんでしたわね、先刻の事はよく兄に相談して見ますよ、貴孃の御家の事ね……」

「宜しく……まア宜しく仰しやつて頂戴よ」

暴影ひらめく晴れもしるき笑顔を交して兩女は分れた。

暫時が程は振り返りつゝ、いそ／＼暗に隱れ行く妙子が浴衣の後姿を見送つて居た櫻子は、やがて夫の見えずなると同時に、川面から吹き來る、涼しき柳の下風に、胸寄せらるゝ如くツカ／＼と、打近く歩み寄つて、我にもあらず夢の如く佇んだ。

白百合

（其六十四）

宇田川文海

サカ〳〵と引寄せらるゝ如く岸の汀の、大柳の下蔭に進んで佇ずんだ櫻子は、遊仙の如く響く淀屋橋の上を往き交ふ人車の音を聞きながら、掬へも毀つる手にすべき、水に浮べる星影を、見るとも無く無心に打眺めて、暫時人間界を超脱したやうに、うつとりとして居るのであつた。

するとやがて下流から、空押し分けて一道の光明が顯はるゝ如く、星光の靜けき水面を左右に切開く如く押し分けて、遡上り行く一艘の涼み船があつて、其中には嬌美かしい三十路あまりの紳士らしい男と、潰し島田の小意氣な女と只二人、盃酌みつゝ何やら親げに語り合つて居るので。

オヽあの人は、何處やら北岡先生に似て居る……闇燿影淡き隔てた船中の人ながら、驚わる面差が何とあう、我が初戀の心亂せし北岡牧師に似通ふて居るので、今迄人間以上の清く高い心を持つて居た櫻子の心中には、忽ちムラ〳〵と俗情が充ちて來た。

オヽあの一人は藝者らしいが、お互に愛の心が繋れて居るか何うかは知らねど、現に角わゝして只二人、誰憚からず樂しさうな様の羨山しさ、我身とても世が世で、生れが生れたら、又あのやうな樂しみを味はふ事が出來ぬとも限らねど……イヤ〳〵我身の戀は、如何に親しい人へでも、口へは出して言はれぬ櫻戀戀の片思ひ、我身は春の彼のやうな、妻あり子あり、殊とに神の如き聖職にある人を、斯程可愛と思ひ初めたであらう、何故初めから、其事を聞きつゝ知りつゝ迷ふたので有らう、我乍ら何と思ふても分らぬは我が心……あゝもう思ふまい、殊に今日の果敢ない孤立の我が身の上、父上は顧問におはすと思へど、事無ければ御目もおは叶はず、家には虎狼のやうな恐ろしい秋夫と、遂に打て變つた菊が我身を邪魔にして、湯をも飲ませかねぬ冷たい擬舞ひ、少しながら資産はあれど、これとて一度取調べねば、何がどう成て居る事やら皆無分らず、殊に秋夫が我が身の留守に滅茶〳〵の自由にした様子、妙子さんがあの懐かしい兄さんに何歎して我身を救ふて下さるとした所で、我身は、仮令資産を我身に殘らず掘つたとて、何樂しみに此世を渡らう、今は望みとては一つも無い身の上、今し、命あつてこそ妙子さんを慰めた我ながら、思へばホト〳〵此世に生きて居る甲斐の無い我身、寧そ、此儘、此川へ……」

亂れ〳〵た櫻子は、死の淵に背を突かるゝ如く、思はず静かに打よする、足下の石垣に充ち滿ちた水の面を覗き込んだ。

其途端、遙かに耳を貫く警鐘の響き、何れよりともなく市民百萬の微かな叫びが、遠くは唸る如く、近くはツッと耳を打つて、火元は間近か、一打毎に激しさを加ふる警鐘は今迄の寂寞たる天地を破つて、淀屋橋のあたりを俄に激しく馳せ違ふ人々の影は、やがて其東南、恰かも櫻子が住居の北濱あたりに、暗夜の天を焦さん勢すさまじく、炎々と燃ね上る大火焰に映ぜて、一時に阿鼻叫喚の地獄にも似たる恐ろしさ。

「オイ〳〵火元は何の邊ぞや」

「北濱……北濱の三丁目だと」

「三丁目か、近い醤だ……」

「サア行け〳〵」

常には人通り稀き此道とも、糶行に提灯振りかざした若者の弥次馬連が、口喧ましく面白げに罵りながら驅け行つた跡に、身動きだもしなかつた櫻子は、静かに冷やかな笑と血の氣なき双頬に浮べて、火元にヂッと視線をわつめたまゝ、スル〳〵と、海女の如く、足下の底知れぬ水へ辷り込んだ。

白百合（其六十五）

宇田川文海

「オヽお氣がつきましたか」

耳元で優しい聲が聞ゆるので、夢見る如くウツトリと兩眼を睜いた櫻子。

「あ、其儘、御靜かに成さいまし、お起き成すつちや不可ません、そして此お藥を」

皆もて水藥を飲ませくるゝ人、年頃は二十六七でも有らうか、背のスラリとした、豐かな肉つきの、敢て美人と言ふ程にはあらねども、何處となう引締つた目鼻立、夫に溢るゝやうな愛嬌を湛ねて、房さりとした洗ひ髪を束髪に束ね、水色の改良服輕々と着流した、曾て見も知らぬ上品な婦人。

夫さへ少なからず怪しきに、身は四疊ばかりの洋風の一室、柔らかき寢臺の上に横はつて、近く窓外を打つ如き波の音は、今にも碎けて此室を一呑みにするかと思はれ、轟々たる蒸氣の響は耳を打つて寢臺を動かし、今にも巨濤の寄つる如く、現然別世界にでもあるかの如き感があるので櫻子は不審に堪やらず

「あの、て、此處は、何處でムいますか」

と、漸う重い口を開いた。

「オホヽ、御不審は御尤もです、此處は船でムいますよ、色々御話したい事はありますけど、まア少し御氣分がよくおなん成すつてから、……夫よりか御安心成すつて、少しも早く快くお成んなさいまし」

とより婦人は多く語らせず、肉身の親子も斯くやと思はるゝばかり、懇切に看護して、只管櫻子の快復を祈る樣子であつた。

其翌日終日、同じ言葉をくり返して我身の不審を晴さんとする櫻子に、同じ答を以て口を開かなかつた婦人は、其夜に至り、始めて櫻子を滿足せしめ、且驚かせた。

「もう大丈夫の御樣子ですから、何も彼も申上げませう、貴孃は無御不審に思召すでせうが、兎に角一言で申せば私共がお救助申し上げたのです、私共の同志の一人が、大坂の川口で……其以前の事はお覺ねでムいますか」

「ハイ……」

「先づ何より先へ伺ひたいのは、貴孃の御身の上でムいますが、お差支が無ければ仰しやつて下さいませんか、オホヽ、まあ私としたことが、只斯う申したばかりぢや、安心して御話し下さる譯に參りますまい…兎に角私共の身の上から摘摘んで申し上げませう」

椅子引寄せて語るを聞けば。

そも此船は宇宙號と稱する、小軍艦とも言ふ可き蒸汽船にして、船長は婦人の良人大川喜三とて、一時は人にも知られし横濱の豪商であるが、持て生れた冒險好で、相場はムい、鑛山はムれと、あらゆるものに手を出して、マンマと親父の仕上げた屋臺骨を虫に喰はした揚句の果、一心發起して信州の奥山に、暫時風月を共とする、餘儀ない身の上と成つたを幸ひ、二年ばかりも心身を養ふた結果は、生れ變つた樣な人と成り、遂にある大希望を起して、同志の人々と語らつた末機熟し、此船を小社會として、ある事業に生命を捧げる事と成つたのである、そして、

「此船に始めて乘込んだのは昨年でムいますが、今では、良人の希望も三分……五分は遂したやうなもので」

櫻子は、何が何やら夢見る如く幽り分らぬ

「で、その希望と仰しやいますのは」

「オヤ、、、肝腎の事を申上げませんで……夫は何です、委しく申せば大變ですが、兎に角一口に申せば、今日の、日本の社會組織に飽足らないで、別に理想の新社會を作ると云ふ望みで、去年來此船で、まだ人の行かない無人嶋を發見しやうと、西に東に航海した末まだ比較的野蠻な、南洋を目的に行きます中、不審にも一つの大きな、氣候と言ひ、地質と言ひ、草木から水に至るまで、これぞ天から我々に與へられたのではあるまいかと思はれるやうな無人嶋を發見しましたので、良人は申す迄もなく乘組だ同志の人々の喜び、直ぐに夫を新日本と名けまして、其處を根據地と定めたのでムいます、そして今は本國から第二回の航海中なので」

立樹に水の流るゝよりも滔々と語らふ内、靜かに此室に顯はれたのは、婦人の良人なる大川喜三。

白百合

（其六十六）

宇田川文海

體重廿貫も有うかと思はるゝ大兵、炯々たる眼光に美髯を蓄へた、一見新社會の大統領と仰がるゝ風采の大川喜三、妻の英子と打並んで、優しく櫻子を慰さめるのである。

兩人の人品を見、其希望を聞いて、始めて安堵の胸撫で下すと共に、勝ひ難き嬉はしさの情感を發した櫻子は、一旦我から捨てた生命を、再び此人々の前に委ねるべく蘇生した如くに感ぜて、一の包み隱す事なく、只牧師を戀ふるの一條のみは流石に言はず、我身の素性から秋夫に汚された一始一什、終に浮世の味氣なさに、フラ〳〵と身を上佐堀川に沈めた事まで、殘りなく事細かに語ふのであつた。

一々同情の涙を溢ねて聞いて居た婦人、即ち大川喜三が妻の英子は、腕を扼し沈默の中に、夫も是も皆社會組織の不完全なる爲と、悲憤の想に耽つて居る其人喜三に、櫻子の話が終ると同時に齎持つ瞳を向けて、

「ね、貴君、まや昨日の新聞に出て居た北濱の大火の火元が、此お孃さんの御家ぢやムいませまいか」

「ウム、左樣かも知れない」

重き返事を聞く間も待たず、英子は室の外に立出で、直ぐ片手に一葉の新聞紙を持來り、雜報欄内の一項を讀み上げる。

「は近來に無き大火とかで、二段にあまる記事であるが、其火元は、櫻子孃が多年住み馴れた我家であつて、一町四方殆んど殘りなく燒き盡したのであるが、其内の死傷者は、火元ある安藤家に、雛人とも分らず、女をムンズと背後より抱いた男の、黒焦の死体が二個出た外には、他に少數の輕傷者を出したばかり、折から貨物よとて外出して居た下女の銀とやらを取調べた結果は、其死休こそ、女主櫻子の許嫁の聟人ある小島秋夫とやらと、小間使の猶ある事は判然したれど、彼女は只恐ろしさに打慄へるのみ、女主の行方さへ知らぬとの事に、此火の起りし原因は定かならねど、察する處痴情の果か、或は亦狂氣でもせし女を抱き止めんとて、誤つて出づるに道なく、烟に捲かれて斯かる非業の最後を遂げたので有う、夫にしても女主ある櫻子の行方は何れぞ。

との意味が記されてある。

夢に亦夢見る如くと聞いて居た櫻子は、あまりの事に言葉も出でず、只呆然と、驚ろき呆るゝ外は無かつた。

「へゝ、世の中は其樣な者だ……然し死んだとは可愛想だね」

先づ喜三は口を開いた。妻も亦、

「全くね、然し氣の毒は氣の毒ですが、夫位の事があつたつても仕方はありませんね」

されど櫻子はまだ沈默を守つて居る。

あまりに氣を揉ませてはと、夫婦が左右より慰さむる言葉も耳に入れず、沈思默考凡そ十分間も經たと思ふ頃、始めて平常の色に復つた櫻子は。

「あの旅順は如何なつたでせう、私、此世で父に逢ふ望みは無いでせうか」

と、突然と容を正して問を發した。

「お父樣は……キリール公爵と仰しやつたですナ、エ、キリール公爵」

喜三は何か思ひ當る節のある如く、念を押して聞くのである。無論櫻子は點頭いた。

「キリール公爵なら、今、松山にお在でゝすが、然し、若としたら……もう御壽命だ」

「エッ、公爵が、父が……？」

櫻子は我にもあらず膝を進めて聞く。

「不審にお思ひでせう、御尤もです、公爵が松山で、今命が旦夕に迫つて居らるゝと云ふ樣な事を知る者は、恐らく其筋の人か、先づ私位より無でせう、是には色々仔細があるのですが……貴孃に丈けは申し上げても差支は無いのですが……男子が一旦誓つた事ですから……然し公爵のお生命は全く旦夕に迫つて居る御樣子ですから……貴孃がお逢ひ成さりたきやア……夫れ公爵にもしまだお生命があれば、如何樣御逢ひ成さるか知れない事だから……夫まや余が逢はせて差上げませう」

終りの一語は殊更キッパリ。

櫻子は我知らず、涙降りそゝぎ兩手もて喜三を伏し拜んだ。

白百合

（其六十七）

宇田川文海

意外に續くあまりの意外に、夢の如く櫻子は「時喜三夫婦の言ふがまゝに、一杯の催睡劑を混ぜし葡萄酒を傾けて、俄れし腦を休めるべく、安らかな眠りに就たのであるが、其眼醒めし頃には早や何時の間にか、宇宙號は三津濱の沖に錨を下して居たのである。「御氣分は如何です、余程お勞れ成すつたでせう、夫でも好くお寢つたから、もう大丈夫です、三津濱へ參りましたよ、お父樣のいらつしやる松山の港」優しい英子夫人の言葉に、「何うも色々……何とも御禮の申し樣も御座いません」夢か眞かと迷ふて居た櫻子は、その眞なるを知ると同時に、嬉しさ忝さは亦しみ〴〵と身にこたへたのである。折から其處へ喜三は、手に一封の書束を携へて例の通り悠然と入り來り、「此手紙を、愛媛縣知事の處へ持つていらつしやれば、公爵は御存命なれば、悦こんで、直ぐ逢はせて吳れます、思ひ入れ、甘へていらつしやい」勇ましく言ふ眠瓦は何とあう蹴つて居る、「お、有難う存ます、御恩は、死ん死んでも……」「死んでもP、へゝゝ、其樣な馬鹿な事がある ものですか……」。そして今から御忠告して置きますが、公爵の御壽命は決して長くは無いのですから、お眼んあすつたからつて、決して落膽成すつちや不可ませんぞ、好いですか、そしたら再び此船へお出でなさい、大抵のお家は燒けて無し、別にお歸ん成さる必要も無いでせう、何うです、其時は寧ろ御一所に新社會の一員に加はつては、貴嬢が若しも御出でに成れば、我等の新社會は尖と新たな光りを增したやうに輝くです、ハヽヽ」快活に打笑む顏を、涙溢るゝ兩眼で見上げた櫻子、「何、何とも申樣のない御親切……わ、わりがたう存ます、何うぞ此後とも御見捨なく……」斯くては果てなと氣を取直し涙を納めて、英子夫人の尤も華美やかな着物から帶までを、强て勸めらるゝまゝに借受け、流石に初對面の父に耻かしと、薄化粧さへ施して、見紛ふばかりの令孃姿を、昼も英子夫人のものなる深張の洋傘に隱るゝ如く、艀に下されたるボートにて、心利きたる乘組員の一人ある青年に送られ、甲板に見送る夫婦に涙の目禮を交しつゝ、やがて三津濱へ上陸して、松山なる知事の宅まで、その青年に連れられた。「知事の宅は此家です、ぢや僕は失敬します」送り屆けたまゝ青年は、跡をも見ずにスタ〳〵と歸つて了つた。をと見返る猶豫もなく、櫻子は玄關へ步み寄つて案内を乞ひ、怪しげにヂロ〳〵見廻す取次の女に、喜三からの一封を渡した。暫く……の一語を殘して去つた女は、やがて再び出で來ると思ひの外、今度は六十位の、禿頭に殘んの白髮を奇麗に左右にかき分けた、羽織袴の用人らしい老人が出て來り、切口上で、「私、御案内申し上げますする」と、自ら先に立つて門を出で、凡そ三町程も山の手へ進んだ處に、一際優れた別莊造りの奧深き家の、一寸見には空家かとも思はるゝ裏口から、終始無言のまゝ櫻子を導き、玄關へ廻つて案内をも乞はず、幾間か奧はしう御り立てられたのを通り拔け、「少しお待ち下され」と、我一人尙其奧の一室へ這入り、何やらひそ〳〵人に語らふ樣子であつたが、やがて、洋裝の三十路あまりの一人と共に出で來り、「このお方が通辯さんで御座りまする私は之で失禮致しまする」と、慇懃な一禮して其儘立歸つた。コスメチックの香り高き通辯は、珠更昇にかけたやうな聲で、ニタ〳〵櫻子を見て笑ひあがら、「貴孃が公爵のお嬢樣ですか、公爵は余程お惡いのですから……現に角子が伺つて參りませう、其間暫く」と、次の室へ櫻子を通し椅子を進めて、エヘヽと高く咳拂ひしながら、上履の音靜かに廊下を傳ふて次の室へと這入つた。跡に殘つた櫻子の心中。

白百合

（其六十八）

宇田川文海

櫻子が胸轟かして待つ間程無く、通辯は例の調子でニタ〳〵と打笑み乍ら出で來り、

「此室へ……公爵は夫は〳〵非常なお悦びです……然しお孃様、一寸御忠告申して置きますが、公爵は非常に衰弱なのですから、御應接に御注意下さらんと、若しもの事が無いとも計られんですから……尤も私は直ぐ醫師を連れては參りますが……」

言ひつゝ再び先だつ次の室。

櫻子は只夢中に蹈込んだ。

ト見る十二疊ばかりの、絨氈もて敷き詰められた見るから心地好げなる一室、中央に据ゑられた寢臺から、椅子卓子に至るまで、何れも仕入物ならぬ數寄を凝した總ての裝飾、そして其寢臺の柔らかきベットの上にて、白髮雪白き、仮令ば禪身の山を出しまゝ、夫にも似たる、枯木の如き一老翁、奧深く凹みし眼の眼に、輝くばかりの思ひを湛ゑ、半ば身を起して、暫時は我を忘れ病を忘れた如くに、ヂット入り來る人を凝視て居る。

「オヽ公爵、この方が令孃です」

とは露語で

「この方がお父上のキャーール公爵です」

とは日本語もて、通辯は言葉少なく紹介せた。暫時が程は双方とも、燃ゆるが如き視線を交してこれが父上か我娘かと、一は想像外の老衰と、一は豫想外の美はしさに、容易ふは得近かず、萬感交も胸間に充ちて、只立すくみ、見詰むるのみであつたが、やがて互の思ひが相感應したものか、同時に言ひ合せたやうにバッ〳〵と、露の如き涙の玉が其頰を傳ふと同時に、電氣作用の如く櫻子はツカ〳〵と引寄せられ突然其垂れた胸に取縋り、我知らず日本語もて、

「お父様ッ……」

「オ、娘……サ、櫻子……さん」

これのみは絕命の際までも忘れられぬ我子の名と、發東ある日本語もて切れ〴〵に呼んだ父。

暫時は互に默々無く音無く、只庭の松風のみ、時を得顔に悲劇の曲を奏して居る。

何時の間に忙り出でたか、通辯の姿は見えぬ。

熟して熟して、やがて血ともなりぬべき父子が涙は、暫時不言不語ぬ互の胸に、千萬無量の言ふ可き事を剩さず殘せず語り尽した。

やゝありて淮と下る涙と拂つた櫻子。

「オヽお父様、お懷……かしう……」

言ひかけたが言葉は續かぬ、

「懷かしい、オ、懷かしい、娘……よ、よく言つて、吳れた……お、お母様は？」

異鄕萬里を隔つとも、亦仮ひ人種を異にすればとて、變らぬ情緒は親子の恩愛。

「母、母様で御座いますか……母様、母様は……もう疾くの昔、こ、この世を」

「オ、母様は、も、もう眠つたか……富士子……」

亡き妹の名を、今見る如く呼んだ公爵は、やがて迫りくる呼吸の下から、

「サ、櫻子さん、父様は、これから……母、母様のお居でる天國へ……行きます……も、も一度、顔、顔を……」

言ふも虫の息、十有餘年目に始めて逢ふた父子が愛の情の言葉は、僅かの二三語に止まつて、あはれ、キャーール公爵は、一時に嬉しさの腦を刺戟され、まだ二三日も延びるべき壽命を、櫻子の柔かき胸に縋つたまゝ、永への深き眠りに陷つた。

白百合

（其六十九）

宇田川文海

永への眠りについた、時々刻々に冷え行く、父公爵の亡骸に取縋り、

「お、お父様……も一度、お言葉を……」

櫻子が九腸を絞る悲痛の叫びも、其身を焼く如き熱涙も、絶命の際に、此世に只一つの遺憾とせし夢にも忘るゝ暇の無かりし愛娘の顔を見た満足と、彼女の情を思ひ出でゝ、殆んど二十年間世の辛人と肌馴れざりし可愛しき妻の富士子が、今は我が行く天國の花園に遊ぶと聞き、相見ねん楽しさの希望に充ち満ちて、平和の笑を満面に浮べつゝ、安き眠りについた公爵が霊魂は、遂に呼び返す事は出来なかつた。

其處へ醫師同道で驅けつけた通辯、

「ヤア、公爵は、到當……」

「一時に脳を刺激されたからです……兎に角一度拝診しませう」

さもありなんと、今通辯から父子の対面を聞た醫師は、敢て騒がずして、取縋つて離さぬとばかり泣き入る櫻子を、手柔らかに押し退けて、形式ばかりの診脈を終り、

「もう仕方が無いです」

と、冷然たる落付いた一語。聞くと同時に櫻子は、又もワッと泣き伏したが、例の脳病は又忽ちに起つて、人事不省に陥入つた。醫師が傍にあるから躊躇は無い、直ぐに手當は施されて、櫻子は別室に安臥せしめられた。不圖正気に歸つたのは其夜。枕頭に侍する醫師を顧みて、

「あの、お、お父様の、お亡骸は？」

「もう此家にはありません」

「もうムいませんつて、おや、ど、何處に」

「夫は申上げられません、多分本國へ送り還されたでせう」

「エッ、本、本國へ……」

暫時泣き沈んだ櫻子は、やがて狂気の如く起き直つて、

「おやァ、何うか、も一度、あ、あの、お父様の亡く成りましたお室を……後生ですから、妾に御見せ下さい」

言ふより早くよろ〳〵と立上り、軒端を傳ふ夜風にあふられて、ゆら〳〵と燃え上る百目蝋燭の、黄金とばかり輝く臺を踏み倒さんばかりの勢凄まじく、はしたなく歩ます、滑らんばかりに拭き入れられた縁側へと驅け出すので、

「あ、お待ちなさい、危険い、貴嬢はまだお躰が平常ではありません」

醫師は背後から抱き止めるのであつたが、何うして櫻子は[illegible]も動かぬ。

「夫れや余が案内をして上げませう」

據無しと言ふ風で、醫師は人の気無きかと怪しまるゝばかり寂寞とした段間をか、燭臺携へて自ら先立ち、公爵の遺骸こそ無けれ、飾付も其まゝなる、例の父子が対面の室へと案内した。

「オヽお父様はあすこに……」

突然驅け込んで寝臺に其人の在るが如く取縋つた櫻子は、やがてハラ〳〵と落涙して、キト四邊を見廻すのであつたが、卓子の上に美はしう活けられた白百合が眼に止まると同時に、

「オヽ白百合、妾の好きな白百合……父様も、乾度、〳〵、お好きであつたに違ひない、これ戴きます」

父が遺品と手早く抜き取る櫻子、醫師が

「オヽ公爵は、非常に其花がお好きでした」

の一語に悲哀に充ちた嬉しさの接吻を心あるか涙の露しげく俯向き居る百白合に幾度かして、とを懐かしとばかりかき抱き、

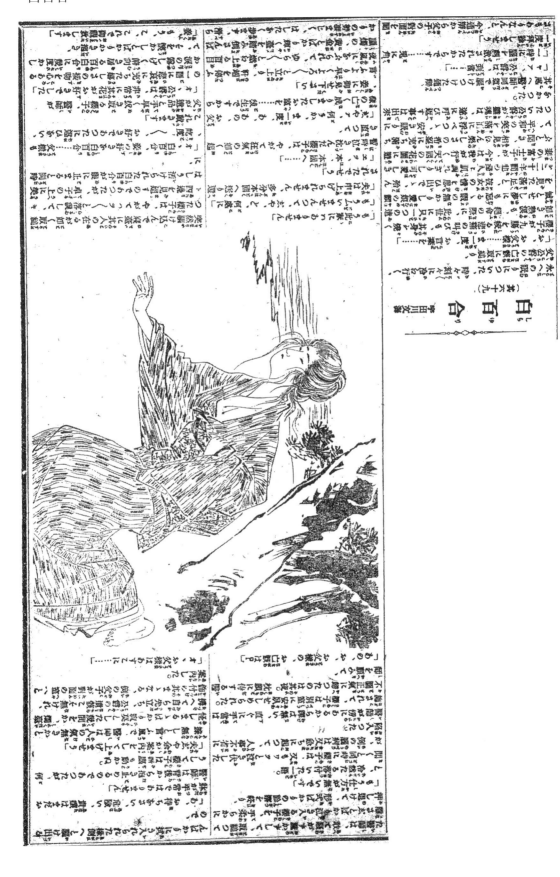

「妾もう、こ、これで御暇致します」

白百合

（其七十）

宇田川文海

「お歸りに成るつて、何方へです」
醫師は呆れ顔に蠟燭を櫻子の顔にさしつけた
「歸る處はありません、けれども歸ります」
櫻子はもう些かの猶豫も無い、此間こそ、公爵の死去に就て、又、公爵令孃の不意に顯はれ、公爵の死を見て絶倒されたとの事に、知事はじめ其筋の人々は、續々秘密に見舞つたのであるが、夜に入つては醫師と此別莊の預り人の家族と、他に知事の宅から例の雇用人が來て居る外、空家の如く寂寞して居る始末故、直ぐにオイソレと驅け出して止める者も

無いので、櫻子は却つて幸ひと、父ある他家に長居の要なしと言はぬばかり
「何うも色々と御厄介樣で厶いました、妾はもう之で失禮致します、如何か皆樣へ宜しく御傳へ下さいまし」

後れ走に驅け出した雇用人と、醫師が強て止むる袖を振り拂ふて、飄然と宵闇の往來へ飛び出した櫻子、身に白百合の花を抱いて、何處を當ともなく、むかし笹を肩にして狂ひし狂女を今樣で行く花の姿を、足に任せて歩み歩んだ。

凡そ何町、何十町を歩んだか、不圖夢醒めた如く心づいた頃には、身は小暗く淋しさ此上なき、怒濤打よする海岸へと來て居た、無論宇宙艇へ歸らうなどゝの考へは無いのである、此時勞れに勞れた足を休めんとてか、身近にある怪物の蹲まるが如き形して、海中に突出した岩の前へ、ツカ／＼と歩みを進めた櫻子、星まだらに魔の如き水と接した闇黒の水天に、キと其兩眼を注いで、やがて抱ける白百合を見返り、暫時無限の感慨に打たれつゝ、ホとくり返し微かなる溜息を吐いたと思ふ間もなく、獨とばかりに天を仰いで、カラ／＼と物凄き高笑ひをしたと同時に、足下に猛り立つ怒濤目がけて、あはや飛び込まんとする一刹那、

「危險ッ……」

と大喝一聲後よりヒシと抱き止め、放してと叫ぶ聲をも耳にも入れず、二三町が程、犬の影さへ見えぬ海岸を、ひた走りに走つて、波や穩やかなる入江に繫いだ一艘の小船に初めて彼女を横はらせた雲突くばかりの漢子がある。

此時片破月は雲間を破つて、白百合抱ける蒼く息絶えた櫻子の半面を、いと物凄く照して居た。

雲突く好漢何者ぞ。

櫻子果して永遠に息絶えしか。　（完）

作者曰、本小説白百合以上七十回を前編として一先づ完結し更に次號より後編を理想郷と題して掲載すべし

理想郷

其一　宇田川文海

亭々と雲に聳ゆる大木をも根より引抜き、小山の如く地盤を堅めし大巖石をも、吹き飛さんばかりの一陣の暴風が、ひとしきり、颯とばかりに吹き出つた後は、乾坤寂として、樹々の梢も揺がぬ程の物靜かさ。

「何うも實に驚ろいた頭い嵐だ、富士山なんかの事を思つたら、左程高い山でも無いのに……貴樣嘸お驚ろきでせう」

一ひらてんもりと繁れる木立の間を縫ふて、稍々平坦な草原へ出で、莞爾に後を振り返つて、片手に持つ洋杖を蹈み無く振り翳して居るのは、年齢二十六七の、色の淺黒い、見上ぐるばかりの美事な体格に、セル地の洋服姿凛々しい紳士の満身に男氣の充ち滿ちた若者、

「眞個に恐い嵐でしたね、斯んな事が始終あつちや、何うも倶樂部は建てられませんね」

瑠璃の眼ざし、黄金の毛髪、冬の富士にはんのりと、紅の彩色したやうな其肌、薔薇の蕾を破つたやうな脣の邊に、天地を覆す暴風の跡も、恍惚するあらんと思はるゝ笑を浮べて、徐かに若者に續いて、歩みを運んだのは、淡紅色洋裝の甲斐〴〵しい扮裝した廿歳ばかりの美人。

「ホヽヽ、僅かの時間に別世界のやうに成りましたね」

僅ひつゝ、稍々小高き平地に横たはつた、大岩を限當に更に進んで、

「渡邊さんは遅う御座んすね、彼岩で待ちませうか……」

新らしき鳥の囀のみ点々跡を存すれど、自然の雨風に洗はれて、美はしく艶の出た岩の根方に、美人は已れ先づ腰を下した。

「成る程、此處は上等の棧敷ですね、大海も一望の中にありで、何とも言へない好い景色だ、アヽ、實に絶景だ、何うです、櫻子さん、お氣に入つたでせう、此景色は、エ」

若者は暫時四方を打見廻はして、頻に嗟賞するのであつたが、やがて不圖思出したやうに

「エート、之で方角は何う成つてるか知らん、我々の都……新京は何の邊に當るだらう……ね、櫻子さん、何の邊に成るでせう？」

「サア……太陽があの邊にあるのですから、是で北を向いてるんですね、すると東……丁度、あの森の向ふの方に當るでせう」

「ウム成る程、彼處に白く細長く見ゑるのが、大川ですね」

「ア、左樣〳〵、左樣でせう、實に好い景色です、何とも言はれませんね」

「實際！、新日本で無ければ見られない、一幅の油繪です、あの森の邊りから一体に下へかけての景色は、あゝ、實に絶景だ」

「頭く御氣に入りましたね、然や此山が敷島山ですから……此處は何と名けたら好いでせうね」

「サア……敷島山の無双ケ岡」

「岡も可笑しなもんですね、ホヽヽ」

「ハヽヽヽ」

海や、林や、霞や、雲の絶景に、暫時醉ゐるが如く打興えて居た兩人は、やがて名も知れぬ恐ろしげな鳥の啼聲に驚かされて我に歸り

「然し渡邊さんは何う成すつたのでせう？」

「サ、何うしたんでせう、直ぐに跡から行くからつて、何こ見付けたのか、不言こ林の中へ飛び込んだまんまで……」

「早くいらつしやれば好御座んすのにね」

「イヤ、僕の爲には、あまり早く無い方が結構で……」

「エッ……」

「イエ、何、何でも無いんです」

遽てゝ若者が眼を外すと同時に、何者をか見認めて、

「ヤ、來ました渡邊君が來ました」

理想郷

其二

宇田川文海

遙かに見ゆる人影を幸ひに、浮と滑らした言葉の失錯を探らした若者は、

「ヤア、渡邊君が、又何だか澤山擔ぎ込んで來た、何を持つて來たんだらう、少し助けてやらう、櫻子さん一寸失敬します」

言ふより早く六尺の躰軀を輕々と飛ばして、赤銅の如く日に燒けたる平面に、溢るゝやうな笑を湛して、色褪せた小倉服に駐むきの忙しげに歩み來る、渡邊と呼ばれた男を迎へに去つた。

跡に殘された美人の櫻子は、

「ホヽヽ何時も勢の好い方……」

我知らず呟いて、其後姿を見送り、やがて打連れて此方へ來るのを、笑ましげに迎へた。

「ヤア、何うもお待たせしました、其代り非常なものを見付けましたよ、實に非常なものを、泉君何だか當てゝ御覧なさい」

年の頃は三十五六でも有うかと思はるゝ渡邊は、小兒が不意に、常々望んで居た玩弄物でも貰つた樣に嬉しげな樣で、肩にした測量器を重げに下へ下すと同時に、脇に掛けた鞄の中へ手を差入れて、櫻子と、泉と呼んだ若者の顏を交る〲打眺め、再び

「何だとお思ひです」

「へヽ、鬼が出るか蛇が出るか、渡邊君の事なら、例の亦、何とも知れない石ッコロでも出るのぢや無いか、へヽヽ」

「ホヽ、泉さんが亦お口の悪い、夫よりか、何だか早く見せて頂かうぢやありませんか」

流石に女性の櫻子は優しう、泉が無遠慮な言葉を氣の毒に思ふて、熱心な中にも敬意を失はぬ限で、我を見詰めて居る渡邊を慰さめるので。

「イヤお目に掛けます、無論の事です、實に意外の掘出し物です、」

言ひつゝ恭しく取出したのは、鑛石らしき二三塊

「是です」

言葉少なに兩人に一塊づゝを渡して、已れも手にする一塊を惚々と見ながら

「予も今日迄、日本に居る間は、肝要の本職の測量はそつち退けで、金錢も無い癖に鑛山に凝たものですが、未だ此位の見事な燒地は見た事がありません、是はまだ鑛石ぢや無いですが、あの邊一面に此通りに燒けて居るんです、實に非常なものです」

餘りに熱心な調子なので、櫻子も泉も釣込まれて

「一体、こ、是は何だね」

「何ですの？」

顏差出して其答へを待つので、渡邊も初めて滿足したやうにホッと我乍ら感嘆するやうな吐息と共に口を開いて、

「まだ充分に調べて見ない上に、鑛脈の所在さへ明らかで無いのですから、判然とは言はれませんが、現に角非常に大きな銀鑛です」

「是がねえ……」

櫻子は再び手に持つ石塊を珍らしげに見るのであつたが、泉は流石、世の中に經驗ある男子の事とて、考も深く、

「然し君、斯んな高い山なや、まだ總ての準備の不充分な我々の社會で、一寸手を着ける譯にも行かないね」

「其處です」

今日迄測量師として尤も珍重せられて居た渡邊は、急に鑛山技師に成つたやうに、頗に意氣揚る事百倍して、

「是丈け高くちや、現ても今始める事は出來ないから、是から予は、此の鑛脈が果して何の邊にあるかを探求する心算です、必ず今少し便利な場所から、手をつけられるだらうと信じます、夫に就ちや、幸ひ二日位の食糧も持つて居るですから、君は櫻子さんを御案内して、一歩先へ歸つて下さい、予は新日本の大財源を見つけて歸りますから」

と、留る可らざる大氣燄。

理想郷

其三

宇田川文海

我等も共に手分して、鑛穂の所在を探ねんと言ふ泉と櫻子に、

「イヤ何うして、兎ても貴君方には分らない、夫に非常な危險も犯さなきやア成らないのだから、第一櫻子さんが御婦人の身で御困んなさる、夫よりか君は少しも早く、都へ歸つて、大川さんに此新發見の委細を告げて、予の報告を待つて居て下さい、櫻子さんも何うか左樣なすつて下さい、予はもう是で失敬します」

言ふ言葉も後や先の渡邊測量師は、輕便測量器を再び肩にすると同時に、兩人に一禮してスタ〳〵と、後をも向かず半を馳せて、一直線に以前出て來た森中へと飛込んで了つた。

「熱心な男だ……」

「全く熱心な方ですね、何事にでもですか」

「左樣です、一旦斯うと思つた事は、仮令火の中で有うが水の中で有うが、遣り終ずには居ませんよ、彼も我黨中の一人物です」


跡に殘つた泉と櫻子は、暫時は熱心な其友の噂に餘念なかつたので有つたか、不圖思ひ出したやうに櫻子は、

「先刻のやうな風が吹いちや困りますけど、兎に角此處は好い景色ですね、倶樂部でも建てゝ皆が代る〳〵遊びに來るやうにでもしたら好いでせう、隨分懸い國ですけど、是丈け登ると餘程氣候が違ひますね」

「左樣です、富士山なんかは最う疾うに雪の衣でせう」

「何うです一枚お寫りに成つちや」

「左樣〳〵忘れて居た……」

泉は非常な大事でも忘れて居たかのやうに勢ひよく手を打て、脇に掛けて居た旅行用の寫眞器を取出し、手早く四邊の景色を二三枚寫し終つて、銀側の懷中時計を見、

「ヤ、もう三時です、ぐず〳〵しちや居られません、早く兎に角麓まで降りなけりやア、山道で日が暮れると大變です……渡邊君は困らなけりや好いが、然し何だ、猛獸が居ない丈けまだ幸ひです」

「左樣です、其代り、鳥には隨分見馴れない恐ろしいのが居ますね」

「鳥の多いのと、魚の多いのは實に非常ですね、一年や二年糧食が無くつても、千や二千の人間は飢へやしないです」

「ホヽヽヽ」

何と思つたか櫻子は聲高に笑ひながら、輝く太陽に反射する遙かの海面に、サッと其燦爛たる兩眼を注ぐのであつたが、忽ち何者をか認めつゝ、

「オヤッ……」

と、傍に置いた手鞄の中から、手早く望遠鏡を取出して、又もや暫時熱心に、雲か水の渺茫を見詰めて居たのであつたが、やがて滿面に溢るゝ笑を、寫眞器の取片附に餘念なき泉に浴せて
「泉さん、一寸御覽なさい」

「エッ、何ですッ」と立上る手に望遠鏡を渡し、無言で沖の一方を指す。

「ヤ、煙?」

叫んだ泉は躍らんばかりに喜んだ
「三日號です、慥に三日號です、慥に宇宙號が歸つたんです、宇宙號萬歳、新日本萬歳
……」

「眞個に若し左樣でしたら何んなに嬉しいでせう、皆樣も何んなにお喜びでせう、もう難船したものと定めて居たんですからね、サ、少しも早く歸らうぢやありませんか」

兩人は悅び勇んで渡邊の事をも打忘れて、道なき道に幾度か蹈迷ひつゝ、互に相扶けて、この敗島山を降つたのである。

理想郷

宇田川文海

其四

頃は十月の中ながら、日中はまだ單衣一枚で充分なれど、流石に朝夕は、太洋から吹き來る潮風の身にしみて、合せたものゝ戀しい氣候、こゝ敷島山の麓なる、近來開墾したと思はるゝ曠野の一隅には、もう收穫に遲れて居るかと思はるゝ遅晩作の黍、甘藷など、廣々と、土一升金一升の都などでは思ひも及ばぬ程、惜し氣もなく一面に植ゑられた中に、粗末な、多く丸木を用ゐて建てた三軒の家があつて、無造作な形ながらの窓洩る火影は遙か隔てゝ見ゆる牧場にまでも、樂しい希望の光明を投げて居るかのやうに見ゆる。

今しも其牧場の方より、睦まじげな笑ひ聲高く、何をか語り合ひながら、此家に向つて歩み來るのは、五十餘りの頑丈作りと、二十六七の筋骨逞ましき壯年とで、服裝は何れも農夫らしい男二人。

「爺さん、明日から收穫にかゝらうぢやあ無いか」

若いのは樂ましげに、雲間洩る夕月夜に老いたる顏を見るので、

「ウム、左様だ、もう大分遲れてるだアから、然し何だのう惡作、米こそ、まだ此處ぢや作られねえが、斯うして黍や甘藷や、思ひの外好く出來たア、全く意外だアのう、來年は何でも、向ふの川から水引いて、好い米を澤山作らんきやア」

「米、ハヽヽ、全く左様だ爺さん、乃公の考へでも、水さへ引きや、立派なものが出來ると思ふだ、何しろ是丈けの沃地だアからなア」

「左様よ、乃公ア赤慢痴癖ぢやうだが、村に居て是丈けの地面持つてゐたらなア……立派な地主様で何れ丈け好かんべい、一ヶ村の奴等に見せて遣りてえだよ」

「ハヽヽ、又爺さんの自慢が始まつた、全く左様思ひ成さるも無理ア無えだが、然し爺さんや、吾徒のやうな、村に……日本に居りやア、粟飯さへ碌に食はれねえ水呑百姓が、大川様のお蔭で新日本へ來たもんで、何の不自由も知らねえで、斯うして結構に暮されるなア、全く神様のお導きだんべい、長へ間、あの慾張の地主に責められた報にせ」

「ハヽヽヽ、違ひねえ、然し惡作や、乃公だつても、此春お前が村へ歸つて、これ〱だと、新日本の譯話して與れるまで、よもや斯うも結構な土地とは思はんかつたゞよ、斯んなゝら、杢助や、吉兵衛や、好い人間だアが、連れて來て遣れと好かつたゞにのう」

流石に老人の、懷舊の情に堪へぬでや、我が多年棲み馴れし故郷の鎭守の森から田畑一面、我が雨洩る軒を掩ひし柿の枝にても、この同じ光りに照すかと、折から澄み渡る月を仰いで、我にもあらずホッと吐息を洩らすのであつた。

然し、今此新世界の希望に充ち滿ちて居る惡作は、其様な事には少しも頓着なく

「好い人間でも爺さん、大川様は何ぢやでも無ねえ事、新日本に來て居る人ア、何うして好うも饑げねえ、好い人ばかり寄つたんだんべいし」

「大川様が好い人間ばかり撰らつしやつたんべいよ、夫に今朝お出でなすつた櫻子様、何と云ふ好い娘ッ子だんべい、乃公村に居ても、又東京へ出た時にも、あんな可愛い、そして賢ねえ娘全く見た事が無ねえだ」

老人は感に堪へたる面持して今其人を見る如く、ヂッと其眼を据ゑて居るのであつたが忽ち、

「然し雑種児で無かつたら、まだ〱何んなに好かんべい」

「ハヽヽ、爺さん、雑種児だアから、餘計有り難へぢやねえか……」

何とか倘も言はんとした惡作は忽ち、何事をか思ひ浮べたやうに、

「雑種児ッてぞ、櫻子様は最う歸んなすつただらうか、大の男が二人もついてるだアから、眞坂迷子にも成んなさるめえが……」

と、遽に案ぜ顏、爺も。

「左様だ……」

と、急に案ぢ出して、

「兎に角早く歸つて見べい」

其後は無言で、言ひ合したやうに足を早めて窓洩る火影の最も大きな家を指して歩んだ。

理想郷

其五

宇田川文海

稍々間隔てゝ三棟ある中の最も近き、窓洩る燈火明るき庭口へ廻つた爺と惠作。

「オヽ、お母さん、お爺さんと、兄さんが………」

黄高い聲に言ひも敢ず、釣洋燈手にして迎へに出たのは、惠作の妹で有う、年齢は十六か七か、色こそやゝ黒けれ、眼鼻立のはつきりとした、兄にも優つて怜悧さうな容貌、クルクルと無造作に束ねた束髪に、擬ひ手ルの、改良服仕立の筒袖着た姿が、如何にも活潑に、そして受くるしく[illegible]るので

「櫻子[illegible]んかす[illegible]夕飯後[illegible]りにでも行つたのか、[illegible]かねゑ、爺は直ぐに、[illegible]眼と言ふ名はかりの[illegible]へ[illegible]つゝ、缺つ網より爺一に夾を開くのでやかす

「オヽ、お爺んなさい、未だ歸らつしやらんので、今もお光と話して居たとこなんですがね……お前さんか、惠作でもちよつくら、山の小口迄でも見て來て上げなされた好い、幾度道に迷つて、困つてござらんもやありますめへか」

眼鏡越しに、メリヤスの襯衣らしいものを綴つて居た、五十位の老女が、眼鏡を外し乍ら、いと心配顔に言ふので、爺に續いて上つて來た惠作は、其儘へ座りも敢ず

「おやお母ァ、乃公一走り見て來るだァ、今日は姉さんは大分草臥れてるだァから、お光、お前少し姉さんの肩でも打つたげナ」

言ふより早く、早くもお光が氣を利かして點した角燈手にするが否や、トツカハ表の方へ驅け出した。

今迄針仕事する母の前に、手造りらしい頑丈なお机を置いて、女子用文の稽古でもして居たのか、小野鶯堂輩の夫が擴げてあつたのを、

お光は其儘片傍へ押しやつて、

「お父さん然うなませう」

此間も燒いたのか、素焼の不恰好な火鉢の前へ、ドツカリ胡坐を組んで、煙刻みの煙草を、左も旨さうに鉈豆煙管で、スパリスパリと喫ふて居た爺は、早やくも後背へ廻つて肩へかけたお光の手を、振り拂ふやうに押し退けて

「ウンにや、今日はもう好いだァ、櫻子樣方が今頃、道にでも迷つて困つてゞも居なさらうもんなら、乃公が何うして、呑氣に肩を揉んで貰へるものだやねだ。櫻子樣は、東京の人等ァ言ふまでも無い事大川樣の御夫婦でせへ、おげへ大切にしてなさる人だァもの、まあ此地の辨天樣だァナハヽ、、イヤ笑ひ事ちやねね、全く何うさつしやつたか、まさか天狗に攫はれもおさるめへが……」

頻りに首打ち傾つて居るのを氣の毒と思つたか娘のお光は、

「左樣お事與逆ねねお母さん、夫にお一人ぢや無し、泉さんも渡邊さんも御一所だから……大丈夫でせうよ、今に兄さんが屹度連立つて歸んなさるでせう、ねねお母さん、夫よか妾御湯でも冷めない樣に拵つけときませう」

言ひつゝ甲斐々々しくお光が立つて間もなく、遽くに聞ゆる夥しい人の足音、

理想郷

其六

宇田川文海

「何だッ……」

「何でせう、今頃？」

惠作とお光の親ある作兵衛夫婦は、緘ねて聞いた事の無い多勢の足音に、暫時身体を堅くし、顔見合せて居るので有つたが、此時お光は逸早く驅け上つて來て、

「何でせう、新京の方から多勢見ねましたよ」

「新京の方から……、ウム」

とそかり作兵衛は、其儘、草履突かけるもそこ〳〵、戸外へと飛び出すので有つたが、此時逸早く衆に挺出て驅け來つた若者は、

「ア、苦しかつた」

胸撫で下しホッと一時に大きな息して、

「ヤ、作兵衛君か、今晩は」

言ひつゝ家の中を急說くやうにして

「アノ櫻子さんは此處へお寄んなさりやしないかね」

「ア櫻子様でがつすか？」

作兵衛は始めて合點が行つたやうに、幾度か點頭いた、

「貴方がた、櫻子様の迎ひに來さつしやつたんだアね」

言ふ内に、彼の八九人、何れも年頃は廿歳から廿四五位迄の若者が、我勝に驅けて來て作兵衛と逸早く來た若者を取圍み、胸を撫で呼吸をはづませつゝも口々に、

「オイ君、松島君、櫻子さんは何うなすつたつて」

「君ア未だ聞かないのか」

「作兵衛さんは知らないのか」

「作兵衛さんは知らないのかイ」

作兵衛はあまり周圍から責め立てられるので呆氣に取れて却て言葉が出ないのである。

此若者等はそも何者か。

彼等は言ふ迄もなく、日本、否、一時世界各國にまで、亞米利加發見の當時と同樣、其瘋外なる發見を驚ろかした此新日本、即ち大川喜三を中心とせる、日本の社會に對する不平分子が、一團体を造つて海上を宇宙號なる彼等團体の一汽船に乘込み、遠く南洋へ廻航の途に、圖らず發見、否天より與へられたる我が本國の四國を小にしたる位の面積を有せる此新日本の住民で、漁業に、農業に、工業に、夫々己が持場を定めて働らき、平和な、樂しい、不平旨借を知らぬ、島民千餘を一大家庭としたる、曾ては彼等が寒炎の中に夢想せし、此理想社會……否、今正に理想社會に向つて進みつゝある此新土の一員である。

然らば彼等は今此處へ何しに來たので有らう？。夫が亦甚だ面白いのである。

彼等は此平和な一大家庭の中で、更に青年團なるものを設けて、青年間の教育を盛んにし德行を磨き、最も活動に簡便なるの方法をとつて、此小社會、非常な貢獻を成しつゝあるのであるが、その彼等の多くが、否殆んど全体が櫻子孃に敬服して、例へを嘗数徒がマリヤに對する如き信仰……愛敬の念を持つて居ることである。

處が今日櫻子孃は、同じ青年團中の一人なる泉濟一と、測量師の渡邊健吉の兩人と共に、敷島山の探險……と云ふ程でも無いが、現に角此島中では最も高い、日本の富士山とも稱すべき敷島山へ登つたのであるが、彼等の青年の多くは少しも其事を知らなかつた。

處が午後四時、即ち島民悉くが其一日の業務を終る可き定刻が來つて間もなく、意外の事件が出來した。

理想郷

其七

宇田川文海

意外の事件とは何ぞ。夫は此新日本の同胞一同が、希望に充ち滿ちた樂しい中に、只一つの心配の種で有つた、此島の爲には尤も功勞ある滊船宇宙號が、日本に渡航して、もう今日は歸るか、明日は着くかと、一同が首さし延べて待つて居る折しもあれ、近年の珍らしい暴風雨があつて、今日で殆んど十余日、それぞと思ふ煙の影さへ見えぬので、島民一同心痛の極、最早や其功勞ある船体と共に、多數の親愛すべき同胞も、あはれ海底の藻屑と化したので有らうと、斷念絶望して居る今日、圖らずも船体乘組員共に、些かの恙も無く歸着つた上に、新來の移民の外、途で救ふた難破船の乘客船員等迄をも滿載して、黑烟漲らせ意氣揚々と入港したので、此新日本の首都たる新京の同胞は、手の舞ひ足の蹈む所を知らぬまで、其幸運を祝すと共に、取敢ず歡迎の宴を開かんと、夫々手分けして其準備をしたのであつたが、扨て愈よ開宴と成ると 此島の女王とも言ふ可き櫻子孃の姿が見えないので、第一に青年團員は非常なる恐慌?を來した、そして我勝に此島の總裁とも言ふ可き大川晉三を取卷いて其行衛を聞くと、急に思ひ立つて敷島山へ、開墾經園建設地の視察として、渡邊泉の兩人と共に運動ながら行つたとの事に、言ひ合したやうに何れも泉の幸福を羨むと同時に婦人の登山の何とのう道の程も案ぜられ其姿の見えぬ間は、折角の歡びの席も興淺く思はれるので、同志十人ぞかり申し合せ月夜を幸ひ、此處までは僅かに二里餘の道なれど、急に思ひ立て、席を外し遁へにとてに來たのである。

周圍から、餘りに口八釜しく囃立てられるので、作兵衛は却つて呆氣に取られ、暫時口を開き得なかつたのであつたが、宇宙號歸來の一始一什を聞いて、始めて少し氣が落付いた

「へ、ア、左樣でがすか、ハア、宇宙號が歸つて來たゞアね、斯んな目出度事ァありましねえナ、之もみな、神樣のお助けだんべい」

眞に感謝の色を顯はすのであつたが、青年等は目出たくて堪まらない、

「オイ作兵衛さん 櫻子さんは如何成すつたんだつてな」

「朝は此家へ寄つて行かれたんだらう」

「左樣でがァすよ、夫で……」

作兵衛が何をか言ひかけて居る後背から、

「ア、櫻子樣はね、未だお歸んなさらないので今兄さんが見に參りましたの、案じて……」

喧々囂々、鶯鳥の聲比べにも似たる中に鶴の一聲、お光は父の挨拶をしたのであつた。

「ヤ、光ちやんか、今晩は」

知る者は聲かけて挨拶し、他の者も一時口を結んで、野咲の菊花にも似たるお光に視線を集めた、彼女も女性、女子に通有の一種の麗力は備えて居る。

「ねねお爺さん、皆樣も態々御迎へにいらしつたんだから、手分けしてお探ししたらどうでせう、あまり遲いんですものねえ」

「左樣だ贊成ッ」

誰やら一人が叫ぶ間もなく、一同聲を同ふして、

「ヒヤ〳〵」

「贊成〳〵」

「爺さん、何處から登るんだへ」

「山の小口まで案内して呉れ給へ」

何れも血氣盛りの面白半分、夜の敷島山に分け入らんとするのである。

理想郷

其八　　宇田川文海

渡邊洞雲師と別れて後、沖遙かに煤煙を認めた櫻子と泉清一の兩人は、是れ必ず宇宙號の夫ならんと、待ちに待ち、案じに案じた反助の悦びに、男氣頓に百倍して、一刻も早く新京の埠頭に、亡しと思ひし人々を歡迎せんものと、道無き道を辿りつゝ、木の根に躓き、岩石に足辷らせ、名も知らぬ鳥の啼聲に驚かされ、丈けにも餘る大蛇に道遮られて肝を消しなど、樣々の障害を互に相扶け相排しつゝ、龍を差して急ぐのであつたが、何うしたものか、行けども〳〵益々奧深く迷ひ入るばかり、目的の場所へとても出ぬのである。

「何うしたんでせう、困りましたね」

「此樣筈は無いんだが、何うしたんでせう、方角は是で西北へ向つて降りてるんだから間違ふ筈は無いんですがね、段々日は暮れるし、僕は少しも構はないけど、貴女嘸お勞れでしたらう、僕が全く不注意でしたよ、始め登つて來た通りに降りれば好かつたのを、抑而捷道をしやうと思つたばかりに、貴女にまで斯んな御難儀を掛けて濟まんです」

など語りつゝ、勵ましつしながら、男氣を皷して、向は一生懸命に急ぐのであつたが、其中に日は西の、海洋遙かの地平線上に沒して了つて、甚さへ陰鬱蒼たる森林の、落葉枯枝の山なす奥へと進入り込んで了つた。

無限の上古に此土が形造られて以來、野獸さへ通つたとも思はれぬ程の木の下道、殊に夜の幕は追々に、會釋もなう下つて來る今、如何に氣丈と言つても流石に女性の櫻子は、

「漸々奥へ行く樣ですね、來がけにやア大層好い道でしたが……まあ眞個に如何したんでせう」

「僕の罪です、何とも申譯がありません、何とかして此森さへ通り拔けれゞ……」

泉清一は、暮れぬ内にと櫻子を助けて、只管に急ぐので有つたが、疎らの樹木蔭薄き溪間へ出た頃には、世は既に夜の舞臺に代つて、月影が微かに行手を照して居るのであつた。勞れに勞れた兩人は、初めてホッと吐息を吐いて顔見合せ、暫時は言葉も無く、遙かに聞ゆる異鳥の聲に耳を澄して居るのであつたが、やゝ精神が靜まると同時に、言ひ合せたやうに空腹を覺えた。

「是から何うしませう、僕ア非常に腹が空いたですが、貴女は？」

「妾も今遽かに覺えましたの、斯う成つちやア、もう何うするたつて仕方がありませんから、お腹でも拵へてから、ゆる〳〵道を考へて、夜通しにでも歸らうぢやありませんか」

「左樣です……夫れより仕方が無いです僕一

人なら此まゝ露宿しても平氣ですけど貴女は……何うしても不可ですなア……矢張り歸るより他は無いです、此地は日本などから見ると餘程暑い國ですから、先刻のやうな蛇だとか何だとか、熱帶地方に居るやうなものが居るのですから」

「ほんに左樣ですね、あれが一番困りますね、でもあまり猛獸は居ませんから、夫丈けは安心ですけど……」

低き話聲もこだまに響く物靜かさ。此時泉は

「ヤ、失敗つたッ」

不意に絶叫したので、櫻子は喫驚、二步三步あとずさりをしたのである。

理想郷

其十

宇田川文海

峯の梢を渡る猿の聲も無く、自然の風景を謳ふ虫の音も聞えず、只、溪流の岩に碎くる調べのみ、靜かに耳底に響く他は、折ふし思ひ出したやうな夜嵐が、近き芭蕉林を脅づるゝのみ、天か地か、今こそ彼れ無邊無際果も無く限りも知らぬ宇宙てふ觀念を、初めてしみ〴〵と覺えた櫻子と泉と兩人。

仰げば十三夜の月影は、一点の雲も無く皎々と冴ね渡つて下、兩人の失望を慰さむるが如く輝き、俯せば滔々たる水の流れは、この嬪客を慰めんとか、益々妙なる調を奏す。

「アヽ、靜かで何とも言へない」

詩趣に富める櫻子孃は、今此の離ひ難き神境を去る事の甚だ惜しく我知らず洩るゝ嘆聲。

「エヽト西北……溪を渡つて向ふへ出て、あの林を下へ向つて横切る……中々大變だ、困つたなア、其樣なら言つて此處で夜明しする事も出來ず……」

櫻子は自然に對しての嘆聲、泉は正に向はんとする方針に困つての嘆聲。

「篝火は無し、何處迄行けると言ふ目的も無いんですから、ぢやア寧そ、此上勞れて倒れるより、此處で夜明ししませうか」

櫻子は、飢と、勞れと、自然の景色に引止められるのと、泉の嘆聲とに依て、終に此處で徹夜するの決心をした。

「此處で夜明し、實に有り難いです、實際僕一人なら、無鐵砲にでも歩いて見ますけど、御婦人の貴女を左樣な事して、此上お困らせ申す事は實に忍びんですからなア、夫に漸々夜は更けるし、其方が却つて安全です、幸ひ此處は場所も丁度好いですから」

喜び勇んで甲斐〴〵しう靴を外し、身仕度を解いた泉。

「兎に角火を焚きませう、萬一野獸でも襲ふ樣な事が有つても不可ないし、夫に更けると寒いですからなア」

言ふより早く後の林へ分け入つて、暫時が程に山なす枯枝を持運んだ。

程よき所に對して陣取つた兩人。

やがて櫻子が擦る燐寸の一閃は、忽ち炎々と燃ね上つて、一時に秋の神仙に、春の曉をかゝげたやうな光景を呈した。

「是で何だか氣が落付いたやうですね」

「イヤ、何うも實際酷い眼に御合せしました、僕の不注意から、何とも申譯が無いです」

「またあんな事を、貴君が不注意だからと云ふ譯じやありません、貴君が不注意なら矢張り妾も不注意なんですもの、もう左樣な事は仰しやらずに置いて下さい」

「イヤ是は失敬しました、つい思つてると口に出るんで……」

「夫は左樣と渡邊さんは何う成すつたでせうねね、矢張り妾方のやうに、お迷ひ成さらなかつたでせうか」

「サア、何とも知れないですね、然し迷つても好いでさア、渡邊君は」

「何故です」

「ダツテ、僕等の分迄も兵糧を持つて行つた上に、干飯か何か常に用意して居ますからね、あの男は」

「ホヽ、兵糧でをほんとに……」

「ハヽヽ、是も一つの話の種です、何うです貴女少し其草の上へ、僕の上衣を敷きますから……お心惡いかも知れないけど、些と横にお成んなすつたら如何です」

甲斐〴〵しう上衣を脱がんとするのを櫻子は押し止め

「イヽエ何うして、夫には及びません、貴君こそ少しお寢て下さい、妾が何にも來ないやうに番をして居ますから」

「ハヽ、僕の言ふ事を先へ仰しやつた、ぢやア此うしませうか、兎に角眠くある迄、此靜かな別世界で、何か懷舊談でもしやうぢやありませんか」

「ホヽヽ、夫が好いでせう」

此深山をも、我書齋にでも居るかのやうに考へて居る大膽さ「お母さん、アレ毛虫が……」と叫んで逃げ廻る乙女と幾何の差ぞ。

理想郷

宇田川文海

其十一

踏み迷ひし月澄む深山の溪谷に、焚火を圍んで相對せし櫻子と泉青年。

「斯うして、斯様な山の中で、焚火にあたつて居る處なんかは、丁度劇でする山賊のやうですね、然し山賊にしては、あまりに貴女が氣高すぎるから、、」

泉は快活な高笑ひするのであつたが、夫が遠くこだまに響いて、惡魔が冷笑つてゞも居るかのやうに聞ゐる。

「ホヽヽ、大變ですね、夫は兎に角、何か面白いお話でも聞かして下さいナ」

「面白い話つて、僕には別に面白い經歴も無いですが……」

女神の前に審問を受けて、犯せし罪の數々を、今更悔ひてゞも居るかのやうに、畏まつて、頻りに頭を掻いて居る泉。櫻子は嫣然と微笑んで、

「まや貴君は、何う言ふ關係から大川様と御懇意に御成んなすつて、此方へ御越しに成つたのでムいます」

泉はポンと膝を叩いて、

「夫れ〳〵、まだ申し上げませんでしたがね、是に就ちやア大變可笑しな話があるんです」

積み尽した枯枝に燃ゐつゐた焚が、パツと四邊を紅ひに染めるのを、心地好げに見廻した泉は、やがて憤懣の情に堪ねぬ如く口を開いて

「今から云へば丁度一昨年、僕が廿四の秋でした、全体僕の生れは豊前の小倉で、親父は其昔は名字帶刀を許されて居た、今で云ふ藩の御用達のやうなもので、數年前迄は、まだ家倉もそつくり昔のまゝ殘つて居たですが……七年前に親父が死に、引續いて翌年母も親父の跡を追ふて苔の下へ眠つてからは、僕の爲には後にも先にも只一人の兄弟の兄が、酒は呑む、色狂ひはする、花は引く、加之に相場に手を出して、小倉の町で五本の指に數ゐられた財産も二三年の間に殘らず、イヤ其上に、まだ僕の爲に親父が分けて置て呉れた財産迄も殘らず無くなして了つたのです」

「夫はまあお氣の毒ナ、そして其頃はお兄様と御一所にお住居でしたか」

「イヤ、其頃には、僕はもう東京へ出て居つたです、と云ふのは、何と櫻子さん、兄貴も餘り幾酷ぢやありませんか、其頃丁度七ヶ月の姙娠の妻、僕の爲には嫂を追出して、素性の知れない莫連女を入家れたのです、で僕が見るに見兼ねて色々と忠告をしたのですが、馬耳東風で少しも聞入れない所が、却て其女と二人で僕を厄介者扱ひにするもんですから、僕は非常に不愉快を感ゐて遊學と云ふ事にして東京へ出たのです」

「尤も其頃は、まだ僕の財産はちやんとして有たから、別に兄貴の厄介に成るではなし、出京すると間もなく高等學校へ這入つたです、そして僕は行く〳〵法科大學を卒業して、洋行をするの決心で居つたのです」

此まで滔々と一氣に述べ來つた泉は、急に悔ゆるが如き色を浮べて、聲も少し澱み

「然し今から思へば僕は慚愧に堪ゐないです、決して兄貴の攻擊は出來ないのです、櫻子さんお恥かしいですが、僕も矢張り多數の學生の失に洩れないで、惡友の爲に強いて引張られて寄席這入りしたのが抑もの始め、親譲太夫の尻を追廻はる位ならまだしも、比較的金が自由になる所から、折ふし自分で後悔する事があつても、友達が打捨つて置かず、到頭僅かの間に落第の卒業證を取る位にまで成つたのです」

「まア大變な卒業證書ですね」

「ヘヽヽヽイヤ、餘計お話が長く成りました、そして僕は終に學校から退校を命せられる迄に至つたのですが、夫でも僕はまだ中々眼が醒めなかつたのです、そして尚々天下晴れて仕たい三昧の放蕩をして居つたのですが、やがて間も無く自然の刑罰が僕の頭上に降つたのです」

語る人も、聞く人も、熱心に、口を動かし、耳を傾けて居るのである。

理想郷

其十二

宇田川文海

夜は益々更けて、泉が物語は愈よ佳境に入るのである。されど櫻子も身の深山にあるてふ事をも打忘れて、

「して、自然の刑罰と仰しやるのは」

「夫が即ち先刻申した兄貴の失敗です、で夫迄と言ふものは、僕の資産を保管して居る兄貴自身が手を着けて居るものですから、僕が手紙さへ出せば、大して纏まつた金高で無い以上は、直ぐに送つて來て異れたので、先に申すやうな放蕩をもし、イヤ、出來たのですが、兄貴が失敗に失敗を重ねて、夜逃同樣現在の弟の僕にも知らせず、何處へか姿を隱して後は、忽ち鐚一文も無い、憐れな身の上に成つたのです」

「オヤ〳〵まあ」

「夫から貴女據無いから、夫迄に色々世話をして遣つた友人の厄介に成つて、暫くはゴロ〳〵して下宿や廻りをして居たですが、愈々僕が收入の無い身体に成つたと云ふ事を知つての後は、昨日迄の親友は忽ち行路の他人にも優つた冷淡な態度を取るやうに成つたのみならず……實にその……女なんて白奴も……

……」

不圖口滑らして、大に慌て

「イヤ何、女でも、貴女や、此島に居る人は、そんな事ア無論無いですが」

「ホヽヽ、大層御辯解成さいますね」

「イヱ全くその……何です……夫は兎に角其樣な工合で、終に、怨恨と忿怒と失望との中に餓死するやうな始末に成つたのです……夫でも貫坂食はずにも居られず、それに、今更追付かないながらも前非を悔悟する念が勃然と起つて、假令如何樣な苦學をするとも、何でも已れの希望を達して、人情の紙よりも薄い奴等を、一番見返してやらなければと、其後は、自分から言ふのは誠に可笑しいですが、生れ變つたやうな人間と成つたのです、そして、朝は牛乳配達、夜は馴れない足を引擦つて、車夫をしました」

「まあ、左樣で厶んすか、夫から」

「夫から貴女、何分にも馴れない仕事で、殊に搬物は食はないし、やつとの事で晝間丈け明治大學へ通ふのが漸う位の苦しみの中に、惡い時には惡いもので到當脚氣をやりましてね、木賃宿の二階で」

「まあお困んなすつたでせうね」

「夫からの困難と言ふものは、實にお話に成らんです、夫に露西亞と戰爭は始まるし、世の中は益々不景氣にある……實に思ひ出しても身慄ひがするです」

「左樣でしてせうね」

「其時に、今北嶋の中央倉庫の取締して居る西川安藏……あのデップリ肥つた」

「エヽ〳〵動の好い方でせう」

「あの男がその、車を貸す家の親方だつたのです、本所の相生町に居ましてね、で、われが亦大變俠心の有る男で、僕が病[illegible]りで、垢だらけの襤褸浴衣一枚着たまゝ、下宿屋を追出されて途方に暮れて居るのを見兼て、引取て非常に親切に世話をして異れたのです」

「まあ、感心な方ですねヱ」

「ですから僕の爲には、彼の男は恩人です……夫でまあ追々身体も癒く成つたものですから、せめては米代丈けでも儲けてと思つて、亦夜々車を挽き始めたのですが、夫から丁度一週間目の夜の十二時頃、下谷から築地まで乘せたお客が大川樣で有つたのです、で道々人通りは無し、夫に僕の風が根からの車夫らしくも無いので、大川樣が色々の事を聞かれるので、僕が有りの儘を答へると、夫は氣の毒だ、夫では一つ乃公と一所に別世界へ行く氣は無いかつて云ふ事から、段々此地の話を成さるのを聞いた時の僕の悦び、僕は實に最う日本の不平等な社會に飽き〳〵して居つたですからねヱ」

熱心に語る泉は、最前から、櫻子が、耳は熱心に傾けつゝも、其眼が屢々、彼方に突出した岩の根に注がれるのを氣にして居たのであつたが、談の終りまで待ちかねてか、

「貴女最前から何を御覽です」

と、突然と聞くのであつた、

理想郷

其十三

宇田川文海

何を御覧ですと泉に聞かれて、櫻子はいと氣の毒な面持しながら、

「イエ何ね、一寸彼方に光る物が見ねますので……お話は一生懸命伺つとりますよ」

「光る物、何んなものです、一つですか二つですか、亦例の大蛇の、眼玉ぢやァありませんか」


言ふより早く、今迄の探險談の續きは何處へやら、早くも立上つて、用意のピストルを取出すので
「一つですの、そんな物ぢや無いやうです」

「何れです、と、何處に……あ、彼れですか、眞に、何でせう、馬鹿に綺麗な光りがありますね」

言ひ終らぬ中に早くも驅け出した泉は、やがて笑顔れんばかりの面持して歸り來り、

「櫻子さん萬歳、實に非常なものです、金剛石のやうです」

と、差出す一塊の石、磨かざれど充分の光こそは無けれ、實に金剛石の、然も類ひ稀なる見事な大塊。

「まあ全く金剛石ですね、知何したんでせう」

「此間も洗濯屋の滝井君が、朝日将へ上る道で、可成なのを拾ひましたからね、此地には澤山あると見ねますね、然し何にしても是丈け美事なのは、實に我々の想像にも及ばない程の絶品です、恐らく世界一でせう、貴女の爲に、イヤ、此島、新日本の爲めにも實に萬歳を祝すべしです」

「是も全く道に迷つたお蔭ですね」

「ハヽヽヽ、左樣です、若し之が此國で無かつたら、差詰め半額は僕が頂戴すると云ふ樣な譯ですかねハヽヽ」

「ホヽヽ全く、イエ半分處か、貴君のものですツホヽヽ」

「眞珠島、或は珊瑚島などは是迄に聞いて居ますが、金剛石國と云ふのはまだ始めてゞせう、まだ〳〵他にも澤山あるに違ひ無いです、僕は之から少し探して見ませう」

泉は空腹をも忘れて、月明りに四邊の岩根砂地を、光るものやあると、眼を皿の如くにして尋ねはじめた。

「ホヽヽ遖かに大變な御熱心ですね、せて探がさうと思つちや、さう急には見付かりますまい、ホヽヽヽ」

「ハヽヽイヤ、人間てエ者は全く慾の動物ですからね、然し僕等の今日の慾は、日本……ばかりでは無い、世界各國總ての富豪や貴族が、己れ獨り樂しみ、已れ一人滿足しやうと云ふやうなのとは譯が違つて、此新國の同胞一同が、同じやうに利益の分配して、同じやうに樂しみたいと言ふ、共同的の慾から出づるのですからなァ、同じ慾でも慾の種類が違ひますよ」

「ホヽヽ夫は左樣です、全体人間に階級など云ふものが有る筈が無いんですからね」

など語り合ひつゝ、櫻子も立つて面白半分近きあたりを見廻して居る折柄、突然耳を貫く砲聲一發。

理想郷

其十四

宇田川文海

「何でせう」

「鐵砲……短銃のやうでしたね」

「今頃斯んな山奥に人が居るあんて何うしたんでせうネ」

「サア、何だか鬼は角怪しいです……何にしても貴女は御婦人の事ですから、暫くあの岩陰へ隠れて下さい、僕は命にかけても、貴女の御身体は保護します」

「ナーに、好うムんすよ」

斯かる際にも向微笑含みつゝ、ビクともせぬ度胸の据つた櫻子を、泉は無理に岩蔭へ連れ行き、己れも手早く短銃片手に、何者なりともござんなれと言ひたげの面持鋭く、ヤヽとも身構へて、暫時様子を窺ふのであつた。が、音は始めの一發をかぎりで、天地は亦以前の寂寞に歸つて、夜風の梢を拂ふ音さへも、暫時途絶ねて居るので、

「何でせうね、然し確かに短銃か何かのやうな音でしたね」

「左様です、確かに左様です、何者でせう」

言ひつゝ溝へて居た泉は急にカラ〳〵と打笑つて、

「へゝゝ、全体森は無人島で、我々が來て始めて人間の種が蒔かれたのだから、短銃など打つ人間は他には居ない筈です、だから、若し今の音が確かに短銃で有たとすれば、乾度我々の同胞の中です」

「左様ですね、夫より他に、まさか此奥山に夫程過渉した人間が住んで居やうとは思はれませんものね」

など語り合つて居る折しも、

「オーイ、——」

渓を隔てし芭蕉林の奥より響く、聲は正しく渡邊らしい

「オヤ、渡邊さんでせうか」

「左様らしいです、……オーイ——、渡邊君か——」

泉は其身体に似合しき、破鐘の如き聲して答へた。

「泉君か——」

言ふ聲はやゝ近寄つて來る。

「左様だ——、早く來給へ——」

道無き道を歩び足元の覺束なさにや、渡邊は暫寸擦つては散歩を進め、幾度か同じ事をくり返した後、漸く渓の向ふまで來た。

「何うも君が來やうとは思はなかつたよ」

泉は先づ聲かけて、二人共〳〵と櫻子共々迎へるので、

「予こそ、君等が斯様な所に居やうとは思はなかつた、全く意外だ、道に迷つたんですね、ナ櫻子さん、嘸お困りでしたらう」

言ひつゝ渡邊は、渓流を渡つて此方へ、幾度か辷りながら、漸うの事で着いで、數十年振りに兄弟の再會でもしたやうに、溢るゝばかりの嬉しげな笑を交すのであつたが、何やら白き、太やかな、そして長いものを重げに、太き腕もて肩にかけて居るので。

「君、其背中のものは何、何だね」

泉が問ふ間もなく、渡邊はドッサリと、夫を其場へ下した。

「オヤ、まあ、蛇ぢやありませんか」

「おや今し方君が打つたのは之か」

「夫でこそ、まあ何と云ふ珍らしい、真白ですね、凄いやうですね」

凡そ一丈もある可き白蛇、左眼を貫かれて脆くも呼吸絶ねて居るのである。

「君は蛇、我々の方には非常な獲物があるんだが夫よりも先づ、何より先に、君、食物があるなら、何でも好いから出して呉れ給へ、その上でゆる〳〵話す事にしやう」

理想郷

其十五

宇田川文海

邂逅ふて碌々言葉も交さぬ間に、早くも食物を請求する、泉の天眞爛熳たるに、櫻子は思はず吹出して、渡邊へ對しては氣の毒げに微笑ひのであつたが、渡邊は却つて大に恐縮の体
「イヤ、何うも失敬しましたよ、自分のを充分に持つて居る外に、貴君方の分まで何の氣もつかずに持つて行つて、實に濟まなかつたです」

言ひつゝ早速、肩に掛けし大鞄より、パン鑵詰などを取出して、兩人の前へ差出した。

「之ア何より有難い、サ、櫻子さん、食べやうぢやありませんか、腹が空つてちや話も出來ない、其癖今迄はもう到底仕方が無いとあきらめて居たから左程にも感じなかつたが、君の姿を見ると、遽に腹の蟲が騷ぎ出してね」

「ホヽヽまあ泉さんの仰しやりやう」

三人共、思はずドッと高笑ひ。

「イヤ君全くだよ、少し腹でも拵へながら、金剛石の話でもしやう、君は如何だね、少し食ひ給へナ」

三人が焚火を圍んでパンを噛る團欒の光景、實に繪にも畫かまほしく思はれる。

「一体君あの蛇は……ヤ、櫻子さん失敬です食事中に」

「イエ、ちつとも構ひませんよ」

「左樣ですか、何うして打つて、態々持つて來たんだね」

「アレかね、イヤ、如何も實に閉口したですよ」

「そして鑛穴は？」

「ハヽヽそう君の樣に一時に聞かれちや、話されないぢやないかハヽヽヽ夫よりか先づその、今君が言つた金剛石てェなア何うしたんです、一番價値のありさうな話だから夫から先へ聞かして下さい」

「ハヽヽ大きに夫も左樣だ……」

「然し何ですね、妾等も道に迷ひ、渡邊さんもお迷ひなつて、夫が亦此夜中に、斯んな處で、御目にかゝるなんて、隨分可笑しいぢやありませんか」

「全く、不思議と言はなければ成りません」

互に餘念もなく語り合つて居る折柄、何やら向の芒叢林にパチ〜〜異樣な音が聞ゆるのであつたが、やがて一條の煙が立上つたと思ふ間もなく音は益々激しく、煙は愈よ渦卷いて、三人が心づいて振り返つた頃には、ああ恐る可し、眞紅の焔は、早や防ぐに道なき迄に廣がつて、やがては林一面を、炎々たる舌もて舐め尽さんとして居るのであつた。

「ヤ、大變火事だッ」

「まあ如何したんでせう」

「予の來た道ですね、また燐寸の燃殘りからついたのでせう、ねえ君、泉君、もう防ぐ道は無いだらうか」

言ふ内にも、積り積つて乾き切つた落葉枯枝に燃え移る火足の早さ、忽ち天を焦すの勢とは成つた。

「もう駄目だ、仕方が無い」

「自然に任せるより仕方がありませんね」

「イヤ、何うも非常な失策をしたです、然し斯う成つた上は仕方が無いから……、此處に居るのは危險ですから、少しも早く立退きませう」

と、渡邊は甚か悄れて居る。

「何うかあの林丈にて消えて呉れたらよう厶んすがね」

「仕方が無い、逃げやう、もう腹も出來たし大丈夫だ、蛇なんか如何でも好いが、櫻子さん、金剛石をお落しに成らないやうに」

一夜語り明かす可き豫定の宿を跡に、炎々たる焔と月影に道を照され、左迄の苦痛もなく、溪に沿ふて麓へと急いだ三人は、やがて意外にも青年團員の迎への一行に出逢つたのである。

理想郷

其十六　　宇田川文海

曾ては無人なりし南洋の一孤嶋、今は敷島山頭高く日章旗の飜へる新日本の、其の中央の都なる、新京の山の手に、一際優れて大きい二階建の家がある。

室數は階上階下合せて二十ばかり、階下の重なる大きな室は、嶋廳とも言ふべき、此新日本の首腦に使用され、そして議事堂と定められた、階上の大廣室を除く外は、此島の大統領とも言ふ可き、總理大川堯三夫婦及び安藤櫻子嬢、其他此家に必要なる、給仕或は小間使とも言ふ可きもの丶、常座の住居と定められてゐる。

實は何も此様な不自由な事をしなくとも、島嶼は島嶼、住居は住居と、夫々に區別を立てる筈なのであるが、材木は如何に豐富であつても、木挽や大工が中々左様は手廻らぬ、日に／＼孜々として勵んで居るのではあるが、一時に左様完全には捗どらぬので、先づ當分、同居と言ふ様な始末。

一軒の中に大洋を見晴す、尤も眺めよき、二階の二室續きの中の、凡そ六疊敷ばかりの一室は、化粧室兼寢室、とも言ふべき、櫻子嬢の城廓である。

朝日影うらゝかに窓硝子を透ふして、卓上の薔薇の香、室内に充ち滿つるの時、疎製の寢臺に、安らかな夢貪つて居る櫻子嬢は不圖眼を覺した。

「オヤツー

まだ暁と思ひの外、太陽は容赦もなう枕邊まで差込んで居るので、我知らず叫びつ起き立り

「まあ大變な寢坊をして……もう何時だらう

薔薇の竝んだ時計を見るともう、十時。

呆れて我乍ら極り惡氣に、さと美くしい顔を赧めて、平常服に着替へ、髪撫で上げるもそこ／＼にトッカツ、手拭片手に立出るのであつたが、やがて十分ばかりして再び入り來り、此室の他の品に比べては、余程見事に大きい姿見の前に立ち、金色美はしい亂れた長髪を結び直すのであつた。

折柄愼ましい足音が聞え、やがて扉を靜かに開いて、湯氣立つ牛乳の洋盃を捧げて來たのは、十六七の、此島特色の、和洋折衷の改良服着た愛らしい乙女。

「オ、春さん、お早う……オホヽヽ、自分をかし早くて、もうお起きですわね、ま、何てエ寢坊をしたんでせう、今も一人で笑つてるんですよホヽ、能くも斯んなに寢られたもんですね」

慇懃とあらぬ恭しい了禮した乙女は、手に持つ牛乳の洋盃を卓子の上へ置いて、

「でも昨晩のお就眠が遲ふ御座いましたもの、まだお早い位で御座います、嘸お勞れなさいまして御座いませうねね」

「エ、道に迷つて、如何する事も出來なく成つたもんですから、もう野宿する決心で居たんですよ、すると貴女ね」

何も言葉を續けんとする折しも、年頃二十七八とも見ゆる、背のすらりとした、豐かな肉附の、一休にキリヽと締つた痩身の上品な婦人が、滿面に溢るゝ笑を湛ねて優やかに這入て來た。

夫れと見るより、

「オ、夫人　今迄寢坊して居たんですよ、ホヽ」

櫻子も婦人に劣らぬ笑顔いそ／＼と、卓子の前の椅子を進めるのであつた。

理想郷　宇田川文海

其十七

「嘸、お疲れでしよせうね、もつとお寝ていらつしやれば好御座んすのに」

発開にすゝめられて椅子に着いたのは、此新日本の總理大川魏三が妻の英子である。

一体此新日本には、總ての人ある者に階級が無い、上は總理の大川魏三から、下は農夫漁夫の子供に至る迄、然かも人爲的の隔てが無いのである、自由平等は此新天地の基礎と成つて居るのである、されど人々互に人權を重んじて、掃除する者も肥汲む者も、あらゆる職業の上に、上下の區別が無いのみならず、凡ての人が業に從ふのに、私利とか私慾とか又、衣食の爲に職務的に勞働すると言ふやうな觀念が微塵も無い、否、各人比しく得意の業を勵むと云ふの、義務は即ち職務あれど、夫は私人と云ふものを離れた、島民全体に對しての、社會的義務なのである。

と、先づ云つたやうな譯であるから、櫻子孃に仕へる乙女の春さんも、通常なら、差詰めお春とか何とか呼捨にせらるべき主從の如き關係ながら、此島にはさる階級は無くして、互に普通の友人と異ならぬのである。

「今も春さんに言つてた所なんですよ、彼ら疲れたからつて、あんまりね……夫でも隨分一時は困りましたよ、ホヽヽ」

「でも貴孃大變な御物がおわんなすつて」

「金剛石?、エヽ、あれ全くの金剛石でせうかね、あんまり大きいのでね、問題ぢや無いかと思ひますよ」

「イヱ眞物ださうですよ、今朝から皆で大騒ぎ……」

春さんは何時の間にか居なく成つた。

英子――相對した櫻子は、肉身の姉妹も啻ならぬと思ふ程親しげな態度で、失禮も口の中牛乳を飲むので有つたが、やがて不圖思ひ出したやうに、

「オヽ左様々々、昨夜はあんまり遲くつて、碌々伺ひもしませんでしたが、宇宙號で、珍らしいお客様が澤山見えたさうですね」

「エヽ、夫を御話しやうと思つて上つたんですがね、珍らしいも貴孃、米國の富豪が難破したのを、救けて來たんですもの」

「まや大勢でせうね」

「エヽ、手が廻らなくつて、大分見殺しにしたさうで人數は割合少ないんですけど、大變なお人があるんですよ」

「エ、大變なお人つて仰しやるのは?」

「ワヨヤ、ゴールドつてエ」

「エ、あの、米國の大金滿家?」

「左様です、あの八釜しい、有名いゴールドの父子……息子さんも一所なんです」

「まあ、左様ですか、夫はまあ大變なお珍客なんですね、充分にお款待をしなければ成りませんね」

「款待ばかりでなく、大に考へて居る事もあるんですがね……夫は左様と貴孃今日は御勞れでせうから學校へは……妾お正午までに、一度救難掛の方へ出たいと思んですが……」

「まや妾も御一所に御供しませう」

「でも貴孃朝御飯は?」

「もうついお雜飯ですもの、オホ……應接の四時で二度兼ねて頂きませう」

「ホヽ、乳召上つたんだから、夫も好いかも知れません、まや直ぐに參りませうか」

洋装の、裾も揃う、兩女は樂しげに相携へて、とりぐヽに咲き亂れた花園を通り拔け、街町でかり稱たつた、救難掛さして、靜かな歩みを運ぶのである。

理想郷

其十八

宇田川文海

彼女は尚も語りながら歩むので

「で何でせう、今度の便で來た人を合せると一寸二千餘りの人ですからねね、夫丈け總ての事業も捗どり、段々盛大にあるには違ひありませんけど、何うしても、今少しお金が無いと、是と言つて思ひ切つた事が出來ませんからね、夫で妾昨夜からもつ〳〵考へてるんですがね、ホヽヽ隨分勝手の好い話か知らないけど、ゴールドさんを如何かしてね、引入れたいと思ふんですよ、ホヽヽ、さうして滊船なんかももつと幾個買入て、内地との交通をモ少し便利にしてね、……今の樣に二艘やそこいらぢやあ仕方が無いぢやありませんか」

「ホヽ、旨くさう行けば、眞個に結構ですけどね」

「ホヽ、勝手な事ばかり、然し幾ら米國一番の富豪だつて、此處の世界程の樂しみは知りますまいからね、却つて功德かも知れませんよ、ホヽヽ」

「ホヽ、まあ大層な御氣焔ですことホヽヽ」

「オホヽヽヽ」

打興じて歩む間に、早や何時しか、彼棧に攝くろ〳〵、裁縫場と記された、粗末な建築作ら、洋風の廣やかな一構へに來た。

此裁縫場と言ふのは、其名の通り、只裁縫の目的のみを以て建築せられたもので、島民中の妙齡の處女は勿論、母たるの責任ある年若な妻君等が、日々定めの時間丈け出場して、島中の獨身者を始め殆んど總ての人の着るべき衣服の裁縫に從事する場所なのである。又尤も其中、家事の都合で來られぬ者やら、又遠方に住居ふ者やら、又他の職業につく者やら、種々の上から、此島中凡そ五百餘の婦女ある中で、日々缺かさず出動する者は、百二三十人より無いのである。

そして其の校長、否、仙長とも言ふべきは、大川の夫人英子で、其下に、部類に依て幾組かに分たれ、一組づゝに何れも一二人老練者が、教師の役を勤めて居るのである。

今日の社會は年一年に婦女の需用が多く成つて、或は工場に、或は會社に、歳々其數を増し行くのであるが、之等は資本家が男子よりは少しでも給料の安價なるより必要に驅られて、男子を廢し婦人を求むるより來る結果であつて、社會の大勢より言へば決して悦ぶ可き現象では無いのである、夫で婦人自身も、生活上の困難より止むなく些少の賃銀を得やうとて我勝に職を求むるのであるから、資本家と勞働者の間が、如何しても暖かい譯には往かない、從つて底知れぬ冷たい結果が仕事の上にも顯はれて居るが、此裁縫場は實に夫とは反對である、和氣藹々たる暖かい空氣は場の内外に充ち〳〵て、何れも一寸の隙もなく熱心にそれ〳〵分擔の裁縫に從事して居るのである、夫も其筈、彼等は唯一人の爲に働らくのでは無くして、大なる一家族の爲に、義務と思はぬ義務を盡して居るのであるから今迄も餘念なく手先を働かし居たる彼等は、今しも常に尤も尊敬する大川夫人と、女師と仰ぐ櫻子嬢の入り來る姿を見て、比しく其手を止めて敬禮した。

理想郷

其十九

宇田川文海

「まあ奇麗な織物ですね、何てエ物でせう」

裁ち場の教師とも見ゆる、四十近い一人の婦人が、木綿、更紗、絹、羅紗等山と積み上げた中にも一際勝れて華美な模様ものを、裁ち庖丁の手元も軽う裁つて居る前に立つた英子夫人は、櫻子を振り返つて言ふのであつたが、櫻子が答へぬ間に傍の年嵩い其婦人は直ぐと口を挟んだ。

「是はね、戦勝織とか言つて、日本ぢや今大流行なんださうで厶いますよ、今朝宇宙號から荷上げするのを待つて、持つて参りましたのですよ、何とまあ好い柄じや厶いませんか、差詰めまあ第一番に櫻子さんに召して頂くんで厶いますね、何んなに好ムんせう」

立板に水の流るゝ如き辯舌。

「全く美くしいものですね、幾ら大隅さん方が御自慢をなすつても、新日本ぢや、まだ見ても随分は那な器用な事は出来ませんわね—」

「ホヽ夫でも今に[illegible]を御覧なすつて、今にもつと上等のを拵へて見せるなんて、力んでいらつしやいましたよ、ホヽヽヽ」

「ホヽヽヽ」

男子服、女子服、シヤツ、股引等、種々に分れた粗々を、心を込めて見廻つた英子夫人と櫻子嬢は、時も早や正午に近づいたので、相携へて門外へと歸途についた。

折柄彼方より、顔一面に天然痘の跡ある、三十路あまりの婦人が、手に小さき鞄を携へて、スタ〜と来るのに行き逢つた、彼は吉川藤枝と云ふ産婆である。

「オ、夫人、櫻子さんもお揃ひで裁縫場へいらつしやいましたの」

只さへ異様な面相を顰して、ニコ〜とお世辞よく言ふ。

「オヤ藤枝さん、大層お急がしさうですね、何方へ?」

「エ、私?、今歸りですの、夫人生れましたよ、可愛い男の子が、あの木挽の安さん家のお紋さんに」

「エツ、お紋さんに、男のお子が、まあ、そして、親子とも異状はありませんか」

「エヽ、ピン〜して、子供なんかも踊り出しさうです」

「夫人、是から一寸寄つて見ませうか、御見舞ながら……」

櫻子嬢は、英子夫人に囁くのである。

「ハ、参りませう、何うでせうね藤枝さん、今、まだ産婦に逢つちやァ不可ますまいね」

「左様ですね、まだ暫く……然しもう大分時間も經ちましたから、夫に馬鹿に元氣の好い方ですから、一寸位ね」

斯くて左右に分れた。

櫻子は我事のやうに喜悦〜して、

「妾が、此土地へ参つてから、もう大方足掛三年……滿二年程にも成りますが、まだ一人も死んだ人はありませんのに、たゞ一人は、今度でエート……十三人目ですね」

「左様成りますかね、全く時候中り位で寝る人はありますが、大病と云ふ程の者も起らないのは、全く神様の御恵みと云はなければ成りませんね、ホヽヽ、夫に貴嬢どうしても、皆が無理な働らきをしないで、そして食物は随分……日本なんかに比べると上等ですからね」

「エヽ〜、夫は空氣はよし、第一食べると云ふ事に心配がありませんもの」

「左様ですとも、食べる事や着る物の心配程人の体に毒なものはありませんからね」

両女はしみ〜と語るのであつた。

理想郷

其二十

宇田川文海

何れも、六畳と四畳半と三畳ばかりの、勝手元等總て都合よく建てられた、日本風の長屋の中の一軒には、今しも何か事ありげに、何れ手も口も八丁らしい内儀達が、頻りに出入して居る。

これが今しがた、吉川産婆の話して居た、木挽安藏の家なのである。出入の内儀達が、お目出度〳〵でオメ〳〵して居る所へ、這入て來たのは英子夫人と櫻子孃である。

「オヤまあ夫人、櫻子さんも御一所に、よく御見舞下さいました」

「サ、何うか、ずつと御通りあすつて」

「貴女ね、可愛い男の子さんでね、クリ〳〵肥つてるんで御座いますよ」

口々に囂ましう囀する。

「サ、今藤枝さんに伺ひましてね、不取敢御悦びに上つたので厶いますよ、そしてお母子とも」

「エヽ〳〵、お秋さんも、大層お元気で御座いますよ、サ、何うぞ御通んあすつて」

兩女は會釋して奥の六疊へと通るのであつた。枕高く、横臥して居る産婦お秋は、年頃二十七八の、大兵な醜い女である。

「オヤ、まあ態々御越し下さいまして、何うも有り難う存じます」

起上らうとするのを強て止め、

「その儘でいらつしやい、血が上ると不可ません、男のお子さんださうで、……オヤまあ何と云ふ可愛い、櫻子さん、如何です、此可愛い事は」

錦金巾の柔らかい衣に纏はれた愛らしい嬰兒を抱上て、英子夫人は我知ず接吻するので。

「此地へ参つたるからに御隣様で、充分に養生はさせて頂きますし、明日の事に追はれると云ふ心配は御座いませず、皆様が斯うして御親切に御世話下さる事を思ひますと、全く勿体ないやうで御座います」

産婦のお秋はしみ〴〵と感謝するのである。

「ホヽ、夫ア御身、人は御互の事ですもの、躰が悪い時や何かに、充分の養生も出來ないやうな、そんな不自由な世の中ぢや仕様がありません、ホヽヽ、兎に角御氣長にね、ゆつくり御養生なさいましよ」

「ちよい〳〵伺ひますからね、御用は御遠慮なく仰しやつて頂戴ね」

長座は却つて身の爲に悪しかる可しと、英子夫人と櫻子孃は、そこ〳〵に挨拶して、長屋の内儀達にも、此上の注意を頼みなどしつゝ、我住居へと立歸るのであつた。

跡見送つた内儀達は、其姿が見えずなると共に、口々に取沙汰。

「然しあのお二人程、好く何も彼もお揃ひなすつた方は、恐らくありますまいね」

「全くね……」

「妾の考へぢや、夫人と櫻子さんとは、全く行き方が違ふワ」

「如何して……？」

「だつて左様ぢやありませんか、夫人の方は、まあ一寸見ても、何處となく威があつて、斯う何だか一寸馴れ〳〵しく出來ないやうな、言ふに言はれない尊いとこがあるやうで、櫻子さんは、何だか只可愛い美くしい、繪にある天の御使みたやうな氣がするもの」

此適當な批評は、一同をして大きに尤もと、幾度か點頭かせたのであつた。否、單に此内儀達ばかりでは無い、兩女に對する島民全体、何も彼か感じて居るのである。

理想郷

其二十一

宇田川文海

新日本の大都會なる新京は、丁度日本の東京に似たやうな土地の位置、只相違は、東京は一線百里武藏野の原にあれども、此方は近く鳩島山を控へて、遠く後方に山脈を負ふて居る丈け夫れ丈け、天然の風景も亦自然に面白い

島民全數は未だ漸う、此度上陸の移民を數へて二千餘、戸數は僅々四百餘りなれど、將來の大都會を期して居る大川は、模範的の市街を造らんとの考へから、未だ總ての建築は間に合せの疎雜なから、往來の廣さから、大建築物の位置等、夫々非常な注意を以て設計られてある。

そして大川は住來僅も花木を愛するの人であるので、心を込めて地質の研究より、培養法に至るまで熱心にこの三年間力を盡した結果は、新京は名のみの寒村に比しる戸數まばらな此土地にも、今は至る所花ならぬはなく、其色香めでたき花が、何れも和氣靄々たる人々の面と對照して、殆んど天國の觀がある、そして島民中漁業に、農事に、牧畜に、便利上離れた住居をなす者の外は、今は殆んど此新京の住民であるが、彼等は實に一家の如く些の隔てもなく親しい交際をなすのである。

そして、妻あり子あり、自ら好んで自炊をなす者の外は、食事は總て公食堂なる大建築物があつて、何れも其處に至つて、自由に食する事に成つて居るので、今しも庭前お紋を見舞つた英子夫人櫻子嬢の兩人も、時分なれを、歸路公食堂へ立寄つて、それ〴〵に晝餐を済ませて一先づ我家へと立歸つた。

さて此新日本の人民は、小兒、病者、癈疾者等の外何人も普通の體力を備へた者は、何れも各々好む所の業に從ふべき義務のある事は、前回にも既に述べた通りであるが、英子夫人が救護院の院長たるが如く、櫻子は亦、三十人ばかりの、幼稚園の園長と成つて居るので、晝餐後一旦歸宅して後、直ちに引返して、我が受持の愛らしい幼兒を見んため、幼稚園行の支度をなしつゝある際、側の春さんは先刻に、手に一封の書面と小包やうのものを携へて入り來り、

「あの只今是が……宇宙號で參つたのださうで……」

と、櫻子に手渡して尚、

「そして、大川さんが先刻お出でに成りまして、今夜移民……今度宇宙號で見えた方々と夫から、離船なすつた方々の歡迎會を、公食堂で開く事に成つて居ますから、其おつもりで六時に御出席下さるやうにとの御言傳で御座いました」

「歡迎會?、昨夜もう成すつたんぢやありませんの?」

「イエ、あれはほんの内輪さかりで御座いますの、今夜のは本式ださうで……」

「ホヽ、中々六つかしいんですね、承知致しました」

春さんが立去ると同時に、先づ封書の差出人の名前を見て、踏らんなから嬉しげに、櫻子は、幾度か封切る間も焦しの思ひながら、やがて取出す文なす一卷を一字一句味はふやうに讀みもて行く其顔色は、或は眉を顰め、或は微笑み、樣々に變化するのであつたが、やがて中程に至りて、

「アツ……」

と叫びざま、思はず手に持つ文を取落した。

理想郷　　宇田川文海

其二十二

、櫻子孃を恍むしめ、又驚かしめたる手紙の主はそも誰ぞや。

彼は、櫻子孃が、故郷大坂にありし當時、否、恐らくは今も尙ほ心の奥深く秘め居る戀の主なる、牧師北岡保時の妹で、現時は、日露戰爭の當時名譽の負傷して、遂に歸らぬ客と成つた小橋貫一の未亡人なる妙子である。

二ヶ月に一回位の便船に、毎も缺かさず、妙子と櫻子は書信の往復をして、互に暖かき交情を通はして居るのであつたが、櫻子は分けても、彼女の音信を待兼ねた、と、言ふのは事々しう言ふ迄も無い事、夢あらでは、其名をさへ口にせざる戀人の、便り聞きたいが、彼女の、何不自由なき現在の唯一つの樂しみなので。

其樂しみとする書面に今しも接して、櫻子はあせ聽ろいたのであらうか、

……、妾は今如何なる文字を用ゐて、此悲しき思ひを表はし侍らんか、噫、愛姉よ、只一人の兄、妾が胸中を察し給ひてよと言ふの他、妾は多くを申上ぐるの勇氣これなく候、そは、何事ぞ、噫、

妾が只一人の、天にも地にも替へ難き只一人の妾が兄の保時は、一昨夜即ち日曜日の演說中突然脳出血にて打倒れ、八方手當を盡せしも甲斐なく、昨夜遂に、噫、遂に歸らぬ人となりて、神のみ召しに應ゐ侍り……

如何に氣丈の櫻子孃とて、此一節を讀んで、如何して靜かに居られやう、あまりの意外に彼女はもしや我眼の過りかと、やゝあわてゝ恐る／＼再び取上げてくり返し讀むのであつたが、一旦墨跡鮮やかに記された文字が、さう瞬間に變りさうな筈がない。

何だか几で虛、夢のやうな、殺ら腦出血だつて、あの先生が、お逝去に成らうとは……

何うしても思はれぬ、あのお優しい、あの凛々しい、あの御親切な、男らしい先生が……

櫻子は暫時只夫丈けを口の中にくり返して、あらぬ此手紙が、此儘消ゑて了つたならと、茫然と、見詰めるのであつた。

が夫も束の間、忽ち其鈴やかな眼眦に露りを帶びて、やがて時雨るゝ涙の露。

折柄廊下に人の足音が聞ゐて、やがて入り來るのは英子夫人。

「オホヽヽお樂しみで厶いますね、妾も故郷からと、東京に居るお友達から、手紙を貰ひましたの」

相も變らぬ優しい笑を浮べて、ニコやかに這入つて來た夫人は、單ならぬ櫻子の樣子に、眉を顰めて、進み寄り、

「オヤ、何か御變んなすつた事でも、おわんなさるんぢやありませんか」

手早く淚押し拭ふて殊更に笑を浮べた櫻子は

「イーエ、何……別に大した事ぢや御座いませんけど……一寸懇意だつた方が……あのよく御話し致しました牧師さんが、腦出血で、急に御永眠遊ばしたさうですので、何だか夢の樣に思はれるんで御座います」

ホツと吐息して、今更のやうに、しみ／＼亦手紙を見直すのである。

「オヤまあ、あの―、北岡さんとか仰しやるの……まあ、左樣ですか、夫は／＼、實際に人間樣果敢ない者はありませんからね、此樣な事を饒舌つてる御互だつて、何日何時どんな事が無いとも限りませんものね、然し其方は大層豪い方ださうですが、全く惜しい事でしたね、如何に壽命とは言ひ乍らね」

言ふ内にも、益々沈み行く櫻子の顏色を不審氣に見て居た夫人は、何と思ふてか氣を更て

「オヤ、小包も參りましたね」

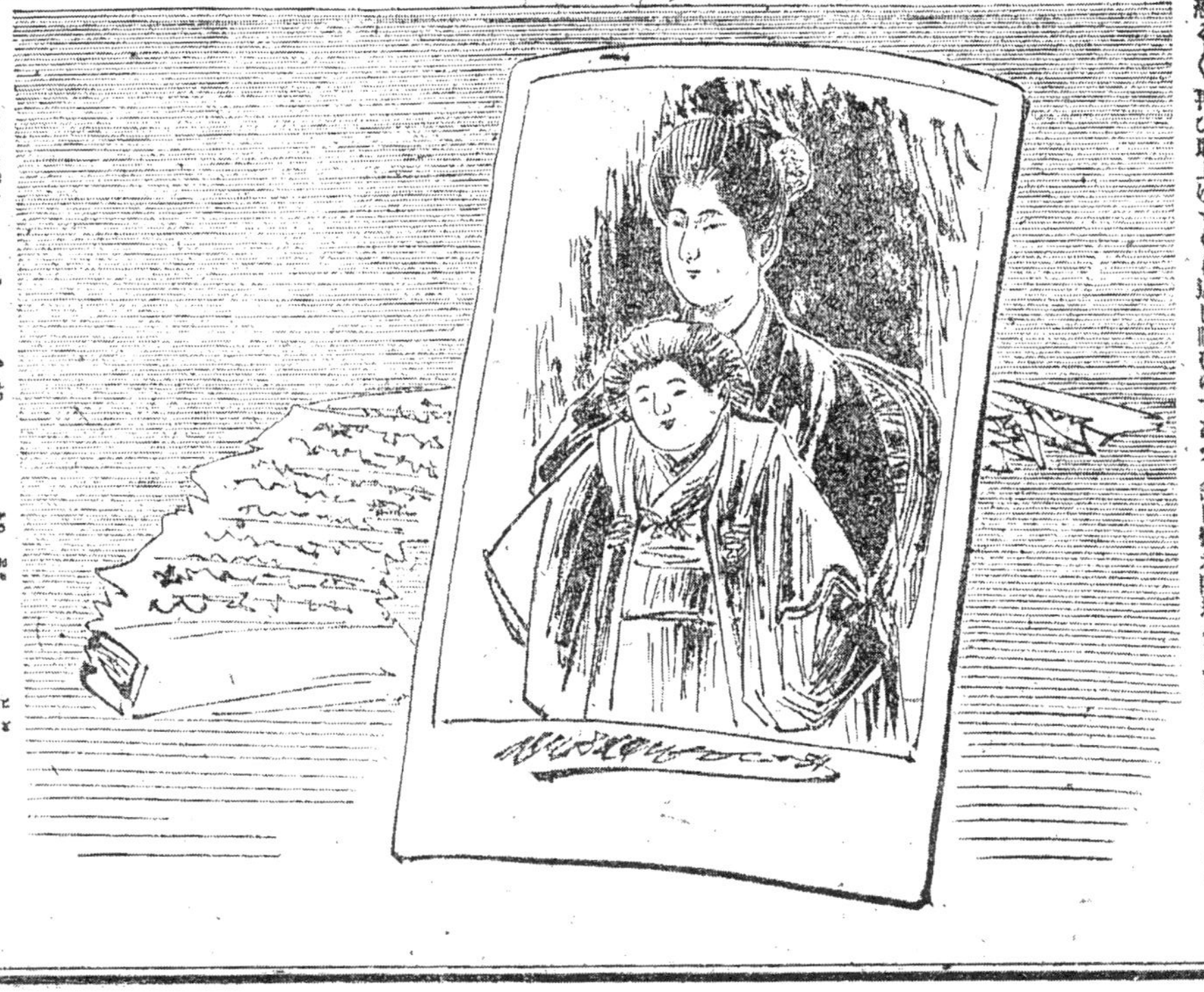

理想郷

其二十三

宇田川文海

額て悲しい思ひを包んで、淋しう微笑みながら小包を解いた櫻子孃。

出づるは何、小さき箱入のもの一つと、寫眞二葉、一葉は、丸髷姿の優やかな妙子が、其人の遺身なる一子貫次郎を抱いて撮したもの、今一葉は、せめてもの紀念に……と其書した、二三年も前に撮したかと思はるゝ北岡牧師のそれ。

「オヤ、まあ……」

櫻子孃は英子夫人の傍にゐる事も打忘れて、思はず掻き抱くやうに取上げてしみ〲と見入るのであつたが、忽ち心づいてそと顔うち赧め、極り悪げに、妙子の夫をも取上げて、同ぢやうに懐かし氣に見るのであつた。

「其方が妙子さんと仰しやるんですね」

慧眼なる夫人は、孃の様子を何と見たかは知らねど、殊更に何氣なく装ふて居る。

「ハ……先達而から八釜しく頼んでやつたもんですから」

「まあ何てまア可愛い方でせう、まだお若う御座んすね、オヤ、そしてこれが坊ちやん、まあ可愛いこと」

手に取上げて可愛氣に見やり居たる眼を轉じて、

「其方は……？」

孃の手にする他のを指す

「これ、あの、お亡くなんなすつた、北岡先生……」

何故か孃は顫へて居る。

「此方ですか、立派な方ですね……まあ何てゑ……」

貴公子の如き、フロックコートの半身像、夫人は孃の怪しい様子を、決して無理ならぬ事と點頭いたのである。

得も言はれぬ、胸の思ひの數々を紛らさんとてか、孃は手早く小箱の蓋を取除けて、何やらん眞白の絹糸織の美はしいものを取出した。夫人は逸早く見て、

「オヤまあ美くしい、何でせう、肩掛のやうですね、あ、矢張り左様です、横に戦勝紀念肩掛としてありますもの、今、流行んでせうね、美くしいこと」

日露の戦爭は言ふ迄もなく我國の大勝利と成つて、目出度終結を告げたのである。されど所謂戦捷の日本に於ては、日清役後のそれに比しては、國民一般に余程愼重の態度をとつては居れど、何と言ふても世界の強大國を見ん事打破つた名譽の誇りは、包まんとし、押へんとすれど、自然に小兒の眉宇にまで顯はれ、此上は平和の戦爭にも打勝たではと、新聞雑誌には勿論のこと、筆に口に、心ある人の唱道は、意氣天を衝く國民を刺激して、生産工業は見る〲増大する有様、随つて人々は知らず〲驕りに傾き、製作品は益々精巧を極めるので、現在今此肩掛の如きも、戦爭以前には見ても見ることを得なかつた程の、見事なものである。

兩女は暫時が程、肩掛について、又寫眞について、いろ〲と語つて居るのであつたが、やがて春さんが大川の命をうけて迎へに来たので、英子夫人は立去つた。

跡に櫻子は、ヂツと寫眞を眼より放さず、無限の感慨に打たれるのであつたが、突然時計が一時を報ずるのに驚ろいて、涙を納めて立上り、我受持の幼稚園へ行かんものと身構ひして、不圖窓外をのぞくと同時に、忽ち釘付にでもせられた如く、ぢつと身動きもせぬのであつた。

理想鄕

其二十四

宇田川文海

櫻子孃は何を見て驚ろいたのか。今しも窓外の往來を、樂しげに語り合ひつゝ、靜かに通る五人連の人がある。一人は此新日本の總理なる大川魏三、今一人は大川の秘書官とも謂ふ可き何內證三とて、二十七八の、明治大學の卒業生にて、八字髯薄くハイカラ風に蓄へた男、今一人は此四邊、否、此島には見馴れぬ、三十路あまりの、金縁眼鏡に金時計、男に不似合な程しなやかな指に、二つまで光るもの嵌めた大ハイカラ、余の二人は、六十路位かとも見ゆる老人と、三十二三の、何れも異人種、多分今朝英子夫人の語つて居た、難船者中の一人なる、米國の大富豪ゴールドの父子で有うと察しられる。

と言ふ丈けなら別に不思議は無いのであるが、其ゴールドの子息らしい若紳士の風采が、戀心の迷ひか櫻子孃の眼には、何うしても、戀人の、今は此世の人ならぬ、北岡牧師に爪二つ、もしやと疑はれる程好く似て居る事もあるのである。

あまりの不思議に櫻子は、我にもあらず、夢の如く、茫然と其後姿を見詰めて居るのであつたが、此時彼の若紳士は、西邊の景を眺めんとして、偶然にも孃の立つ窓に及び、驚ろく如ら意外の眼光と、暫時は、何と思つてか、得放さなかつたのである。

夫と同時に孃はサツと顏うち赧め、急ぎ其姿を隱して、心の中に、あの方が幾度ゴールドさんに遊びないが、まあ如何してあゝお姿が似ましていらつしやるのか、お顏はどうしてもお違ひなさるけど、夫にしても、何とのう、何處やらが、まるで先生を見るやうな……」

彼の若紳士と云ふよりは、北岡牧師の上にのみ思ひを馳せて居る孃、最初より到底叶はぬ戀とは知りつゝも、まて思ひ切れぬが此道の常、相見る事さへ叶はぬ他鄕の人と成つての後も、朝に夜半に、心の空虛に乘ぢて、彼女を樂しましめ、亦苦しめるのは、常に牧師の面影なのであつた程の切なる思ひが、今突然にも永眠の報に接した事故、其心緒の千々に亂れて、さるあるもので心理的の作用で其人と見ゆるも無理が無い上、殊に此若紳士は、孃が若しやと疑ひし如く、全く北岡牧師そのまゝの風采であるので、尙且孃の心を動かしたのである。

さりながら、如何に戀の爲に、小さき胸のから亂されたりとは言へ、夫が爲に己れの職務を忘れる程の不忠實で無い孃は、暫時の間に、其悲哀に充てる面に勉めて平和の色を湛ね、已が監督の幼稚園へと急いで、平常の如く、天使の如き愛らしい子供等を相手に、數時間の慰藉を得て、再び我室へ歸つた時には、一時激動した心も多少は休まり、癡の如き腦もやゝ回復したのであつた。

其處へ春さんは這入て來た。

「先刻も申し上げたんですが、亦大川樣が……あの今夜の歡迎會は、從來のと違つて、珍らしいお客樣があるんですから、服なども何うか其のつもりで……と仰しやつてゞ御座いました」

斯かる日には食事さへも欲しからず、殊に多くの人々に初對面の挨拶などする事は、櫻子孃の身に取つては、此上もない苦痛であるが、然し、夫は言はゞ只己れ一人の勝手で、夫が爲に他の人の感情を些かでも害ふ樣の事があつては、人には更に角第一己れの心に對しても濟まぬ譯と、孃は進まぬ氣を無理に引立て、身仕度美はしう調へて、白海換欄に雪をかけたる如き薄絹の二重服に着替へつ、女神の如き品格と美はしさに、更に一段の花を添へて、六時少し前に公食堂へと行つた。

理想郷

其二十五

宇田川文海

既にも述べたる如く、まだ發見されてから四年に滿たぬ此新日本の事なれど、建築の美は到底望む可きにあらず、只假に、廣大な丈けを取柄に、設けられてある公食堂、時間を定めて交代する數十の男女が、今日は午後より料理の仕度に急がはしく、事ありげに立働らいて居る。

五時過ぎからは、何れも樂しげに打連れて續々と入り來り、男女合せて千もあるかと思はるゝばかり、廣い公食堂の大廣間の、疎末な卓子の前についた。

斯く打揃つた一同をズッと見渡して、只一つの異樣に目につくものは、如何なる人の顏色を見ても、何れも活々として、希望に充ち滿ち、そして心から樂しげな樣が溢れて見ゆる一事である、是が若し内地か何かの集會で有つたならば、表面には樂しげな色を裝ふても、或は相場に失敗した人も有う、或は商賣に損をした人も有う、或はこの宴會を利用して、上長官に取入らんとか、何とか彼とか、失望やら野心やら、種々雜多の卑しい想ひを抱いて竝んで居るのであるから、自然に其顏色に平和の色が無くて殺風景である、けれども今夜の如きは、否今夜のみならず、平常でも、此島民の如く、常に平和に充ち滿ちた人種は、恐らく未だ世界中にあるまい。實に見る丈けでも心地が好い。

大凡人々が滿堂の席を占めたと思ふ頃、櫻子孃は入り來り、何處へ席を占めんかと、英子夫人を探しかた〴〵、徐かに廊下を歩んで居ると、不意に

「や、櫻子さん」

と詞かける者がある、驚ろいて振り返ると、フロックコートに、見事に肥滿せる躯幹を包んだ總理大川魏三なので、莞爾笑つて立止つた。

「多分御承知だらうと思ふですが、あの米國のゴールド父子が、今夜の珍客に成つて居ますから、其お心算で、何れ皆へ御紹介します」

「左樣な御話で……、難破船の方は皆樣で何人ばかりお出で御座いますか」

「皆で五十人足らずです、三百人から乘つて居たさうですが、跡はみな、何うも手廻らなかつたさうです」

「まあ、御氣の毒な……」

「で、一寸貴孃に御願ひして置きたいのは、何うか、ゴールド父子を中心にした、向ふの卓子の接待掛とでも言つたやうに、貴孃は彼處で御會食が願ひたいですが……」

「へ、何處でゞも……」

語つて居る處へ、英子夫人が出て來た。

「オヤ櫻子さん、先刻からお探し申して居たんですよ……オ、貴夫、初めに御演説なさいますか」

「ウム、初めは河内君にでも一寸挨拶して貰つて、予は後にしやう、そして英さん、御身は新移民の方へ注意して下さい、難船者の方は櫻子さんに限るから……」

「へ、夫が宜しう御座いませう」

と、英子夫人は立去つた。

大川は、櫻子孃を振り返り見て、

「おや櫻子さん、兎にも角にも先へ御紹介して置きませうか」

已れ先に立つて、打竝んだ人々の間を通り拔け、彼方の一圏をさして行く。

其跡から、傍の人々に優しい笑もて挨拶しながら、女神の天降つたやうな、氣高く美はしい櫻子孃が隨いて行くのを、人々は亦、今更のやうに恍惚と見惚れて居る。

「實に天使だなあ」

「同じ人間でも、お廣さんのやうな娘もあるし、あんな亦、人間でね樣な美くしい人もあるしさ、全く人は色々だなア」

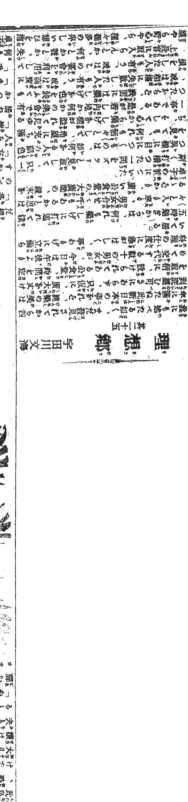

彼方此方から、いろ〳〵の辭が聞かれる

理想郷

其二十六

宇田川文海

總理大川は櫻子嬢を伴ふて、今宵の歡迎會中の賓客たる、ゴールド父子の着席し居る卓子へと進み、豫て其噂かしてゐつたものか、いと簡短に紹介するのであつた。

此卓子には、ゴールド父子の外、其通辯なる田近進と曾へる金ヅクメのハイカラと、米國と英國の商人が三人と、露國の軍人らしいのが二人と、其通辯らしい日本人と、瑞西人が一人と、大川の秘書官の河合澄三と、醫學士の横山芳樹と、其夫人とが、相對して席を占めて居る。

また其他に三つばかり、硝燈の椅子が空席を示し顔に並んで居る。

單さへ異様の此食堂、道具から装飾から、殆んど見る可きものなき、殺風景極まる此食堂、只千に近き人々が、野蠻人のそれの如く喧噪を極めず、何れも秩序整然と、歐米紳士の集會の如き、無形の美を顯はして居る丈けが取柄と、今一つはさして華美なるものはあらねど、兎に角皆が一定の服裝をして居る事の外、これぞと眼につく美人もなく、何とのう沙漠の如き觀ある賓客の一行の眼には、今しも大川に導かれて、徐々顯はれたる櫻子嬢の姿が、實に綠地とも、天使とも、譬へ樣なき美感と快感を與へたのであつた。

中にも、米國の大富豪なるブロンソン、ゴールドの子息、ベンヂャミン、ゴールドは、日本風の挨拶では物足らぬ思ひがするのか、自ら立つて、嬢に握手の禮を求め、他人の眼にも餘る程、恍惚と其の美はしさに見惚れて居るのであつた。

夫も其筈、彼女の父は露國の貴族中でも殊に美男子の聞え高かりしキャリール公爵、母は、京は祇園に才色並ぶ者なかりし歌妓の富士子、其間に生れた愛の塊なる櫻子が、父母の優れた處のみを受けた美はしさは、希臘古代の美人も斯くぞはと思はるゝ程、艶麗にして氣高いのであるから、此殺風景なる沙漠の如き新發見の地に於て見る事は、實に彼等の夢にも思ひがけぬ事なのである。

就中若紳士のゴールドは、故國英國の交際社會に、雲霞の如き多くの美人が、美と艶ひ粹を爭ふて、我こそ彼君の愛を獨占し、同ま(?)艶爭仲間の美人は勿論、世界各國の婦人に羨まれるの幸福を得んものと、あらゆる魔力を盡しても、木か石か、但しは多く貯蓄してゐる金の精でゞもあるのか、今迄曾て優しい笑顔さへ見せた事も無い程の、金滿家の子息としては當世に珍らしい變り者、父なるゴールドも凡そ此世に何一つまゝならぬもの無き滿足の境遇でありながら、只これのみが一つの苦痛、假令如何程素性賤しき者にもせよ、只一人の子寶ある悴さへ愛があらむ、嫁と呼んで、一日も早く孫の顔を見たいが唯一つの最後の希望、何とかして、悴の氣に入る嬢は無いかと、美人の本場なる佛國から、英國、獨逸、露西亞の諸大國を始めとして、歐米各國殆んど至らぬ隈なき旅行も、只夫のみの目的で、遂には我子乍らあまりの無情漢と腹立しく成る程であつたが、日露開戰の結果、世界の強國たる月桂冠を得し日の出の日本は、豫てより美術と美人に富める由を聞いて居たので、世界の誇なる其の山水の美景を見物かた〳〵、戰捷國の狀態を見、且つは萬一にも子息の眼にとまる程の美人があるまいとも限らねど、自ら進んで日本漫遊と出掛けたのであつたが、山水の美、美術の粹は、他に比類なき意想外の滿足を與へたけれども、只一つの肝腎の目的たる、吾子の心をひく可き美人なき一事は、大に父なるゴールドの失望する處で、最早や斯くぞ世界中に、吾子の心を動かすべき婦人は無いもの、嗚、我が折角得たる巨萬の富も、悴一代に限る事かと、密かに嘆聲を洩らして居たのであつたが、圖らずも遭ひし暴風の不幸は、偶然にも此孤島に於て、其失望を歡喜に代ゆるの媒介ならんとは、實に神ならぬ身の、今迄も知らなかつたのであつた。

理想郷

其二十七　宇田川文海

ベンヂャミン、ゴールドが、提琴の美に打たれて、恍惚して居る間に、秘書官の河合猶三は立つて、賓客の席からは程近き場所に設けられてある演壇に登り、簡短に今宵の歓迎會の辭を述べた、そして拍手の中に壇を下ると、やがて、敢て山海の珍味と言ふにもあらねど、肉よりは比較的魚類を多く用ゐた立食の饗應。

酒類は三鞭の香りはなけれど、葡萄酒と、麦酒と日本酒の三種が飲み放題。やがて歓笑の聲が、霞の如く四方から湧き立ち、人々の頬が時ならぬ紅葉しる頃、總理大川は静かに已が席を離れて、彼の壇上へと歩みを運んだ。

と、見ると、拍手は忽ち、假普請の家根を突破らんばかりの勢で起る。

百花咲き亂れた大花瓶の前に立ち、水指の水を洋盃に移して、微笑ながら咽喉を濕はしたる大川は、やがて喝采の聲が遠く屋外に消ね去つた頃、一歩を進めて卓子の横手に豐かに立ち

「私は今不肖乍ら、此新日本の總理として、此度新たに移住さるゝ諸君、竝に、尤も幸福なるターク一號の遭難者諸君に一言申上げたいのであります」。

又もや起る拍手の聲に、一息して、

「此新日本は諸君も既に御承知の如く、三年以前に偶然にも發見したものでありまして、人口は未だ漸う二千、交通は元より不便あり、未だ生産工業と名く可き程のものは無論無いのみならず、建築さへ此通りの粗末の未開國で、ありますが、私は、此荒野の如き新開地には、世界各國に例の無い大なる生命のある事を誇るのであります。

イヤ此樣な事は今更私が喋々辯ずる迄も無く、新たに進んで移住せられた諸君は勿論、不幸暴風の爲に難船の災害に遭ひ乍らも、其難命のめでたくして、幸にも此疎末なる一堂の中に會せられた珍客方も、何れも疾くに御承知の事で有りませうから、今茲に事新らしく述べるの必要はありませんが、私は、今夜は、此世界中に尤も光榮ある處の、新日本國の同胞を代表して、新たに移住せられた諸君に對しては、何卒今日以後、新世界に生れ變つたと言ふの決心を以て、島民一同が公平に受くるの光榮に浴し、決して、一事一物大小となく、舊日本にある如き親子根生を有たれぬやう、大なる愛を以て家庭の一員と成つた御考で有つて戴きたい事と、今一つ難船の珍客方に對しては、未だ創開の不整頓亂雜、一として見る可きものなき小社會ながら、此新開自然の眞理に向つて實行しつゝある、小國の將來に御注目あつて、諸君が眞に是と認めらるゝの時來らば、即ち不束ながらも我々が、世界に誇るべき黄金世界を現出するの時機が來らば……否、實は、我々は今既に黄金世界と自ら致せ、世界に冠たる誇りをもつて居るのでありますが、物質的文明の進歩發達せる各國の諸君の眼からは、今日の我社會は、定めて見窄らしいとの御感もありませうから、私は敢て今直ちにとは言はない、數年の後諸君が再び來遊さるゝか、或は今後長足の進歩をなすべき此社會の、犠性物質開發の、稍完全に發達したる場合には、其事を知られたる場合には、何卒諸君自らが進つて、此全世界を黄金世界となすべき、御尽力を仰ぎたい、と云ふ此事丈けを、特に御願ひもして置きたいのであります、歓迎の辭としては甚だ不足不束な言葉でありますが、宴半ばに長演説は、却つて無けなしの興味を削ぐの恐れがありますから、只一言是丈けを申述べて置きます。

そして尚、賓客諸君に對して、朝夕美味佳肴に飽れられた諸君に對しては、甚だ御氣の毒あ、田舎料理を差上げて失禮ではありますが、然し乍ら此疎末な食物の中にも、島民全体の愛と勞働が籠つて居る處を御賞翫に預りたい、そして食後は別館の遊戯倶樂部に、餘興の催もありますから、何うかゆる〳〵、歓時間を無邪氣な子供に成つてお遊びが願ひたい……」

拍手喝采は天を破り、地を裂かんばかりの勢、斯くて大川總理は徐々と壇を下るのである。

理想郷

其二十八

宇田川文海

大川總理が悠然と壇を下り、賓客の卓子にある我席へ復した時、ジョン、ゴールドが何やら隣席の通辯に耳打すると、通辯は直ぐに大川に向つて、

「大川さん、ゴールドさんが、新日本國の萬歲を唱へたいと仰しやるですが……」

「結構、何うか」

茲に於て通辯田近は立つて、會衆に其旨を述べ、やがてゴールドの發音で、

「新日本國萬歲ー」

は、先の拍手にも彌增して、遠く本國の日本に迄も響くかとばかり三唱せられた。

すると露國の軍人は、泡立つ麥酒の洋盃を捧げて、總理大川の萬歲をも祝さんと言つたけれども、大川は、我一人の新日本に非らず、島民全体の所有なる此國に、假に總理の名あるとも、已がまし羈任の業をとるに、敢て上下の隔ても無ければ、今我一人の爲に萬歲の祝辭を受くるは聊か我主義にも反する次第と强て謝稱し、夫よりも諸君の爲にこそと、自ら發音して

「ダーク一族賓客諸君萬歲ー」

を、更に三唱した。

夫より飲む者、食ふ者、語る者、笑ふ者、歡聲耳に溢くが如く、主客何れも我を忘れて、時の移るのを知らなかつた。

此時櫻子孃は、餘興の事に就て打合すべき用事があつたので、そと談笑の席を外して、新移住者の間に愛嬌を振り撒いて居る、英子夫人の許へと立つた。

櫻子孃は、そと立つたつもりであつたが、然し人々は見逃しては居られぬ、現にベンヂャミン、ゴールドのみならず、年若き露國軍人など は、何處迄もと、眼を瞠うして見送つて居る。

「實に絶世の美人ですな、余も隨分歐米の美人は見たつもりだが、あの令孃のやうな美くしい方は、未だ曾て見た事が無い」

大川を顧みて聲低く囁いたのは通辯の田近。

小聲に夫と敎へられて、

「ヱ、あれが、あの我國の、ヂリール公爵閣下の令孃……」

呆れて暫時見合せた露國軍人の顔色には、やがて誇りの色が顯はれる。

「父上、中々美人ですね」

は、ベンヤヤミン、ゴールドが、父に向つて、生れて以來始めての言葉。

父なるゴールドは、早や我が最後の望み叶へりとまで悦びのあまり、逞ましい其顔も爲に頽れて了はんばかり。

其中に悠然と髯を捻りつゝ、人々の此樣を興ありげに見て居た大川は、我子の如く愛する、而も其死すべき命を救ふた櫻子孃が、斯く迄人々に賞されるのは、半ば我身を稱せらるゝ如く、心嬉しく亦多少誇りの氣味もあるので、曾て日本にある頃一面の識ある通辯の田近に、

「孃は此新日本の光りです」

左もあらんと、無言に態度か大きく點頭いた

田近は、やがて尤も聲をひそめて、

「變な事を聞きますが孃に愛人はありますか」

大川は怪訝の眉を寄せ、

「愛人、さあ如何だか、此島には無い樣ですが……」

夫聞て安心とかり、田近は又も獨り合點したやうに、

「愈よだ……」

と、呟く、

夫を大川は耳敏く聞つけて、

「何、何が愈よですか」

「イヤ、何、何れあとで委しく話します」

と、田近は眼交せ。

理想鄕

其二十九

宇田川文海

頓て櫻子孃は歸つて來た、人々の顏色は更に輝くばかりに返つた。其中に只一人沈み込んで居る人がある、夫は誰かと言ふに、醫學士横山芳樹の夫人である、夫人は實は今日迄、櫻子孃の美といふ事は充分に認めて居つたので有つたが、世界各國の而も上流の人々が、斯く迄感嘆する程の美人とも思はなかつた、否、夫人自身は、雜種兒では無いが、純粹の日本婦人としては、實に上の部に位するの美人で、而も性質の所謂日本的の女らしい、生意氣な女學生上りのやうな風の無い、夫人としては實に、完全な人物で、人も許し、又自らもさうと許して、敢て櫻子孃に劣るとは思はなかつた、現に多數の競爭者に打勝つて、漸う横山學士が妻と呼ぶを得るやうに成つた程の婦人であるから、今此場に、晴れの席で、衆目悉く櫻子孃の身にのみ集り、遂には、我夫さへ我身ある事を忘れて居るかの如き樣を見ては、根が嫉妬心多き婦人の常として、何うしても、夫を快よく、已れも共に衷心から賞揚する程の度量が無い。

で、やがて食事を終つた人々が、我も我もと遊戯倶樂部へ出で行くのを見ると、禁へ堪へて居た胸を押へ切れずして、密に良人の學士の袖を引き、

「お先へ失禮して參りませうか」

と、小聲。

「でも先へ立つのは失敬だや」

金縁の眼鏡越しに見返つた學士は、莞爾やかに、之も小聲に答へるのであつたが、間もなく同時に夫人は柳の眉を顰めて、

「妾、何だか頭痛がして、吐氣がするんですもの」

言はれて、流石に學士は最愛の妻の言葉を斥けかね、夫ではとばかり立上るのであつた。

此時、此公食堂に隣つた遊戯倶樂部から、樂器でも初まつて居るのか、ドッと笑ふ人々の聲が聞えたので、まだ居殘つて居た人は勿論、今迄只櫻子孃の美に醉ひ、其笑に己れなるものを忘れて、殆んど、暫時は無我の境にありしが如き、賓客の一群も、冷えたコーヒー碗を見捨てゝ、

「倶樂部へお供しませう」

との大川の言葉に、從ふ事と成つた。

倶樂部と只一言に云へど、見事な建築を想像すれど、前回にも度々述べた通りの今日の場合これも公食堂同樣の至つて粗末な代りに、驚くばかり廣大の建物、圍碁、將棊、玉突を初め、あらゆる遊戯の準備は、常に人待顏に供へられてゐる上、落語、演劇、其他演說等にも便宜の爲め、數百人を容るゝの大廣間に、緞帳劇場などでは見られぬ、大きな舞臺も出來て居る。

公食堂を出た人々は、或は玉突を、或は歌留多を或は何をと思ひ／＼目的の室へと行くのであつたが、大川の伴ふた賓客の一行は、遊ぶと言ふよりは寧ろ人々の無邪氣な遊戯の樣を見る可く、一室毎に數分間づゝ止まつて、其樣子を見廻るのであつた。

只一つ可笑しいのは、少し離れて建てられた茶室へ案內せられた外人の一行が、四疊半の小さな座敷に、竝をされた時の窮屈らしい顏色、今宵を晴れと濟まし込んだ手前の、横山醫士、令妹絹子が、あまりの可笑さに堪え得で、思はずプッと吹出ざるを得なかつたやうな始末。

されば外人の面々は、何れもこれでは兎ても健康が續かぬと、互に顏見合せ、最前から笑止さま、面白半分無理に包んで、平氣に濟まして居る大川へ眼もて頻りに憐れみを乞ふた。

夫で大川も止むなく中途で一行を救ひ出し、今度は例の大廣間へと案內した、茲は尤も外人の興味を殿ぐる所で、今しも丁度三味太皷の賑やかな囃し最中、斯くて彼等の一行が席に着くと、一人の若者が壇上に顯はれて、

「今夜は來賓諸君の爲に、特に櫻子孃がヴァイオリンの獨奏を下さるさうですから……」

拍手は又も割るゝばかり、やがて此由が夫から夫へと傳はつて、他の遊戯室にある者も殘らず詰かけると言ふ始末、彌滿立錐の餘地なく、入り得ぬ人は窓外に、首の山を築て居る

理想郷

其三十

宇田川文海

櫻子嬢が、賓客諸君の為に、特にヴアイチヤの獨奏を成すとの事を聞いた外人一行の悦び、別けてもベンヤヤミン、ゴールドは、他人には勿論、父なるゴールドの眼にさへ餘る程の喜悦。

割るゝばかりの喝采の中に、静々壇に上つた櫻子嬢、公衆に向つて優しい一禮を施して後、譜本に對して、静かにヴアイチヤンを肩にするのであつたが、此瞬間に彼女は、利き刃もて其柔らかい乳の邊りを、突立てらるゝやうな感がした。

夫は何ぞ。記憶善き讀者は必ず點頭き給ふで有う、嬢がまだ大坂の北濱に、資産豊かなる安藤家の女主人公として、男優りの乳母の手に、浮世の荒き波風に當らで暮して居る折柄、端なくも日露の戰爭は開かれて、凡そ此世に尤も優しいもの、一つなる、露といふ字も音で露と讀めば、忽ち不倶戴天の仇敵と成り、随つて萬の憎しみを受くるやうな時節と成り、随つて露人の胤なる櫻子嬢は、同じ日本の同胞なる母の血を分け乍らも、敵同様に扱はれ、殊に止むなくも出演した音楽會の席上で、散々公衆の嘲罵を受け、悲しさのあまり我にもあらず卒倒した其夜、嗚、其夜、死ぬにも優る苦痛の中に、計らず一点の光明ある、戀てふものを知り初めた嬉しさ悲しさ、最初より遂げぬ戀とは好う知りつゝも、扨思ひ切れぬが此道の習ひ。煩悶痛苦のかず〳〵を味はふ中、尚もつれある浮世の嵐に弄されて、遂に断然身を投げるに至つたのを、図らず大川に救はれて、今では此島の明星とまで仰がるゝに至つたが、一旦呼吸絶ねし身も、再び蘇甦と共に再び其心に宿るので、せめてもの心遣りに、其安否丈けなりとも知るを樂しみにして、三年来送つて来たのに、今日突然にも戀の主は、はや此世の人ならぬとの便りに接した悲しさ。

初めて相見て戀知りそめしも音楽會、又その不祥の報を受けしも、止ひなく壇上に立たざる可らざる今日、嗚、偶然にも此事あるは、そも亦如何なる因縁ぞ……。

只束の間に斯く考へた櫻子嬢、若しも之が、三年以前の嬢ありせば、力盡きて、忽ち其場へ卒倒したかも知れねど、父公爵に死別以来、練りに練り、磨きに磨いた第二の性格は、斯かる場合、弓持つ右手は慄ひ乍らも、角好く自ら已れを持して、其態度を紊さぬ丈けの力があつた。

元来櫻子嬢は其性質と境遇上、非常に悲哀の曲を好むのであるが、今日は殊に大川の注文で、賑やかなものを奏する筈で有つたのだが、壇に立つた瞬間の感情が、どうしても賑かなものを奏せしめぬ。それで彼女は止むなく、怪しむ人々の注意の的と成りつゝ壇を下つて、先に紹介した若者に其由を囁いた。

そこで若者は背はるゝ儘に壇上に登り、

「……嬢は只今迄、諸君を歓迎の祝賀に相應する曲を奏せらるゝ御考へであつたさうですが、今壇上に立つて遽に、悲曲で無ければ、今夜は到底自分の精神と一致せぬ事を悟られたので、諸君にして、若し悲曲でも構はないとの御許しがあれば、此樂しい會合に反對ではありますが、一曲試みたいと仰しやるので……」

言ひ終らぬ中から、

「悲曲結構」

「何でも好いから願ひます」

「悲曲大に賛成ッ」

續いて又もや霰の如き拍手。

そこで嬢は、悲曲の譜本を携へて、再び徐々と壇に登り、謝するが如き一禮して、こたびは稍落付いた調子で、静かに弓を操り初めた。

忽ちにして高く、忽ちにして低く、大海の怒濤逆巻き来るかと思へば忽然潺々たる溪流の岩に砕くる響きあり。暮寺の鐘聲に似たる無常の音あれば、美女の恨怨にも似たる絹を裂くの泣聲あり。千變萬化、秘術の妙は極まり、聽者一同皆々として、暫時は悲哀の淵に投ぜられて居るのであつた。

理想郷

其三十一　　宇田川文海

鬼神をも泣かしむる櫻子孃の妙技に、弓持つ其右手がピタリと止つて、一揖徐かに壇を下つて後までも、聽者一同、人が我か、我が悲曲か、謂知らぬ悲哀の感情に打たれて、醉ゑるが如く恍然と、尚遠さ〲繰の音を追ふ如く、暫時は我を忘れて居るのであつた。

夫も其筈大川夫婦でさへ、平常孃の妙手には感歎つゝも、斯く巡神に入つたのは、初めて耳にした程故、他の人々が驚嘆するのも、決して無理では無いのである。されど

「歐米の專門家にでも彼れ程の名手は無い、斷えて無い」

センデヤヨン、ゴールドは、我知らず呟かざるを得なかつた。

父なるゴールドは無限の笑を傾けて、子息の顔を見返つた。

續いて青年の落語、劒舞などが始まつたが、誰も耳を傾け、眼を鉾てる者が無い、只孃の上の噂にのみ忙殺せられて、演者に對して氣の毒なほどの始末。

殊に賓客一行の稱嘆は非常なもので、彼女を人間以上の天才として、其容姿の美と共に、世界の、無冠の女王とまで推稱するに至つた。

斯くて此一行は大川に隨ひ、他の人々に先だつて此演藝室を出で、喫煙室へと行くのであつたが、其途に、何を見止めたか、若ゴールドは、ツと一人歩みを外らして、何れへか消え去つたのであるが、誰の眼に餘念の無かつた一行は、誰一人夫と心づく者が無かつた。

やがて人々喫煙室にやゝ疲れた腦を休めて、思ひ〲の雜談に餘念の無い折しも、包み切れぬ嬉しさを滿面に顯はして、若ゴールドはイソ〱と進入つて來た。彼は何をして來たので有う。眼早く見付けた通辯田近の問に答へて。

「櫻子孃に一寸御話して來ました」

と、得意滿々。

如才無き行屆いた大川の接待振りに、談笑湧くが如く數刻を過ぐした一同は、また他室の歡興湧くが如き間に、充分の滿足を得て、やがて夫々定められた宿所……島民の住家へと歸つた、ゴールド父子、通辯田近、及び露國士官の一行は新移民の爲め新たに設けた、比較的小奇麗を一屋に宿泊して居るのである。

時は早や九時すぎて十時にも近からんとし、人々は追々、懷しい我家のベットに向つて歸り行く頃、人あり喫煙室へ踏り作ら進入つて來たのは、大川總理と通辯田近。

「イヤ、實際、余程面白いです」

田近は斯く言つて、緩かに卷煙草の煙を吐き作ら、小さき卓子に相對して腰を下す。

「もう三十からでせうが、兎に角擾物ですね」

と、大川は美髯を捻りながら、頻りに何事をか答へて居る

「擾物の何ので、剛君、兎に角あの年齢に成るまで、女に對する愛つてエものを、丸つきり知らないんですからね、夫も親父が何でも彼でも氣に入る者を見出して、あの大財産の相續人を拵へさせやうと、當人よりは尼鬼に成つて騷いで居るんですから……イヤもう殆んど弱りましたよ、紐育や新國の撰拔は勿論、上流社會の令孃方から、商家の小娘に至るまで、親父が金を惜まぬ騷ての頼みに、美くしいと云ふ美くしいのは、手を盡して殆んど殘らず見せたのでしたが、何うしても駄目だ……」

面白さうな吐息をついて。

「夫が日本なからおや無し、世界各國の美人を見ても氣に入らない變人が、何うも實際驚ろいたですな……」

忙しげに消ねかゝつた煙草を一吸して乾嘴と、

「然し實際無理は無い、あの孃を見て恍惚としない者は、男子は勿論、女子にも殆んどありますまい」

感に堪ねたやうに首を振つた彼は、更に聲を低めて、

「夫に就てね大川さん……」

何か大事をでも明すが如く顔差出した

理想郷

其三十四

宇田川文海

嬢の姿を夫と認めた時のゴールドの悦び、生来曾て経験した事の無い愉快な楽しい一種の感情に打れ我を忘れて其跡を追ふのであつた。斯くとも知らぬ櫻子嬢は、泣くにも泣かれぬ心の悶ゐを、せめては自然の風景にてなりとも慰さめんと、露踏分けて我知らず、此邊りまでさまようて来たのであつたが、やゝ心の落付くにつれ、徹夜眠らぬ労れが一時に出たやうに、もう一歩も進まれぬ程、急に疲労を覚ゐたので、我にもあらず岸邊の岩に腰打かけ、暫時は無我の境を辿つて居るのであつたが、不圖、背後に人の氣配がするのに心附き、何心なう振返つて見ると、其處には恍惚した眼差のまゝ、ゴールドが立つて居る。

「オヤまあ存じませんもんですから失禮を」

嬢はあまりの意外に驚ろいて、サと血の氣ある頬を赤めながらも、得意の英語爽やかに、外らさぬ挨拶をするのであつた。

「イヤ、余こそ失禮を……、散歩に出て、思はず向ふまで参りましたら、貴嬢の御姿が見ゑましたので……、」

數千の聴衆を相ゐて演壇に立つ時すら、流るる如き雄辯との噂高き身にも拘らず、今嬢に對してのゴールドは、殆んど魔女の情人に對するが如き口籠り勝の恐れやうである。

「オヤ、左様でいらつしやいましたか、妾も一寸散歩に出たのが、つい不知不識斯んな所まで、ホヽヽヽ、然し自然の風景は全く又別で御座いますね、お故國などは、随分好い處が澤山御座いませうから、此様な處位、別にお珍らしくも思し召しますまゐが、」

「イエ、故國などにも、風景の優れた處が無いでもありませんが、然し、此國程、天眞爛漫な、余の氣に入たところはありません、」

「昨夜の御話では、方々へ御出でに成りましたさうですが、瑞西などは、世界の公園と申す位で御座いますから、定めて好い處で御座いませうねえ、」

「瑞西?、瑞西は中々好いです、然し日本は夫よりも、より以上です、全く世界の誇りです、殊に余は、此新日本が氣に入りました」

「ホヽヽ、夫はまあ嬉しう御座いますこと、おやもうずつと此處に御住居遊ばしたら如何で御座います、ホヽヽ、直ぐに御故國が戀しくお成んなさいませうねホヽヽヽ、」

「イエ、ソ、其様な事はありません、全く余は此國に永住したい様に思ひます、」

「オホヽヽ、まあお愛相の好い事ばかり、」

一生懸命身のなく成るのを覚ゐるまで、ヽ、ゴールドは心を遣つて、一言半句、我ながら不思議に思はれる程、胸の動悸を覚ゐて語るのであるが、櫻子嬢は、只、心中の悲しみを離さん為め、殊更快活を装ふ様の見ゆるのみ、ゴールドに對して夫以上の感情は動かぬらしく、のみならず、彼を世界一の富豪とも思はぬ、至つて平氣な態度で、此島の青年團員に對するのと、些かの變りも無い。

「御一所に歸りませう、」

暫時は相並んで話つた嬢は、やがてゴールドを見歸つて嫣然一笑、已れ先づ歩み出した。唯々諾々、隨ゐるが如く其右手に添ふて、ゴールドも共に歩むのである。

「此様な處へ御泊りに成つて、無御不自由で御座いませうね、然しまた、御助かりに成つた丈け、真個に御幸福なんで御座いますよ」

「全くです、宇宙號が無かつたら、今頃は魚腹に葬られて居る所でした、實に宇宙號、此新日本の方々は、我々の為には非常な恩人です、殊に余は、生命を助かつたばかりで無く、此新日本の地を踏む事を得たのを、非常なる光榮とします、夫も是も、皆全く神の攝理です、余は非常に感謝して居るのです」

一生懸命の辯をゴールドが揮ふて居る折しも、如何したものか櫻子嬢は、アッと其場へ打倒れた。

理想郷

其三十五

宇田川文齋

櫻子嬢は何が故に倒れたので有う。如何に平坦な土地とは言へ、まだ新開の此處らあたりは、太古に天降つたやうな石塊が、一面にゴロ／＼と轉つて居るので、注意しながら歩んで居た櫻子嬢も、一寸の油斷に、我にもあらず石車に乘つたのである。

「危險いッ、」

オールドの驚き、咄嗟の間に扶け起すのであつたが、何故か其手はいたくも熱して慄へて居る。

「濟みません、何うもそゝつかしくつて、」

嬢は顏を赤めて、頻りに恥ぢ入るのである。

「イヤ余が惡かつたです、お手を引けば好かつたのです、お怪我はありませんか、此樣な惡い道ですから御無理はありません、」

後へ廻つて、服の塵を拂ふのを嬢は押し止め

「有難う存じます、もう結構……ホヽヽヽ、是から注意して歩きませう、」

「イヤ、危險ですから、余がお手を引きませう……」

表面丈けでも、男女間の隔て正しい日本に育つた嬢なれば、此處では敢て珍らしからぬ事ではあれど、手を取らんと言はれては、何分にも交り少きオールドの事とて、一時我にもあらず躊躇のであつたが、咄嗟の間に思ひ返して、彼の言ふが儘に扶けられて歩むのであつた。

人無き寂寞の此新天地に、絶世の佳人と、歐米にも類稀な美男子が、相携して靜かに、樂しげに語りつゝ歩む樣は、何うしても一幅の繪畫とよりは見られぬ。

嬢には左樣の感念は無けれど、オールドは、實に天にも登る滿足の熱血を漲らして、嬢が家の前に、名殘り惜しい手を分つたのであつたが、其別るゝに臨んで、夕刻の散歩をも共にせんとの約束をした。

眞に手の舞ひ、足の踏む所を知らぬとは此事で有う。只一つ、嬢が、今日迄交つた婦人の如く我身に對して暖かき情の見えない丈けが解せぬ一つの瑕瑾ではあれど、夫とても、まだ清淨無垢の乙女の事なれば如何で、我が情の燃ゆる焔に、何時まで其儘堪え得る筈あらん、

噫、我れ人としての望みは、これにて全く遂せりと言ふ可し。あゝ、嬢の柔かい手、纖やかな指、あの女神のやうな氣高い姿、美はしい顏、……あゝ、我身は如何して斯く迄果報な身ぞ……

と、ヘ、オールドは、我を忘れてイソ／＼と、一先づ我宿へと立歸り、特なりとも美くしう粧つて嬢と散歩の約ある夕刻を待たんものと、身は萬里の異郷にあるてふ事をさへ忘れて、大股に濶歩する後より、不意にピチヤリと背を打て

「大層お樂しみさうですね、」

爽やかな英語は通辯の田近。

「オ、田近さん、余、今櫻子嬢と散歩して來ました、」

「チヤンと存じて居ります、ハヽヽヽ、御滿足で御座いませう、」

「知つてる?、ハヽヽヽ、意外な所で逢つたものだから、嬢は如何も美くしいですね、昨夕よりも今朝は亦一しは」

田近は思はずクスッと笑つた。

常ならぬ其無禮を咎めかねたるオールドも、今日は心中に嬉しさが充ち滿ちて居るので、却つて嬉しげに一人ホク／＼して居るのである。そして、尚も

「余、昨夕も言ふ通り、生れてから今日迄に嬢の様な美人に逢つた事が無いです、夫に中／＼の才物です、歐洲の眞中を探しても、彼れ程の佳人は恐らく一人もありますまい、」

と、止め度もなく賞め立てる。

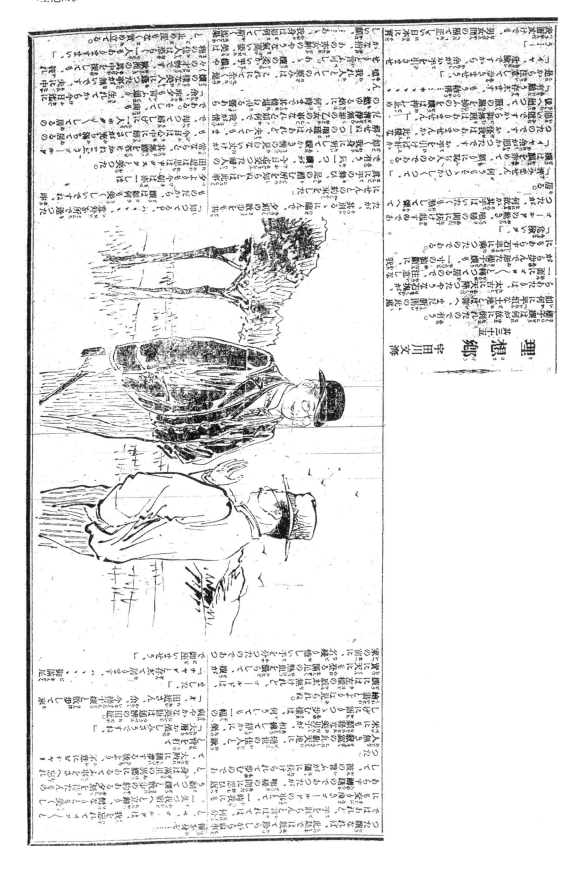

理想郷

其三十六

宇田川文海

平常の沈着な態度にも似合ぬ嬉しげな、嶺の噂に餘念の無いゴールドの様を、田近は興ありげに見て居るのであつたが、何と思つたか、やがて突然、

「昨夜大川君の話でしたが、難船者皆様の御便宜を計つて、至急に布哇迄御送りする心算で、總ての荷上げが濟むと同時に、宇宙號はすぐ出帆の用意をするさうですから、近い内に、懐かしい故國の土をお蹈みに成る事が出來ます」

ゴールドは驚ろいて、

「エ、出帆の用意、一昨日來たばかりだのに」

「ハヽヽ、デも此國へは、初めから來る心算で來た所では無し、止むなく立寄つたやうな次第ですから」

「然し余は非常に此島が氣に入つたです、さう直ぐに出帆するやうなら、余丈け後へ殘ります」

「オヤ〳〵、大變な御熱心で、ヘヽヽヽ」

一人可笑しく、田近は心に点頭き乍ら、其後は敢て何事をも語らず、ゴールドの熱心に語る嶺の噂を聞き流して、其儘相携へて食堂に輕き朝餉を濟ませつ、已れ一人立別れて、大川が住居へと急いだ。

此島の常なる明放しの戸締りとて無き入口を這入ると、折よく其處へ給仕体の少年が出て來るので得たりと田近は輕く會釋して、

「大川さんはお在宅ですか？」

「今しがた御出かけに成りました」

と、少年は田近を見て怪訝顔。

「おや夫人は？」

「夫人はお在宅です」

「おや濟まないが一寸取次で下さいナ」

「誰方です」

「田近つて言つて下されゝお分りです」

少年は身輕に奥へ驅けて行つたが、やがて再び出で來り、

「御通り下さい、何うぞ其奥の突當りへ」

言つたまゝ、スタ〳〵と出て行て了つた。

で、田近は言はれたまゝ、廊下を一直線に奥へと進んで、今しも扉を開けて出で來る夫人と顏見合せて莞爾。

「早朝から御邪魔します」

「イヱ何う致しまして、アの良人に御出逢ひに成りませんでしたの」

疎末な室ながら、掃除の好く行屆いた應接室、夫人は椅子を進めながら不審顏に聞くのである、

「御主人、大川さんにですか、イーエ、御出で下すつたのですか」

「ハ、今日もう一日方々を御案内申すとか言つて、今しがた出ましてムいますが」

「ヤ、左様でしたか、夫は〳〵、おや早速歸りませう、待つて下すつてるでせう」

何か頻りに一人點頭々々しながら、幾度か言ひ出さんとして口籠つて居た田近は、思ひ切つて

「夫人、イヤ、貝塚英子さん、僕を覺ねてお出でゝすか？」

金縁眼鏡キラリとした、轉美くしい顏を差出すのであつた。

「エッ……」

不意に結婚以前の苗字を呼ばれた夫人の驚ろき、思はず椅子から立上りて、凝と其顏を見詰めて、頻りに思ひ出さんと焦慮のであつたが、何うしても、似寄りの人さへ見出し得ぬ。此樣を見た田近はカラ〳〵と高笑ひ、

「ハヽヽヽ、お忘れでせう、余程變つて居ますからなア、然し夫人、イヤ貝塚さん、僕は今斯んな事を言つて貴女を驚かせに來たのお無い、實は他に少し伺ひたい事が有つて來たのです、が、お顏を見ると、つい一寸言ひたく成つたもんだからハヽヽ」

夫人には、何の事やら盡張り解せぬ。

理想郷 其三十七

宇田川文海

不惜の眉打顰めながら、さりげなく、態度も亂さず耳傾けて居る夫人に對ひ、田近は更に口を開いて、カヲ／＼と高笑ひ。

「ハヽヽ、夫人、貝塚さん、これでもまだ思ひ出せなせんか、ヤレ／＼、ハヽヽヽ、ロヤ一寸言ひませうか、貴女がまだ女子學院にお出でに成る時分に、散々嫌はれた大井進です」

「アヽ、大井さんでしたか、まあ……」

餘りの意外に夫人は呆れて、更に顔を見直すのである。

「ハヽヽ、御分りに成りましたか、イヤ、御無理は無いです、僕の方から言へば、戀の本尊だから、忘れやうたつて忘れられないが、貴女の方にして見りやア、常に逃げ廻つてお出に成つた、毛虫のやうな人間なんだから、ハヽヽ、然しあの頃の僕とは餘程變つてるでせう、夫に何です……」

言葉を切て大に眞面目に成り、

「以前の僕ならいざ知らず、今日は是でも紳士の仲間入をして居るのですから、一旦人の夫人と成られた貴女に對して、彼是卑しい心を持つやうな、そんな卑劣な事はありません、斷まて無いですから、其段は御安心下さい、何事も一昔の夢です、アヘヽヽ」

自ら嘲けるが如き高笑ひした田近は更に、

「今日は其樣な事ぢや無い、櫻子孃の上に就て、少し御話し、否、伺ひたい事が有つて參つたんですが……」

言ひかける折しも、青年團員の泉清一が

「田近さんは御出でゞすか」

と、尋ねて來たので、田近は其儘口を結んで、扉の方を振り返り、

「ハ、居ります」

「お出でゞすか、今、大川さんが、今日は是から皆さんに、漁場の方を御案内申したいから、御差支なければ御一所にって、もう皆樣お揃ひで、倶樂部に御待です」

「ヤ、夫は如何も恐れ入りました、おや直ぐ參りませう、ヤ、夫人、如何も飛んだ失敬しました、おや今の事は、何れ又、改めて伺ひに上ります」

米國風に、凡てが活潑と快活に、會釋もそこ／＼泉と打連れて立去つた。

跡見送つた英子夫人は、暫時は夢見る如く茫然と、過ぎし記憶を呼起して、深き思ひに打沈むのであつたが、性來決斷よき彼女は、急ちの内に何事をか思ひ決した樣子で、其儘ス／＼と、階上なる、櫻子孃の居室へと志した。

「櫻子さん、入居しやいますの？」

ホト／＼と扉を打叩く。

戀の煩悩は拂へど去らず忘れんと思へど思ふ程、生憎いや増しに其俤は眼先にチラつき、堪ら無うて我にもあらず寫眞取出で、熱き涙を手向の水に、人知れぬ悲哀の歎きに沈んで居た櫻子孃、不意に聲掛けられて

「ハ、居ります、如何ぞ……」

急いで、衣嚢の中に押かくし、涙拭ふもそこ／＼に出迎へたのであつた。

「オヤ、御用の御妨げに成りやアしませんか」

常ならぬ孃の樣子に夫人は心あらず、其顔をさし覗くのである。

「イヱ、別に何にも、ナニ今一寸ね、何だか今日は急に、父が戀しく成つたもんですから、一寸アノ、寫眞を見て居ましたら、急に氣が纒に、悲しく成つたものですから……」

漸うの思ひで切り拔けて、又も、そと瞼を押し拭ふのであつた。

「まあ、御つから、夫ア不可ませんのね、何うせ歸らない事ですもの、あんまりクヨ／＼成さらない方が好う御座んすよ、ホヽヽ」

殊更に高笑ひした夫人は、網眼鋭く孃の樣子に注意しながら、

「夫よりも大變面白い話がありますの、他人には決して言はれないんですがね……」

と、意味あり氣に嫣然。

理想郷

其三十九　　宇田川文海

「皆さんよく御精が出ますねヱ」

湯を沸す者、薬で汚れ物を煮て居る者、洗つて居る者、晒して居る者、干して居る者、夫〱秩序整然と各々受持の分業に、力の限り働らいて居る婦人達に、夫人と嬢は一々慰さめの言葉を與へて、洗濯場の内外を巡視したのであつたが、最後の場の裏口に、隅の方へ陣取つて、只一人淋しげに悄然と洗ひ物して居る、まだうら若い婦人の傍へと行つて、他の婦人達に對するよりも尚一入言葉優しう

「よく御精が出ますねヱ、此節は胸のお痛みは如何ですか」

「ヘイ、有り難う存じます……」

羞かしげに差俯向いた婦人は、あはれ此島第一の醜婦と言はるゝお房とて、大工、吉助の一人娘であるが、持つて生れた醜さは、廿貫もあらうと思はるゝ大兵の上、眼と言ひ、鼻と言ひ、口と言ひ、又其顔立から躰の格好まで、よくまあ此位醜う揃ふて生れたものと思ふ位、年齢はまだ漸う十九の花盛りでありながら、誰一人袖引かふとする若者もなく、我から生甲斐の無い口惜しさに、幾度か身を投げやうとしたかは知らねど、不具の子程可愛いのが親心の常、親なる吉助が亡き妻の遺身と、憐れな姿を見るにつけ、一入深い愛をそゝぐので、我が亡い後の嘆きを思へば死ぬにも死なれず、涙の乾く暇も無く、味気ない月日を送つて居るのであつたが、仮令姿は醜いにせよ、心には別に變りもなければ、うたてや、昨今は叶はぬ戀の炎に人知れず、思ひを焦して胸を痛めて居るのである。

されば羞かしげに俯向くのも道理、島中第一の、否殆んど世界にさへも類稀な美人の櫻子嬢と、相對しては一入、羞かしさやら、妬ましさやらが我知らず小さき胸に充ち満ちて、何と言葉も出ぬのである。が、夫人や嬢は、其可憐しい様を一入氣の毒に思ふので、平常から成る可く親しう言葉を交して、少しでも慰さめやうとするのであるが、お房の身に成ると、夫が又、却つて非常の苦痛に成るのである。

で今とても其通り　二人が様々優しい言葉をかけて、最後に

「少し夜分でも、ゆつくりお遊びに入來しやいなね、待つて居ますから」

とまで言つて静かに立去つた其後姿を、惜時凝と見送つて居るのであつたが、やがて其小さな闇い両眼からはハタ〱と涙が溢れて

「妾も……せめて……も、もう少し、人間らしう生れたら……」

と我知らず呟いて、不揃の歯に、夜着の袖のやうな厚脣を噛み占めるのであつた。

が、やがて又心を取直して、

イヤ〱今更仮令何と悲しんで見た處で、美くしう成れると言ふでは無し、斯んな不具者と生れたのが、身の因果とあきらめるより外は無い……けれども……櫻子嬢だつて矢張り同じ人間だのに、妾はがゝが、何うして斯んなに……あゝ、もう思ふまい〱、何事も因縁、前世で悪い罪でも犯した報なんだらう……もう[illegible]張りと思ふまい。

一人語り、獨り慰さめては居るものゝ、扨又顧つて戀人の上を考へて見ると、又忽ち悲しい思ひは込み上げて来て、物狂はしいまで、我身ながら愛想がつき、盥の水に映る我顔を、怨めしげにヂツと見詰めて居る折から、不意に後背より

「お房さん、何を考へ込んでるの」

背をピツシヤリ叩く者がある。

「オ、喫驚した……」

と、淋しげにニツコリ振り返ると、そこには漁夫磯吉の妻のお松が、大きな反歯を出してニコ〱と笑ひながら立つて居る。

理想郷

其四十

宇田川文海

「ひどく逆へ込んでるぢやありませんか、ちつと陽氣に御なんなさいなね」

磯吉の妻のお松は、お廣の淋しげな樣を氣の毒に、少しでも慰さめんと思ふてか、其特色の元氣よき口調で、

「お前さん一人丈けが、斯んな處へ引込んでるから不可ないワ、ちつと皆の居る處へいらつしやいなね、そしたら又、氣の紛れる事もありませうね、ホヽヽ、年の若いのに、さう陰氣にばかり成つちや仕方が無いねホヽヽ」

「ワァ小母さんが又あんな事を……其樣な譯ぢや無いんですけどね、なんだか一人で居る方が好きだもんですから……」

「夫が不可ないんだよ、まあ一遍あつちへ入來しやい」

否ひのを強て引連れ、竈の前に二三人女房達が圍集して、頻りに何やら可笑しげに、談笑して居る中へ割込んで、

「何か大層面白さうね、些、私共にも御分けおさいな」

「オヤお松さん、お廣ちやんも……何ね、今、櫻子さんの御噂して居る所なんですよ、何時見ても美くしい、よくあんな奇麗な方があつたもんだと思つてね、何とか言ふ米國の大金滿家の息子さんが、一生懸命に成つていらつしやるのも無理は無いと思つてね、ホヽヽ、御互に今度生れ變つて來る時には、せめてあの半分丈けにでも生れたいもんですね」

「ホヽ、眞個にサ」

「十分の一にでも好いワ」

「ホヽ、そして澤山迷はすんでせう」

「ホヽヽヽ」

一同ドッと高笑ひ、お松は怪訝な顔をして、

「米國の大金持つて……難船して來ていらつしやるの?」

「アヽ、左樣〳〵、若い方のね、まるで夢中なんですとサ、ホヽ、左樣でせうよ、女だつて惚々する程ですものね」

「若い方々だつて皆ね」

「殊に泉さんなんかね」

「エッ泉さん……」

不意に我にもあらず叫んだお廣。

常には沈み勝の、物さへおもり言はぬお廣が、不意に叫んだので、一同は言ひ合したやうに不審の眉を顰めたのであつたが、お廣はハッと我に歸つて、只さへ赤い顔から火の出るやう、穴あらば消ねも入りたき風情である。

中には夫と、多少心づいた者もあるやうで有つたが、尤も口の達者らしい一人が、

「泉さんてゑ、此節は大變だつてねね、眞人此間還く宜けて松助さんの處から歸りがけ、大川さん處の裏を通つたら、櫻子さんの居室の下に、ぢつと佇立んで居るんですつて」

「アラ、まあ、厭な」

「櫻子さんは御存ぢ無いんでせうか」

「そら左樣でせうよ」

「じやア米國の坊ちやんと、散歩なんかしていらつしやる所を見たら、嘸まお妬ける事でせうね」

「ホヽヽ」

「然し櫻子さんは、あんな淸い神樣のやうな方ですからね、まさか、間違なんかはありますまい」

「でも矢張り人ですものね」

「ホヽヽ」

「余計なお世話ぢつかり」

「若し聞ねたら大變ですよ」

「ホヽヽ」

「オホヽヽ」

又も一同はドッとばかりに笑ひさゞめくのであつたが、只一人、濟まぬはお廣の胸の中。

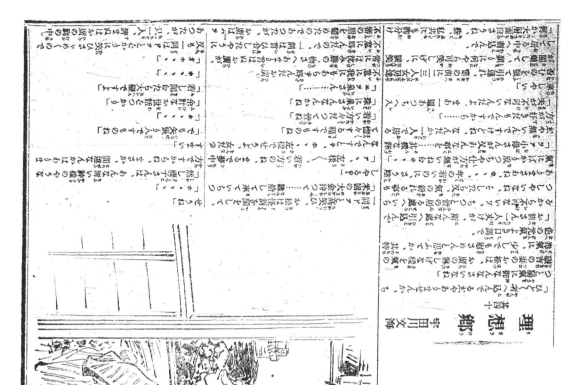

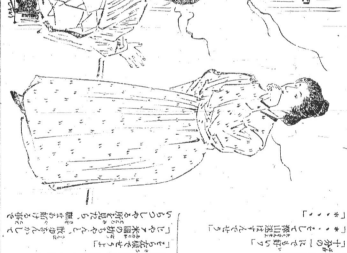

理想郷

其四十一

宇田川文海

我を忘れて女房達が、ヤヾ〳〵の噂をして居る中に、わはれお廣は只一人悄然と、俯頭れたまゝ深き思ひに沈んで居るのであつたが、やがて不圖心づいたお松は、先刻の逆上た様には似ず、顔色も悪う唇の色さへ褪せて居るのを見て、

「オヤ、お廣さん、お前さん大層顔色がわるいよ、氣分でも悪いんぢや無いの」

「ハ、イーヱ、わの少しむかり」

お廣は邉て〳〵紛らさうとするので、

「でも大層色が悪いもの、……歸つて寢て御覧なさいナ、横山先生にても診察て戴いてね其方が好御座んすよ、無理をして尚悪くでも成て御覧なさいナ、第一お父様がどんなに心配するか知れやしない、ねえ」

と、他の女房達を見返る。

「全くよ、其方が好いよお廣ちゃん、躰が弱くつちや全く仕様が無いからね」

右左からすゝめられ、夫で無くてさへ餘りの悲しさに、人目の無い處で、思ひ入れ泣いて泣いて、せめて自ら慰さめたいと思ふて居る矢先故、

「夫ぢや……失禮致します」

と許り、籠の鳥が始めて自由を得たやうに、急いで其場を立去るのであつた。

家鴨が文庫でも背負たやうな姿可笑しう、歸り行くその後姿を見送つた女房達は、心の底から同情に禁ぬ如く口々に、

「同じ人だのにねえ、氣の毒ナ」

「夫にまだ歳が若いから餘計にねえ」

酔を醒めた一人は、

「あの娘、ちつと泉さんに怪しいんぢやあるまいか、先刻の驚きやうがね」

と言はれて他の女房達も初めて合点がづいたやうに。

「さう〳〵、全くね、變だよ」

「然し左樣とすると可愛想だね、泉さんは櫻子さんに彼の通りだし、夫も彼の子が、彼れ程で無ければ好いけどねえ」

「左樣さねえ」

「わの樣子ぢや、乾度病氣に成て死んで了うよ」

「アノ御面相で化けて出られたら大變だね」

「馬鹿な事を、ホヽヽ」

「ホヽヽヽ」

一同ドッと高笑ひ、暫時は夫から夫へと、罪の無い噂話に餘念無かつた。

茲に又、大川ゴールド等の一行は、今日は水の馴賞を見やうと言ふので、一行三十餘人、大川端を下つて海邊へと出で、手近い漁夫の家に休息した後、五艘の小船に分け乘つて、

先づ近い灣内から、波穏やかなのを幸ひ常に海鵜の群をして居る、港外の小孤島迄も案内するのであつたが、蒼空には一点の雲も無くそよとの風さへ無き好天氣の上、船頭は島で撰つた腕達者、殊には豫て酒肴の用意もあり、一網投ずれば忽ち船を滿す程の鯛比目魚などの溌溂たる鮮魚は板子一枚の下にあり、遠く敷島山より新京を望み、又渺茫たる大洋を見晴す偉大な風景の好下物はあり、喰ひつ、飲みつ、謡りつ、笑ひつ、五艘の船中恰も是れ、善男善女が……否、茲には、婦人は一人も居らねど……極樂淨土の不熱池に快樂を恣にせる舟遊びにも似て、何れも婦々滿〳〵たらぬは無き中にも、殊に老ゴールドは、

「乃公も隨分今日迄に、金に飽かしていろ〳〵の舟遊びもして見たが、實に今日程愉快に感ぢや事は只の一度も無かつた、實に愉快だ、是程の滿足は無い」

とくり返し〳〵返し言ふのであつた。

夫も其筈、彼が今日迄の遊びには、凡て善盡し、美至らぬは無けれども、夫には凡て一種の臭臭が離れぬから、眞に斯の如く天眞爛漫、各自人間の天性を發揮して、言ふ可きを言ひ、成すべきを成す、些かの飾り氣ない、平等の樂しみは、如何に望んでも得られなかつたのである。

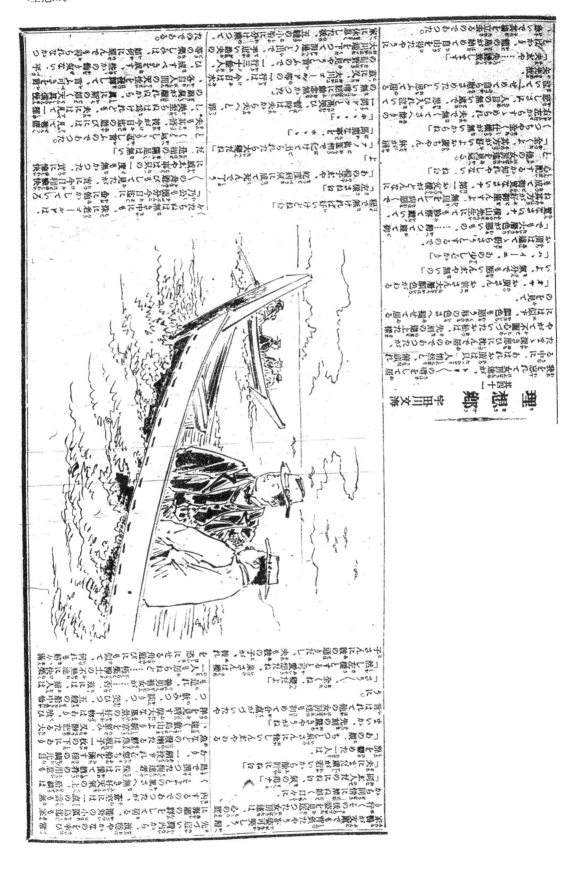

理想郷

宇田川文海

其四十二

人々が歓喜に充ち満ちて居る中に只一人、何となう心の落付かぬ人が二人ある。

其一人は若ゴールドであるが、彼は何が為に落付かぬのか、夫は他でも無い、彼の魂が今此船の中に無いからである、さらば何處を逍遥つて居るか、夫は今玆に改めて記す迄も無い、満身の愛と戀とを捧げた、櫻子孃が美はしい身の周圍を迷ふて居るのである。

されど、人の笑ふ時には、矢張り自分も同じ様に笑ひ、人が飲めば已れも飲む、人が食へば又已れも食ふては居るのであるが、然し夫は、常のゴールドとは違ふ、失神漢のゴールドであるから、酔かけられて返事せぬ事もあれど、飛んでも無い質問を仕出す事もある、先づ殆んど軽い狂人と言ふ様である。

されど同船の大川を始め、老ゴールドや、露國の軍人方も始めの中こそ多少怪んで居たのであつたが、皆が繰返し、此愉快な舟遊びを謝する毎に、

「此上櫻子孃がお出でゝしたら、夫こそ實に此上の愉快は無いです」

を繰り返すので、やがては皆が大凡夫と悟つてか、其後は互に言ひ合さねど、偸り話を仕かけぬやうに成つた。

今一人と言ふのは誰？夫は、ゴールドの為には戀の敵なる泉術一、佛國の商人を主にした船に、中央倉庫の取締ある西川安藏と言へる、曾て彼が東京に居る頃、非常の逆境に沈んだ場合に、手厚い世話に成つた男等と共に乗込んで、頻りに接待をして居るのであるが、何故か其視線は、常に間隔たつた船中の、若ゴールドの上にと注いで、そして折々、深い溜息を洩して、何をか頻りに考へ込んで居るので、

「泉さん、如何したんです、ひどく考へ込んで居ますね、一つ御馳走振りに　十八番の詩吟でも如何ですね、ハヽヽヽ」

酔の稍廻つた安藏は、便々たる腹を抱へて可笑しくも無い事にまで高笑ひするので、

「ハヽヽヽ、何、別に考へ込んでる譯でも無いんですがね、飲み過ぎた故か、少し頭痛がするやうなので、………」

「頭痛？、夫ァ不可ない、然し其樣なちつて君一人歸る譯にも行かずサ、まあ好いやね、何うせ乗りかけた船だもの、行き着所まで一所に行くサ、万一君が倒れたら、其時こそは此西川安藏が一人で引受けてお世話をするサ、ヘヽヽヽ、ねえ毛唐さん」

日本人の連中がドッとばかり笑ふので、佛國の商人等も何が何やら分らねど、同志やうに貰ひ笑ひをして、手を打て喝采して居るのである。

只心の許せぬは、ゴールドと泉の兩人丈けなれど、其他は五艘の船中擧つて、時の移るをも打ち忘れ、笑ひさゞめいて居るのであつたが、其中に船は、見る可き所丈けを廻り盡して、やがて再び以前の濱へと着いたが、時は早や日は西の地平線上に沈んで、夕靄が淡く新京の町を包んで居る頃であつた。

「是から少し漁夫町……と云ふ程でも無いですが、……大分魚も上つて居るやうですから、序に御案内しませうか」

船と酒と歎の酔に、人々何れも千鳥足危ふく、漸く陸へ上つた時、大川は斯く言つたのであつたが、酔ふた上に、多少の勞れを覺ねた一同は

「漁夫町も結構ですが、夫は又何れ改めての事に願つて、今日は此儘……」

と、異口同音に答へるので、さらばとばかり大川も其まゝ、人々と共に我家をさして歸るのであつた。

現にも角にも一旦我宿へと歸る者、又年若の豪傑連は、是から直ぐに夕飯をと公食堂へ立寄るのであつたが、さて失神漢のゴールドと泉は、果して何處、其足を向けたで有うか。

理想郷

其四十三

宇田川文海

楽しい一日の舟遊を終つて、人各々思ひ〳〵に、或は我家へ、或は公食堂へと志ざした中に、若ゴールドと泉満一の両人は、言ひ合したやうに桜子嬢の住居へと向つた。

「ヤ、泉さん」

ゴールドより数間先に立つた泉が、物思ひ乍ら差俯向いて歩む耳元へ、不意に声かけられて、

「ヤ、渡辺君か、吃驚した」

「ハ、、、其様に驚きましたか、ヘ、、」

言つて居る間に、後れたゴールドは早や先に立つて、傍目もふらずスン〳〵と行き過ぎる。

彼奴必ず嬢の許へ行くに違ひ無い……と泉は何と無う心ならず、一刻も早く此場を去らうとするのであるが、生憎渡辺は悠長に構へ込んで、吸ひかけの巻煙草の火を更に新らしく取出した一本に移し、いと満足気にニコ〳〵と、

「敷島山で見付た銅鑛ね、彼りや非常なものですよ、焼石だと思つたら、少し下へ行くと、もうちやんと立派な脈がついて居ますぜ」

「ハ、ア……」と、泉は気の無い返事、心は茲に無いのである。然し渡辺は一向無頓着に、

「予、引返して昨日から今日へかけて、又行つて来たです、今丁度帰りですがね、実に素晴しい鑛ですよ」

「エ、又行つたんですか、敷島山へ」

流石に其熱心に動かされざるを得ず、泉は呆れて聞くのである。

「ハ、、、物数奇と言はれるかも知れないが如何も気に成つて仕方が無いので、又行つて見たです、然し実に非常なものですね、足尾あどよりも余程大き相です、彼れは実に我新日本の一大富源ですね、予是から一度帰宅して、食事でも済ましてから、一つ大に大川さんに御相談する心算です」

「何を……」

「無論事業の着手に就て」

「おや左様し給へ、僕は一寸急ぐから失敬します……」

言ふが早や、何を思ひ出したか泉は其儘、中ば驟足で立去つた。其後姿を見送つて渡辺は、

「如何かしてる様だ……」

と呟き乍ら、満足らしい笑を満面に充たせて、其沈着な態度を少しも紊さず、泉とは反対の方角へニコ〳〵しながら立去つた。彼は新鑛発見の嬉しさに、人の失礼などは咎めぬので、夫に引かへて泉は、一時も早く優しい桜子嬢の笑顔を見んものと急いだ甲斐もなう、早くもゴールドに先んぜられたので、不平満々心も心ならず漸々渡辺を振り捥つて、其門前まで駆けつけた時、中より睦まじげに相携へて出で来るのは、南無三、我が桜子嬢とゴールドの二人。

「オヤ泉さん、、何家へ?」

嬢は相も変らず優しい言葉を掛けるのであつたが、ハツと思つて身を堅くした泉は、急に返事さへ出ぬのである。

「今日はお労れに成つたでせうね、そして貴君お夕飯は……若し未だなら御一所にいらしやいませんか、妾共もこれから参りますの」

ゴールドは横から、其優しい楽音のやうな言葉に、酔へるが如く恍惚として居るので。

「僕ですか、有難う……何れ後から参ります」

我知らず何と無う針のあるやうな言葉で言つて、泉は無念さうに嬢とゴールドを睨むのであつたが、其様な事とは露知らぬ嬢は、

「夫ぢやお早くいらつしやいまし」

と、軽く会釈して其儘、ゴールドと手を携へて、公食堂へと行くのである。

ゴールドの得意と満足は如何ばかりぞ。泉の心中は果して如何ぞ。

理想郷

其四十四

宇田川文海

其後三日ばかりは別に何の事も無かつた。尤も大川の注意で、難船者一同を、或は織物、或は染物、或は諸種の製作物等、まだ何分にも見るに足るものとては一つも無けれど、兎にも角にも秩序整然たる夫々分業の工場を始め、或は漁場の様を、或は牧畜場の設備を、或は山に或は河に、新京に近き四邊は殆んど餘す所なく案内をしたのと、夫からゴールドの戀の熱度が著るしく昇つた外には、さしての出來事も無かつたのであつた。

が丁度四日目の夜、島民一同が或は家庭に、或は遊戯倶樂部に、思ひ／＼の遊びに耽り樂しみに醉ふて居る時、倶樂部の裏庭へ打連れて出て來たのは、櫻子孃とゴールドの二人であつた。

無論其後もゴールドは、暇さへあれど、櫻子孃の傍を離れぬのである。

暑からず寒からぬ頃よき氣候、日本なれども、かれこれ綿入の重ね着でもしなければ成らない時分なるにも拘らず、まだ袷に相應した輕衣で充分、そよ／＼と大洋から吹き寄する風も心地よく、殊に、滿月にも増して一入の趣ある片破月が、木の間を通して、何處の果までも凝らぬ優しい光りを投げて居るので、櫻子孃は不圖も、曾て故國維坡橋の袂で、戀の悶ゐを抑包みつ、妙子と二人語つた事など、何くれと心に浮べて、轉た懷舊の情に禁やらず、折角ゴールドが話しかけても、常の樣に果敢々々しい返事をせぬので、ゴールドは心も心ならず、

「貴孃少しお勞れに成つた樣子です、椅子を持て來ませうか」

「もう結構で御座います」

と、孃が辭退するをも聞かず、世界一二の富豪の世繼とも有う身が、イソ／＼と自ら椅子を取出し來り、

「此へお掛けなさい」

强て勸めて腰掛けさせ、自分は其横に立つて嬉しげに、月影浴びた孃の美はしい横顏を恍惚と見惚れて居るので。

「貴君月はお好きで厶いますか」

孃は不意に斯く聞いた。ゴールドは遽てゝ、

「月、月は非常に好です」

「何日、何處で見ても、實に好いもので御座いますね」

「殊に余は今夜の月は好いやうに思ひます」

「…………」

孃は暫時考へに沈んで居るのであつたが、やがて我身に引くらべてか、

「貴君なんかは、斯う言ふ月を御覧に成つて、いろ／＼昔あつた事を御考へには成りませんかや？」

「昔、あつた事？、左樣……いろ／＼と思ひ出さない事もありませんが、然し今後、余が今夜の月を思ひ出す程、頭腦に深い印象を與へた事はありませんから……」

「エ…………」

無邪氣な櫻子孃は、咄嗟には其謎を解しかねた。

「孃は余の爲には全く女神です」

孃が呆れて其顏を見詰めて居るにも拘らず、ゴールドは、さも／＼感じ入つたやうに、暫時天を仰いで居るのであつたが、やがて、

「孃……」

と、呼んだ聲は、異樣に慄ゐを帶びて居るのであつた。

「ハ、何で御座います」

孃もやゝ容を正した。

何をか思ひ切つて言ひ出さうとしたゴールドは、孃の改まつた樣子に些か氣後れがしたのか、一旦出かけた言葉を再び飲み込んで、直ぐには返事をしかねたのである。

何事かは知らねど、言ひ出されては面倒と思つたか、孃は話を他へ紛らさんと、

「まあ、あの檜に懸つた月を御覧なさいまし、繪にだつても書かれませんねゑ」

椅子を離れてツカ／＼と進み出でた。

ゴールドは身動きもせず考へて居る。

理想郷

其四十五

宇田川文海

木の間洩る月影に、暫時我を忘れて恍惚として居た嬢は、不意にブル〳〵と身慄ひするのであつたが、やがて又同じことを繰り返して、

「オヽ厭な心地……」

呟いてゴールドの方を振返り、

「妾、何だか斯う寒いやうで、氣分が悪く成りましたから、今夜は失禮致します」

「エ、寒くつて御氣分が……夫ア不可ないです……私しやお家まで御送りしませう」

深い空想を破られて我に歸つたゴールドは、慇ろいて其儘嬢を扶け、嬢が住居へと送る道すがら、

「嬢はまだ米國へは御出でに成つた事がありませんか」

「へ、一度は參りたいと思つてるんですけど」

「オヤ今度余等が歸る時、御一所に見物にいらつしやいませんか、もし左様だつたら如何に嬉しいでせう」

話ばかりでも雀躍せんばかりに勇んで、

「そしたら米國は勿論の事、佛國も英國も、世界の公園の瑞西も、殘らず余が御案内するです、そして御歸りの時には又余が……」

言ひかけた言葉をフト止めて、

「夫よりか、もう寧そ米國の人に成つて了つて下されば好いけど……」

言葉はいと輕く言ふのであつたが、嬢が此返事一つで、大凡の意向も察しられる事故、足の運びさへも止まる程熱心に、耳を傾けて居るのである。が、斯くとも知らぬ嬢は、只普通一遍の御世辭と聞流してか、いと輕う、

「ホヽヽ、見物は結構で御座いますが、米國の人に成るのは厭で御座いますね」

「エ……、私しや見物に丈けは御出で下さいますか」

と、ゴールドは立止つて了つた。

「ホヽヽ。何れ一度は參りたいと存じて居りますの」

聞いてゴールドは稍失望した。

「何れ一度……なんて其様な事を仰しやらないで、是非、余等の歸る時御一所にお出で下さい、ね、嬢、好いでせう」

「お歸りに成る時つたら、もう……二三日の中で御座いませう。宇旨戰で……」

「もう船は用意が出來たのでせうか」

「其様な話で御座いますよ、夫にやア貴君到底ねヽ……折角此様なに御懇意に成つて御分れするのは、何だか不可ませんですッね」

歩き出しはしたものゝ、ゴールドは氣もそゞろ、

「イヤ余は、貴嬢がお出で下さる時まで、何日までゝも茲に居ます」

「オヤまあ……私しや生涯行かれなかつたらど?」

「そしたら生涯此島の人と成つて終ります」

言ふ言葉が、満更譃とも思はれないので、嬢はやゝ呆れたのであつたが、夫でも萬一眞に左様と決心して居るとまでは思はなかつたで。

「もしそんな事でも有うもんなら、夫こそ大變で御座いませうね、第一お父様が御許しに成りませんワ」

「イヱ、米國人は個人の權利を重んじますから、親だからつて子に對して、否む事を強ると言ふ事は決して出來ません」

と、確乎たる口調。

「でも夫れや餘りね、……兎に角御宅の方でも皆様御心配なすつてお出でゞせうから、一旦は御歸國に成つて、其上で又御遊びにお出でに成りましたら……其頃には、此地もまた少し開けて居りませう」

「イヱ余は、貴嬢と御同道しない間は、斷じて此地は去りません」

斷乎として、幾度か同じ事を繰返す間に、早くも嬢の住居へと來たので、

「じや亦明日御目にかゝります、お大切に成さい……」

とゴールドの爲には此上も無い悲しい分れを告げたのである。

理想郷

宇田川文海

其四十七

嬢と別れて只一人、片破月の影踏みながら、我宿へと帰る途すがら、ゴールドは種々の思ひに暮れるのであつた。

嬢は満更自分を嫌つて居る様でも無いが、然し自分の思つて居る十分一も愛の無い事は慥かだ、何うかして嬢の心に、少今し愛の熱を起させる工夫は無いものか……嬢の様子を考へて見るのに、何うも、心の奥底深く、何かある秘密……而も悲しむ可き秘密を蓄へて居るのではあるまいか、夫で無ければ、彼の位の年頃で、然も性来快活な嬢が、あゝ茫然考へ込む道理が無い……秘密、秘密……何事だらう……自分は何うしてもその秘密を探らなきアならん、そして力の及ぶ限り嬢の苦痛を軽くして、一日も早く、我が愛するゴールドよと呼むしめなければ……

自ら問ひ自ら慰さめつゝ、イソ〳〵と我宿へ帰つてゴールドは、父の居室を一寸のぞいて、

「もうお寝みですか」

日記か何か頻りに認ためて居た父なるゴールドは、我子の顔にニコヤカに振り返り、

「オヽ、ベン、まあ此方へ這入るが好い」

と、例の粗末な椅子を与へて、

「時に先刻大川さんの話だやつたが、愈よ船が明後日出るさうだやで、我々も此島に、暇を告げなければ成らなくなつた」

他人の前では余り見せぬ優しい笑顔をして言ふのである。

「明後日……」

呟いて、一寸言ひ出し悪げに、躊躇したゴールドは、更に思ひ切たやうに口を開いて

「お父様、余は今暫く此地に止まつて居たいと思ひます」

父は何の返事もしない、そして笑ましげに凝と我子の顔を見詰めて居る。

「余、非常に此地が気に入つたのです」

ゴールドは些か極り悪げに重ねて言ふた。

「ベン、此地が気に入つたより、気に入つた人が此地にあるんだやらう」

父は一入優しう言ふのである。

「……」

答へは無くゴールドは、慌てたやうに父の顔を見た。

「隠く事は無い、お父様はもうちやんと知つて居る、あの嬢あらお父様自身さへ惚々する位だやから、御身が思ふのも無理は無い、お父様も御身が嬢を愛すると言ふ事を知つて、初めて重荷を下したやうな満足をした、が、ベン」

と父はやゝ容を正して。

「御身は世界の富豪の相続人だやからの、身を軽々しう思つては成りませんぞ、此様な事は、今更父が言ふ迄も無い事だやが、人を愛するにも、充分自重して愛して貰ひたいだや」

「エッ、自重してとは……」

ゴールドは解しかねて反問した。

「イヤこれは少しお父様の言葉が足りなかつたが、兎に角御身の身の上なら、何の様な婦人でも自由に成らぬと言ふ筈は無い、現にモルガンを見なさい、一時は非常な頑固であつた雪とか言ふ婦人さへ、遂には靡いて了つたでは無いか、殊に御身はモルガンなどよりは数等優つた資産家の一粒種だや、の、何も此様な、不自由な孤島に永く止まらんでも、連れて帰る事にしたら好いだやないか、ウム」

愚哉金力を、無上の権力と心得て居る老ゴールドは、此自由な新天地の人も尚、我が為め、即ち金の為には、一も二も無く屈従する者と、自ら堅く信ぢて居るのである。

「お父様、其処が嬢は、さう行かないです」

ゴールドの額は稍熱して来た。

「嬢は、余に対して、何うも愛が無い様です」

言つて悄然と點頭れる。

「愛が無いと……」

父なるゴールドは、稍気色を変へるのであつた。

理想郷

其四十八

宇田川文海

我子が強て止まると言ふので、如何に初戀とは言へ、身は世界の富豪の相續者でありながら、僅か少女の一人位が、自由に成らぬとは、何たる腑甲斐なき事ぞとは思へど、扨て強ても爭ひかねて、老ゴールドも漸う、次便迄止る事に決したものゝ、愈よ今日宇宙號が出帆と言ふ日、共に難破の災害に逢ふた人々が、故國の樂しさを夢見るやうに意氣揚々と、我勝に本船へと乘込む樣を見ては、此不自由な孤嶋に止る事の、何としても心苦しう、大川や我子等と共に見送りには來ながら、他の人々が快活に物語りつゝ居るのに引かへ、不快氣に甲板の上を歩んで居る。

そこへツカ／＼と近寄つたのは露國の士官、

「ヤ、爺大人、御散歩ですか。……人は艱難を共にすると、非常に親しく成るもんですが、御互に折角親しく御交りをするやうに成つて、又直ぐに御分れをするのは、實に、非常に殘念に存ますね」

と、例に依て快活な調子、

「全くです、然し御歸りになる貴君方は、前途に愉快な光明が輝いて居るんぢやから」

「エ、ぢや貴君方も御歸國には成らないのですか……？」

「左樣です、……忰の都合で……次の便まで止まる筈です」

「ヤ、夫は／＼、ダヤ予も非常に心強くて好いです、左樣でしたか、お止まりに成るんでしたか」

「貴君も……？、今日御出發ぢやありませんか……お一人丈け……？」

「イエ、予と、今向ふを歩いて居ります友と……其他に勞働者が大分殘る樣子です、予の故國のも、米國の人方も……」

「此地へ？」

「左樣です、夫ァ殘る筈でせうよ、まだ總てのものが整頓こそしないですが、今日迄世界の自由國と言はれた米國などに比べても、遙かに自由ですからナ、財産があつたり、妻子を殘したりして居る人は、歸國たいと言ふ者が出るかも知れないけど、左も無い者は、何うして此暖かい自由の空氣を見捨てられるものですか」

流暢な英語の問答は、余程ゴールドを動かしたらしい。

「で、貴君方は何う言ふ目的を以てお止りに成るのです」

稍眞面目に容を正してゴールドは聞いた。

此時、彼方からニコヤカに歩み寄つた大川が、

「もう拔錨しますから、御一所に歸りませう」

と、迎へに來る、見れば見送りの面々は、半ば以上は早や端艇に乘り移つて、彼等が歩み寄つた時には、丁度若ゴールドが櫻子孃を扶けて、舷梯を下つて居る時であつた。

咄嗟、露國士官の眼は異樣に輝いた。が、誰も、夫と心付く者は無論無い。

やがて、流石に、暫時の交りにもさて別れるとなると、何とやら名殘りの惜しまれて、言ひ合したやうに乘込んだ一同か、手布や帽子を、出發の合圖の滊笛と共に、一際強く打振つた頃には、見送りの一同が新京の埠頭に、若ゴールドを除くの外は、其輕重は別問題として、一齊に故鄕戀しの、即ち譯知らぬ一種の思鄕病にかゝつた時であつた。

「何とまア、羨ましいやうですね」

は、思はず英子夫人の口から。

「一寸歸つて見たいやうな氣もする」

「嘸、皆さんお嬉しいでせう」

など互に男女の口より交されるのであつたが、やがてさしもの大船が、夕日影うらゝかな大洋を遙かに、木の葉の如く地平線下へ沒する迄、誰一人踵を返すものは無かつた。

理想鄕
其四十九
宇田川文海

宇宙號が地平線下に沒した後、漸う歸途につ いた見送りの一行は、丁度晩餐の時刻とて、多くは公食堂へと其儘足を運ぶのであつたが、只一人櫻子孃は、何とのう非常に勞れを覺ゑたので、兎にも角にも一旦宅に歸つて、暫時身も心も落付けての後にせんものと、人々に少し後れて、徐かな歩みを移すのであつたが、最前から、大川や田近に隙間も無く話しかけられて、我が櫻子孃は何處と、只夫のみに心を奪はれ、眞面目な返事一つせず、後の方のみ氣にして居た若ゴールドが、追分道の反對に向ひ行く孃を見て喫驚、人々の話も返事も他ち退け、非常な大事件でも出來したやうに、其儘宙を飛んで引返し行く、其後姿を見て、

「ウフ、何うです、大川さん」

田近は相竝んだ大川の手を一寸突いた、田近の外にまだ二人、注意して見て居た者がある、一人は言ふまでもなく、父なるゴールド、今一人は、雛の如き柵眼貌き露國士官。人々が公食堂の樂しき晩餐を終つて、或は自宅へ或は遊戲倶樂部へと、大方散じて了つた頃、稍顏色蒼然たる、櫻子孃を扶けつゝ、若ゴールドは、食事にとて來たのであつたが、孃が何とのう沈み勝に、食事も進みかねる樣子を氣遣ひ、自身も孃に增して、氣も滅入り、心も沈み行く樣で、肉刺も小刀も殆んど其用をなさぬのであつた。

常からを相携へて、ゴールドの爲には樂しい散步を共にするのであるが、今日は夫も無く、孃は直ぐに、安眠を得るべく宅へと歸つた、無論ゴールドに扶けられつゝ。

孃の苦痛は、即ち我が苦痛として、その一笑は、自らを犧牲にして居たゴールドは、無事に孃を其居室に送り、やがて悲しい別れを告げて、我宿へとは歸つたのであつたが、常あらば先づ第一に、父に挨拶して我室に退くべき慣習であるのに引かへ、今日は只一言、父に言葉をかくるさへ物憂く、其儘我室に閉籠つて、嗚、孃は今頃何の樣に悶ゑて居るで有う、せめて許嫁でもしてゐる交情なれば、あの力無げな優しい憐れな樣を見て、何うして心強う歸つて來られやう、夜一夜、否、幾日幾夜でも、愛の限り心の限り看護して、我が眞情を表はすのに、嗚、まだ、御身を慕ふとさへ打出して言ひ得ぬ悲しさ……此思、此心、……何日とも語る可きぞ……。

樣々に思ひ亂れて居る折しも、靜かに扉の開く音して、

「オー、もう歸つて居たのか」

と、優しい笑顏もて這入て來るのは父ゴールド。

「オ、、お父樣」

振返つたが、別に迎へる樣も無い、

「氣分でも惡いかの、大分顏色が好く無いやうだや、此地のドクトルにでも見て貰つたら好からう」

百萬の富にも代ゑ難き愛子が不快の色を見ては、流石にヂツと落付いては居られぬ、

「ナーニお父樣、別に何處も惡くはありません、只少し頭が重い丈けで」

「そ、夫が好く無いぢや、頭腦は大切な場所ぢやからの、何なら、一寸呼びに遣らうかの」

我子が、餘りに無愛想なのに、些か氣色を損ねながらも、尙優しう言ふ親心。

「イヤ全く宜しい、却つて五月蠅です」

我が折角の瞑想を破つて……と言はぬなかりの態度を、初めて讀み得た父ゴールドは、年波刻む片頰に笑を浮べて、相對した椅子に靜かに腰を下しつ、

「今夜は、孃の姿が見ゑんやうぢやつたのう」

孃の一語は興奮劑か、キと頭を上げ、

「孃?、孃は今夜は不快です、少し熱がある樣です、而して頭痛もするさうです、余程顏色が惡かつたです」

「夫は不可んのう、……潮風にあてられた故ぢやらう」

我事のやうに熱心。

「そ、左樣でせう」

と、ゴールドは、ポンと大形に膝を打つた。

理想郷

其五十

宇田川文海

若しや〱、今日出發した人の中に、嬢が思ひを寄せて居る者でもあつて、それで悲しさの餘り不快にでも成つたのではあるまいかな、と、夢の如き嫉妬の思ひを、心の奥深く秘めて居たゴールドに、父が誤解にあたつての原因であらうと言つたのに、初めて霧のやうな疑を晴して、我を忘れて膝を打つたのである。

父は尚二言三語、嬢の噂をして我子の心を引立てた後、

「兎に角、今日は其方の願を入れて出發なかつたが、次便には何うしても歸國せんければならんからのう、其積りで嬢に交際して貰はんと困りますで……事業や總ての上に就ては、今日の便で細かい手紙は出して置きたものゝ、矢張り主宰者が居ないと事業の上にも多少の狂ひを生ずるからの」

ゴールドは、此時半ば五月蠅げに聞いて居たが、

「お父様、事業なんてエものは五月蠅ですなア」

「エ、何だとや」

「イエ、金を儲けると言ふ事は厭な仕事ですと言ふのです」

父は呆れて、凝と我子の顔を見詰めた。

「考へて見ると、何十何萬と言ふ人が、只余等親子の爲に、血の汗を絞つて働らいて居るかと思ふと、實に厭に成て了いますね」

稍熱心に其眼は輝き初めた。

「此地へ來る迄は、別にそんな感も無かつたですが、此平等な世界へ來て見ると、實に深く〱感たです、ねゑ、お父様左様ぢやありませんか、余等がヤレ旅行だの、それ漫遊だのと到る處あらゆる驕を尽して遊び歩いて居る間にも、夫等の費用を捧ぐる爲に、何れ丈けの人が犧牲に成て居ませうか 實に其樣な事を考へると、しみ〲此國が羨ましいですよ、實際人間は此國のやうな社會を造る動物なんでせうね、神から同じ生を受けて居ながら、余等と勞働者に於けるが如き、甚だしき懸隔の有う筈は無いですもの」

滔々懸河の雄辯、我子の口より斯かる意外の説教を聞かうとは、夢にも思はなかつた父ゴールドは、暫時呆れて居るのであつたが、やがて漸う口を開いて、

「ヘヽ、其方は病氣……腦を痛めて居るんぢやらう、少しも早く寢みなさい、……其方の今言ふた樣な理屈は、皆貧乏人の樂がしたい病の譫言ぢや、世界の富豪の世繼たる其方の口などから出るべき言葉では無い、……嗚、早く此樣な貧乏國を去らなければ」

終りの一句は聞とれぬやうな歎息、

「イヤお父様、そ、夫は貴君の御考が間違つて居ます」

と、尚も辯ぜやうとするのを、不快氣な色を無理に制して押止めた父は、

「まあ好い、又明日ゆつくり聞くから、今夜は靜かに眠るが宜しい」

と、そこ〱に我室へと歸るのであつた。

相手の去つたのに力も拔けて、ゴールドも其儘不性無性に枕についた。

ゴールド父子が、斯のやうな問答をして居る間に、倶樂部の一室には、泉濟一を始めとして、何れも青年團員の若者五六名が、何やら頻りに密々と語つて、中には大に憤慨して居る者もある樣子。

理想郷

其五十一

宇田川文海

「まあ聞け、君が言ふ所も至極尤もぢやが、第一我輩の癪に障るのは、彼奴が此地へ来て以来、朝も晩も、殆んど己れ一人で、我が女神を、専有物の如くして居る事だ」

「ヒヤ〜、左様言へば、彼奴の来て以来、嬢が平素のやうに、我々の団欒を見に来て呉れた事も無いぢやないか」

「毛唐の癖に失敬ナ」

「イヤ人種排斥は禁すべし……ぢやが、彼奴いかにも、のつぺりとした上に、天下の富豪然とした面をして居るからナ、第一に僕は夬が癪に障る」

「我輩等新天地の人間に富は何だ、爵位は何だ、糞ッ喰血盗賊奴が」

「ヘ、、又吉井の憤慨が初まつた、餘り大きな辞でも出して、若しや大川さんにでも聞かれて見ろ、可笑しいぢや無いか」

「何？、可笑しい？、何の可笑しい事があるものか、当然の事を言ふのに何だ、大川さんの耳へでも這入れば夬こそ幸ひだ、大に説きつけて我党の仲間にして彼奴を一日も早く放逐の策をとつて貰ふ」

「ヘ、、放逐つては彼奴、嬢に未練があるので、何うしても帰れないんだなァ、爺の方は帰りたいやうな風だつたが……」

「然し兎に角嬢の力は大したもんだなァ」

口々に面白半分言つて居る。

今迄人々の語る處を、静かに控へて聞いて居た泉は、此時徐ろに口を開いて、沈痛な語調低く、

「君方は只一図に彼を責めるけれども、夬よりも先づ第一に、嬢の心を見なければならない、嬢は果して彼を愛して居るだらうか」

実に尤もとばかり、一同はヒッソと鳴を沈めたのであつたが、憤慨家の吉井は先づ第一に口を開いた、

「僕は保証する、嬢は断じて彼奴を愛して居ない、と」

「僕も同感だ」

「イヤ、我輩は、左様とばかりは断ぜられん、何故つて見給へ、嬢が全然彼奴を愛して居ないものとすれば、如何に彼奴が附纏つたからつて、あゝ鴛鴦のやうに、朝夕一所に居られやう筈が無いぢやないか」

「イヤ、待ち給へ君、夬ァ君がまだ充分嬢の性質を知らないから、左様思ふのも無理はないが、然し元来嬢の性質はだナ、誰に対しても、実に〜〜愛の化神だからナ、萬一多少五月蝿と思ふやうな事があつても、快よく交際ふのが、即ち嬢の特性なのだ、だから嬢が、何も彼一人を愛して居るのぢや無い、殊に彼は遠来の珍客でもあり、旁た暇無く、何うせ僅かの間に帰る人物だと思つて、例の博愛の心を以て好加減に交際して居られるのサ」

「イヤ、左様ぢや無い、僕の考へでは……」

「イヤ、君は嬢を誤解して居る」

「ノー〜〜」

「賛成〜〜」

縣會の議事を見る如き騒々しさ。

何と思つたか泉は、そと此一座を外して、屋外の月清き夜景を我物顔に只一人、嫉妬に熱して燃ゆるが如き脳を冷さんとてか、何處を当ともなくそゞろ歩きするのであつたが、足は無意識の中にも、ある一種の魔力に引寄せられてか、何時の間にやら櫻子嬢の住居の裏なる、百花咲乱れた花園へと来て居るので。せめてもの思ひを晴すべく、暫時嬢が寝室の下辺りを徘徊して居た彼は、不図思ひ出したやうに、彼が平素自慢の、又最愛の、倶楽部行には必ず携へて居る、腰なる一管の尺八を取出して、さて徐ろに、思ひ切つた低音で、微かに想夫憐を吹き初めた。月は今雲間に隠れて、戀に悶ゆる若者を暗に包んだ。

理想郷

其五十二

宇田川文海

泉湾一が、心を籠めた想夫憐の一曲、思ふ其人は抑も何と聞いたで有う。

夫は扨置き、以来三日ばかり櫻子嬢は、頭重う打ぶして居るのであつたが、ゴールドは申すに及ばず島民全体が、一日も早く快よかれかしと祈つた故か、但しは又横山醫學士の骨折でか、四日目には大に氣分がよくなり、五日目には花園などを散歩し得るやうに成た。

此間ゴールドは、夜間丈けは殆んど附きつての看護をしたのである。

丁度六日目、朝の清い空氣を吸ひながら、例の通り若者等の羨やむ、ゴールドに扶けられながら、程近き裏山に、見晴しのよい場所のあるのを幸ひ、ブラ〳〵と散歩ながら出掛けた。

名も知れぬ大木の木蔭、畳一ばかりの岩が、美くしい天然のベンチに成つて、四邊に青草の燃ゆる様な、近く新京の都は勿論、遠く大洋も一縷の中にある見晴し。

キラ〳〵と木の間洩る朝日影を金色の波打つ長髪に受けて、只さへ乳のやうな真白な顔が、病後の一入蒼味をさへ帯びて、透徹るやうな美くしさ、ホと重荷を下したやうな溜息小さく、淋しう微笑んで、

「米國に斯んな好い場所は御座いますか」

と、見返る顔。

自然の絶佳なる風景に、女神のやうな氣高さ美はしさ、最前から只恍惚と夢の如く見惚れて居たゴールドは、此時初めて我に歸つて、

「斯んな好い見晴しはありません」

と現に答へて、我にもあらずツカ〳〵と膝を寄せ、血の通ふ象牙彫のやうな美くしい手を確乎と握つて、

「嬢……」

火のやうな一語。

驚ろき呆れて振拂はふとしたが、動きもせぬ。

「ナゝ何で御座います」

「嬢……、貴嬢は、……貴嬢は……余が、こ、これ程迄に……」

世馴れぬ彼には、續く言葉が急に出なかつたけれども、愛は、其の愛は、如何なる事にも打勝つの勇氣と、決斷と、而して意外の智識と、雄辯とを與ふるものである。

「嬢……貴嬢は、此ゴールドが、生れて三十余年来始めて、愛……戀と言ふ、楽しい、そして苦しい、經驗を味つた事を御存ですか、余が此戀の爲に、如何なる決心をして居るかを、貴嬢は、知、知つてお出でゝすか」

熱せる頬は燃れなんばかり、嬢の顔に近づいて輝く眼は、愛の火に、彼女を焼き盡さんばかり。

「嬢、ゴールドは實に恥かしいです、貴嬢に對しては、些かの價値も無い人間と成つて了つたです、……嬢、笑つて下さるナ、余は、實は今日迄、世界中の殆んど美人と見ふ美人を殘らず見ました、が、嬢、幸か不幸か、握手さへ求めて仕たい程の婦人は、只の、只の一人も無かつたです、見なかつたです、そ、夫に……」

流石に熱して辭は絶れた、が、やがて再び、

「貴嬢の前には、富と言ふものは有りますまい、が、兎にも角にも、今世界の富豪として指を折らるゝ余が、三十余年来嘗て割いた事の無い愛の總てと、そ、そして、貴嬢の御考へによつて資産は勿論、こ、此の、生命までも捧げる……余の、此の、思ひを、貴嬢は殘酷に拂ひ退けますか、退けますか、嬢、余の生命は、實に、實に、貴君の、只、一語の御返事に籠つて居るのです」

憐れ、彼は狂せしか。

理想郷

其五十三

宇田川文海

身は世界に富豪の若主人として、交際には充分長けて居ながらも戀にはまだ初心なゴールドは、言葉を圓曲に用ゐる術を知らねば、短刀直入只思ふ儘を打出して語るのである。嬢とて木石ならぬ身の、若しや斯かる事のありはせずやと、多少思はぬでは無かつたが、よも斯く迄熱烈な思ひを打明けられやうとは夢にも思はなかつたのである。

されど只、ひた呆れに呆れて、美くしい瑠璃の眼を睜るばかり、何と答へをしてよいやら、適當の言葉をさへ思出し得ぬのである。

「嬢、貴嬢の御都合で、決して結婚を急がうと言ふのでは無いです、萬々一、終生同棲する事が出來なからうとも、只、貴嬢が、此の余の切なる思ひを容れて下さるか、下さらないか……の一語丈け承はれば好いのです、其御一言で、余は世界第一の幸福者に成るか、其又世界一の不幸者と成るのです……嬢よ、……願はくば、何うぞ失望さして下さるナ、……嬢……」

握つた手先は慄ひさへ帶びて、感の極か、緑美くしい眼底には、露をさへ宿して居る。

嬢の亂るゝ心の中。

一旦、彼の人ならではと、我と我が堅く誓つた我心……殊には人こそ知らね、一旦許された此身体、假令任すにした處で、何うして白々しう乙女顔して應ぜられやう、殊に我身が今日の位置の上より、如何に切なる戀とは言へ、何うあつても、何う考へても應ずる事は出來ぬ……。

嬢の決心は、幾度くり返しても石の如く、動かす事は出來ぬのであるが、彼も人、殊には優しい女性の天質を供へて居る身の、今まのあたり此熱烈な愛を説かれ、殊には憐れ六尺の男子が、眞から生命を賭して求める答へに、何うして有の儘を答へ得やう、鬼やせん角やと、樣々に思ひ亂れて居る樣子を、もどかしとやゴールドは、

「嬢、御返事は只、一語で濟むのです」

眼を据へて再びの催促。

嬢も今は絶体絶命、愈よ何とか言はねば成らぬ場合と押迫つた。

今は詮なし、思ふ儘を……。

と、嬢が、漸う決心の唇を開かうとした時、突然後の方に高き人の咳拂ひ。

「オヤ……」

とばかり、嬢は忽ち、サと蒼き頬を紅に染めたが、彌増し驚ろいたのはゴールドである。然し驚ろいたのは只束の間で、忽ち又沈靜な態度と成つて、嬢の答を促す如く、凝と其顔を見詰めるのである。

「誰か居るやうです、歸りませう」

突と、嬢は立上つた。そして急ぎ足に歸りかけた、

されたゴールドも據無く立上つて、折角の好機會を取逃せし腹立しさに、人やあると鋭く四邊を見廻すのであつたが、先の咳拂は已に耳の誤りか、別に人の居さうな氣配も無いので、今更恨めしげに、つれなき嬢の後姿を茫然と見て居るのであつたが、夫も暫時、忽ち何をか思ひ返して、スタ／＼と其跡を追ふのであつた。

やがて彼が嬢に追付いて、悄々と降りて行く後姿が、木立の陰に消ゑた頃、巨人の如く聳ゑた岩の後より、血走る眼恐ろしげな、泉青年が飛出した。

「ナ、畜生ッ……愈よ……」

怒髪天をも突かんばかり、齒軋みの音は、物凄く響くのである。

理想郷

其五十四

宇田川文海

泉清一は何時の間に茲へは來たので有らう。

泉は今、嫉妬に燃ゆる思ひを押ねかねて居る上に、今又まのあたり、ゴールドが熱烈な愛を見せられたのであるから、怒髪天を衝かんばかりに憤慨したのも無理では無い。

「畜ッ、ゴールドの呆痴奴ッ、到頭嬢に切出した、好くも、宜くも……然しあの樣子では、嬢は如何しても承諾する樣子は見えなかつたから、先づ〳〵安心とは言ふものゝ、然し嬢とても満更嫌つて居る樣でも無いのだから、あの熱烈な調子で責められたら 若しや〳〵、其内に靡くやうな事でもありはすまいか、萬、萬一にも、そ、そんな事が有つたら……畜ッ……。

噫、之と言ふのも、皆僕に意氣地が無いからだ、二年からも一所に居ながら、其間に嬢の心を引く丈けの力が無かつたのだから仕方が無い……然し、然し、同志高嶺の花として眺めるから、所有主の無い花にして置きたい、何して〳〵人手になんか渡されるものかッ。」

泉は腕を拖し、一人憤慨して居る處へ、摘草にでも來たのか、片手に小さな籠を提げて、此方へ登つて來る婦人がある。

然し泉は心と共に、眼までも眩んで居る故か、其程近く來るまで、少しも心づかなかつた。彼方も又、物思ひでもして居る樣子で、俯向き勝に、足許へばかり視線を落して、悄々と來るのであるから、斯かる處に人の居やうとは、夢にも思ひ及ばなかつた。

が、やがて追々近づいて、凡そ五六間も隔てし距離へ近づいた時、互に不圖心づいて顔見合すと、彼女は餘人ならぬ醜婦のお廣。泉よりも驚ろいたのはお廣である、已が生れついての醜さを卑下して、泉が嬢を愛するよりも、一層切なる思ひを泉に捧げながら、夫と口には顯はしかね、察せよかしとの風も見せず、只一人、小さき胸に悶ゑを包んで、人無き折に甲斐なき已が醜さを、叶はぬ戀の悲しさと共に、泣いて〳〵漸う自ら慰さめて居る、其戀の主なる泉が、人無き此邊りに只一人居る事の、餘りの意外さ恥かしさに、一時に全身の血は頭に上つて、思はず其場へよろめくのであつた。

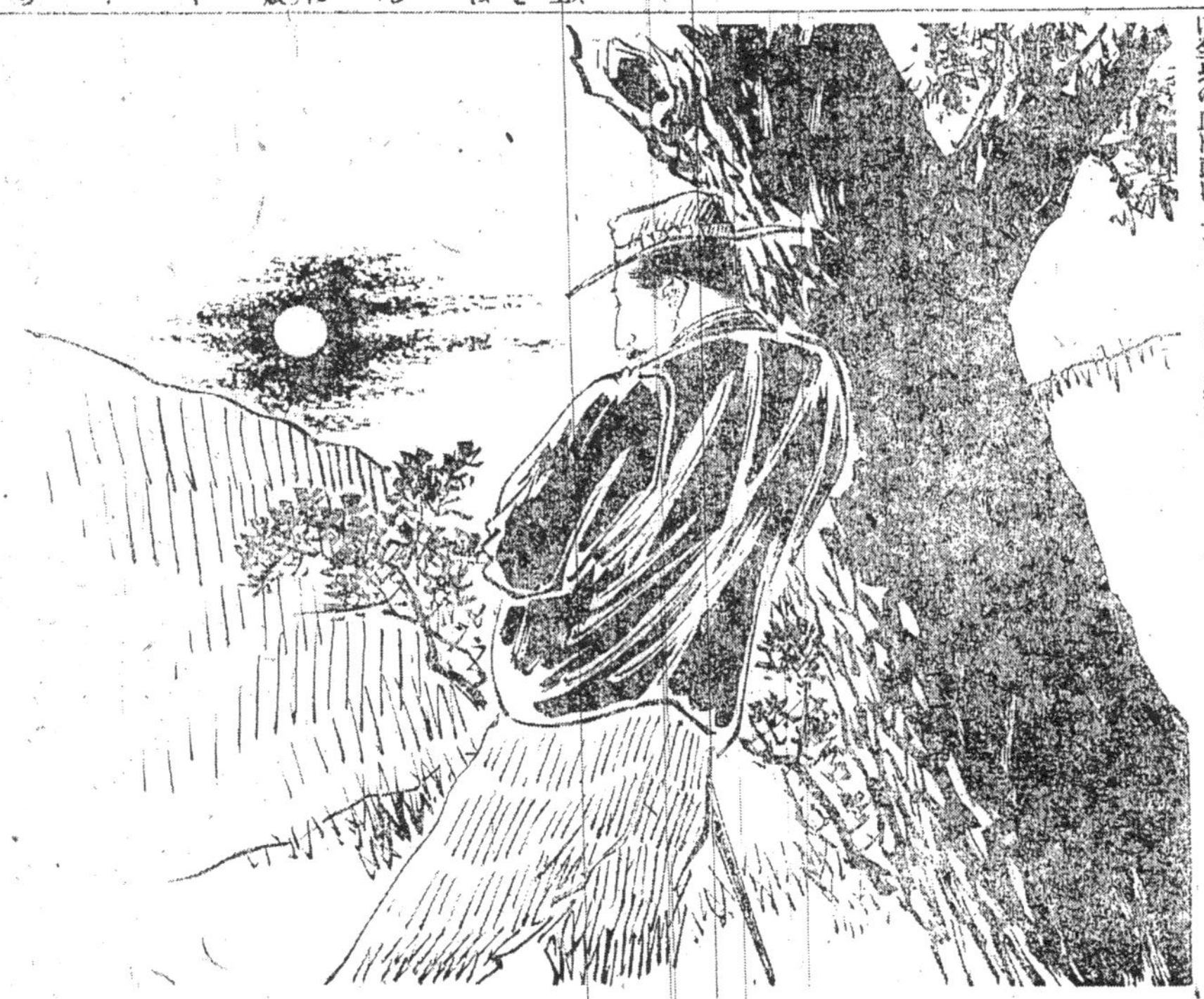

泉は又よもや此醜婦が、自分に戀して居やうとは、夢にも思ひ及ばぬ事であるから、今しも其姿を見ると同時に、已がはしたない憤慨の樣を、見られた事の耻となう後めたく、急に强て思ひを和げ、殊更補綴しに言葉優しう

「オ、誰かと思つたらお廣ちやんか、能りしたよ、へ、へ、へ、」

常には無い優しさを、お廣は何と聞いたか耳朶までも眞赤にして、羞かし氣に口を掩ひつ

「お一人で何をなすつていらつしやいます」

「僕か?、僕はその……、お廣ちやん、君は今迄で、櫻子孃方に逢やしなかつたかね」

櫻子孃の一語に、お廣は胸を刺さるゝ如く感じたのであつたが、直さに氣を取直して、

「へ、お目にかゝりました」

「アノ、二人 何か話してたかい」

聞きはしたものゝ、流石に餘りの問と泉は一方ならず後悔した。

「ハイ、イヱ別に……私、一向、氣がつきませんで……」

「ハ、、いや詰らない事を聞いた……然し何かい、ゴールドは何んな顔をして居たね」

「エ……」

若しや氣が狂つて居るのではあるまいかと、お廣は呆れて泉を見詰めた。

見れば成る程泉の眼は血走つて居る。扨こそ 必ず爭ひでもされたので有う、夫とも何か他に事情のあつてか、兎にも角にも彼の外人に、怨みを持つて居らるゝに相違ない、如何なる仔細のあるかは知らねど、我身で叶ふ事ならば、此人の爲には、生命をも捧ぐ可きに……と、理も非も、善も惡も、戀の前には差別なく、只、何とかして、我が思ふ百分の一でも知られたなら、そして一言可憐……の言葉でも掛けられたら、此世に思ひ殘す事は一つも無い……などゝ、戀する人の常なる、あらぬ事まで、思ひは咄嗟に走しるのである。

理想郷

其五十五

宇田川文海

泉とお廣とは、其時は他に二言三言交したばかりで、別れたのであつたが、お廣の心には猶ず、泉のゴールドに對する不快の據が、アリ／＼と殘つて居るのであつた。

元來婦人の考は緻密なものであるから、僅か摘草の時間にも、想像は夫から夫へと逞ましう。

あの御樣子で考へると、泉さんは何うしても、彼の外國人に怨みを持つて居らるゝに違ひない……其原因は何で有う……洗濯場で皆が話して居られたやうに、泉さんは……櫻子孃を大層思つて……夫にあの外國人が何だもんだから……夫に違ひない。其樣な事を考へて見ると實に妾程不幸な者は無い、是程迄に思つて居る其人は……。

嗚もう思ふまい、此醜い容姿で、假令焦れ死に成らうとも、其樣な事口に出される義理では無い。

種々に思ひ亂れながらも、何にするのか、嫁菜に似たやうな草を籠に一ぱい摘取つて、先刻來た道を歸ると、不思議や泉は櫻樹の腰掛けて居た岩に腰を下し、身動きだもせず、何やら凝と考へ込んで居る。

「オヤ、泉さん、まだいらつしやるんですか」お廣は呆れて聞くのであつた。泉も驚ろいて振返つた。

「ア、お廣ちやんか、今歸るのかイ」

「ハア……貴君ア亦大層御ゆつくりですね」

醜い顏にも意味ありげにニッコリ笑ふ。

「アヽ、餘り見晴しが好いのと……考へ事には誂へ向の場所だからねハヽヽ」

半ば五月蠅げに言ふのであつたが、お廣が何とやら物言ひたげに、凝と自分を見詰めて居る樣子が何とあう氣の毒に思はれるので

「急ぐかあア、まあ茲へ掛け給へ」

閃るゝ巳が思ひは現に角一旦心の奥底深く秘めて、常に無いお世辭を言ふ嬉しさと羞かしさとに、不格好な躰を小さくして居たお廣は、やがて何と思ひ決したのか、ツカ／＼と歩み寄り、力の籠つた聲で、

「泉さん」

「ナ、何です……」

「貴君御心配がおありなさるでせう？」

「僕かイ……サア、あると言へばある、無いと言へば無い……ハヽヽ何故そんな事を聞くんだね」

「泉さん……突然に大變可笑しいですけど貴君の……御心配を……妾に仰しやつて下さいな」

「エ……」

泉は只呆れて了つた。御互に平等の新世界の一員であるから、如何に彼女が醜婦で有うとも、別に巳が妻にすると言ふ譯でも無けれど、今日迄も、快よく言葉は交して居るものゝ、夫は只、ほんの廣い意味の同胞と言ふに止まつて居る丈けであるのに、今突然斯んな問を起されては、些か驚かざるを得ぬのである。

「ホヽ、突然に斯んな事を言ふと、嘸變な奴と御思ひに成るでせうけど……妾、少し……まあ何でも好う御座んすから、貴君が……若し人に頼めないやうな御用が御座んしたら、何うか／＼、妾にさせて下さいナ、ね、泉さん、後生ですから」

餘りに熱心な言葉なので、泉は驚き乍らも戲談半分。

「夫ア有難う……ハヽヽおやアお廣ちやん、何んな事でもして呉れるかイ」

「エヽ／＼、夫アもう」

「ヂヤア人殺しでも、ハヽヽ」

「人殺し？、エ、、し、しますとも」

半ば身を慄せながらも熱心に答へる。

「エ、する者……」

餘りにお廣が眞面目なので、却つて泉の方が驚ろいた。

嗚泉は彼女の心中を讀み得たで有うか。

理想郷

其五十六

宇田川文海

忍ぶ身には誂ね向きの、星影さへまばらな闇の夜半、ゴールド父子が假の住居と定めた邸の、裏の木陰へ身を忍ばせ、やがて靜かに窓下の板塀に添ふて、暫時内の樣子を覗ふて居た、一つの黒き人影は、そと踵を返して、此島の習慣なる、開放ちたる戸の入口より、闇に紛れて辷り込んだ。

彼はそも何者?、盗賊の類で有うか、否々此島には、富の分配が公平に行はれて居るのだから、態々危險を犯して人の物を盗まうなど言ふ、卑しい者を持つ者のあらう筈が無い、さらば、ゴールド父子に、何か意趣遺恨でもあつて……?。

現に角間に消ゑた彼の人影は、兼て此家の勝手を心得て居るのか、壁にも突當らず、庭にも落ちず、スタ〳〵と其志すらしい一室、即ち若ゴールドの寢室の外へと歩み寄つて、其儘ピタリと立止つた。そして扉の隙に耳を當てゝ、暫時内の樣子を窺ふて居るのであつたが、忽ち何か非常に驚いた樣子で、其前の開放たれた一室へと足音を忍で逃込んだ。

果して、眼覚めて居るらしい若ゴールドの咳拂ひは、續け樣に内から洩れて、やがて扉にとてか靜かに出て來る氣配である。

曲者は息を殺して小さく成つて居る。

扉を開いたゴールドは、打沈んだやうな足音重げに、廊下を傳ふて彼方へ去つた。室内から洩るゝ洋燈の光は、斜に彼の後姿を追ふやうに淡い影を投げて居る。

やがてゴールドの足音は闇に消ゑ去つた。

二分、三分、時は經過つ、其間に曲者は何と考へたか、恐る〳〵そと忍んで、今出て行つたゴールドの寢室へと、這入つた。

淡き洋燈の火影に、何れへ身を忍ばんかと、ウロ〳〵四邊を見廻す曲者を見れば、アナ驚く可し夫は黒衣を纏ふた醜婦のお廣であつた。

噫、お廣、彼は戀の爲に血迷つたので有うか、何の目的を以て、今此の深夜、若き男然も外來の珍客たるゴールドの寢室に忍び込んだので有うか、

夫は扨置き、血走る眼にキと四邊を見廻し、何れに其身を忍ばせんかと、心ならぬ樣でキョロ〳〵して居たお廣は、小さからぬ肥太つた其躰を忍ばせるのは、何うしても、彼ゴールドの寢臺の下より他に無い事を直に悟つたか、寢臺の下、……如何に大膽なりとて人の打臥す寢臺の下に、まだうら若き女の身の、何うして忍ぶ事が出來やう、彼女は暫時躊躇した、が、其時、微かに人の足音が聞いて來る、多分ゴールドが歸つて來たので有う。

足音は一歩より一歩と近づく。

今更外へ出る事も成らず、今はお廣も絶体絶命の間に思案を定めて、轟く胸を押へながら覆はれた布を潜つて、寢臺の下に其身を隠した。

人の觸れた爲め、布のゆるぎが風無きに甚だしうゆら〳〵として居る時、此室の主人なるゴールドは、草履の音も靜かに歸つて來た、暫時居ぬ間に、惡魔が此室に潜んで居やうとは夢にも思ひ及ばず、況して寢臺の覆布の揺ぎなどには、些かも氣のつかぬ樣子で、其儘寢臺の上へ横はつた。

下なるお廣は、息も詰らんばかり、小さく成つて居るのである。

やがて何か心にかゝる事でもあるのか、ゴールドは、ホと微かな溜息を幾度も吐いて、輾轉煩悶右に左に幾度か寢返るのであつたが、夫でも尚、夢を結ぶ事が出來ぬと見ゑ、今度は寢臺から再び下りて洋燈の心を出し、室の隅より一冊の書籍を持出して、寢臺の上に横はつたまゝ讀み出した。

十分、三十分、一時間、ゴールドは中々止めやうとはせぬ、益々眼が冴ゑたらしう、先から先へと讀み進む。

室へ忍び込んでからお廣は、三時も聞いた、四時も聞いた、夫でもまだゴールドは眠らぬ。

あゝ、道ならぬ事をなすため、神が斯く苦しめ給ふのかと、お廣終には泣き出したい迄に悶ゑるのであつたが、幸か不幸か、やがて四時も半を過ぎたと思ふ頃、流石のゴールドも勞れたと見ゑ、手に持つた書をバタリと落して、すや〳〵と靜かに夢路に入つた樣子。

著者略歴

堀部功夫（ほりべ　いさお）

1943 年京都生まれ。1970 年同志社大学大学院修士課程修了。

元池坊短期大学教授。著書『「銀の匙」考』（1993・翰林書房）

『近代文学と伝統文化　探書四十年』（2015・和泉書院）。

宇田川文海に師事した頃の管野須賀子

2019 年 6 月 20 日　発行

著　者　堀部功夫

発行所　株式会社　日本古書通信社

〒101-0052　東京都千代田区神田小川町３－８

駿河台ヤギビル５F

電話　03(3292)0508　FAX　03(3292)0285

 ISBN978-4-88914-060-6　C0095